고등학교 졸업자격 검정고시

"핵심총정리"

검정고시 공부를 해오면서 마무리 정리 단계에서 꼭 필요한 교재!

CONTENTS

고등학교졸업자격검정고시

핵심총정리

01

국어

현대시

1. 시

마음 속에 떠오르는 생각이나 감정을 운율이 있는 언어로 압축하여 표현한 운문 문학

2. 시적 화자

시에서 시인을 대신하여 말하는 목소리의 주인공, 즉 시인의 정서, 사상을 대표하는 인물 (시적 자아, 서정적 자아, 시의 말하는 이)

3. 시의 요소

· 음악적 요소(운율) : 시에서 느껴지는 말의 가락
· 회화적 요소(심상) : 시를 읽을 때 마음 속에 떠오르는 느낌이나 모습
· 의미적 요소(주제) : 시를 통해 전달하고자 하는 시인의 사상과 정서

4. 시의 종류

· 정형시 : 형식이 일정하게 굳어진 시
· 자유시 : 특정한 형식에 얽매이지 않고 자유롭게 쓴 시
· 산문시 : 행의 구분 없이 산문처럼 쓴 시. 운율을 가지고 있다는 점에서 산문과 구별됨

5. 시의 이미지 (심상)

시각적 심상(눈)	빛깔, 모양	예 지나가던 구름이 하나 새빨간 노을에 젖어 있었다.
청각적 심상(귀)	소리	예 접동 / 접동 / 아우래비 접동
후각적 심상(코)	냄새	예 어마씨 그리운 솜씨에 향그러운 꽃지짐
미각적 심상(혀)	맛	예 메마른 입술에 쓰디 쓰다.
촉각적 심상(피부)	촉감	예 불현듯 아버지의 서느런 옷자락을 느끼는 것은
공감각적 심상	감각의 전이	예 꽃처럼 붉은 울음을 밤새 울었다.

6. 시의 표현 방식

1) 비유법

표현하고자 하는 대상(원관념)을 다른 사물(보조관념)에 빗대어 표현하여 구체적인 느낌을 가지게 하는 방법

직유법	'~처럼, ~같이, ~인 양' 등의 연결어를 써서 두 사물의 유사성을 직접 빗대어 표현하는 방법 예 물 먹은 별이, 반짝, 보석처럼 박힌다.
은유법	'A는 B이다'와 같은 형식으로 두 사물의 유사성을 연결어 없이 비유하는 말과 비유되는 말을 동일한 것으로 단언하듯 표현하는 방법 예 겨울은 강철로 된 무지갠가 보다.
의인법	사람이 아닌 사물을 사람처럼 표현하는 방법 예 신새벽 뒷골목에 네 이름을 쓴다 민주주의여
대유법	어떤 대상의 부분, 속성, 특징 등을 통해 전체를 대신하는 표현 방법 예 사람은 빵만으로 살 수 없다. → '빵'이 음식 전체를 나타냄
풍유법	원관념을 완전히 숨기고 속담이나 격언 등에 빗대어 교훈적, 풍자적으로 비유하는 표현 방법 예 산에 가야 범을 잡는다. → 큰 일을 하려면 어려움을 무릅써야 한다.

2) 강조법

특정 부분을 강조하여 시인의 감정을 더욱 인상적으로 표현하는 방법

과장법	어떤 사물을 사실보다 지나치게 크게 또는 작게 표현하여 문장의 효과를 높이려는 표현 방법 예 집채만 한 파도
영탄법	기쁨, 슬픔, 놀라움, 무서움 따위의 감정을 높이는 방법. 감탄사, 감탄형 어미를 주로 사용해 감정을 표현하는 방법 예 아! 참으로 맑은 세상 저기 있으니.
반복법	같거나 비슷한 말을 되풀이하는 표현 방법 예 해야, 고운 해야, 해야 솟아라.
대조법	서로 상반되는 사물을 함께 내세우는 표현 방법 예 인생은 짧고, 예술은 길다.

3) 변화법

단조로운 문장에 변화를 주어 주의를 높이려는 방법

설의법	쉽게 단정을 내릴 수 있는 것을 다시 의문의 형식으로 하여 독자에게 스스로 판단케 하는 표현 방법. 답을 필요로 하지 않는다. 예 한 치의 국토라도 외적에게 빼앗길 수 있겠는가?
대구법	가락이 비슷한 글귀를 나란히 짝지어 놓아 흥취를 높이는 방법 예 범은 죽어서 가죽을 남기고, 사람은 죽어서 이름을 남긴다.
도치법	어떠한 뜻을 강조하기 위해 말의 차례를 뒤바꾸어 쓰는 표현 방법 예 가오리다. 임께서 부르시면
반어법	겉으로 나타난 말과 실질적인 의미 사이에 상반 관계가 있는 표현 방법 예 먼 훗날 당신이 찾으시면 그 때에 내 말이 잊었노라.
역설법	겉으로 보기에는 이치에 어긋나거나 모순되어 보이지만 그 속에 깊은 진실을 담는 표현 방법 예 임은 갔지만, 나는 임을 보내지 아니하였습니다.

7. 시의 어조

시의 화자에 의해 들려오는 목소리나 말투

· 관조적 : 대상을 잔잔히 바라보는 태도

· 냉소적 : 업신여겨 비웃는 태도

· 독백적 : 혼자 말하는 태도

· 예찬적 : 찬양하는 태도

· 풍자적 : 꼬집어 상대방의 약점을 찌르는 태도

· 해학적 : 대상을 익살스럽게 바라보는 태도

· 남성적 : 힘찬 의지나 역동적인 태도

· 여성적 : 섬세한 감정이나 가녀린 태도

(1) 진달래 꽃

김소월

나 보기가 역겨워
가실 때에는
말 없이 고이 보내 드리우리다

영변(寧邊)에 약산(藥産)
진달래꽃
아름 따다 가실 길에 뿌리우리다

가시는 걸음걸음
놓인 그 꽃을
사뿐히 즈려 밟고 가시옵소서

나보기가 역겨워
가실 때에는
죽어도 아니 눈물 흘리우리다

핵심정리

갈래 : 자유시, 서정시, 민요시
성격 : 애상적, 전통적, 여성적
주제 : 이별의 정한과 극복
특징 : ·민요조 율격과 수미상관식 구성이 나타남
     ·여성 화자의 이별의 정한이라는 문학적 전통이 나타남
핵심노트 : ① '진달래꽃'의 상징적 의미　② 음악성을 드러내는 요소
     ·화자의 분신　 ·7·5조, 3음보의 민요적 율격
     ·임을 향한 사랑과 정성　 ·1연과 4연의 수미상관
     ·한의 표상　 ·종결형 어미 '~우리다'의 반복에 의한 각운

(2) 광야

이육사

까마득한 날에
하늘이 처음 열리고
어데 닭 우는 소리 들렸으랴

모든 산맥들이
바다를 연모해 휘달릴 때도
차마 이곳을 범하던 못하였으리라

끊임없는 광음을
부지런한 계절이 피여선 지고
큰 강물이 비로소 길을 열었다

지금 눈 나리고
매화향기 홀로 아득하니
내 여기 가난한 노래의 씨를 뿌려라

다시 천고의 뒤에
백마 타고 오는 초인이 있어
이 광야에서 목놓아 부르게 하리라

핵심정리

갈래 : 자유시, 서정시   **성격** : 의지적, 저항적, 미래 지향적
주제 : 고통스러운 현실을 극복하려는 의지와 신념
특징 : ·과거-현재-미래의 구성(추보식 구성)
　　　　·시간의 흐름에 따라 시상을 전개함
　　　　·역동적이고 강렬한 어조로 강인한 의지와 신념을 드러냄
핵심노트 : ① 시상 전개 방식 : 과거(1~3연), 현재(4연), 미래(5연) - 추보식 구성
　　　　　② 화자의 태도에서 나타나는 작가 의식
　　　　　　·광야에 눈이 내리는 상황에서 가난한 노래의 씨를 뿌리고자 함
　　　　　　·백마 탄 초인이 올 것을 확신함
　　　　　　·남성적이고 강건한 어조로 굳은 신념을 표현함

(3) 서시

윤동주

죽는 날까지 하늘을 우러러
한 점 부끄럼이 없기를,
잎새에 이는 바람에도
나는 괴로워했다.
별을 노래하는 마음으로
모든 죽어 가는 것을 사랑해야지
그리고 나한테 주어진 길을
걸어가야겠다.

오늘 밤에도 별이 바람에 스치운다.

핵심정리

갈래 : 자유시, 서정시 　　　　　　　　　　　**성격** : 고백적, 성찰적, 의지적, 상징적
주제 : 부끄럽지 않은 삶에 대한 소망
특징 : ·과거-미래-현재의 시간 구성
　　　　·상징적 시어를 통해 시적 화자의 정서를 표현함
　　　　·중심 소재의 대조적 설정을 통해 의미를 강조함
핵심노트 : ① 시상 전개 방식
　　　　　　　1연 1~4행 : 결백한 삶을 살고자 했던 화자의 삶의 고백(과거) → 1연 5~8행 : 미래의 삶에 대한 화
　　　　　　　자의 결의(미래) → 2연 : 화자가 처한 현재의 상황을 제시(현재)
　　　　　　② 시어의 의미
　　　　　　　하늘 : 윤리적 판단의 절대 기준
　　　　　　　별 : 소망, 이상적 가치, 순결한 삶
　　　　　　　길 : 화자의 운명, 삶의 과정, 사명
　　　　　　　밤 : 일제 강점하의 어두운 현실
　　　　　　　바람 : 1연 3행 – 화자의 내면적 갈등, 2연 – 외부의 현실적 시련

(4) 향수

정지용

넓은 벌 동쪽 끝으로
옛 이야기 지줄대는 실개천이 회돌아 나가고,
얼룩백이 황소가
해설피 금빛 게으른 울음을 우는 곳,
— 그곳이 차마 꿈엔들 잊힐 리야.

질화로에 재가 식어지면
비인 밭에 밤바람 소리 말을 달리고,
엷은 졸음에 겨운 늙으신 아버지가
짚베개를 돋아 고이시는 곳,
— 그곳이 차마 꿈엔들 잊힐 리야.

흙에서 자란 내 마음
파아란 하늘빛이 그리워
함부로 쏜 화살을 찾으려
풀섶 이슬에 함추름 휘적시던 곳,
— 그곳이 차마 꿈엔들 잊힐 리야.

전설(傳說) 바다에 춤추는 밤물결 같은
검은 귀밑머리 날리는 어린 누이와
아무렇지도 않고 예쁠 것도 없는
사철 발 벗은 아내가
따가운 햇살을 등에 지고 이삭 줍던 곳,
— 그곳이 차마 꿈엔들 잊힐 리야.

하늘에는 성근 별
알 수도 없는 모래성으로 발을 옮기고,
서리 까마귀 우지짖고 지나가는 초라한 지붕,
흐릿한 불빛에 돌아앉아 도란도란거리는 곳,
— 그곳이 차마 꿈엔들 잊힐 리야.

핵심정리

갈래 : 자유시, 서정시
성격 : 향토적, 감각적, 묘사적
주제 : 고향에 대한 그리움
특징 : ·향토적 소재와 감각적 이미지를 통해 고향의 모습을 형상화함
      ·후렴구의 반복으로 리듬감을 형성하고 주제 의식을 강조함
핵심노트 : 후렴구의 사용과 효과
    '그곳이 차마 꿈엔들 잊힐 리야.'
     - 통일감 부여, 운율 형성, 주제 강조.

(5) 너를 기다리는 동안

황지우

네가 오기로 한 그 자리에
내가 미리 가 너를 기다리는 동안
다가오는 모든 발자국은
내 가슴에 쿵쿵거린다
바스락거리는 나뭇잎 하나도 다 내게 온다
기다려 본 적이 있는 사람은 안다
세상에서 기다리는 일처럼 가슴 애리는 일 있을까
네가 오기로 한 그 자리, 내가 미리 와 있는 이곳에서
문을 열고 들어오는 모든 사람이
너였다가
너였다가, 너일 것이었다가
다시 문이 닫힌다
사랑하는 이여
오지 않는 너를 기다리며
마침내 나는 너에게 간다
아주 먼 데서 나는 너에게 가고
아주 오랜 세월을 다하여 너는 지금 오고 있다
아주 먼 데서 지금도 천천히 오고 있는 너를
너를 기다리는 동안 나도 가고 있다
남들이 열고 들어오는 문을 통해
내 가슴에 쿵쿵거리는 모든 발자국 따라
너를 기다리는 동안 나는 너에게 가고 있다.

핵심정리

갈래 : 자유시, 서정시

성격 : 서정적, 희망적, 감각적

주제 : 기다림의 절실함과 만남의 의지

특징 : 반복적 표현을 통해 화자의 의지를 강조함

핵심노트 : ① 시적 대상인 '너'의 의미
· 내재적 관점 : 현재는 부재하여 간절히 기다리며 만남을 소망하는 대상, 사랑하는 사람
· 시에 붙이는 평을 바탕으로 할 때 : 민주, 자유, 평화, 숨결
② 시상 전개 방식

너를 기다림	→	너에게로 감
소극적 태도	전환	적극적 태도

(6) 원어

하종오

동남아인 두 여인이 소곤거렸다
고향 가는 열차에서
나는 말소리에 귀 기울였다
각각 무릎에 앉아 잠든 아기 둘은
두 여인 닮았다
맞은편에 앉은 나는
짐짓 차창 밖 보는 척하며
한마디쯤 알아들어 보려고 했다
휙 지나가는 먼 산굽이
나무 우거진 비탈에
산그늘 깊었다
두 여인이 잠잠하기에
내가 슬쩍 곁눈질하니
머리 기대고 졸다가 언뜻 잠꼬대하는데
여전히 알아들을 수 없는 외국말이었다
두 여인이 동남아 어느 나라 시골에서
우리나라 시골로 시집왔든 간에
내가 왜 공연히 호기심 가지는가
한잠 자고 난 아기 둘이 칭얼거리자
두 여인이 깨어나 등 토닥거리며 달래었다
한국말로,
울지 말거레이
집에 다 와 간데이

핵심정리

갈래 : 자유시, 서정시

주제 : 원어를 두고 한국어를 사용해야 하는 동남아 여인들에 대한 연민

특징 : ·기차 안의 경험을 1인칭 시점으로 서술함

ㆍ꿈과 현실에서 사용하는 언어의 차이를 통해 주제를 부각함

핵심노트 : ① 두 여인을 바라보는 화자의 태도 변화

1~15행 : 호기심 → 16~18행 : 화자의 자각과 반성 → 19~23행 : 깨달음, 연민

② 상황에 따라 다른 '원어(原語)'의 의미

대화, 잠꼬대를 할 때	아이를 달랠 때
고국의 '원어'(외국말)를 씀 – 여인들이 우리와 다르다는 '이질성' 강조	한국의 '원어'(한국말)를 씀 – 여인들이 우리와 다르지 않다는 '동질성' 강조

(7) 첫사랑

고재종

흔들리는 나뭇가지에 꽃 한번 피우려고
눈은 얼마나 많은 도전을 멈추지 않았으랴

싸그락 싸그락 두드려 보았겠지
난분분 난분분 춤추었겠지
미끄러지고 미끄러지길 수백 번,

바람 한 자락 불면 휙 날아갈 사랑을 위하여
햇솜 같은 마음을 다 퍼부어 준 다음에야
마침내 피워 낸 저 황홀 보아라

봄이면 가지는 그 한 번 덴 자리에
세상에서 가장 아름다운 상처를 터뜨린다

핵심정리

갈래 : 현대시, 자유시, 서정시
어조 : 대상에 대한 경탄과 예찬
특징 : ·시간의 흐름에 따라 시상을 전개함
      ·자연 현상에서 사랑의 의미를 발견함
      ·역설적 표현을 통해 주제를 효과적으로 전달함
      ·감각적 이미지를 활용하여 자연의 모습을 표현함

성격 : 낭만적, 회화적, 사색적
제재 : 한겨울 나뭇가지에 쌓인 눈
주제 : 도전과 헌신으로 이뤄 낸 아름다운 사랑의 결실

핵심노트 : ① 제재 구조도
        1연 : 눈꽃을 피우기 위한 눈의 도전
        2연 : 눈꽃을 피우기 위해 겪는 눈의 시련
        3연 : 도전 끝에 피운 눈꽃에 대한 예찬
        4연 : 눈꽃이 진 후 봄에 피어난 꽃의 아름다움
     ② 이 시의 주된 형상화 방법

자연 현상	첫사랑의 의미
나뭇가지에 눈이 내리는 모습	첫사랑을 이루기 위한 노력과 시련
나뭇가지에 눈꽃이 핀 모습	첫사랑을 이룬 황홀함
봄에 꽃이 핀 모습	첫사랑이 끝난 후에 이룬 성숙한 사랑

(8) 남신의주 유동 박시봉 방

백석

어느 사이에 나는 아내도 없고, 또,
아내와 같이 살던 집도 없어지고
그리고 살뜰한 부모며 동생들과도 멀리 떨어져서,
그 어느 바람 세인 쓸쓸한 거리 끝에 헤매이었다.
바로 날도 저물어서,
바람은 더욱 세게 불고, 추위는 점점 더해 오는데,
나는 어느 목수네 집 헌 샅을 깐,
한 방에 들어서 쥔을 붙이었다.
이리하여 나는 이 습내 나는 춥고 누긋한 방에서,
낮이나 밤이나 나는 나 혼자도 너무 많은 것 같이 생각하며,
딜옹배기에 북덕불이라도 담겨 오면,
이것을 안고 손을 쬐며 재 우에 뜻없이 글자를 쓰기도 하며,
또 문 밖에 나가지도 않고 자리에 누워서,
머리에 손깍지 베개를 하고 굴기도 하면서,
나는 내 슬픔이며 어리석음이며를 소처럼 연하게 쌔김질하는 것이었다.
내 가슴이 꽉 매어올 적이며,
내 눈에 뜨거운 것이 핑 괴일 적이며,
또 내 스스로 화끈 낯이 붉도록 부끄러울 적이며,
나는 내 슬픔과 어리석음에 눌리어 죽을 수밖에 없는 것을 느끼는 것이었다.
그러나 잠시 뒤에 나는 고개를 들어,
허연 문창을 바라보든가 또 눈을 떠서 높은 천장을 쳐다보는 것인데,
이때 나는 내 뜻이며 힘으로, 나를 이끌어 가는 것이 힘든 일인 것을 생각하고,
이것들보다 더 크고, 높은 것이 있어서, 나를 마음대로 굴려 가는 것을 생각하는 것인데,
이렇게 하여 여러 날이 지나는 동안에,
내 어지러운 마음에는 슬픔이며, 한탄이며, 가라앉을 것은 차츰 앙금이 되어 가라앉고,
외로운 생각만이 드는 때쯤 해서는,

더러 나줏손에 쌀랑쌀랑 싸락눈이 와서 문창을 치기도 하는 때가 있는데,

나는 이런 저녁에는 화로를 더욱 다가 끼며, 무릎을 꿇어 보며,

어느 먼 산 뒷옆에 바우섶에 따로 외로이 서서,

어두워 오는데 하이야니 눈을 맞을, 그 마른 잎새에는,

쌀랑쌀랑 소리도 나며 눈을 맞을,

그 드물다는 굳고 정한 갈매나무라는 나무를 생각하는 것이다.

핵심정리

갈래 : 자유시, 서정시

성격 : 독백적, 고백적, 의지적

주제 : 자기 성찰을 통한 현실 극복 의지

특징 : · 일제 강점하의 무력한 지식인의 삶을 그리고 있음
· 인식의 전환을 통해 새로운 삶의 의지를 다지는 모습을 보여 줌
· 객관적 상관물을 통해 화자가 얻은 깨달음과 앞으로의 의지를 나타냄

핵심노트 : ① 인식의 전환을 통해 얻은 새로운 삶의 의지

1~19행	→	20~24행	→	25~32행
유랑과 방랑으로 인한 절망적 상황	시상의 전환	운명이 자신을 이끌어 간다는 생각	갈매나무를 떠올림	굳고 정한 삶을 향한 의지 다짐

② 삶의 의지를 드러내는 '갈매나무'

갈매나무		화자
· 어두워 오는데 하얗게 눈을 맞고 서 있음 · 굳고 정함(맑고 깨끗함)	=	· 시련과 고난(일제 강점)을 겪고 있음 · 맑고 꼿꼿하게 살아가겠다는 의지

(9) 슬픔이 기쁨에게

정호승

나는 이제 너에게도 슬픔을 주겠다.
사랑보다 소중한 슬픔을 주겠다.
겨울밤 거리에서 귤 몇 개 놓고
살아온 추위와 떨고 있는 할머니에게
귤값을 깎으면서 기뻐하던 너를 위하여
나는 슬픔의 평등한 얼굴을 보여 주겠다.
내가 어둠 속에서 너를 부를 때
단 한 번도 평등하게 웃어 주질 않은
가마니에 덮인 동사자가 다시 얼어 죽을 때
가마니 한 장조차 덮어 주지 않은
무관심한 너의 사랑을 위해
흘릴 줄 모르는 너의 눈물을 위해
나는 이제 너에게도 기다림을 주겠다.
이 세상에 내리던 함박눈을 멈추겠다.
보리밭에 내리던 봄눈들을 데리고
추워 떠는 사람들의 슬픔에게 다녀와서
눈 그친 눈길을 너와 함께 걷겠다.
슬픔의 힘에 대한 이야기를 하며
기다림의 슬픔까지 걸어가겠다.

핵심정리

갈래 : 자유시, 서정시 　　　　　　　　　　**주제** : 소외된 이웃과 더불어 살아가는 삶의 추구

특징 : · 슬픔이 기쁨에게 말을 건네는 형식으로 시상을 전개함
　　　　 · 역설적 표현을 사용하여 주제를 강조함
　　　　 · 서술어 '~겠다'의 반복을 통해 의지적 자세를 드러냄

핵심노트 : ① 청자를 대하는 화자의 태도
　　　　　　　· '너'에게 슬픔과 기다림에 대해 가르쳐 주고자 함
　　　　　　　· '너'와 함께 더불어 사는 평등한 사회를 만들어 가고자 함 → 반성과 깨달음을 촉구함
　　　　　　② 작품의 내용 정리하기
　　　　　　　1~6행 : 이기적인 '너'에게 슬픔을 주고자 함
　　　　　　　7~13행 : 무관심한 '너'에게 기다림을 주고자 함
　　　　　　　14~19행 : 슬픔의 힘을 이야기하며 '너'와 함께 걸어가고자 함

(10) 유리창

정지용

유리에 차고 슬픈 것이 어른거린다.
열없이 붙어 서서 입김을 흐리우니
길들은 양 언 날개를 파닥거린다.

지우고 보고 지우고 보아도
새까만 밤이 밀려나가고 밀려와 부딪히고,
물 먹은 별이, 반짝, 보석처럼 박힌다.

밤에 홀로 유리를 닦는 것은
외로운 황홀한 심사이어니
고운 폐혈관이 찢어진 채로

아아, 너는 산새처럼 날아갔구나!

핵심정리

갈래 : 자유시, 서정시
주제 : 죽은 자식에 대한 그리움과 슬픔
특징 : ·선명하고 감각적인 시어를 사용함
· 역설적 표현을 통해 감정을 절제함
핵심노트 : '유리창'의 이중적 기능

창 안	이승, 삶의 세계, 화자가 현재 머물고 있는 공간
유리창 (투명함 : 안과 밖에서 서로를 볼 수 있음 + 단절 – 안과 밖을 구분하며 사이를 가로막음, 삶과 죽음의 경계 단절과 소통의 매개체)	
창 밖	저승, 죽음의 세계, 대상(죽은 자식, 산새)이 머무는 공간

02 고전 시가

고전 시가의 주요 갈래

1. 향가

향찰(한자의 음과 뜻을 빌린 종합적인 표기 체계)로 기록된 신라의 노래로, 우리 고유의 표기 수단으로 기록된 최초의 시가

형식	4구체, 8구체, 10구체로 나뉘며, '아으'와 같은 낙구가 쓰인 10구체가 가장 정제된 형태임
특성	· 주로 학식과 덕망을 겸비한 승려나 화랑이 지어 '불교적 세계관, 신성한 것에 대한 경외심, 나라에 대한 걱정' 등의 정서를 주로 드러냄 · 〈삼국 유사〉의 14수와 〈균여전〉의 11수로, 총 25수가 현전함

2. 고려 가요

고려 시대 평민들의 노래 전반을 가리킴

형식	몇 개의 연이 연속되는 분연체가 대부분이며, 후렴구를 사용하여 음악적 경쾌감을 살림
특성	· 평민들이 지어 일상적인 삶에 대한 정서를 주로 드러냄 · 구전되다가 훈민정음 창제 이후 문자로 정착됨 · 3음보의 율격을 가짐

3. 시조

고려 후기에 형성되어 현재까지도 창작되고 있는 우리 민족 고유의 정형시

형식	· 형태에 따라 평시조, 연시조, 사설시조 등으로 분류됨 · 3장 6구 45자 내외, 4음보의 율격을 기본형으로 하며, 종장의 첫 어절은 반드시 3음절임
특성	· 고려부터 조선 전기까지는 귀족, 양반 계층이 주로 창작하였으나, 조선 중기 이후부터는 작자층이 중인, 평민 등으로 확대되어 국민 문학으로 자리 잡음 · 양반들은 주로 '강호한정, 연군과 우국, 유교적 이념' 등의 내용을, 평민들은 '사랑, 풍자와 해학, 현실 비판' 등의 내용을 주제로 다룸

▨ 시조의 종류

평시조	3장 6구 45자 내외의 기본 형식으로 된 시조
사설시조	평시조보다 2구 이상 더 긴 시조. 조선 중기 이후 평민에 의해 많이 지어짐
단시조	평시조가 한 수로 되어 있는 형태의 시조
연시조	2수 이상의 평시조를 하나의 제목으로 엮는 형태의 시조

4. 가사

시조와 더불어 조선 시대 시가 문학의 한 흐름을 이룬 갈래

형식	· 3.4조와 4.4조, 4음보의 연속체 형태임 · 마지막 행은 글자 수가 시조의 종장(3.5.4.3조)과 일치하는 경우(정격 가사)가 많으나, 일치하지 않는 경우(변격 가사)도 있음
특성	조선 전기에는 사대부들에 의해 불렸는데, 주로 '강호가도, 연군의 정'을 주제로 삼았고, 후기에는 양반 부녀자, 평민 계층도 창작에 참여함으로써 '궁핍한 생활상, 며느리의 한'과 같은 현실적인 내용의 가사도 창작됨

(1) 제망매가

월명사

생사(生死) 길은
예 있으매 머뭇거리고,
나는 간다는 말도
몯다 이르고 어찌 갑니까.
어느 가을 이른 바람에
이에 저에 떨어질 잎처럼,
한 가지에 나고
가는 곳 모르온저.
아아, 미타찰(彌陀刹)에서 만날 나
도(道) 닦아 기다리겠노라.

핵심정리

갈래 : 향가
성격 : 애상적, 추모적, 종교적
주제 : 죽은 누이에 대한 추모
특징 : ·10구체 향가의 대표작
ㆍ뛰어난 비유와 상징이 사용됨
핵심노트 : ① 삼단 구성의 시상 전개

1-4행	죽은 누이에 대한 추모의 정
5-8행	삶의 허무함과 무상함
9-10행	슬픔의 종교적 승화

② 비유적 표현의 의미

시구	의미
이른 바람	누이의 이른 죽음(요절)
떨어질 잎	죽은 누이(누이의 죽음)
한 가지	한 부모(화자와 누이의 부모)

(2) 청산별곡

작자 미상

살어리 살어리랏다 靑山(청산)에 살어리랏다.
멀위랑 두래랑 먹고 靑山(청산)에 살어리랏다.
얄리얄리 얄랑셩 얄라리 얄라.

우러라 우러라 새여 자고 니러 우러라 새여,
널라와 시름 한 나도 자고 니러 우니노라.
얄리얄리 얄라셩 얄라리 얄라.

가던 새 가던 새 본다 믈 아래 가던 새 본다.
잉무든 장글란 가지고 믈 아래 가던 새 본다.
얄리얄리 얄라셩 얄라리 얄라.

이링공 뎌링공 ᄒᆞ야 나즈란 디내와손뎌,
오리도 가리도 업슨 바므란 또 엇디 호리라.
얄리얄리 얄라셩 얄라리 얄라.

어듸라 더디던 돌코 누리라 마치던 돌코,
믜리도 괴리도 업시 마자셔 우니노라.
얄리얄리 얄라셩 얄라리 얄라.

살어리 살어리랏다 바ᄅᆞ래 살어리랏다.
ᄂᆞ므자기 구조개랑 먹고 ᄇᆞᄅᆞ래 살어리랏다.
얄리얄리 얄라셩 얄라리 얄라.

가다가 가다가 드로라 에졍지 가다가 드로라.
사ᄉᆞ미 짒대예 올아셔 奚琴(히금)을 혀거를 드로라.
얄리얄리 얄라셩 얄라리 얄라.

가다니 빙 브른 도긔 설진 강수를 비조라.
조롱곳 누로기 민와 잡스와니 내 엇디ᄒ리잇고.
얄리얄리 얄라셩 얄라리 얄라.

핵심정리

갈래 : 고려가요

성격 : 현실도피적, 애상적, 체념적

운율 : 3음보 3.3.2조

주제 : 삶의 고뇌와 비애에서 벗어나고 싶은 욕구

특징 : ·aaba구조
· 구전되어 오다가 조선 시대에 문자로 기록됨
· 당시의 시대상이 간접적으로 나타남

핵심노트 : ① 시가의 율격
· 운율 : 3음보 3.3.2조
· 'a-a-b-a' 구조 : 살어리 / 살어리랏다 / 청산에 / 살어리랏다
② 후렴구의 기능
· 각 연을 종결함
· 각 연마다 반복되어 리듬감, 안정감, 통일감을 줌
· 흥을 돋우어 주는 조흥구의 역할을 함
· 'ㄹ, ㅇ' 음의 반복으로 밝고 경쾌한 느낌을 줌
· 화자의 정서와 대비됨

(3) 동지ㅅ둘 기나긴 ~

황진이

동지(冬至)ㅅ둘 기나긴 밤을 한 허리를 버혀 내여
춘풍(春風) 니불 아레 서리서리 너헛다가
어론 님 오신 날 밤이여든 구뷔구뷔 펴리라

(4) 이 몸이 주거 가셔

성삼문

이 몸이 죽어 가서 무엇이 될꼬 하니
봉래산(蓬萊山) 제일봉에 낙락장송(落落長松) 되어 있어
백설이 만건곤(滿乾坤)할 제 독야청청(獨也靑靑)하리라

핵심정리

갈래 : 평시조
특징 : ·관습적 상징물의 사용
· 색채 대비를 통해 시적 의미 강조
주제 : 죽어서도 변함없는 지조와 절개
핵심노트 : ① 백설 : 시련, 고난, 왕위를 찬탈한 수양 대군 일파
② 독야청청 : 시류에 휩쓸리지 않고 끝까지 절개를 지키겠다는 다짐과 의지

(5) 십 년을 경영하여

송순

십 년(十年)을 경영(經營)ᄒ여 초려 삼간(草廬三間) 지여 내니
나 ᄒᆫ 간 돌 ᄒᆫ 간에 청풍(淸風) ᄒᆫ 간 맛져 두고
강산(江山)은 들일 ᄃᆡ 업스니 둘러 두고 보리라

핵심정리

갈래 : 평시조
주제 : 자연에서 살아가는 즐거움(안빈낙도)
특징 : ·전원적, 관조적, 풍류적 성격
· 강산을 병풍처럼 둘러 두고 보겠다는 기발한 발상이 나타남
· 자연을 소유의 대상으로 여기지 않는 동양적 자연관이 드러남
핵심노트 : 화자의 삶의 태도와 자세 : 물아일체(나, 달, 청풍이 어우러지는 경지)

(6) 속미인곡

정철

님 다히 쇼식(消息)을 아므려나 아쟈 ᄒ니
오늘도 거의로다 ᄂ〮일이나 사름 올가
내 ᄆᆞ음 둘 ᄃᆡ 업다 어드러로 가쟛 말고
잡거니 밀거니 놉픈 뫼ᄒ 올라가니
구롬은 ᄏᆞ니와 안개ᄂᆞᆫ 므ᄉᆞ 일고
산천(山川)이 어둡거니 일월(日月)을 엇디 보며
지쳑(咫尺)을 모르거든 쳔 리(千里)를 ᄇᆞ라보랴
출하리 믈ᄀᆞ의 가 ᄇᆡᆺ길히나 보랴 ᄒ니
ᄇᆞ람이야 믈결이야 어둥졍 된뎌이고
사공은 어ᄃᆡ 가고 븬 ᄇᆡ만 걸렷ᄂᆞᆫ고
강텬(江天)의 혼자 셔셔 디ᄂᆞᆫ ᄒᆡ를 구버보니
님 다히 쇼식(消息)이 더옥 아득ᄒ뎌이고
모쳠(茅簷) 춘 자리의 밤듕만 도라오니
반벽청등(半壁靑燈)은 눌 위ᄒᆞ야 볼갓ᄂᆞᆫ고
오르며 ᄂᆞ리며 헤ᄡᅳ며 바자니니
져근덧 녁진(力盡)ᄒᆞ야 풋ᄌᆞᆷ을 잠간 드니
졍셩(精誠)이 지극ᄒᆞ야 ᄭᅮᆷ의 님을 보니
옥(玉) ᄀᆞᄐᆞᆫ 얼구리 반(半)이 나마 늘거셰라
ᄆᆞ음의 머근 말ᄉᆞᆷ 슬ᄏᆞ장 ᄉᆞᆲ쟈 ᄒ니
눈믈이 바라나니 말ᄉᆞᆷ인들 어이 ᄒᆞ며
졍(情)을 못다 ᄒᆞ야 목이조차 몌여 ᄒ니
오뎐된 계셩(鷄聲)의 ᄌᆞᆷ은 엇디 ᄭᆡ돗던고
어와 허ᄉᆞ(虛事)로다 이 님이 어ᄃᆡ 간고
결의 니러 안자 창(窓)을 열고 ᄇᆞ라보니
어엿븐 그림재 날 조촐 ᄲᅥ이로다
출하리 ᄉᆡ여디여 낙월(落月)이나 되야이셔
님 겨신 창(窓) 안ᄒᆡ 번드시 비최리라
각시님 ᄃᆞᆯ이야 ᄏᆞ니와 구즌비나 되쇼셔

임 계신 곳 소식을 어떻게든 알자 하니
오늘도 저물었네 내일이나 사람 올까
내 마음 둘 데 없다 어디로 가잔 말인가
잡거니 밀거니 높은 산에 올라가니
구름은 물론이고 안개는 무슨 일인가
산천이 어두운데 해와 달을 어찌 보며
지척을 모르는데 천 리를 바라볼까
차라리 물가에 가 뱃길이나 보려 하니
바람이야 물결이야 어수선히 되었구나
사공은 어디 가고 빈 배만 매여 있는가
강가에 혼자 서서 지는 해를 굽어보니
임 계신 곳 소식이 더욱 아득하구나
초가집 찬 자리에 밤중쯤 돌아오니
벽 가운데 청등은 누굴 위해 밝았는가
오르며 내리며 헤매며 서성대니
잠깐 동안 힘이 다해 풋잠을 잠깐 드니
정성이 지극하여 꿈에 임을 보니
옥 같은 얼굴이 반 넘어 늙었구나
마음에 먹은 말씀 실컷 사뢰려니
눈물이 쏟아지니 말씀인들 어찌 하며
정회를 못다 풀어 목조차 메여 오니
새벽닭 소리에 잠은 어찌 깨었던가
어와 허사로다 이 임이 어디 갔나
잠결에 일어나 앉아 창을 열고 바라보니
가엾은 그림자가 날 좇을 뿐이로다
차라리 죽어서 지는 달이나 되어서
임 계신 창 안에 환하게 비추리라
각시님 달은 물론이고 궂은비나 되소서

— 정철 / 정재호, 장정수 옮김, 『송강가사』

핵심정리

갈래 : 가사

주제 : 임금을 그리는 정(연군지정)

특징 : ·대화체 형식으로 화자의 슬픔을 일반화함

　　　·우리말의 구사가 뛰어남

핵심노트 : ① '속미인곡'의 전체 구성

서사	'여인 1'의 질문	임과 이별한 사연에 대한 질문과 답변
	'여인 2'의 대답	
본사	'여인 1'의 위로	임에 대한 걱정과 그리움
	'여인 2'의 하소연	
결사	'여인 2'의 소망	임을 따르고 싶은 '여인 2'의 소망과 깊은 사랑
	'여인 1'의 조언	

② 소재의 의미

　·구름, 안개, 부람, 믈결, 오뎐된 계셩 : 임과 '여인 2' 사이의 방해물

　·낙월 : 임에 대한 소극적 사랑

　·구준비 : 임에 대한 적극적 사랑

03 현대 소설

1. 소설의 뜻
현실에서 있음직한 일을 작가가 상상하여 꾸며 쓴 산문 문학

2. 소설의 성격
· 허구성 : 현실을 바탕으로 작가가 꾸며 낸 이야기
· 진실성 : 인간과 삶의 진실을 다룸
· 산문성 : 운율이 없는 줄글 형식으로 쓴 글
· 개연성 : 현실에 있을 법한 이야기를 다룸
· 서사성 : 사건의 내용을 시간의 흐름에 따라 전개함

3. 소설 구성의 요소
· 인물 : 작품 속에 등장하여 사건을 이끄는 주체
· 사건 : 인물들이 일으키는 행동과 갈등
· 배경 : 행위와 사건이 일어나는 시간과 공간

4. 소설의 구성 단계

발단	전개	위기	절정	결말
인물과 배경이 소개되고, 사건의 실마리가 드러난다.	인물 간의 갈등과 대립이 시작된다.	갈등이 깊어지며, 새로운 사건이 발생한다.	갈등이 최고조에 이르고, 주제가 드러난다.	갈등이 해결되고, 주인공의 운명이 결정된다.

5. 소설의 갈등
① 내적 갈등 : 한 인물의 심리적 갈등
② 외적 갈등 : 등장 인물이 그를 둘러싼 외부 세계와 대립하면서 생기는 갈등
  · 개인과 개인의 갈등 : 인물과 인물 사이에 일어나는 갈등
  · 개인과 사회의 갈등 : 개인이 살아가면서 겪는 사회 윤리나 제도와의 갈등
  · 개인과 운명과의 갈등 : 개인의 삶이 운명에 의해 좌우되는 데서 오는 갈등

6. 서사 구조
- 평면적 구성 : 순차적인 시간의 흐름에 따라 이야기를 전개함
- 입체적 구성 : 시간의 흐름을 바꾸어 이야기를 전개함(역행적 구성)
- 액자식 구성 : 이야기 속에 또 다른 이야기가 존재함

7. 소설의 시점

1인칭 시점	주인공 시점	· 나=주인공=서술자 · 주인공인 '나'가 자신의 이야기를 하는 방식
	관찰자 시점	· 나=관찰자=서술자 · 보조 인물인 '나'가 주인공을 관찰하는 입장에서 이야기를 하는 방식
3인칭 시점	관찰자 시점	· 서술자=관찰자 · 작가가 관찰자의 입장에서 인물의 말과 행동을 관찰하여 이야기하는 방식
	전지적 작가 시점	· 서술자=신적인 존재 · 작가가 신의 입장에서 인물의 말과 행동은 물론 심리 변화까지도 파악하는 방식

(1) 레디메이드 인생

채만식

9

일천 구백 삼십 사년의 이 세상에도 기적이 있다.

그것은 P가 굶어 죽지 아니한 것이다. 그는 최근 일주일 동안 돈이 생긴 데가 없다. 잡힐 것도 없었고 어디서 벌이한 적도 없다.

그렇다고 남의 집 문 앞에 가서 밥 한술 주시오 하고 구걸한 일도 없고 남의 것을 훔치지도 아니 하였다.

그러나 그 동안 굶어 죽지 아니하였다. 야위기는 하였지만 그래도 멀쩡하게 살아 있다. P와 같은 인생이 이 세상에 하나도 없이 싹 치워진다면 근로하는 사람이 조금은 편해질는지도 모른다.

P가 소부르주아 축에 끼이는 인테리가 아니요 노동자였더라면 그 동안 거지가 되었거나 비상 수단을 썼을 것이다. 그러나 그에게는 그러한 용기도 없다. 그러면서도 죽지 아니하고 살아 있다.

그렇지만 죽기보다도 더 귀찮은 일은 그를 잠시도 해방시켜 주지 아니한다.

그의 아들 창선이를 올려 보낸다고 어제 편지가 왔고 오늘은 내일 아침에 경성역에 당도한다는 전보까지 왔다.

오정 때 전보를 받은 P는 갑자기 정신이 난 듯이 쩔쩔매고 돌아다니며 돈 마련을 하였다. 최소 한도 이십 원은……하고 돌아다닌 것이 석양 때 겨우 십오원이 변통되었다.

종로에서 풍로니 남비니 양재기니 숟갈이니 무어니 해서 살림 나부랑이를 간단하게 장만하여 가지고 올라오는 길에 전에 잡지사에 있을 때 알은 ××인쇄소의 문선과장을 찾아갔다.

월급도 일없고 다만 일만 가르쳐 주면 그만이니 어린아이 하나를 써 달라고 졸라댔다.

A라는 그 문선과장은 요리조리 칭탈을 하던 끝에 — 그는 P가 누구 친한 사람의 집 어린애를 천거하는 줄 알았던 것이다.

"보통학교나 마쳤나요?"

하고 물었다.

"아—니요."

P는 솔직하게 대답하였다.

"나이 몇인데?"

"아홉 살."

"아홉 살?"

A는 놀래어 반문을 하는 것이다.

"기왕 일을 배울 테면 아주 어려서부터 배워야지요."

"그래도 너무 어려서 원, 뉘집 애요?"

"내 자식놈이랍니다."

P는 그래도 약간 얼굴이 붉어짐을 깨달았다. A는 이 말에 가장 놀라운 듯이 입만 벌리고 한참이나 P를 물끄러미 바라다본다.

"왜? 내 자식이라고 공장에 못 보내란 법 있답디까?"

"아니 정말 그래요?"

"정말 아니고?"

"괴—니 실없는 소리…… 자제라고 해야 들어줄 테니까 그러시지?"

"아니 그건 그렇잖어요. 내 자식놈야요."

"그럼 왜 공부를 시키잖구?"

"인쇄소 일 배우는 것도 공부지."

"그건 그렇지만 학교에 보내야지."

"학교에 보낼 처지가 못되고 또 보낸댔자 사람 구실도 못할 테니까……."

"거 참 모를 일이요. 우리 같은 놈은 이 짓을 해 가면서도 자식을 공부시키느라고 애를 쓰는데 되려 공부시킬 줄 아는 양반이 보통학교도 아니 마친 자제를 공장엘 보내요?"

"내가 학교 공부를 해본 나머지 그게 못쓰겠으니까 자식은 딴 공부시키겠다는 것이지요."

"글쎄 정 그러시다면 내가 내 자식 진배없이 잘 데리고 있으면서 일이나 착실히 가르쳐 드리리다 마는 …… 원 너무 어린데 애처럽잖아요?"

"애처러운 거야 애비된 내가 더 하지요만 그것이 제게는 약이니까……."

P는 당부와 치하를 하고 인쇄소를 나왔다. 한짐 벗어 놓은 것같이 몸이 가뜬하고 마음이 느긋하였다.

11

　이튿날 아침 일찍 창선이를 데리고 ××인쇄소에 가서 A에게 맡기고 안 내키는 발길을 돌이켜 나오는 P는 혼자 중얼거렸다.

　"레디메이드 인생이 비로소 겨우 임자를 만나 팔리었구나."

핵심정리

갈래 : 현대 소설, 단편 소설, 풍자 소설
성격 : 사실적, 풍자적, 현실 비판적
시점 : 전지적 작가 시점
주제 : 식민지 현실을 살아가는 지식인의 비애
특징 : · 일제 강점기에 과잉 생산된 조선 지식인 계급의 비참한 현실을 사실적으로 드러냄
　　　　· 인물의 행동을 통해 당대의 무기력한 지식인을 풍자하고, 냉소적인 어조로 현실을 비판함
핵심노트 : 〈레디메이드 인생〉의 풍자 구조

작가	⇒①	P	⇒②	식민지 현실

　① 무기력한 지식인의 태도 비판 : 아들을 학교에 보내는 대신 공장에 취직시키면서도 자신은 노동자가 되지 않는 지식인의 한계를 풍자한다. 또한 사회의 구조적 모순에 적극적으로 항거하지 않고 자조적인 자기 비하에 그치는 무기력한 태도를 비판한다.
　② 당대의 현실 비판 : 일제의 문화 통치와 교육열로 지식인들이 과잉으로 공급되어 실업자로 전락하는 당대의 현실을 비판한다.

(2) 달밤

이태준

성북동으로 이사 나와서 한 대엿새 되었을까, 그날 밤 나는 보던 신문을 머리맡에 밀어 던지고 누워 새삼스럽게,

"여기도 정말 시골이로군!"

하였다.

뭐 바깥이 컴컴한 걸 처음 보고 시냇물 소리와 쏴 하는 솔바람 소리를 처음 들어서가 아니라 황수건이라는 사람을 이날 저녁에 처음 보았기 때문이다.

나는 '평생 소원이 무엇이냐?'고 그에게 물어보았다. 그는 '그까짓 것쯤 얼른 대답하기는 누워서 떡 먹기'라고 하면서 평생 소원은 자기도 원배달이 한번 되었으면 좋겠다는 것이었다.

남이 혼자 배달하기 힘들어서 한 이십 부 떼어 주는 것을 배달하고 월급이라고 원배달에게서 한 삼 원 받는 터라, 월급을 이십여 원을 받고 신문사 옷을 입고 방울을 차고 다니는 원배달이 제일 부럽노라 하였다. 그리고 방울만 차면 자기도 뛰어다니며 빨리 돌 뿐 아니라 그 은행소에 다니는 집 개도 조금도 무서울 것이 없겠노라 하였다.

나는 그에게 돈 삼 원을 주었다. 그의 말대로 삼산학교 앞에 가서 버젓이 참외 장사라도 해 보라고. 그리고 돈은 남지 못하면 돌려주지 않아도 좋다 하였다.

그는 삼 원 돈에 덩실덩실 춤을 추다시피 뛰어나갔다. 그리고 그 이튿날,

"선생님 잡수시라굽쇼."

하고 나 없는 때 참외 세 개를 갖다 두고 갔다.

그러고는 온 여름 동안 그는 우리 집에 얼씬하지 않았다. 들으니 참외 장사를 해 보긴 했는데 이내 장마가 들어 밑천만 까먹었고, 또 그까짓 것보다 한 가지 놀라운 소식은 그의 아내가 달아났다는 것이었다. 저희끼리 금슬은 괜찮았건만 동서가 못 견디게 굴어 달아난 것이라 한다. 남편

만 남 같으면 따로 살림 나는 날이나 기다리고 살 것이나 평생 동서 밑에 살아야 할 신세를 생각하고 달아난 것이라 한다.

그런데 요 며칠 전이었다. 밤인데 달포 만에 수건이가 우리 집을 찾아왔다. 웬 포도를 큰 것으로 대여섯 송이를 종이에 싸지도 않고 맨손에 들고 들어왔다. 그는 벙긋거리며,

"선생님 잡수라고 사 왔습죠."

하는 때였다. 웬 사람 하나가 날쌔게 그의 뒤를 따라 들어오더니 다짜고짜로 수건이의 멱살을 움켜쥐고 끌고 나갔다. 수건이는 그 우둔한 얼굴이 새하얗게 질리며 꼼짝 못 하고 끌려 나갔다.

나는 수건이가 포도원에서 포도를 훔쳐 온 것을 직각하였다. 쫓아 나가 매를 말리고 포돗값을 물어 주었다. 포돗값을 물어 주고 보니 수건이는 어느 틈에 사라지고 보이지 않았다.

나는 그 다섯 송이의 포도를 탁자 위에 얹어 놓고 오래 바라보며 아껴 먹었다. 그의 은근한 순정의 열매를 먹듯 한 알을 가지고도 오래 입 안에 굴려 보며 먹었다.

어제다. 문안에 들어갔다 늦어서 나오는데 불빛 없는 성북동 길 위에는 밝은 달빛이 깁을 깐 듯하였다.

그런데 포도원께를 올라오노라니까 누가 맑지도 못한 목청으로,

"사…… 케…… 와 나…… 미다카 다메이…… 키…… 카……."

를 부르며 큰길이 좁다는 듯이 휘적거리며 내려왔다. 보니까 수건이 같았다. 나는,

"수건인가?"

하고 알은 체하려다 그가 나를 보면 무안해할 일이 있는 것을 생각하고, 홱 길 아래로 내려서 나무 그늘에 몸을 감추었다.

그는 길은 보지도 않고 달만 쳐다보며, 노래는 이 이상은 외우지도 못하는 듯 첫 줄 한 줄만 되풀이하면서 전에는 본 적이 없는데 담배를 다 퍽퍽 빨면서 지나갔다.

달밤은 그에게도 유감한 듯하였다.

핵심정리

갈래 : 현대 소설, 단편 소설
성격 : 사실적, 애상적
시점 : 1인칭 관찰자 시점
배경 : 시간 – 1930년대 일제 강점기 / 공간 – 서울 성북동
주제 : 세상으로부터 밀려난 못난이 '황수건'의 삶에 대한 연민
특징 : · 세밀하고 서정적인 묘사를 통해 인물과 사건을 선명하게 제시함
· 배경이 사건의 비극성을 심화시키지 않고, 서정적인 분위기를 만들어 줌으로써 독자에게 여운을 남김
핵심노트 : ① 등장인물의 성격
황수건 (주인공) : 천성이 착하고 순수하나 사회생활에 적응하지 못하여 세상에서 밀려나는 인물
'나' (서술자) : 황수건을 연민 어린 시선으로 바라보는 관찰자
② '달밤'의 기능 : 주인공 황수건이 처한 불우한 상황과 비극적인 결말을 서정적인 분위기로 정화시키는 역할을 함

(3) 메밀꽃 필 무렵

이효석

"달밤이었으나 어떻게 해서 그렇게 됐는지 지금 생각해두 도무지 알 수 없어."

허 생원은 오늘 밤도 또 그 이야기를 끄집어내려는 것이다. 조 선달은 친구가 된 이래 귀에 못이 박히도록 들어 왔다. 그렇다고 싫증을 낼 수도 없었으나, 허 생원은 시침을 떼고 되풀이할 대로는 되풀이하고야 말았다.

"달밤에는 그런 이야기가 격에 맞거든."

조 선달 편을 바라는 보았으나, 물론 미안해서가 아니라 달빛에 감동하여서였다. 이지러는졌으나 보름을 가제 지난 달은 부드러운 빛을 흐뭇이 흘리고 있다. 대화까지는 칠십 리의 밤길. 고개를 둘이나 넘고 개울을 하나 건너고 벌판과 산길을 걸어야 된다. 길은 지금 긴 산허리에 걸려 있다. 밤중을 지난 무렵인지 죽은 듯이 고요한 속에서 짐승 같은 달의 숨소리가 손에 잡힐 듯이 들리며, 콩 포기와 옥수수 잎새가 한층 달에 푸르게 젖었다. 산허리는 온통 메밀밭이어서 피기 시작한 꽃이 소금을 뿌린 듯이 흐붓한 달빛에 숨이 막힐 지경이다. 붉은 대궁이 향기같이 애잔하고, 나귀들의 걸음도 시원하다. 길이 좁은 까닭에 세 사람은 나귀를 타고 외줄로 늘어섰다. 방울 소리가 시원스럽게 딸랑딸랑 메밀밭께로 흘러간다. 앞장선 허 생원의 이야기 소리는 꽁무니에 선 동이에게는 확적히는 안 들렸으나, 그는 그대로 개운한 제멋에 적적하지는 않았다.

"장 선 꼭 이런날 밤이었네. 객줏집 토방이란 무더워서 잠이 들어야지. 밤중은 돼서 혼자 일어나 개울가에 목욕하러 나갔지. 봉평은 지금이나 그제나 마찬가지지. 보이는 곳마다 메밀밭이어서 개울가가 어디없이 하얀 꽃이야. 돌밭에 벗어도 좋을 것을 달이 너무나 밝은 까닭에 옷을 벗으러 물방앗간으로 들어가지 않았나. 이상한 일도 많지. 거기서 난데없는 성 서방네 처녀와 마주쳤단 말이네. 봉평서야 제일가는 일색이었지."

"팔자에 있었나 부지."

아무렴 하고 응답하면서 말머리를 아끼는 듯이 한참이나 담배를 빨 뿐이었다. 구수한 자줏빛

연기가 밤기운 속에 흘러서는 녹았다.

"날 기다린 것은 아니었으나, 그렇다고 달리 기다리는 놈팽이가 있는 것두 아니었네. 처녀는 울고 있단 말이야. 짐작은 대고 있었으나 성 서방네는 한창 어려워서 들고날 판인 때였지. 한집안 일이니 딸에겐들 걱정이 없을 리 있겠나. 좋은 데만 있으면 시집도 보내련만 시집은 죽어도 싫다지……. 그러나 처녀란 울 때같이 정을 끄는 때가 있을까. 처음에는 놀라기도 한 눈치였으나 걱정 있을 때는 누그러지기도 쉬운 듯해서 이럭저럭 이야기가 되었네……. 생각하면 무섭고도 기막힌 밤이었어."

"제천인지로 줄행랑을 놓은 건 그 다음날이었나?"

"다음 장도막에는 벌써 온 집안이 사라진 뒤였네. 장판은 소문에 발끈 뒤집혀 고작해야 술집에 팔려 가기가 상수라고, 처녀의 뒷공론이 자자들 하단 말이야. 제천 장판을 몇 번이나 뒤졌겠나. 하나 처녀의 꼴은 꿩 궈 먹은 자리야. 첫날밤이 마지막 밤이었지. 그때부터 봉평이 마음에 든 것이 반평생을 두고 다니게 되었네. 평생인들 잊을 수 있겠나."

"수 좋았지. 그렇게 신통한 일이란 쉽지 않아. 항용 못난 것 얻어 새끼 낳고 걱정 늘고, 생각만 해두 진저리가 나지……. 그러나 늘그막바지까지 장돌뱅이로 지내기도 힘드는 노릇 아닌가. 난 가을까지만 하구 이 생애와두 하직하려네. 대화쯤에 조그만 전방이나 하나 벌이구 식구들을 부르겠어. 사시장철 뚜벅뚜벅 걷기란 여간이래야지."

"옛 처녀나 만나면 같이나 살까……. 난 거꾸러질 때까지 이 길 걷고 저 달 볼 테야."

고개 너머는 바로 개울이었다. 장마에 흘러 버린 널다리가 아직도 걸리지 않은 채로 있는 까닭에 벗고 건너야 되었다. 고의를 벗어 띠로 등에 얽어매고 반 벌거숭이의 우스꽝스러운 꼴로 물속에 뛰어들었다. 금방 땀을 흘린 뒤였으나 밤 물은 뼈를 찔렀다.

"그래, 대체 기르긴 누가 기르구?"

"어머니는 하는 수 없이 의부를 얻어 가서 술장사를 시작했죠. 술이 고주래서 의부라고 전망나니예요. 철들어서부터 맞기 시작한 것이 하룬들 편한 날 있었을까. 어머니는 말리다가 차이고 맞고 칼부림을 당하곤 하니 집 꼴이 무겠소. 열여덟 살 때 집을 뛰쳐나와서부터 이 짓이죠."

"총각 낫세론 섬이 무던하다고 생각했더니 듣고 보니 딱한 신세로군."

물은 깊어 허리까지 찼다. 속 물살도 어지간히 센 데다가 발에 차이는 돌멩이도 미끄러워 금시에 훌칠 듯하였다. 나귀와 조 선달은 재빨리 거의 건넜으나 동이는 허 생원을 붙드느라고 두 사람은 훨씬 떨어졌다.

"모친의 친정은 원래부터 제천이었던가?"

"웬걸요. 시원스리 말은 안 해 주나, 봉평이라는 것만은 들었죠."

"봉평? 그래, 그 아비 성은 무엇이구?"

"알 수 있나요. 도무지 듣지를 못했으니까."

"그, 그렇겠지."

하고 중얼거리며 흐려지는 눈을 까물까물하다가 허 생원은 경망하게도 발을 빗디뎠다. 앞으로 고꾸라지기가 바쁘게 몸째 풍덩 빠져 버렸다. 허우적거릴수록 몸을 건잡을 수 없어, 동이가 소리를 치며 가까이 왔을 때에는 벌써 퍽이나 흘렀었다. 옷째 쫄딱 젖으니 물에 젖은 개보다도 참혹한 꼴이었다. 동이는 물속에서 어른을 해깝게 업을 수 있었다. 젖었다고는 하여도 여윈 몸이라 장정 등에는 오히려 가벼웠다.

"이렇게까지 해서 안됐네. 내 오늘은 정신이 빠진 모양이야."

"염려하실 것 없어요."

"그래, 모친은 아비를 찾지는 않는 눈치지?"

"늘 한번 만나고 싶다고는 하는데요."

"지금 어디 계신가?"

"의부와도 갈라져서 제천에 있죠. 가을에는 봉평에 모셔 오려고 생각 중인데요. 이를 물고 벌면 이럭저럭 살아갈 수 있겠죠."

"아무렴, 기특한 생각이야. 가을이랬다?"

동이의 탐탁한 등어리가 뼈에 사무쳐 따뜻하다. 물을 다 건넜을 때에는 도리어 서글픈 생각에 좀 더 업혔으면도 하였다.

"진종일 실수만 하니 웬일이오, 생원?"

조 선달은 바라보며 기어코 웃음이 터졌다.

"나귀야. 나귀 생각하다 실족을 했어. 말 안 했던가. 저 꼴에 제법 새끼를 얻었단 말이지. 읍내 강릉집 피마에게 말일세. 귀를 쭝긋 세우고 달랑달랑 뛰는 것이 나귀 새끼같이 귀여운 것이 있을까. 그것 보러 나는 일부러 읍내를 도는 때가 있다네."

"사람을 물에 빠치울 젠 딴은 대단한 나귀 새끼군."

허 생원은 젖은 옷을 웬만큼 짜서 입었다. 이가 덜덜 갈리고 가슴이 떨리며 몹시도 추웠으나, 마음은 알 수 없이 둥실둥실 가벼웠다.

"주막까지 부지런히들 가세나. 뜰에 불을 피우고 훗훗이 쉬어. 나귀에겐 더운물을 끓여 주고.

내일 대화 장 보고는 제천이다.”

“생원도 제천으로?”

“오래간만에 가보고 싶어. 동행하려나, 동이?”

나귀가 걷기 시작하였을 때 동이의 채찍은 왼손에 있었다. 오랫동안 아둑시니같이 눈이 어둡던 허 생원도 요번만은 동이의 왼손잡이가 눈에 띄지 않을 수 없었다.

걸음도 해깝고 방울 소리가 밤 벌판에 한층 청청하게 울렸다.

달이 어지간히 기울어졌다.

핵심정리

갈래 : 단편 소설, 순수 소설

성격 : 낭만적, 서정적

시점 : 전지적 작가 시점

배경 : 시간 - 1920년대 어느 여름 낮부터 밤까지 / 공간 - 강원도 봉평에서 대화 장터로 가는 길

주제 : 장돌뱅이 삶의 애환과 인간 본연의 정

특징 : ·서정적인 문체와 사실적 묘사를 통한 배경 묘사가 두드러짐

·여운을 주는 결말 처리 방식을 사용함

·시간적, 공간적 배경이 사건 진행의 중요한 장치가 됨

핵심노트 : ① 시간적 배경인 '달밤'의 의미와 역할

·서정적이고 낭만적인 분위기를 조성함

·허 생원에게 추억을 회상하게 함

·허 생원의 첫사랑을 아름답게 드러내고 인간 본연의 애정을 부각시킴

② 허생원의 행동에 드러나는 심리

동이의 모친 고향이 봉평임을 알게 됨		동이의 등을 따뜻하게 느낌		동이에게 제천까지 동행하자고 함
동이가 아들일지 모른다는 생각에 놀라고 당황함	→	동이에게 혈육의 정을 느낌	→	동이와의 관계를 확인하고 싶어 함

③ '왼손잡이'의 의미

허 생원이 채찍을 든 동이의 손을 보고 자신과 똑같이 왼손잡이 임을 알게 됨	→	허 생원이 동이가 자신의 아들임을 확신하게 되는 계기

(4) 봄 · 봄

김유정

점순이가 그 상을 내 앞에 나려놓으며 제 말로 지껄이는 소리가

"구장님한테 갔다 그냥 온담 그래!"

하고 엊그제 산에서와 같이 되우 종알거린다. 딴은 내가 더 단단히 덤비지 않고 만 것이 좀 어리석었다, 속으로 그랬다. 나도 저쪽 벽을 향하야 외면하면서 내 말로

"안 된다는 걸 그럼 어떻건담!" 하니까, "쐄을 잡아채지 그냥 둬, 이 바보야!"

하고 또 얼굴이 빨개지면서 성을 내며 안으로 샐죽하니 튀들어가지 않느냐. 이때 아무도 본 사람이 없었게 망정이지, 보았다면 내 얼굴이 에미 잃은 황새 새끼처럼 가여웁다 했을 것이다.

사실, 이때만치 슬펐든 일이 또 있었는지 모른다. 다른 사람은 암만 못생겼다 해두 괜찮지만 내 안해 될 점순이가 병신으로 본다면 참 신세는 따분하다. 밥을 먹은 뒤 지게를 지고 일터로 갈랴 하다 도루 벗어던지고 바깥마당 공석 우에 드러누워서, 나는 차라리 죽느니만 같지 못하다 생각했다.

내가 일 안 하면 장인님 저는 나이가 먹어 못 하고 결국 농사 못 짓고 만다. 뒷짐으로 트림을 꿀꺽 하고 대문 밖으로 나오다 날 보고서

"이 자식아, 왜 또 이러니?"

"관객이 났어유, 어이구 배야!"

"기껀 밥 처먹구 나서 무슨 관객이야? 남의 농사 버려 주면 이 자식아, 징역 간다, 봐라!"

"가두 좋아유. 아이구 배야!"

참말 난 일 안 해서 징역 가도 좋다 생각했다. 일후 아들을 낳아도 그 앞에서 '바보, 바보.' 이렇게 별명을 들을 테니까 오늘은 열 쪽이 난대도 결정을 내고 싶었다.

장인님이 일어나라고 해도 내가 안 일어나니까 눈에 독이 올라서 저편으로 힝하게 가더니 지게막대기를 들고 왔다. 그리고 그걸로 내 허리를 마치 돌 떠넘기듯이 쿡 찍어서 넘기고 넘기고 했다. 밥을 잔뜩 먹고 딱딱한 배가 그럴 적마다 퉁겨지면서 뱃창이 꼿꼿한 것이 여간 켕기지 않

았다. 그래도 안 일어나니까 이번에는 배를 지게막대기로 우에서 쿡쿡 찌르고 발길로 옆구리를 차고 했다. 장인님은 원체 심청이 굳어서 그러지만, 나도 저만 못하지 않게 배를 채었다.

아픈 것을 눈을 꽉 감고 넌 해라 난 재미난 듯이 있었으나, 볼기짝을 후려갈길 적에는 나도 모르는 결에 벌떡 일어나서 그 수염을 잡아챘다마는, 내 골이 난 것이 아니라 정말은 아까부터 벽 뒤 울타리 구멍으로 점순이가 우리들의 꼴을 몰래 엿보고 있었기 때문이다. 가뜩이나 말 한마디 톡톡히 못 한다고 바보라는데 매까지 잠자코 맞는 걸 보면 짜장 바보로 알 게 아닌가. 또, 점순이도 미워하는 이까진 놈의 장인님 하곤 아무것도 안 되니까 막 때려도 좋지만 사정 보아서 수염만 채고(제 원대로 했으니까 이때 점순이는 퍽 기뻤겠지.) 저기까지 잘 들리도록

"이걸 까셀라부다!"

하고 소리를 쳤다.

장인님은 더 약이 바짝 올라서 잡은 참 지게막대기로 내 어깨를 그냥 나려갈겼다. 정신이 다 아찔하다. 다시 고개를 들었을 때 그때엔 나도 온몸에 약이 올랐다. 이 녀석의 장인님을 하고 눈에서 불이 퍽 나서 그 아래 밭 있는 넝 알로 그대로 떼밀어 굴려 버렸다.

기어오르면 굴리고 굴리면 기어오르고 이러길 한 너덧 번을 하며, 그럴 적마다

"부려만 먹구 왜 성례 안 하지유!"

나는 이렇게 호령했다. 허지만, 장인님이 선뜻 오냐 낼이라두 성례시켜 주마 했으면 나도 성가신 걸 그만두었을지 모른다. 나야 이러면 때린 건 아니니까 나종에 장인 쳤다는 누명도 안 들을 터이고 얼마든지 해도 좋다.

한번은 장인님이 헐떡헐떡 기어서 올라오드니 내 바지가랭이를 요렇게 노리고서 담박 웅켜잡고 매달렸다. 악, 소리를 치고 나는 그만 세상이 다 팽그르 도는 것이

"빙장님! 빙장님! 빙장님!"

"이 자식! 잡아먹어라, 잡아먹어!"

"아! 아! 할아버지! 살려 줍쇼, 할아버지!"

하고 두 팔을 허둥지둥 내절 적에는 이마에 진땀이 쭉 내솟고 인젠 참으로 죽나 보다 했다. 그래두 장인님은 놓질 않드니 내가 기어히 땅바닥에 쓰러져서 거진 까무러치게 되니까 놓는다. 더럽다, 더럽다. 이게 장인님인가? 나는 한참을 못 일어나고 쩔쩔맸다. 그러다 얼굴을 드니(눈에 참 아무것도 보이지 않았다.) 사지가 부르르 떨리면서 나도 엉금엉금 기어가 장인님의 바지가랭이를 꽉 웅키고 잡아나꿨다.

내가 머리가 터지도록 매를 얻어맞은 것이 이 때문이다. 그러나 여기가 또한 우리 장인님이 유달리 착한 곳이다. 여느 사람이면 사경을 주어서라도 당장 내쫓았지, 터진 머리를 불솜으로 손수

지져 주고, 호주머니에 희연 한 봉을 넣어 주고, 그리고

"올 갈엔 꼭 성례를 시켜 주마. 암말 말구 가서 뒷골의 콩밭이나 얼른 갈아라."

하고 등을 뚜덕여 줄 사람이 누구냐.

나는 장인님이 너무나 고마워서 어느덧 눈물까지 났다. 점순이를 남기고 인젠 내쫓기려니 하다 뜻밖의 말을 듣고, "빙장님! 인제 다시는 안 그러겠어유……."

이렇게 맹서를 하며 불랴살야 지게를 지고 일터로 갔다. 그러나 이때는 그걸 모르고 장인님을 원수로만 여겨서 잔뜩 잡아다렸다.

"아! 아! 이놈아! 놔라, 놔, 놔……."

장인님은 헷손질을 하며 솔개미에 챈 닭의 소리를 연해 질렀다. 놓긴 왜, 이왕이면 호되게 혼을 내 주리라 생각하고 짓궂이 더 댕겼다마는, 장인님이 땅에 쓰러져서 눈에 눈물이 피잉 도는 것을 알고 좀 겁도 났다.

"할아버지! 놔라, 놔, 놔, 놔, 놔놔."

그래도 안 되니까, "애, 점순아! 점순아!"

이 악장에 안에 있었든 장모님과 점순이가 헐레벌떡하고 단숨에 뛰어나왔다.

나의 생각에 장모님은 제 남편이니까 역성을 할는지도 모른다. 그러나 점순이는 내 편을 들어서 속으로 고수해서 하겠지……. 대체 이게 웬 속인지(지금까지도 난 영문을 모른다.), 아버질 혼내 주기는 제가 내래 놓고 이제 와서는 달겨들며

"에그머니! 이 망할 게 아버지 죽이네!"

하고 내 귀를 뒤로 잡어댕기며 마냥 우는 것이 아니냐. 그만 여기에 기운이 탁 꺾이어 나는 얼빠진 등신이 되고 말았다. 장모님도 덤벼들어 한쪽 귀마저 뒤로 잡아채면서 또 우는 것이다.

이렇게 꼼짝 못하게 해 놓고 장인님은 지게막대기를 들어서 사뭇 나려조겼다.

그러나 나는 구태여 피할랴지도 않고 암만해도 그 속 알 수 없는 점순이의 얼굴만 멀거니 들여다보았다.

"이 자식! 장인 입에서 할아버지 소리가 나오도록 해?"

핵/심/정/리

갈래 : 단편 소설, 순수 소설, 농촌 소설
성격 : 해학적, 토속적
시점 : 1인칭 주인공 시점
배경 : 시간 – 1930년대 봄 / 공간 – 강원도 산골의 농촌 마을
주제 : 어수룩한 데릴사위와 교활한 장인 사이의 해학적 갈등
특징 : · 1인칭 주인공 시점으로 서술자의 심리가 생생하게 드러남
       · 토속어와 비속어, 희극적 상황을 통해 해학성을 유발함
       · 시간의 흐름이 순차적이지 않고 과거와 현재를 오가는 역순행적 구성임
       · '절정' 부분에 '결말'을 삽입하는 역순행적 구성
핵심노트 : ① '나'와 '장인'의 성격
            · 나 : 장가를 들기 위해 돈 한 푼 안 받고 삼 년 칠 개월을 넘게 일함
                  점순이의 키가 자라야만 성례를 올릴 수 있다고 생각함
                    → 순박하고 어수룩하며 우직함, 계산적이지 못함
            · 장인 : 혼인을 핑계로 '나'에게 일만 시킴
                   → 교활하고, 욕심이 많으며, 인색하고 몰인정함
       ② 점순이의 이중적 태도

싸움 이전		싸움 이후
어수룩한 '나'를 부추겨 성례 문제를 놓고 장인과 싸움을 하게 만듦	→	장인의 편을 들어 '나'를 어리둥절하게 함

       ③ 역순행적 구성과 그 효과

결말 뒤 절정		
· 결말 : 나와 장인의 갈등 해소와 화해 · 절정 : 나와 장인의 희극적 싸움	→	나와 장인의 우스꽝스러운 싸움을 극대화시켜 해학성을 부각시킴

(5) 태평천하 (太平天下)

채만식

15. 망진자(亡秦者)는 호야(胡也)니라

"너 경손 애비, 부디 정신채리라⋯⋯!"

윤직원 영감이 종수더러 곰곰이 훈계를 하던 것입니다. 안식구가 있는 데라 점잖게 경손 애비지요.

"⋯⋯정신을 채리야 헐 것이 늬가 암만히여두 네 아우 종학이만 못히여! 종학이는 그놈이 재주두 있고 착실히여서, 너치름 허랑허지두 않고 그럴 뿐더러 내년 내후년이머넌 대학교를 졸업허잖냐? 내후년이지?"

"네."

"그렇지? 응, 그래, 내후년이면 대학교 졸업을 허구 나와서, 삼 년이나 다직 사 년만 찌들어나머넌 그놈은 지가 목적헌, 요새 그 목적이란 소리 잘 쓰더구나, 응? 목적⋯⋯ 목적헌 경부가 되야 갖구서, 경찰서장이 된담 말이다! 응? 알겄어."

"네."

"그러닝개루 너두 정신을 바싹 채리 갖구서, 어서어서 군수가 되야야 않겄냐⋯⋯? 아, 동생놈은 버젓한 경찰서장인디, 형놈은 게우 군서기를 댕기구 있담! 남부끄러서 어쩔 티여? 응⋯⋯? 아 글씨, 군수 되구 경찰서장 되구 허머넌, 느덜 좋구 느덜 호강이지 머, 그 호강 날 주냐? 내가 이렇기 아등아등 잔소리를 허넌 것두 다 느덜 위히여서 그러지, 나는 파리 족통만치두 상관읎어야! 알어듣냐?"

"네."

"그놈 종학이는 참말루 쓰겄어! 그놈이 어려서버텀두 워너니 나를 자별허게 따르구, 재주두 있구 착실허구, 커서두 내 말을 잘 듣구⋯⋯. 내가 그놈 하나넌 꼭 믿넌다, 꼭 믿어. 작년 올루 들어서 그놈이 돈을 어찌 좀 히피 쓰기는 허넝가 부더라마는, 그것두 허기사 네게다 대머넌 안

쓰는 심이지. 사내자식이 너처럼 허랑허지만 말구서, 제 줏대만 실혈 양이면 돈을 좀 써두 괜찮언 법이여…… 그래서 지난달에두 오백 원 꼭 쓸 디가 있다구 핀지히였길래, 두말 않고 보내 주었다!"

마침 이때, 마당에서 헴헴, 점잖은 밭은기침 소리가 납니다. 창식이 윤주사가 조금 아까야 일어나서, 간밤에 동경서 온 전보 때문에 억지로 억지로 큰댁 행보를 하던 것입니다.

윤주사는 토방으로 내려서는 아들 종수더러, 언제 왔느냐고, 심상히 알은체를 하면서, 역시 토방으로 내려서는 두 며느리의 삼가로운 무언의 인사와, 마루까지만 나선 이복 누이동생 서울 아씨의 입인사를 받으면서, 방으로 들어가서는 부친 윤직원 영감한테 절을 한자리 꾸부리고서, 아들 종수한테 한자리 절과, 이복동생 태식이한테 경례를 받은 후, 비로소 한옆으로 꿇어앉습니다.

"해가 서쪽으서 뜨겄구나?"

윤직원 영감은 아들의 이렇듯 부르지도 않은 걸음을, 더욱이나 안방에까지 들어온 것을 이상타고 꼬집는 소립니다.

"……멋 하러 오냐? 돈 달라러 오지?"

"동경서 전보가 왔는데요……."

지체를 바꾸어 윤주사를 점잖고 너그러운 아버지로, 윤직원 영감을 속 사납고 경망스런 어린 아들로 둘러 놓았으면 꼬옥 맞겠습니다.

"동경서? 전보?"

"종학이놈이 경시청에 붙잽혔다구요?"

"으엉?"

외치는 소리도 컸거니와 엉덩이를 꿍— 찧는 바람에, 하마 방구들이 내려앉을 뻔했습니다. 모여 선 온 식구가 제가끔 정도에 따라 제각기 놀란 것은 물론이구요.

윤직원 영감은 마치 묵직한 몽치로 뒤통수를 얻어맞은 양, 정신이 멍—해서 입을 벌리고 눈만 휘둥그랬지, 한동안 말을 못 하고 꼼짝도 않습니다.

그러다가 이윽고 으르렁거리면서 잔뜩 쪼글트리고 앉습니다.

"거, 웬 소리냐? 으응? 으응……? 거 웬 소리여? 으응? 으응?"

"그놈 동무가 친 전본가 본데, 전보가 돼서 자세는 모르겠습니다."

윤주사는 조끼 호주머니에서 간밤의 그 전보를 꺼내어 부친한테 올립니다. 윤직원 영감은 채듯 전보를 받아 쓰윽 들여다보더니 커다랗게 읽습니다. 물론 원문은 일문이니까 몰라 보고, 윤주사네 서사 민서방이 번역한 그대로지요.

"종학, 사상관계로, 경시청에 피검……이라니? 이게 무슨 소리다냐?"

"종학이가 사상관계로 경시청에 붙잽혔다는 뜻일 테지요!"

"사상관계라니?"

"그놈이 사회주의에 참예를……."

"으엉?"

아까보다 더 크게 외치면서 벌떡 뒤로 나동그라질 뻔하다가 겨우 몸을 가눕니다.

윤직원 영감은 먼저에는 몽치로 뒤통수를 얻어맞은 것같이 멍했지만, 이번에는 앉아 있는 땅이 지함을 해서 수천 길 밑으로 꺼져 내려가는 듯 정신이 아찔했습니다.

그러나 그것은 결단코 자기가 믿고 사랑하고 하는 종학이의 신상을 여겨서가 아닙니다.

윤직원 영감은 시방 종학이가 사회주의를 한다는 그 한 가지 사실이 진실로 옛날의 드세던 부랑당패가 백길 천길로 침노하는 그것보다도 더 분하고, 물론 무서웠던 것입니다.

진(秦)나라를 망할 자 호(胡:오랑캐)라는 예언을 듣고서 변방을 막으려 만리장성을 쌓던 진시황, 그는, 진나라를 망한 자 호가 아니요, 그의 자식 호해(胡亥)임을 눈으로 보지 못하고 죽었으니, 오히려 행복이라 하겠습니다.

"사회주의라니? 으응? 으응?"

윤직원 영감은 사뭇 사람을 아무나 하나 잡아먹을 듯 집이 떠나게 큰 소리로 포효(咆哮)를 합니다.

"……으응? 그놈이 사회주의를 허다니! 으응? 그게, 참말이냐? 참말이여?"

"허긴 그놈이 작년 여름방학에 나왔을 때버틈 그런 기미가 좀 뵈긴 했어요!"

"그러머넌 참말이구나! 그러머넌 참말이여, 으응!"

윤직원 영감은 이마로, 얼굴로 땀이 방울방울 배어 오릅니다.

"……그런 쳐죽일 놈이, 깎어 죽여두 아깝잖을 놈이! 그놈이 경찰서장 허라닝개루, 생판 사회주의허다가 뎁다 경찰서에 잽혀? 으응……? 오—사 육시를 헐 놈이, 그놈이 그게 어디 당헌 것이라구 지가 사회주의를 히여? 부자놈의 자식이 무엇이 대껴서 부랑당패에 들어?"

아무도 숨도 크게 쉬지 못하고, 고개를 떨어뜨리고 섰기 아니면 앉았을 뿐, 윤직원 영감이 잠깐 말을 그치자 방 안은 물을 친 듯이 조용합니다.

"……오죽이나 좋은 세상이여? 오죽이나……."

윤직원 영감은 팔을 부르걷은 주먹으로 방바닥을 땅— 치면서 성난 황소가 영각을 하듯 고함을 지릅니다.

"화적패가 있너냐아? 부랑당 같은 수령(守令)들이 있더냐……? 재산이 있대야 도적놈의 것이요, 목숨은 파리 목숨 같던 말세년 다 지내가고오…… 자 부아라, 거리거리 순사요, 골골마다 공명헌 정사(政事), 오죽이나 좋은 세상이여…… 남은 수십만 명 동병(動兵)을 히여서, 우리 조선놈 보호히여 주니, 오죽이나 고마운 세상이여? 으응……? 제 것 지니고 앉아서 편안허게 살 태평세상, 이걸 태평천하라구 허는 것이여, 태평천하……! 그런디 이런 태평천하에 태어난 부자놈의 자식이, 더군다나 왜 지가 떵떵거리구 편안허게 살 것이지, 어찌서 지가 세상 망쳐 놀 부랑당패에 참섭을 헌담 말이여, 으응?"

땅— 방바닥을 치면서 벌떡 일어섭니다. 그 몸짓이 어떻게도 요란스럽고 괄괄한지, 방금 발광이 되는가 싶습니다. 아닌게아니라 모여 선 가권들은 방바닥 치는 소리에도 놀랐지만, 이 어른이 혹시 상성이 되지나 않는가 하는 의구의 빛이 눈에 나타남을 가리지 못합니다.

"……착착 깎어 죽일 놈……! 그놈을 내가 핀지히여서, 백 년 지녁을 살리라구 헐걸! 백 년 지녁 살리라구 헐 테여…… 오냐, 그놈을 삼천 석거리는 직분[分財]하여 줄라구 히였더니, 오—냐, 그놈 삼천 석거리를 톡톡 팔어서, 경찰서으다가 사회주의허는 놈 잡어 가두는 경찰서으다가 주어 버릴걸! 으응, 죽일 놈!"

핵심정리

갈래 : 풍자 소설, 사회 소설, 가족사 소설
성격 : 풍자적, 비판적, 사실적
시점 : 전지적 작가 시점
배경 : 시간 – 1930년대 / 공간 – 서울 한 평민 출신의 대지주 집안
주제 : 윤직원 일가의 몰락 과정을 통한 식민지 시대의 타락상 비판
특징 : ·해학적이고 풍자적인 판소리 사설 문체를 통해 인물의 행위를 조롱, 풍자함
　　　　 ·판소리 사설의 창자와 같이 독자와 인물 중간에서 작가가 직접 개입하여 독자의 이해를 도움
　　　　 ·반어를 통한 희화화와 풍자를 보임
핵심노트 : ① '윤종학'의 역할 : 이 작품에서 풍자의 대상이 되지 않는 유일한 긍정적 인물임
　　　　　　·윤직원의 손자로, 일본 유학 중임
　　　　　　·사회주의 운동을 하다 피검됨
　　　　　　·작품에 직접 등장하지는 않음
　　　　　 ② 제목 '태평천하'의 의미

'일반 민중'에게 일제강점기		'윤직원'에게 일제강점기
고통스러운 시기	→	태평천하와 같은 시기 → 잘못된 역사 의식

(6) 장마

윤흥길

"자네 오면 줄라고 노친께서 여러 날 들어 장만헌 것일세. 먹지는 못헐망정 눈요구라도 허고 가소. 다아 자네 노친 정성 아닌가. 내가 자네를 쫓을라고 이러는 건 아니네. 그것만은 자네도 알어야 되네. 남새가 나드라도 너무 섭섭타 생각 말고, 집안일일랑 아모 걱정 말고 머언 걸음 부데 펜안히 가소."

이야기를 다 마치고 외할머니는 불씨가 담긴 그릇을 헤집었다. 그 위에 할머니의 흰 머리를 올려놓자 지글지글 끓는 소리를 내면서 타오르기 시작했다. 단백질을 태우는 노린내가 멀리까지 진동했다. 그러자 눈 앞에서 벌어지는, 그야말로 희한한 광경에 놀라 사람들은 저마다 탄성을 올렸다. 외할머니가 아무리 타일러도 그 때까지 움쩍도 하지 않고 그토록 오랜 시간을 버티던 그것이 서서히 움직이기 시작한 것이다. 감나무 가지를 친친 감았던 몸뚱이가 스르르 풀리면서 구렁이는 땅바닥으로 툭 떨어졌다. 떨어진 자리에서 잠시 머뭇거린 다음 구렁이는 꿈틀꿈틀 기어 외할머니 앞으로 다가왔다. 외할머니가 한쪽으로 비켜 서면서 길을 터 주었다. 이리저리 움직이는 대로 뒤를 따라가며 외할머니는 연신 소리를 질렀다. 새막에서 참새 떼를 쫓을 때처럼

"쉬이! 쉬이!"

하고 소리를 지르면서 손뼉까지 쳤다. 누런 비늘가죽을 번들번들 뒤틀면서 그것은 소리 없이 땅바닥을 기었다. 안방에 있던 식구들도 마루로 몰려나와 마당 한복판을 가로질러 오는 기다란 그것을 모두 질린 표정으로 내려다보고 있었다. 꼬리를 잔뜩 사려 가랑이 사이에 감춘 워리란 놈이 그래도 꼴값을 하느라고 마루 밑에서 다 죽어 가는 소리로 짖어 대고 있었다. 몸뚱이의 움직임과는 여전히 따로 노는 꼬리 부분을 왼쪽으로 삐딱하게 흔들거리면서 그것은 방향을 바꾸어 헛간과 부엌 사이 공지를 천천히 지나갔다.

"쉬이! 쉬어이!"

외할머니의 쉰 목청을 뒤로 받으며 그것은 우물 곁을 거쳐 넓은 뒤란을 어느덧 완전히 통과했다. 다음은 숲이 우거진 대밭이었다.

"고맙네, 이 사람! 집안일은 죄다 성님한티 맽기고 자네 혼자 몸띵이나 지발 성혀서 먼 걸음 펜안히 가소. 뒷일은 아모 염려 말고 그저 펜안히 가소. 증말 고맙네, 이 사람아."

장마철에 무성히 돋아난 죽순과 대나무 사이로 모습을 완전히 감추기까지 외할머니는 우물 곁에 서서 마지막 당부의 말로 구렁이를 배웅하고 있었다.

이웃 마을 용상리까지 가서 진구네 아버지가 의원을 모시고 왔다. 졸도한 지 서너 시간 만에야 겨우 할머니는 의식을 회복할 수 있었다. 그 서너 시간이 무의식의 세계에서는 서너 달에 해당되는 먼 여행이었던 듯 할머니는 방 안을 휘이 둘러보면서 정말 오래간만에 집에 돌아온 사람 같은 표정을 지었다.

"갔냐?"

이것이 맑은 정신을 되찾고 나서 맨 처음 할머니가 꺼낸 말이었다. 고모가 말뜻을 재빨리 알아듣고 고개를 끄덕였다. 인제는 안심했다는 듯이 할머니는 눈을 지그시 내리깔았다. 할머니가 까무러친 후에 일어났던 일들을 고모가 조용히 설명해 주었다. 이야기를 다 듣고 나서 할머니는 사돈을 큰방으로 모셔 오도록 아버지한테 분부했다. 사랑채에서 쉬고 있던 외할머니가 아버지 뒤를 따라 큰방으로 건너왔다. 외할머니로서는 벌써 오래 전에 할머니하고 한 다래끼 단단히 벌인 이후로 처음 있는 큰방 출입이었다.

"고맙소."

정기가 꺼진 우묵한 눈을 치켜 간신히 외할머니를 올려다보면서 할머니는 목이 꽉 메었다.

"사분도 별시런 말씀을 다……."

외할머니도 말끝을 마무르지 못했다.

"야한티서 얘기는 다 들었소. 내가 당혀야 헐 일을 사분이 대신 맡었구랴. 그 험헌 일을 다 치르노라고 얼매나 수고시렀으꼬."

"인자는 다 지나간 일이닝게 그런 말씀 고만두시고 어서어서 뭠이나 잘 추시리기라우."

"고맙소, 참말로 고맙구랴."

할머니가 손을 내밀었다. 외할머니가 그 손을 잡았다. 손을 맞잡은 채 두 할머니는 한동안 말을 잇지 못했다. 그러다가 할머니 쪽에서 먼저 입을 열어 아직도 남아 있는 근심을 털어놓았다.

"탈없이 잘 가기나 혔는지 몰라라우."

"염려 마시랑게요. 지금쯤 어디 가서 펜안히 거처험시나 사분 댁 터주 노릇을 퇵퇵이 하고 있을 것이요."

임종의 자리에서 할머니는 내 손을 잡고 내 지난날을 모두 용서해 주었다. 나도 마음 속으로 할머니의 모든 걸 용서했다.

정말 지루한 장마였다.

핵심정리

갈래 : 전후 소설, 성장 소설

성격 : 사실적, 토속적, 상징적

시점 : 1인칭 관찰자 시점

배경 : 시간 – 6 · 25 전쟁 중의 장마철 / 공간 – 어느 시골 마을

주제 : 이념의 대립으로 빚어진 한 가정의 비극과 민족적 정서를 통한 극복

특징 : ·어린 '나'와 어른이 된 '나'의 이중 시점으로 서술함

· 이념의 대립을 극복할 수 있다는 휴머니즘적 주제 의식을 강조함

핵심노트 : '구렁이'의 의미

구렁이 = 죽은 삼촌의 현신	→	·이데올로기의 갈등에 희생당한 우리 민족의 모습을 형상화함 ·구렁이의 출현은 사건 전개의 전환점으로 두 할머니의 갈등이 해소되는 실마리를 제공

(7) 완장

윤흥길

"완장요!"

그렇다. 완장 바로 그것이었다. 그것이 순간적으로 종술의 흥분한 머리를 무섭게 때려서 갑자기 멍한 상태로 만들어 놓는 것이었다.

"팔에다 차는 그 완장 말입니까?"

종술의 천치스런 질문에 최 사장은 또다시 그 어울리지 않는 너털웃음을 호탕하게 터뜨렸다.

"이 사람아, 팔 완장 말고 기저구맨치로 사추리에다 차는 완장이라도 봤는가?"

완장이란다! 왼쪽 팔에다 끼고 다니는 그 완장 말이다!

본래 잽싼 데가 있는 최 사장이었다. 그는 우연히 튀어나온 완장이란 말에 놀랍게도 민감한 반응을 보이는 종술의 허점을 간파하고는 쥐란 놈이 곳간 벽에 구멍을 뚫듯 거기를 집중적으로 공격하기로 마음먹었다.

"종술이 자네가 원헌다면 하얀 완장에다가 뻘건 글씨로 감시원이라고 크막허게 써서 멋들어지게 채워 줄 작정이네."

고단했던 생애를 통하여 직접으로 간접으로 인연을 맺어 온 숱한 완장들의 기억이 주마등처럼 종술의 뇌리를 스쳤다. 완장의 나라, 완장에 얽힌 무수한 사연들로 점철된 완장의 역사가 너훌거리는 치맛자락의 한끝을 슬쩍 벌려 바야흐로 흔들리기 시작하는 종술의 가슴을 유혹하고 있었다.

시장 경비나 방범들의 눈을 피해 전 재산이나 다름없는 목판을 들고 이 골목 저 골목으로 끝없이 쫓겨 다니던 시절, 도로 교통법 위반이다 뭐다 해서 걸핏하면 포장마차에 걸려 오던 시비와 단속들, 암거래 조직에 끼어들어 미군 부대나 양색시들로부터 흘러나오는 물건을 상인들한테 중계하던 시절, 그리고 똑같이 전매법과 관세법의 위반을 전문으로 하는 다른 조직과의 피나는 세력 다툼 끝에 상대편의 밀고로 뒤가 구린 미제 컬러텔레비전을 운반하다가 체포되어 특정범죄의 가중 처벌을 몸으로 때우던 시절……

어느 시기나 다 마찬가지로 돈을 벌어 보려고 몸부림치는 그의 노력 앞에는 언제나 완장들이 도사리고 있었던 셈이다. 완장 앞에서는 선천적으로 약한 체질이었다. 완장 때문에 녹아나는 건늘 제 쪽이었다. 제각각 색깔 다르고 글씨도 다른 그 숱한 완장들에 그간 얼마나 많은 한을 품어 왔던가. 그리고 다른 한편으로는 그 완장들을 얼마나 또 많이 선망해 왔던가.

완장이란 말 한마디에 허망하게 무너지는 자신을 종술은 속수무책으로 방관만 하고 있었다.

아들한테서 저수지의 감시원으로 취직했다는 이야기를 듣고 육순이 내일모레인 운암댁은 삼 년 묵은 체증이 내려앉는 듯한 상쾌함을 맛보았다. 동네 강 부잣집 유채밭에 날품으로 웃거름을 주고 오는 길인데, 쌓이고 쌓인 하루의 피곤이 말끔히 가시는 기분이었다. 월급 오만 원의 많고 적음이 문제가 아니었다. 삭신이 뒤틀리지 않는 한은 늙어 죽는 날까지 무슨 짓을 해서라도 손녀 하나 있는 것 자기 손으로 거두기로 이미 각오가 되어 있었다. 설령 무보수로 일한다 하더라도 상관은 없었다. 문제는 사람의 됨됨이에 있었다.

사대육신 나무랄 데 없는 장정이 반거충이로 펀둥펀둥 '먹고 대학' 다니면서 사시장청 말썽이나 질러 쌓는 통에 동네 안에서 그나마 밥줄 이어 나가기도 차츰 점직해지는 판국이었다. 남들한테 손가락질만 안 받고 살아도 감지덕지 황감할 지경인데 거기에다 또 취직까지 했단다. 망나니 외아들한테서 삼십 년 만에 처음 받아 보는 효도인 셈이었다. 지지리도 홀어미의 속을 썩여 온 자식이 아니던가.

"월급이 많들 않은 만침 허는 일도 별로 없구만요. 그저 감시원 완장이나 차고 슬슬 바람 쐬기 겸 대봇둑이나……."

어머니가 느끼는 기쁨이 여간만 큰 것이 아닌 줄 익히 아는지라 종술은 그 기쁨을 더욱 배가시킬 요량으로 대수롭지 않은 척 무심히 지껄임으로써 극적인 효과를 노렸다.

그러나 운암댁의 귀에는 그 말이 결코 무심하게 들리지가 않았다. 결국 애당초 의도했던 그대로 극적인 효과가 나타나고만 셈이었다.

"뭣이여야? 완장이여?"

"예, 여그 요짝 왼팔에다 감시원 완장을 처억 허니 둘르고 순시를 돌기로 혔구만요. 고냥 맨몸 띵이로 단속에 나서면 권위가 없어서 낚시꾼들이 시삐 보고 말을 잘 안 들어 먹으니깨요."
그제서야 종술은 자라 콧구멍을 벌름거리고 메기 주둥이를 히죽거려 가며 구태여 자랑스러움을 감추려 하지 않았다.

"오매 시상에나, 니가 완장을 다 둘러야?"

"그깟놈의 것, 쇠고랑 채울 권한도 없고 그냥 명예뿐인디요, 뭐."

너무도 놀란 나머지 운암댁은 눈앞이 다 캄캄해 왔다. 처음 맛본 기쁨이 마을회관 옆 공동 수도 푼수에 지나지 않는 것이라면 나중에 느낀 놀라움은 널금 저수지하고도 맞먹을 정도로 그 규모가 대단한 것이었다. 대체나 이 노릇을 어째야 옳단 말이냐.

"너 그것 안 둘르고 감시원 헐 수는 없겄냐?"

당치도 않은 말씀이었다. 순전히 완장의 매력 한 가지에 이끌려 맡기로 한 감시원이었다. 그런데 그걸 두르지 말라는 이야기는 결과적으로 아들더러 언제까지고 개망나니 먹고 대학생으로 그냥 세월을 보내라는 이야기나 마찬가지였다.

"에이 참, 엄니도! 엄니는 동네서 사람대접 조깨 받고 살라고 그러는 아들이 그렇게도 여엉 못마땅허요?"

"돌아가신 냥반 생각이 나서 안 그러냐."

아버지 말이 나오는 바람에 종술은 갑자기 말문이 막혔다. 어머니의 심정을 대강은 이해할 것 같았다. 하지만……

"완장이라면 사죽을 못 쓰는 것도 다아 지 핏줄 탓인갑다."

"그 완장허고 이 완장은 엄연히 승질부터가 달르단 말이오!"

홧김에 종술은 그예 또 몽니를 부리고 말았다. 새 출발이 약속된 날, 그 삼삼한 기분에 걸맞게 모처럼 어머니 앞에서 고분고분한 태도를 보이자고 단단히 작정한 바 있었으나 케케묵은 생각으로 아들의 흥을 산산조각내는 데는 달리 도리가 없었다.

"알았다, 알았어. 너 허고 잡은 대로 허거라, 언지는 니가 이 에미 말 듣고 일판 꾸미는 자식이더냐."

늘상 하던 버릇으로 눈자위가 또 허옇게 뒤집히려는 아들을 보고 운암댁은 황망히 막설을 했다.

핵심정리

갈래 : 장편 소설, 세태 소설

시점 : 전지적 작가 시점

배경 : 시간 – 1970~1980 독재 정권 / 공간 – 농촌

주제 : 권력의 속성에 대한 날카로운 비판

특징 : · 상징적 소재로 주제 의식을 드러냄
· 방언을 사용해 사실감과 생동감이 느껴짐
· 해학적 문체를 구사함

핵심노트 : ① 등장인물 이해하기
· 임종술 : 저수지 관리인으로 취직한 건달. 완장의 힘을 믿고 마을 사람들 위에 군림하려다가 파멸하는 인물
· 최 사장 : 땅 투기로 졸부가 된 인물. 성공한 기업가로 행세하며 종술에게 저수지 관리인을 맡긴다.
· 운암댁 : 종술의 어머니. 종술이 찬 완장을 보고 지난날의 공포를 떠올린다.
② 시대적 상황과 연관 지어 작품을 감상하기
· 완장의 상징적 의미 : 권력 의식을 상징적으로 보여주는 소재이다.
· 작가가 비판하고자 하는 세태 : 완장에 집착하는 한 어리석은 인물을 통해 권력의 의미와 그 남용이 가져오는 폐해를 풍자한다. 또한 권력을 대리인에게 나누어 주고 은밀하게 진짜 권력을 휘두르는 상층 권력자들의 횡포를 비판하고 있다. 부조리한 권력을 비판하고 권력에 대한 과도한 집착을 경계한다.

(8) 삼포 가는 길

황석영

   역으로 가면서 백화가 말했다.

"어차피 갈 곳이 정해지지 않았다면 우리 고향에 함께 가요. 내 일자리를 주선해 드릴게."

"내야 삼포루 가는 길이지만, 그렇게 하지?"

   정 씨도 영달이에게 권유했다. 영달이는 흙이 덕지덕지 달라붙은 신발 끝을 내려다보며 아무 말이 없었다. 대합실에서 정 씨가 영달이를 한쪽으로 끌고 가서 속삭였다.

"여비 있소?"

"빠듯이 됩니다. 비상금이 한 천 원쯤 있으니까."

"어디루 가려오?"

"일자리 있는 데면 어디든지……."

   스피커에서 안내하는 소리가 웅얼대고 있었다. 정 씨는 대합실 나무 의자에 피곤하게 기대어 앉은 백화 쪽을 힐끗 보고 나서 말했다.

"같이 가시지. 내 보기엔 좋은 여자 같군."

"그런 거 같아요."

"또 알우? 인연이 닿아서 말뚝 박구 살게 될지. 이런 때 아주 뜨내기 신셀 청산해야지."

   영달이는 시무룩해져서 역사 밖을 멍하니 내다보았다. 백화는 뭔가 쑤군대고 있는 두 사내를 불안한 듯이 지켜보고 있었다. 영달이가 말했다.

"어디 능력이 있어야죠."

"삼포엘 같이 가실라우?"

"어쨌든……."

   영달이가 뒷주머니에서 꼬깃꼬깃한 오백 원짜리 두 장을 꺼냈다.

"저 여잘 보냅시다."

   영달이는 표를 사고 삼립 빵 두 개와 찐 달걀을 샀다. 백화에게 그는 말했다.

"우린 뒤차를 탈 텐데…… 잘 가슈."

영달이가 내민 것들을 받아 쥔 백화의 눈이 붉게 충혈되었다. 그 여자는 더듬거리며 물었다.

"아무도…… 안 가나요?"

"우린 삼포루 갑니다. 거긴 내 고향이오."

영달이 대신 정 씨가 말했다. 사람들이 개찰구로 나가고 있었다. 백화가 보퉁이를 들고 일어섰다.

"정말, 잊어버리지…… 않을게요."

백화는 개찰구로 가다가 다시 돌아왔다. 돌아온 백화는 눈이 젖은 채로 웃고 있었다.

"내 이름 백화가 아니에요. 본명은요……. 이점례예요."

여자는 개찰구로 뛰어나갔다. 잠시 후에 기차가 떠났다.

그들은 나무 의자에 기대어 한 시간쯤 잤다. 깨어 보니 대합실 바깥에 다시 눈발이 흩날리고 있었다. 기차는 연착이었다. 밤차를 타려는 시골 사람들이 의자마다 가득 차 있었다. 두 사람은 말없이 담배를 나눠 피웠다. 먼 길을 걷고 나서 잠깐 눈을 붙였더니 더욱 피로해졌던 것이다. 영달이가 혼잣말로,

"쳇, 며칠이나 견디나……."

"뭐라구?"

"아뇨, 백화란 여자 말요. 저런 애들…… 한 사날두 촌 생활 못 배겨 나요."

"사람 나름이지만 하긴 그럴 거요. 요즘 세상에 일이 년 안으로 인정이 휙 변해가는 판인데 ……."

정 씨 옆에 앉았던 노인이 두 사람의 행색과 무릎 위의 배낭을 눈여겨 살피더니 말을 걸어왔다.

"어디 일들 가슈?"

"아뇨, 고향에 갑니다."

"고향이 어딘데……."

"삼포라고 아십니까?"

"어 알지, 우리 아들놈이 거기서 도자를 끄는데……."

"삼포에서요? 거 어디 공사 벌릴 데나 됩니까? 고작해야 고기잡이나 하구 감자나 매는데요."

"어허! 몇 년 만에 가는 거요?"

"십 년."

노인은 그렇겠다며 고개를 끄덕였다.

"말두 말우, 거긴 지금 육지야. 바다에 방둑을 쌓아 놓구, 추럭이 수십 대씩 돌을 실어 나른다구."

"뭣 땜에요?"

"낸들 아나. 뭐 관광호텔을 여러 채 짓는담서, 복잡하기가 말할 수 없데."

"동네는 그대루 있을까요?"

"그대루가 뭐요. 맨 천지에 공사판 사람들에다 장까지 들어섰는걸."

"그럼 나룻배두 없어졌겠네요."

"바다 위로 신작로가 났는데, 나룻배는 뭐에 쓰오. 허허, 사람이 많아지니 변고지. 사람이 많아지면 하늘을 잊는 법이거든."

작정하고 벼르다가 찾아가는 고향이었으나, 정 씨에게는 풍문마저 낯설었다. 옆에서 잠자코 듣고 있던 영달이가 말했다.

"잘됐군. 우리 거기서 공사판 일이나 잡읍시다."

그때에 기차가 도착했다. 정 씨는 발걸음이 내키질 않았다. 그는 마음의 정처를 방금 잃어버렸던 때문이었다. 어느 결에 정 씨는 영달이와 똑같은 입장이 되어버렸다.

기차가 눈발이 날리는 어두운 들판을 향해서 달려갔다.

핵심정리

갈래 : 사실주의 소설
성격 : 사실적, 현실 비판적
시점 : 전지적 작가 시점
배경 : 시간 – 1970년대의 겨울날 / 공간 – 공사장에서 철도역까지 눈 덮인 길
주제 : 산업화 과정에서 소외된 하층민들의 애환과 연대의식
특징 : ·1970년대 이후 급속하게 진행되었던 농촌의 해체와 근대화 과정에서 고향을 잃고 떠도는 사람들의 삶의 모습을 드러냄
　　　　·소외된 떠돌이 노동자, 술집 작부를 등장시켜 하층민의 애환과 인간적 유대감을 그려냄
핵심노트 : ① '삼포'의 의미
　　　　　·뜨내기로 살아온 정 씨가 생각하는 정신적 안식처이자 그의 고향
　　　　　·산업화로 인해 본연의 포근함과 안락함을 잃은 농어촌을 상징
　　　　② '삼포'의 변화

과거의 '삼포'		현재의 '삼포'
·고기잡이, 감자, 나룻배 ·전형적인 농어촌의 모습을 지님	→ 산업화 도시화	·도자, 방둑, 추럭, 관광호텔, 공사판, 신작로 ·공사가 활발하게 진행되고, 관광지로 개발되고 있음

(9) 유자소전

이문구

총수의 자택에 연못이 생긴 것은 그 며칠 전의 일이었다. 뜰 안에다 벽이고 바닥이고 시멘트를 들이부어 만들었으니 연못이라기보다는 수족관이라고 하는 편이 알맞은 시설이었다. 시멘트가 굳어지자 물을 채우고 울긋불긋한 비단잉어들을 풀어 놓았다.

비단잉어들은 화려하고 귀티나는 맵시로 보는 사람마다 탄성을 자아내게 하였으나, 그는 처음부터 흘기눈을 떴다. 비행기를 타고 온 수입 고기라서가 아니었다. 그 회사 직원의 몇 사람 치 월급을 합쳐도 못 미치는 상식 밖의 몸값 때문이었다.

"대관절 월매짜리 고기간디 그려?"

내가 물어보았다.

"마리당 팔십만 원씩 주구 가져왔댜."

그 회사 직원들의 봉급 수준을 모르기에 내 월급으로 계산을 해 보니, 자그마치 3년 4개월 동안이나 봉투째로 쌓아야 겨우 한 마리 만져 볼까 말까 한 값이었다.

"웬 늠으 잉어가 사람버덤 비싸다나?"

내가 기가 막혀 두런거렸더니,

"보통 것은 아닐러먼그려. 뱉어낸벤또(베토벤)라나 뭬라나를 틀어 주면 그 가락대루 따라서 허구, 차에코풀구싶어(차이콥스키)라나 뭬라나를 틀어 주면 또 그 가락대루 따라서 허구, 좌우간 곡을 틀어 주는 대루 못 추는 춤이 읎는 순전 딴따라 고기닝께. 물고기두 꼬랑지 흔들어서 먹구 사는 물고기가 있다는 건 이번에 그 집에서 츰 봤구먼."

그런데 이 비단잉어들이 어제 새벽에 떼죽음을 한 거였다. 자고 일어나 보니 죄다 허옇게 뒤집어진 채로 떠 있는 것이었다.

총수가 실내화를 꿴 발로 뛰어나왔지만 아무 소용 없는 일이었다.

"어떻게 된 거야?"

한동안 넋 나간 듯이 서 있던 총수가 하고많은 사람 중에 하필이면 유자를 겨냥하며 물은 말이었다.

"글쎄유, 아마 밤새에 고뿔이 들었던 개비네유."

유자는 부러 딴청을 하였다.

"뭐야? 물고기가 물에서 감기 들어 죽는 물고기두 봤어?"

총수는 그가 마치 혐의자나 되는 것처럼 화풀이를 하려 드는 것이었다.

그는 비위가 상해서

"그야 팔자가 사나서 이런 후진국에 시집와 살라니께 여러 가지루다 객고(客苦)가 쌓여서 조시두 안 좋았을 테구…… 그런디다가 부룻쓰구 지루박이구 가락을 트는 대루 디립다 춰 댔으니께 과로해서 몸살끼두 다소 있었을 테구…… 본래 받들어서 키우는 새끼덜일수록이 다다 탈이 많은 법이니께……."

그는 시멘트의 독성을 충분히 우려내지 않고 고기를 넣은 것이 탈이었으려니 하면서도 부러 배참으로 의뭉을 떨었다.

"하는 말마다 저 말 같잖은 소리…… 시끄러 이 사람아."

총수는 말 가운데 어디가 어떻게 듣기 싫었는지 자기 성질을 못 이기며 돌아섰다.

그는 총수가 그랬다고 속상해할 만큼 속이 옹색한 편이 아니었다.

그렇지만 오늘 아침에 들은 말만은 쉽사리 삭일 수가 없었다.

총수는 오늘도 연못이 텅 빈 것이 못내 아쉬운지 식전마다 하던 정원 산책도 그만두고 연못가로만 맴돌더니,

"유 기사, 어제 그 고기들은 다 어떡했나?"

또 그를 지명하며 묻는 것이었다.

그는 아무렇지 않게 대답했다.

"한 마리가 황소 너댓 마리 값이나 나간다는디, 아까워서 그냥 내뻔지기두 거시기허구, 비싼 고기는 맛두 괜찮겠다 싶기두 허구…… 게 비눌을 대강 긁어서 된장끼 좀 허구, 꼬치장두 좀 풀구, 마늘두 서너 통 다져 늫구, 멀국두 좀 있게 지져서 한 고뿌덜씩 했지유."

"믓이 어쩌구 어째?"

"왜유?"

"왜애유? 이런 잔인무도한 것들 같으니……."

총수는 분기탱천(憤氣撑天)하여 부쩌지를 못하였다. 보아하니 아는 문자는 다 동원하여 호통을 쳤으면 하나 혈압을 생각하여 참는 눈치였다.

"달리 처리헐 방법두 읎잖은감유."

총수의 성깔을 덧들이려고 한 말이 아니었다. 그가 할 수 있는 것이 그 방법 말고는 없었기 때

문에 그렇게 뒷동을 달은 거였다.

　총수는 우악스럽고 무식하기 짝이 없는 아랫것들하고 따따부따해 봤자 공연히 위신이나 흠이 가고 득될 것이 없다고 판단했는지, 숨결이 웬만큼 고루 잡힌 어조로,

　"그 불쌍한 것들을 저쪽 잔디밭에다 고이 묻어 주지 않고, 그래 그걸 술안주해서 처먹어 버려? 에이…… 에이…… 피두 눈물두 없는 독종들……."

하고 혼잣말처럼 중얼거리면서 들어가 버리는 것이었다.

　"그리, 지져 먹어 보니 맛이 워떻탸?"

　내가 물은 말이었다.

　"워떻기는 뭬가 워뗘…… 살이라구 허벅허벅헌 것이, 별맛도 읇더구만그려." 하고 그는 다시 말을 이었다.

　"내가 독종이면 저는 말종인디…… 좌우지간 맛대가리 읇는 서양 물고기 한 사발에 국산 욕을 두 사발이나 먹구 났더니, 지금지금허구 해감내가 나더래두 이런 붕어 지지미 생각이 절루 나길래 예까장 나오라구 했던겨."

　총수는 그 뒤로 그를 비롯하여 비단잉어를 나눠 먹었음 직한 대문 경비원이며, 보일러실 화부며, 자녀들 등·하교용 승용차 운전수며, 자택에서 근무하는 종업원들에게는 조석으로 눈을 흘기면서도, 비단잉어 회식 사건을 빌미로 인사이동을 단행할 의향까지는 없는 것 같았다.

　그는 하루바삐 총수의 승용차 운전석을 떠나고 싶었다. 남들은 그룹 소속 운전수들의 정상(頂上)이나 다름없는 그 자리에 서로 못 앉아서 턱주가리가 떨어지게 올려다보고들 있었지만, 그는 총수가 틀거지만 그럴듯한 보잘것없는 위선자로 비치기 시작하자, 그동안 그런 줄도 모르고 주야로 모셔 온 나날들이 그렇게 욕스러울 수가 없었고, 그런 위선자에게 이렇듯 매인 몸으로 살 수밖에 없는 구차스러운 삶이 칙살맞고 가련하지 않을 수가 없었다.

핵심정리

갈래 : 풍자소설

성격 : 비판적, 해학적, 풍자적, 전기적

시점 : 1인칭 관찰자 시점(일부 전지적 작가 시점 혼용)

배경 : 시간 – 1970년대 / 공간 – 서울

주제 : 유자의 인격적 면모를 드러내고 물질 만능 주의에 빠진 현대 사회 비판

특징 : ·유자의 일대기를 전통적 '전' 의 양식을 차용함
　　　　·사투리를 사용하여 향토적 정서를 드러냄

핵심노트 : ① 비단잉어 : 회사 직원의 몇 사람 치 월급을 넘어서는 비상식적인 가격임 → 총수의 사치스러운 허영
　　　　　　과 이기심, 물질 만능주의 등을 보여줌, 유자와 총수의 갈등을 유발하는 소재임

　　　　　② 전 : 교훈을 목적으로 사람의 일생을 압축, 서술한 문학 → 유자소전 : 유재필이라는 인물의 생애를
　　　　　　기록하고 그에 대해 평가하여, 독자들에게 교훈을 전달함

(10) 종탑 아래에서

윤흥길

명은이가 내게 무리한 부탁을 해 온 것은 신광 교회 종탑에서 색다른 경험을 한 바로 그다음 날이었다. 다시 만나자마자 명은이는 나를 붙잡고 엉뚱깽뚱한 소리를 했다.

"건호야, 날 다시 교회로 데려가 줘. 내 손으로 종을 쳐 보고 싶어."

"그랬다간 큰일 나! 딸고만이 아부지 손에 맞어 죽을 거여!"

나는 팔짝 뛰면서 그 청을 모지락스레 거절했다. 하지만 명은이는 나한테 검질기게 달라붙으면서 계속 비라리 치고 있었다.

"제발 부탁이야. 딱 한 번만 내 손으로 직접 종을 쳐 보고 싶어."

"종은 쳐서 뭣 헐라고?"

"그냥 그래! 내 손으로 울리는 종소리를 듣고 싶을 뿐이야."

말은 그렇게 했지만 나는 명은이의 진짜 속셈이 무엇인가를 금세 알아차릴 수 있었다. 동화 속의 늙고 병든 백마를 흉내 내고 싶은 것이었다. 버림받은 백마처럼 자신의 억울한 사정을 성주에게 호소하고 싶은 것이었다. 다름 아닌 눈을 뜨고 싶다는 소원을 하나님에게 전할 속셈임이 틀림없었다. 누구든지 종을 치면서 소원을 빌면 다 이루어진다고 명은이 앞에서 공연히 허튼소리를 지껄인 일이 새삼스레 후회되었다. 대관절 무슨 재주로 딸고만이 아버지 허락도 없이 교회 종을 무단히 울린단 말인가?

"알었다고. 알었다니깨."

연방 도리머리를 하는 내 마음과는 딴판으로 내 입에서는 승낙의 말이 잘도 흘러나왔다. 끝끝내 명은이의 간청을 뿌리칠 재간이 내게 없다는 사실을 나는 처음부터 잘 알고 있었다.

"일요일은 절대로 안 돼야. 수요일도 절대로 안 돼야."

"그럼 언제?"

보이지도 않는 눈을 반짝 빛내면서 명은이가 대답을 재촉했다. 예배 모임이 없는 평일이라면 어찌어찌 가능할 것 같기도 했다.

"목요일 밤중이라면 혹간 몰라도……."

목요일 아침이 밝았다. 목요일 낮이 지나갔다. 마침내 목요일 밤이 찾아왔다. 명은이는 시내 산보를 구실 삼아 외할머니한테 밤마을을 허락받았다. 어둠길을 나서는 우리를 명은이 외할머니가 관사 밖 길가까지 따라 나와 걱정스러운 얼굴로 배웅했다. 앞 못 보는 외손녀를 걱정하는 백발 노파의 마음이 신광 교회까지 줄곧 우리와 동행하는 듯한 기분이었다.

명은이 손을 잡고 신광 교회 돌계단을 오르는 동안 내 온몸은 사뭇 떨렸다. 지레 흥분이 되는지, 아니면 두려움 때문인지 땀에 흠씬 젖은 명은이 손 또한 달달 떨리고 있었다. 명은이가 소원을 이룰 수만 있다면 딸고만이 아버지한테 맞아 죽어도 상관없다고 각오를 다지면서 나는 젖은 빨래를 쥐어짜듯 모자라는 용기를 빨끈 쥐어짰다.

신광 교회는 어둠 속에 고자누룩이 가라앉아 있었다. 이제부터 우리가 저지르려는 엄청난 짓거리에 어울리게끔 주변에 아무런 인기척이 없음을 거듭 확인하고 나서 나는 종탑 가까이 명은이를 잡아끌었다. 괴물처럼 네 개의 긴 다리로 일어선 철제의 종탑이 캄캄한 밤하늘을 향해 우뚝 발돋움을 하고 있었다. 깊은 물속으로 자맥질하기 직전의 순간처럼 나는 까마득한 종탑 꼭대기를 올려다보며 연거푸 심호흡을 해 댔다. 그런 다음 딸고만이 아버지가 항상 하던 방식대로 종탑 쇠기둥을 타고 뽀르르 위로 기어올라 철골에 매인 밧줄을 밑으로 풀어 내렸다.

"꽉 붙잡고 있어."

명은이 손에 밧줄 밑동을 쥐여 주고 나서 나는 양팔을 높이 뻗어 밧줄에다 내 몸무게를 몽땅 실었다. 그동안 늘 보아 나온 딸고만이 아버지의 종 치는 솜씨를 흉내 내어 나는 죽을힘을 다해 밧줄을 잡아당기기 시작했다. 종탑 꼭대기에 되똑 얹힌 거대한 놋종이 천천히 한쪽으로 기울어지는 첫 느낌이 밧줄을 타고 내 손에 얼얼하게 전해져 왔다. 마치 한 풀 줄기에 나란히 매달려 함께 바람에 흔들리는 두 마리 딱따깨비처럼 명은이 역시 밧줄에 제 몸무게를 실은 채 나랑 한통으로 건공중을 오르내리는 동작에 어느새 눈치껏 장단을 맞추고 있었다. 어둠 때문에 잘 보이지 않았지만 내 코끝에 훅훅 끼얹히는 명은이의 거친 숨결에 섞인 단내로 미루어 명은이가 시방 어떤 표정을 짓고 있는지 너끈히 짐작할 수 있었다.

"소원 빌을 준비를 혀!"

내 말이 채 끝나기도 전에 데엥, 하고 첫 번째 종소리가 울렸다. 그 첫 소리를 울리기까지가 힘들었다. 일단 첫 소리를 울리고 나니 그다음부터는 모든 절차가 한결 수월해졌다. 뎅그렁 뎅, 뎅그렁 뎅, 기세 좋게 울려 대는 종소리에 귀가 갑자기 먹먹해졌다.

"소원을 빌어! 소원을 빌어!"

종소리와 경쟁하듯 목청을 높여 명은이를 채근하는 한편 나도 맘속으로 소원을 빌기 시작했다. 명은이가 소원을 다 빌 때까지 딸고만이 아버지를 잠시 귀먹쟁이로 만들어 달라고 빌고 또 빌었다. 명은이와 내가 한 몸이 되어 밧줄에 매달린 채 땅바닥과 허공 사이를 절굿공이처럼 오르락내리락하면서 온몸으로 방아를 찧을 적마다 놋종은 우리 머리 위에서 부르르부르르 진저리를 치며 엄청난 목청으로 울어 댔다. 사람이 밧줄을 다루는 게 아니라 이젠 탄력이 붙을 대로 붙어 버린 밧줄이 오히려 사람을 제멋대로 갖고 노는 듯한 느낌이었다.

한창 종 치는 일에 고부라져 있었던 탓에 딸고만이 아버지가 달려오는 줄도 까맣게 몰랐다. 되알지게 엉덩이를 한방 걷어채고 나서야 앙바틈한 그의 모습을 어둠 속에서 겨우 가늠할 수 있었다. 기차 화통 삶아 먹은 듯한 고함과 동시에 그가 와락 덤벼들어 내 손을 밧줄에서 잡아떼려 했다. 그럴수록 나는 더욱더 기를 쓰고 밧줄에 매달려 더욱더 힘차게 종소리를 울렸다. 주먹질과 발길질이 무수히 날아들었다. 마구잡이 매타작에서 명은이를 지켜 주기 위해 나는 양다리를 가새질러 명은이 허리를 감싸 안았다. 한데 엉클어져 악착스레 종을 쳐 대는 두 아이를 혼잣손으로 좀처럼 떼어 내기 어렵게 되자 나중에는 딸고만이 아버지도 밧줄에 함께 매달리고 말았다. 결국 종 치는 사람이 셋으로 불어난 꼴이었다. 그 어느 때보다 기운차게 느껴지는 종소리가 어둠에 잠긴 세상 속으로 멀리멀리 퍼져 나가고 있었다. 명은이 입에서 별안간 울음이 터져 나오기 시작했다. 때때옷을 입은 어린애를 닮은 듯한 그 울음소리를 무동 태운 채 종소리는 마치 하늘 끝에라도 닿으려는 기세로 독수리처럼 높이높이 솟구쳐 오르고 있었다.

뎅그렁 뎅 뎅그렁 뎅 뎅그렁 뎅…

핵심정리

갈래 : 현대 소설, 단편 소설, 액자 소설
성격 : 사실적, 상징적, 향토적
시점 : 1인칭 관찰자 시점
배경 : 시간적 – 한국 전쟁 / 공간적 – 전북 익산 시내
주제 : 사랑과 연민(공감)을 통한 전쟁의 상처 치유
특징 : · 전쟁의 폭력성에서 비롯된 문제 상황과 해결방안을 제시하고 있다.
　　　· 소년과 소녀를 등장시켜 전쟁의 참혹함을 드러내고 있다.
　　　· 구체적인 지명과 사투리를 사용하여 작품의 사실성을 높이고 있다.
　　　· '백마 이야기'를 제시하여 작중 인물의 상황과 주제를 부각하고 있다.
핵심노트 : ① 등장인물의 상징적 의미
　　　　'명은' : 주도자
　　　　　· 종을 울려서 동화 속 백마처럼 자신의 억울하고 고통스러운 심정을 하늘에 호소하려는 소망을
　　　　　　지님
　　　　　· 혼자서는 종탑까지 갈 수도 없고 종을 울릴 수도 없음
　　　　'나' (건호) : 조력자
　　　　　· '딸고만이 아버지'의 주먹질과 발길질을 혼자 감당함
　　　　　· '명은'을 보호하며 '명은'이 소원을 실현하는 데 도움을 줌
　　　　'딸고만이 아버지' : 방해자이자 조력자
　　　　　· 종을 관리하는 직책을 맡아 아이들이 종에 접근하는 것을 막을 수 있음
　　　　　· '나'와 '명은'을 떼어 내리다 줄에 매달려 결국 같이 종을 치게 됨
　　　② '종소리'의 의미
　　　　· 부모의 죽음을 목격한 '명은'의 울음소리를 뜻함
　　　　· '명은'의 간절하고 순수한 소원을 의미함
　　　　· 구원의 희망을 상징함
　　　　· 전쟁의 비극을 세상에 전하며 평화를 바라는 소리임
　　　③ 작품의 주제의식
　　　　전쟁으로 인해 눈이 멀게 된 '명은' → 전쟁의 참혹성과 폭력성 고발
　　　　'명은'이 종을 쳐서 소원을 빌 수 있도록 도와주는 '나' → 인간에 대한 사랑으로 전쟁의 상처 치유

04 고전 소설

1. 고전 소설

일반적으로 현대 소설과 구분하여 갑오개혁(1894년) 이전까지 지어진 소설

2. 고전 소설의 특징

인물	전형적, 평면적	한 계층을 대표하고, 성격이 변하지 않는 인물이 등장함
사건	우연적, 비현실적	사건 전개가 주로 우연한 계기에서 이루어지며, 현실에서 일어나기 어려운 전기적 사건이 자주 일어남
	행복한 결말	주인공이 원하는 것을 얻는 결말로 끝맺으며, 권선징악의 주제를 드러냄
배경	막연함, 비현실적	주로 중국과 조선, 천상계 등으로 나뉘며 구체적으로 제시되지 않음
구성	일대기적, 순행적	사건이 시간 흐름에 따라 전개되며, 인물의 출생에서 죽음에 이르기까지를 담음
서술	서술자의 개입, 해학적 표현	전개되고 있는 사건이나 인물의 말과 행동 등에 대하여 서술자가 자신의 견해를 밝혀 서술하고, 언어유희나 과장 같은 표현을 통해 웃음을 유발함

3. 고전 소설의 종류

영웅, 군담 소설	· 고전 소설의 주류를 차지했던 소설로, 주인공이 전쟁에서 영웅적 활약을 펼침 · 영웅의 일대기적 구성과 행복한 결말을 보임. 　(영웅의 일대기적 구성 : 고귀한 혈통 – 비정상적 출생 – 탁월한 능력 – 어린 시절의 시련 – 조력자의 구출과 양육 – 성장 후 위기 – 고난의 극복과 성공)
풍자 소설	임진왜란과 병자호란을 계기로 당대 사회에 대한 비판적 관점이 반영된 소설로, 선비의 사회적 책임과 사회의 모순을 판단하여 밝힘
애정 소설	남녀 주인공이 현실의 고난을 이기고 사랑의 결실을 맺는 결말이 대부분이나, '운영전', '심생의 사랑'과 같이 비극적 결말을 보이는 작품도 있음
판소리계 소설	· 민간에서 구비 전승되던 판소리 사설이 정착된 소설로, 대개 '근원설화 → 판소리 사설 → 판소리계 소설 → 신소설'의 형성과정을 거침 · 당대 민중의 갈등과 고통을 해학적 전통으로 승화시킴

(1) 허생전

박지원

허생은 묵적골(墨積洞)에 살았다. 곧장 남산(南山) 밑에 닿으면, 우물 위에 오래된 은행나무가 서 있고, 은행나무를 향하여 사립문이 열렸는데, 두어 칸 초가는 비바람을 막지 못할 정도였다. 그러나 허생은 글 읽기만 좋아하고, 그의 처가 남의 바느질품을 팔아서 입에 풀칠을 했다.

하루는 그 처가 몹시 배가 고파서 울음 섞인 소리로 말했다.

"당신은 평생 과거(科擧)를 보지 않으니, 글을 읽어 무엇합니까?"

허생은 웃으며 대답했다.

"나는 아직 독서를 익숙히 하지 못하였소."

"그럼 장인바치 일이라도 못 하시나요?"

"장인바치 일은 본래 배우지 않은 걸 어떻게 하겠소?"

"그럼 장사는 못 하시나요?"

"장사는 밑천이 없는 걸 어떻게 하겠소?"

처는 왈칵 성을 내며 소리쳤다.

"밤낮으로 글을 읽더니 기껏 '어떻게 하겠소?' 소리만 배웠단 말씀이오? 장인바치 일도 못 한다, 장사도 못 한다면, 도둑질이라도 못 하시나요?"

허생은 읽던 책을 덮어 놓고 일어나면서,

"아깝다. 내가 당초 글 읽기로 십 년을 기약했는데, 인제 칠 년인걸……."

하고 획 문밖으로 나가 버렸다.

허생은 거리에 서로 알 만한 사람이 없었다. 바로 운종가로 나가서 시중의 사람을 붙들고 물었다.

"누가 서울 성중에서 제일 부자요?"

변 씨(卞氏)를 말해 주는 이가 있어서, 허생이 곧 변 씨의 집을 찾아갔다. 허생은 변 씨를 대하여 길게 읍하고 말했다.

"내가 집이 가난해서 무얼 좀 해 보려고 하니, 만 냥을 꾸어 주시기 바랍니다."

변 씨는

"그러시오."

하고 당장 만 냥을 내주었다. 허생은 감사하다는 인사도 없이 가 버렸다. 변 씨 집의 자제와 손들이 허생을 보니 거지였다. 실띠의 술이 빠져 너덜너덜하고, 갖신의 뒷굽이 자빠졌으며, 쭈그러진 갓에 허름한 도포를 걸치고, 코에서 맑은 콧물이 흘렀다. 허생이 나가자 모두들 어리둥절해서 물었다.

"저이를 아시나요?"

"모르지."

"아니, 이제 하루아침에, 평생 누군지도 알지 못하는 사람에게 만 냥을 그냥 내던져 버리고 성명도 묻지 않으시다니, 대체 무슨 영문인가요?"

변 씨가 말하는 것이었다.

"이건 너희들이 알 바 아니다. 대체로 남에게 무엇을 빌리러 오는 사람은 으레 자기 뜻을 대단히 선전하고, 신용을 자랑하면서도 비굴한 빛이 얼굴에 나타나고, 말을 중언부언하게 마련이다. 그런데 저 객은 형색은 허술하지만, 말이 간단하고, 눈을 오만하게 뜨며, 얼굴에 부끄러운 기색이 없는 것으로 보아, 재물이 없어도 스스로 만족할 수 있는 사람이다. 그 사람이 해 보겠다는 일이 작은 일이 아닐 것이매, 나 또한 그를 시험해 보려는 것이다. 안 주면 모르되, 이왕 만 냥을 주는 바에 성명은 물어 무엇을 하겠느냐?"

허생은 만 냥을 입수하자, 다시 자기 집에 들르지도 않고 바로 안성(安城)으로 내려갔다. 안성은 경기도, 충청도 사람들이 마주치는 곳이요, 삼남(三南)의 길목이기 때문이다. 거기서 대추, 밤, 감, 배며 석류, 귤, 유자 등속의 과일을 모조리 두 배의 값으로 사들였다. 허생이 과일을 몽땅 쓸었기 때문에 온 나라가 잔치나 제사를 못 지낼 형편에 이르렀다. 얼마 안 가서, 허생에게 두 배의 값으로 과일을 팔았던 상인들이 도리어 열 배의 값을 주고 사 가게 되었다. 허생은 길게 한숨을 내쉬었다.

"만 냥으로 온갖 과일의 값을 좌우했으니, 우리나라의 형편을 알 만하구나."

그는 다시 칼, 호미, 포목 따위를 가지고 제주도에 건너가서 말총을 죄다 사들이면서 말했다.

"몇 해 지나면 나라 안의 사람들이 머리를 싸매지 못할 것이다."

허생이 이렇게 말하고 얼마 안 가서 과연 망건값이 열 배로 뛰어올랐다.

갈래 : 고전 소설, 한문 소설, 풍자 소설

성격 : 풍자적, 비판적, 현실 개혁적

시점 : 전지적 작가 시점

주제 : 무능한 사대부에 대한 비판과 각성 촉구

특징 : · 실학사상을 바탕으로 당대 현실에 대해 비판하고 개혁을 촉구함

　　　· 고전 소설의 전형적 특징인 행복한 결말을 벗어나 미완의 결말 구조를 취함

핵심노트 : 허생 아내의 역할

　　　　· 사대부의 무능력을 비판하는 작가 의식을 대변

　　　　· 허생을 세상으로 나가도록 하는 계기 제공

(2) 춘향전

작자 미상

    좌수(座首), 별감(別監) 넋을 잃고 이방, 호방 혼을 잃고 나졸들이 분주하네. 모든 수령 도망 갈 제 거동 보소. 인궤 잃고 강정 들고, 병부(兵符) 잃고 송편 들고, 탕건 잃고 용수 쓰고, 갓 잃고 소반 쓰고. 칼집 쥐고 오줌 누기. 부서지는 것은 거문고요 깨지는 것은 북과 장고라. 본관 사또가 똥을 싸고 멍석 구멍 새앙쥐 눈 뜨듯하고, 안으로 들어가서,

"어 추워라. 문 들어온다 바람 닫아라. 물 마르다 목 들여라."

관청색은 상을 잃고 문짝을 이고 내달으니, 서리, 역졸 달려들어 후닥딱.

"애고 나 죽네."

이때 어사또 분부하되,

"이 골은 대감이 좌정하시던 골이라. 잡소리를 금하고 객사(客舍)로 옮겨라."

자리에 앉은 후에,

"본관 사또는 봉고파직 하라."

분부하니,

"본관 사또는 봉고파직이오."

사대문(四大門)에 방을 붙이고 옥형리 불러 분부하되,

"네 골 옥에 갇힌 죄수를 다 올리라."

호령하니 죄인을 올린다. 다 각각 죄를 물은 후에 죄가 없는 자는 풀어 줄새,

"저 계집은 무엇인고?"

형리 여쭈오되,

"기생 월매의 딸이온데 관청에서 포악한 죄로 옥중에 있삽내다."

"무슨 죄인고?"

형리 아뢰되,

"본관 사또 수청 들라고 불렀더니 수절이 정절이라. 수청 아니 들려 하고 사또에게 악을 쓰며

달려든 춘향이로소이다."

어사또 분부하되,

　"너 같은 년이 수절한다고 관장(官長)에게 포악하였으니 살기를 바랄쏘냐. 죽어 마땅하되 내 수청도 거역할까?"

춘향이 기가 막혀,

　"내려오는 관장마다 모두 명관(名官)이로구나. 어사또 들으시오. 층암절벽 높은 바위가 바람 분들 무너지며, 청송녹죽 푸른 나무가 눈이 온들 변하리까. 그런 분부 마옵시고 어서 바삐 죽여 주오."

하며,

　"향단아, 서방님 어디 계신가 보아라. 어젯밤에 옥 문간에 와 계실 제 천만당부 하였더니 어디를 가셨는지 나 죽는 줄 모르는가."

어사또 분부하되,

　"얼굴 들어 나를 보라."

하시니 춘향이 고개 들어 위를 살펴보니, 걸인으로 왔던 낭군이 분명히 어사또가 되어 앉았구나. 반 웃음 반 울음에,

　"얼씨구나 좋을시고 어사 낭군 좋을시고. 남원 읍내 가을이 들어 떨어지게 되었더니, 객사에 봄이 들어 이화춘풍(李花春風) 날 살린다. 꿈이냐 생시냐? 꿈을 깰까 염려로다."

　한참 이리 즐길 적에 춘향 어미 들어와서 가없이 즐겨하는 말을 어찌 다 설화(說話)하랴.

　춘향의 높은 절개 광채 있게 되었으니 어찌 아니 좋을쏜가.

핵심정리

갈래 : 판소리계 소설, 염정 소설　　　**성격** : 해학적, 풍자적, 운문적　　　**시점** : 전지적 작가 시점

주제 : ·신분을 초월한 사랑과 정절
　　　　·탐관오리의 횡포에 대한 풍자

특징 : ·판소리계 소설 특유의 해학과 풍자가 돋보임
　　　　·서술자의 편집자적 논평이 드러남
　　　　·확장적 문체를 사용하여 표현 효과를 극대화
　　　　·비속어, 일상적인 구어와 양반들의 한문투 등 다양한 계층의 언어가 혼재

핵심노트 : ① 춘향전 형성 과정

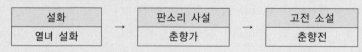

설화		판소리 사설		고전 소설
열녀 설화	→	춘향가	→	춘향전

　② 해학적 표현
　　·허둥대며 도망가는 관리들의 모습을 우스꽝스럽게 표현함
　　·"문 들어온다. 바람 닫아라. 물 마르다 목 들여라." - 단어의 위치를 바꾸어 말함(언어유희)

(3) 홍계월전

작자 미상

각설. 이때 남관(南關)의 수장이 장계를 올렸다. 천자께서 급히 뜯어보시니 다음과 같은 내용이었다.

> 오왕과 초왕이 반란을 일으켜 지금 황성을 범하고자 하옵니다. 오왕은 구덕지를 얻어 대원수로 삼고 초왕은 장맹길을 얻어 선봉으로 삼았사온데, 이들이 장수 천여 명과 군사 십만을 거느려 호주 북쪽 고을 칠십여 성을 무너뜨려 항복을 받고 형주 자사 이왕태를 베고 짓쳐 왔사옵니다. 소장의 힘으로는 능히 방비할 길이 없어 감히 아뢰오니 엎드려 바라건대, 황상께서는 어진 명장을 보내셔서 적을 방비하옵소서.

천자께서 보시고 크게 놀라 조정의 관리들과 의논하니 우승상 정영태가 아뢰었다.

"이 도적은 좌승상 평국을 보내야 막을 수 있을 것이오니 급히 평국을 부르소서."

천자께서 들으시고 오래 있다가 말씀하셨다.

"평국이 전날에는 세상에 나왔으므로 불렀지만 지금은 규중에 있는 여자니 차마 어찌 불러서 전장에 보내겠는가?"

이에 신하들이 아뢰었다.

"평국이 지금 규중에 있으나 이름이 조야에 있고 또한 작록을 거두지 않았사오니 어찌 규중에 있다 하여 꺼리겠나이까?"

천자께서 마지못하여 급히 평국을 부르셨다.

이때 평국은 규중에 홀로 있으며 매일 시녀를 데리고 장기와 바둑으로 세월을 보내고 있었다. 그런데 사관(使官)이 와서 천자께서 부르신다는 명령을 전했다. 평국이 크게 놀라 급히 여자 옷을 조복(朝服)으로 갈아입고 사관을 따라가 임금 앞에 엎드리니 천자께서 크게 기뻐하며 말씀하셨다.

"경이 규중에 처한 후로 오랫동안 보지 못해 밤낮으로 사모하더니 이제 경을 보니 기쁨이 한량없도다. 그런데 짐이 덕이 없어 지금 오와 초 두 나라가 반란을 일으켜 호주의 북쪽 땅을 쳐 항복을 받고, 남관을 헤쳐 황성을 범하고자 한다고 하는도다. 그러니 경은 스스로 마땅히 일을 잘 처리하여 사직을 보호하도록 하라."

이렇게 말씀하시니 평국이 엎드려 아뢰었다.

"신첩이 외람되게 폐하를 속이고 공후의 작록을 받아 영화로이 지낸 것도 황공했사온데 폐하께서는 죄를 용서해 주시고 신첩을 매우 사랑하셨사옵니다. 신첩이 비록 어리석으나 힘을 다해 성은을 만분의 일이나 갚으려 하오니 폐하께서는 근심하지 마옵소서."

천자께서 이에 크게 기뻐하시고 즉시 수많은 군사와 말을 징발해 주셨다. 그리고 벼슬을 높여 평국을 대원수로 삼으시니 원수가 사은숙배하고 위의를 갖추어 친히 붓을 잡아 보국에게 전령(傳令)을 내렸다.

적병의 형세가 급하니 중군장은 급히 대령하여 군령을 어기지 마라.

보국이 전령을 보고 분함을 이기지 못해 부모에게 말했다.

"계월이 또 소자를 중군장으로 부리려 하오니 이런 일이 어디에 있사옵니까?"

여공이 말했다.

"전날 내가 너에게 무엇이라 일렀더냐? 계월이를 괄시하다가 이런 일을 당했으니 어찌 계월이가 그르다고 하겠느냐? 나랏일이 더할 수 없이 중요하니 어찌할 수 없구나."

이렇게 말하고 어서 가기를 재촉했다. 보국이 할 수 없이 갑옷과 투구를 갖추고 진중(陣中)에 나아가 원수 앞에 엎드리니 원수가 분부했다.

"만일 명령을 거역하는 자가 있다면 군법으로 시행할 것이다."

보국이 겁을 내어 중군장 처소로 돌아와 명령이 내려지기를 기다렸다.

원수가 장수에게 임무를 각각 정해 주고 추구월 갑자일에 행군하여 십일월 초하루에 남관에 당도했다. 삼 일을 머무르고 즉시 떠나 오 일째에 천촉산을 지나 영경루에 다다르니 적병이 드넓은 평원에 진을 쳤는데 그 단단함이 철통과도 같았다. 원수가 적진을 마주 보고 진을 친 후 명령을 하달했다.

"장수의 명령을 어기는 자는 곧바로 벨 것이다."

이러한 호령이 추상같으므로 장수와 군졸들이 겁을 내어 어찌할 줄을 모르고 보국은 또 매우 조심했다.

이튿날 원수가 중군장에게 분부했다.

"며칠은 중군장이 나가 싸우라."

중군장이 명령을 듣고 말에 올라 삼 척 장검을 들고 적진을 가리켜 소리 질렀다.

"나는 명나라 중군 대장 보국이다. 대원수의 명령을 받아 너희 머리를 베려 하니 너희는 어서 나와 칼을 받으라."

핵심정리

갈래 : 군담 소설, 여성 영웅 소설

성격 : 전기적, 우연적, 영웅적

시점 : 전지적 작가 시점

주제 : 홍계월의 영웅적인 행적과 활약, 남성 중심 사회에 대한 비판

특징 : · 주인공의 일대기적 구성 방식을 취함

· 신분을 감추기 위한 남장 모티프가 사용됨

· 여성이 남성보다 우월한 능력을 가진 존재로 그려짐

· 여성의 봉건적 역할을 거부하는 근대적 가치관이 드러남

핵심노트 : ① '계월'의 능력을 바라보는 등장인물들의 태도 정리

· 보국 : 아내인 '계월'의 부하가 된 것을 불쾌해하지만, '계월'이 위기에서 구해 준 뒤로는 '계월'의 능력을 인정함

· 여공 : 계월이 자신의 아들인 보국보다 뛰어난 능력을 지녔음을 인정하며, 아내가 남편의 우위에 있을 수 있다고 봄

· '천자'와 조정의 신하들 : 계월이 여자임을 알고서도 벼슬을 유지해 주고, 국난을 당했을 때 높은 벼슬을 주며 계월을 기용함

(4) 구운몽

김만중

양 부인이 옷깃을 여미고 물어 가로되,

"승상이 공을 이미 이루고 부귀 극하여 만인이 부러워하고 천고에 들지 못한 바라. 좋은 날을 당하여 풍경을 희롱하며 꽃다운 술은 잔에 가득하며 사랑하는 사람이 곁에 있으니, 이 또한 인생에 즐거운 일이거늘, 퉁소 소리 이러하니 오늘 퉁소는 옛날 퉁소가 아니로소이다."

승상이 옥소를 던지고 부인 낭자를 불러 난간을 의지하고 손을 들어 두루 가리키며 가로되,

"북으로 바라보니 평평한 들과 무너진 언덕에 석양이 시든 풀에 비친 곳은 진시황의 아방궁이요, 서로 바라보니 슬픈 바람이 찬 수풀에 불고 저문 구름이 빈 산에 덮은 데는 한 무제의 무릉이요, 동으로 바라보니 분칠한 성이 청산을 둘렀고 붉은 박공이 반공에 숨었는데 명월은 오락가락하되 옥난간을 의지할 사람이 없으니 이는 현종 황제 태진비로 더불어 노시던 화청궁이라. 이 세 임금은 천고 영웅이라 사해로 집을 삼고 억조로 신첩을 삼아 호화 부귀 백 년을 짧게 여기더니 이제 다 어디 있느뇨?

소유는 본디 하남 땅 베옷 입은 선비라. 성천자 은혜를 입어 벼슬이 장상에 이르고, 여러 낭자가 서로 좇아 은정이 백 년이 하루 같으니, 만일 전생 숙연으로 모여 인연이 다하면 각각 돌아감은 천지에 떳떳한 일이라. 우리 백 년 후 높은 대 무너지고 굽은 못이 이미 메이고 가무하던 땅이 이미 변하여 거친 산과 시든 풀이 되었는데, 초부와 목동이 오르내리며 탄식하여 가로되, '이것이 양 승상이 여러 낭자로 더불어 놀던 곳이라. 승상의 부귀 풍류와 여러 낭자의 옥용화태 이제 어디 갔느뇨?' 하리니, 어이 인생이 덧없지 않으리오?

내 생각하니 천하에 유도와 선도와 불도가 가장 높으니 이 이른바 삼교라. 유도는 생전 사업과 신후 유명할 뿐이요, 신선은 예부터 구하여 얻은 자가 드무니 진시황, 한 무제, 현종 황제를 볼 것이라. 내 치사한 후로부터 밤에 잠만 들면 매양 포단 위에서 참선하여 뵈니 이 필연 불가로 더불어 인연이 있는지라. 내 장차 장자방의 적송자 좇음을 효칙하여, 집을 버리고 스승을 구하여

남해를 건너 관음을 찾고 오대에 올라 문수께 예를 하여, 불생불멸할 도를 얻어 진세 고락을 초월하려 하되, 여러 낭자로 더불어 반생을 좇았다가 일조에 이별하려 하니 슬픈 마음이 자연 곡조에 나타남이로소이다."

잔을 씻어 다시 부으려 하더니, 홀연 석경에 막대 던지는 소리 나거늘 괴이히 여겨 생각하되 '어떤 사람이 올라오는고?' 하더니, 한 호승이 눈썹이 길고 눈이 맑고 얼굴이 괴이하더라. 엄연히 좌상에 이르러 승상을 보고 예하여 왈,

"산야 사람이 대승상께 뵈나이다."

승상이 이인인 줄 알고 황망히 답례 왈,

"사부는 어디로부터 오신고?"

호승이 웃어 왈,

"평생 고인을 몰라보시니 귀인이 잊음 헐타는 말이 옳도소이다."

승상이 자세히 보니 과연 낯이 익은 듯하거늘 홀연 깨쳐 능파 낭자를 돌아보며 왈,

"소유가 전일 토번을 정벌할 제 꿈에 동정 용궁에 가 잔치하고 돌아오는 길에 남악에 가 놀았는데, 한 화상이 법좌에 앉아서 경을 강론하더니 노부가 그 화상이냐?"

호승이 박장대소하고 가로되,

"옳다, 옳다. 비록 옳으나 몽중에 잠깐 만나 본 일은 생각하고 십 년을 동처하던 일을 알지 못하니 뉘 양 장원을 총명타 하더뇨?"

승상이 망연하여 가로되,

"소유가 십오륙 세 전은 부모 좌하를 떠나지 않았고 십육 세에 급제하여 연하여 직명이 있었으니, 동으로 연국에 봉사하고 서로 토번을 정벌한 밖은 일찍 경사를 떠나지 않았으니 언제 사부로 더불어 십 년을 상종하였으리오?"

호승이 웃어 왈,

"상공이 오히려 춘몽을 깨지 못하였도소이다."

승상 왈,

"사부가 어찌하면 소유로 하여금 춘몽을 깨게 하리오?"

호승 왈,

"이는 어렵지 아니하니이다."

하고, 손 가운데 석장을 들어 석난간을 두어 번 두드리니 홀연 네 녁 산골로부터 구름이 일어나 대 위에 끼이어 지척을 분변치 못하니, 승상이 정신이 아득하여 마치 취몽 중에 있는 듯하더니

오래되어서야 소리 질러 가로되,

"사부가 어이 정도로 소유를 인도치 아니하고 환술로 서로 희롱하느뇨?"

말을 떨구지 못하여서 구름이 걷히니 호승이 간 곳이 없고 좌우를 돌아보니 여덟 낭자가 또한 간 곳이 없는지라. 정히 경황하여 하더니, 그런 높은 대와 많은 집이 일시에 없어지고 제 몸이 한 작은 암자 중의 한 포단 위에 앉았으되, 향로에 불이 이미 사라지고, 지는 달이 창에 이미 비치었더라.

스스로 제 몸을 보니 일백여덟 낱 염주가 손목에 걸렸고 머리를 만지니 갓 깎은 머리털이 가칠가칠하였으니, 완연히 소화상의 몸이요 다시 대승상의 위의 아니니, 정신이 황홀하여 오랜 후에 비로소 제 몸이 연화 도량 성진 행자인 줄 알고 생각하니, 처음에 스승에게 수책하여 풍도로 가고 인세에 환도하여 양가의 아들 되어 장원 급제 한림학사 하고 출장입상하여 공명신퇴하고 두 공주와 여섯 낭자로 더불어 즐기던 것이 다 하룻밤 꿈이라. 마음에,

'이 필연 사부가 나의 염려를 그릇함을 알고 나로 하여금 이 꿈을 꾸어 인간 부귀와 남녀 정욕이 다 허사인 줄 알게 함이로다.'

급히 세수하고 의관을 정제하며 방장에 나아가니 다른 제자들이 이미 다 모였더라. 대사가 소리하여 묻되,

"성진아, 인간 부귀를 지내니 과연 어떠하더뇨?"

성진이 고두하며 눈물을 흘려 가로되,

"성진이 이미 깨달았나이다. 제자가 불초하여 염려를 그릇 먹어 죄를 지으니 마땅히 인세에 윤회할 것이거늘, 사부가 자비하사 하룻밤 꿈으로 제자의 마음을 깨닫게 하시니 사부의 은혜를 천만 겁이라도 갚기 어렵도소이다."

대사가 가로되,

"네, 승흥하여 갔다가 흥진하여 돌아왔으니 내 무슨 간예함이 있으리오? 네 또 이르되 '인세에 윤회할 것을 꿈을 꾸었다' 하니 이는 인세와 꿈을 다르다 함이니 네 오히려 꿈을 채 깨지 못하였도다. '장주가 꿈에 나비 되었다가 나비 장주가 되니', 어느 것이 거짓 것이요 어느 것이 참된 것인 줄 분변치 못하나니, 어제 성진과 소유가 어느 것은 정말 꿈이요 어느 것은 꿈이 아니뇨?"

핵심정리

갈래 : 고전 소설, 국문 소설, 몽자류 소설
성격 : 불교적, 전기적
시점 : 전지적 작가 시점
주제 : 인생무상의 깨달음과 불법 귀의
특징 : · '현실-꿈-현실'의 환몽적 구조
· 불교의 윤회 사상과 공(空) 사상을 바탕으로 함
핵심노트 : 소재를 통한 주제 의식

진시황의 아방궁, 한 무제의 무릉, 현종 황제의 화청궁		
=	→	인생무상
양 승상의 부귀 풍류, 여러 낭자의 아름다움		

05 수필

1. 수필
일상 생활 속에서 얻은 생각과 느낌을 일정한 형식에 얽매이지 않고 자유롭게 쓴 산문 문학

2. 수필의 특성
· 개성의 문학
· 비전문적인 글
· 형식이 자유로운 글
· 소재가 다양한 글
· 자기 고백적인 문학

3. 글쓴이의 관점 및 태도
· 깨달음 : 대상을 보고 깨닫게 되는 삶의 교훈을 서술하는 것
· 비판 : 대상의 부정적인 면을 드러내어 밝히는 것
· 예찬 : 훌륭한 것, 좋은 것, 아름다운 것을 존경하고 찬양하는 태도이다.
· 성찰 : 반성하고 살피는 것으로 그 대상은 글쓴이 자신의 삶이나 자신이 속한 사회일 경우가 많다.

(1) 수오재기(守吾齋記)

정약용

　수오재(守吾齋), 즉 '나를 지키는 집'은 큰형님이 자신의 서재에 붙인 이름이다. 나는 처음 그 이름을 보고 의아하게 여기며, "나와 단단히 맺어져 서로 떠날 수 없기로는 '나'보다 더한 게 없다. 비록 지키지 않는다 한들 '나'가 어디로 갈 것인가. 이상한 이름이다."라고 생각했다. 장기로 귀양 온 이후 나는 홀로 지내며 생각이 깊어졌는데, 어느 날 갑자기 이러한 의문점에 대해 환히 깨달을 수 있었다. 나는 벌떡 일어나 다음과 같이 말했다.

　천하 만물 중에 지켜야 할 것은 오직 '나'뿐이다. 내 밭을 지고 도망갈 사람이 있겠는가? 그러니 밭은 지킬 필요가 없다. 내 집을 지고 달아날 사람이 있겠는가? 그러니 집은 지킬 필요가 없다. 내 동산의 꽃나무와 과실나무들을 뽑아 갈 수 있겠는가? 나무뿌리는 땅속 깊이 박혀 있다. 내 책을 훔쳐 가서 없애 버릴 수 있겠는가? 성현(聖賢)의 경전은 세상에 널리 퍼져 물과 불처럼 흔한데 누가 능히 없앨 수 있겠는가. 내 옷과 양식을 도둑질하여 나를 궁색하게 만들 수 있겠는가? 천하의 실이 모두 내 옷이 될 수 있고, 천하의 곡식이 모두 내 양식이 될 수 있다. 도둑이 비록 훔쳐 간다 한들 하나둘에 불과할 터, 천하의 모든 옷과 곡식을 다 없앨 수는 없다. 따라서 천하 만물 중에 꼭 지켜야만 하는 것은 없다.

　그러나 유독 이 '나'라는 것은 그 성품이 달아나기를 잘하며 출입이 무상하다. 아주 친밀하게 붙어 있어 서로 배반하지 못할 것 같지만 잠시라도 살피지 않으면 어느 곳이든 가지 않는 곳이 없다. 이익으로 유혹하면 떠나가고, 위험과 재앙으로 겁을 주면 떠나가며, 질탕한 음악 소리만 들어도 떠나가고, 미인의 예쁜 얼굴과 요염한 자태만 보아도 떠나간다. 그런데 한번 떠나가면 돌아올 줄 몰라 붙잡아 만류할 수 없다. 그러므로 천하 만물 중에 잃어버리기 쉬운 것으로는 '나'보다 더한 것이 없다. 그러니 꽁꽁 묶고 자물쇠로 잠가 '나'를 굳게 지켜야 하지 않겠는가?

나는 '나'를 허투루 간수했다가 '나'를 잃은 사람이다. 어렸을 때는 과거 시험을 좋게 여겨 그 공부에 빠져 있었던 것이 10년이다. 마침내 조정의 벼슬아치가 되어 사모관대에 비단 도포를 입고 백주 도로를 미친 듯 바쁘게 돌아다니며 12년을 보냈다. 그러다 갑자기 상황이 바뀌어 친척을 버리고 고향을 떠나 한강을 건너고 문경 새재를 넘어 아득한 바닷가 대나무 숲이 있는 곳에 이르러서야 멈추게 되었다. 이때 '나'도 땀을 흘리고 숨을 몰아쉬며 허둥지둥 내 발뒤꿈치를 쫓아 함께 이곳에 오게 되었다. 나는 '나'에게 말했다.

"너는 무엇 때문에 여기에 왔는가? 여우나 도깨비에게 홀려서 왔는가? 바다의 신이 불러서 왔는가? 너의 가족과 이웃이 소내에 있는데, 어째서 그 본고장으로 돌아가지 않는가?"

그러나 '나'는 멍하니 꼼짝도 않고 돌아갈 줄을 몰랐다. 그 안색을 보니 마치 얽매인 게 있어 돌아가려 해도 돌아갈 수 없는 듯했다. 그래서 '나'를 붙잡아 함께 머무르게 되었다.

이 무렵, 내 둘째 형님 또한 그 '나'를 잃고 남해의 섬으로 가셨는데, 역시 '나'를 붙잡아 함께 그곳에 머무르게 되었다.

유독 내 큰형님만이 '나'를 잃지 않고 편안하게 수오재에 단정히 앉아 계신다. 본디부터 지키는 바가 있어 '나'를 잃지 않으신 때문이 아니겠는가? 이것이야말로 큰형님이 자신의 서재 이름을 '수오'라고 붙이신 까닭일 것이다.

(2) 내 유년의 울타리는 탱자나무였다.

나희덕

어린 시절 내 손에는 으레 탱자 한두 개가 쥐어져 있고는 했다. 탱자가 물렁물렁해질 때까지 쥐고 다니는 버릇이 있어서 내 손에서는 늘 탱자 냄새가 났다. 크고 노랗게 잘 익은 것은 먹기도 했지만, 아이들은 먹지도 못할 푸르스름한 탱자들을 일없이 따다가 아무 데나 던져 놓고는 했다. 나 역시 그런 아이들 중 하나였는데, 그렇게 따도 따도 탱자가 남아돌 만큼 내가 살던 마을에는 집집마다 탱자나무 울타리가 많았다.

지금도 고향, 하면 탱자의 시큼한 맛, 탱자처럼 노랗게 된 손바닥, 오래 남아 있던 탱자 냄새 같은 것이 먼저 떠오른다. 그리고 뾰족한 탱자 가시에 침을 발라 손바닥에도 붙이고 코에도 붙이고 놀던 생각이 난다. 가시를 붙인 손으로 악수하자고 해서 친구를 놀려 주던 놀이가 우리들 사이에 한창인 때도 있었다. 자그마한 소읍에서 자라나는 아이들이 할 수 있는 놀이란 고작 그런 것이었다.

그래서 탱자 가시에 찔리곤 하는 것이 예사였는데, 한번은 가시 박힌 자리가 성이 나 손이 통통 부었던 적이 있다. 벌겋게 부어오른 상처를 보면서 나는 생각했다. 왜 탱자나무에는 가시가 있는 것일까. 그리고 찔레꽃, 장미꽃, 아카시아…… 가시를 가진 꽃이나 나무들을 차례로 꼽아 보았다. 그 가시들에는 아마 독이 들어 있을 거라고 혼자 멋대로 단정해 버리기도 했다.

얼마 후에 아버지는 내게 가르쳐 주셨다. 가시에 독이 있는 것은 아니고, 그저 아름다운 꽃과 열매를 지키기 위해 그런 나무들에는 가시가 있는 거라고. 다른 나무들은 가시 대신 냄새가 지독한 것도 있고, 나뭇잎이 아주 써서 먹을 수 없거나 열매에 독성이 있는 것도 있고, 모습이 아주 흉하게 생긴 것도 있고…… 이렇게 살아 있는 생명에게는 자기를 지킬 수 있는 힘이 하나씩 주어져 있다고.

그러던 어느 날 탱자 꽃잎을 보다가 스스로의 가시에 찔린 흔적을 발견하게 되었다. 바람에 흔들리다가 제 가시에 쓸렸으리라. 스스로를 지키기 위해 주어진 가시가 때로는 스스로를 찌르기도 한다는 사실에 나는 알 수 없는 슬픔을 느꼈다. 그걸 어렴풋하게 느낄 무렵, 소읍에서의 내 유년은 끝나 가고 있었다.

언제부턴가 내 손에는 더 이상 둥글고 향긋한 탱자 열매가 들어 있지 않게 되었다. 그 손에는 무거운 책가방과 영어 단어장이, 그다음에는 누군가를 향해 던지는 돌멩이가, 때로는 술잔이 들려 있곤 했다. 친구나 애인의 따뜻한 손을 잡고 다니던 때도 없지는 않았지만, 그 후로 무거운 장바구니, 빨랫감, 행주나 걸레 같은 것을 들고 있을 때가 더 많았다.

생활의 짐은 한번도 더 가벼워진 적이 없으며, 그러는 동안 내 속에는 날카로운 가시들이 자라나기 시작했다. 가시는 꽃과 나무에게만 있는 것이 아니었다. 세상에, 또는 스스로에게 수없이 찔리면서 사람은 누구나 제 속에 자라나는 가시를 발견하게 된다. 한번 심어지고 나면 쉽게 뽑아낼 수 없는 탱자나무 같은 것이 마음에 자리 잡고 있다는 것을, 뽑아내려고 몸부림칠수록 가시는 더 아프게 자신을 찔러 댄다는 것을 알게 되었다. 그 후로 내내 크고 작은 가시들이 나를 키웠다.

(3) 한 그루 나무처럼

윤대녕

　어느 날 약수터 옆에 서 있는 참나무 한 그루가 내 눈에 들어왔다. 인연이란 참으로 묘하디묘한 것이어서 하필이면 나무에 박혀 있는 녹슨 대못이 먼저 눈에 보였다. 오래전에 누군가 바가지를 걸어 놓기 위해 박아 놓은 것 같았다. 손으로는 빼낼 재간이 없어 그대로 내려왔는데 두고두고 그 대못이 가슴에 남았다.

그다음 주말에 나는 배낭에 장도리를 챙겨 넣고 약수터로 올라갔다. 녹슨 못을 빼내고 나니 마음이 그렇게 후련할 수가 없었다. 그 나무와의 인연은 그렇게 시작됐다. 바야흐로 사월이 되면서 참나무는 연둣빛의 아름다운 잎을 가지마다 무성하게 토해 내고 있었다. 그 후로 나는 그 참나무를 보기 위해, 아니 보고 싶어 산에 오르는 기분이 들었다. 괜히 마음이 심산스러울 때, 남에게 무심코 아픈 말을 내뱉고 후회할 때, 또한 이유 없는 공허함에 사로잡힐 때면 나는 그 나무를 보러 올라가곤 했다. 나무는 언제나 그 자리에 서 있었고 내게 시원한 그늘을 내주며 때로는 미소를 짓거나 무어라 말을 건네 오는 것 같았다. 네가 그 못을 빼 주지 않았더라면 나는 계속 옆구리가 아팠을 거야. 혹은 내게 위로의 말을 전해 주기도 했다. 힘든 때일수록 한결같은 마음을 갖도록 노력해 봐. 나는 그 나무 아래 앉아 커피를 마시며 책을 읽거나 사과나 김밥을 먹기도 했다. 여름 한철을 나는 주말마다 새로 사귄 친구를 만나러 가듯 그렇게 설레는 마음을 안고 산으로 올라갔다.

우리의 옛 신화를 보면 '우주 나무'라는 게 있다. 지상과 천상을 이어 주는 나무로 아직도 시골에 가면 커다란 느티나무에 천들이 감겨 있는 것을 흔히 볼 수 있다. 우리네 민간 신앙으로 우주 나무는 사람의 염원을 하늘에 전달해 주는 역할을 한다. 이를테면 나는 평범하기 짝이 없는 참나무를 나의 우주 나무로 삼게 된 셈이었다.

가을이 시작될 무렵 지방에 살고 계신 어머니가 몸이 편찮으시다는 연락을 받았다. 곧장 내려가 볼 수 없었던 나는 마음을 달래려 저녁 무렵 산으로 올라갔다. 그리고 나무를 올려다보며 어머님의 건강을 빌었다. 모든 사물에 영혼이 깃들어 있다는 말을 이제 나는 믿는다. 내가 지방에 다녀오고 나서 얼마 후에 어머님은 가까스로 건강을 되찾았다.

지난 주말에도 나는 산에 다녀왔다. 눈이 내린 날이었다. 불과 일주일 만에 약수터의 참나무는 제 스스로 모든 잎을 떨군 채 찬바람 속에 무연히 서 있었다. 그리고 침묵의 시간으로 돌아간 듯 더 이상 말이 없었다. 나는 내가 못을 빼냈던 자리를 찾아보았다. 상처는 아직도 완전히 아물지 않은 상태였다.

그 헐벗은 나무를 보며 나는 생각했다. 그동안 나는 사소한 일에도 얼마나 자주 마음이 흔들렸던가. 또 어쩌다 상처를 받게 되면 얼마나 많은 원망의 시간을 보냈던가. 그리고 나는 길을 잃은 사람이 다시 찾아올 수 있도록 변함없이 그 자리에 서 있었던 적이 있었던가. 그렇게 말없이 기다림을 실천한 적이 있었던가.

이제부터는 한 그루 나무처럼 살고 싶다. 자기 자리에 굳건히 뿌리를 내리고 세월이 가져다주는 변화를 조용히 받아들이며 가끔은 누군가 찾아와 기대고 쉴 수 있는 사람이 되었으면 싶다. 겉모습은 어쩔 수 없이 변하더라도 속마음은 변하지 않는 사람이 되고 싶다. 한 그루 나무처럼 말이다.

핵심정리

갈래 : 수필
성격 : 성찰적, 체험적
제재 : 대못이 박힌 참나무
주제 : 쉽게 흔들리지 않고 남을 포용할 수 있는 삶을 살아야겠다는 깨달음
특징 : ·글쓴이의 경험과 성찰을 통해 삶의 의미를 표현함
     ·일상에 대한 섬세한 관찰이 드러남

06 극

1. 희곡

무대 상연을 전제로 꾸며 낸 연극의 대본

1) 희곡의 특성

- 무대 상연을 전제로 함
- 막과 장을 기본 단위로 함
- 시간과 공간, 등장인물의 수에 제약을 받음
- 등장인물의 대사와 행동을 통해 사건이 전개됨
- 대립과 갈등을 중심으로 이야기가 전개되는 산문 문학임
- 모든 사건이 배우의 행동을 통해 관객의 눈앞에서 지금 일어나고 있는 현재형으로 표현됨

2) 희곡의 구성 요소

형식적 요소	해설		막이 오르기 전에 필요한 무대 장치, 인물, 배경 등을 설명하는 부분
	대사	대화	등장인물 사이에 주고받는 말
		독백	등장인물이 무대에서 상대역 없이 혼자 하는 말
		방백	상대역에게는 들리지 않고 관객에게만 들리는 것으로 약속하고 하는 말
	지시문	무대 지시문	무대 장치, 분위기, 효과음, 조명 등을 지시함
		동작 지시문	등장인물의 행동, 표정, 심리, 말투 등을 지시함

2. 시나리오

영화나 드라마의 제작을 전제로 쓴 대본

1) 시나리오의 특성

- 영화나 드라마 상영을 전제로 함
- 장면(Scene)을 기본 단위로 함
- 시간과 공간, 등장인물의 수에 제약이 거의 없음
- 촬영을 고려한 특수 용어가 사용됨

2) 시나리오 용어

S#(Scene Number)	장면 번호
F.I.(Fade In)	어두운 화면이 점점 밝아지는 기법
F.O.(Fade Out)	밝은 화면이 점점 어두워지는 기법
Ins.(Insert)	화면과 화면 사이에 다른 화면을 끼워 넣는 것
O.L.(Over Lap)	한 화면에 다른 화면을 겹쳐서 장면을 전환하는 것
C.U.(Close Up)	어떤 특정 부분을 강조하기 위해 크게 확대해 찍는 것
E.(Effect)	효과음. 주로 화면 밖에서의 음향이나 대사에 의한 효과
Nar.(Narration)	화면 밖에서 들리는 설명 형식의 대사
Montage	여러 장면을 적절히 떼어 붙여서 새로운 장면을 만드는 것. 사건의 진행을 축약해서 보여 주는 효과가 있음

3. 전통극

오랜 세월 전승되어 온 우리 고유의 극으로, 음악 · 무용 · 연기 · 언어 등이 조화된 종합 예술

1) 전통극의 특성

내용	서민들의 생활과 의식을 통해 당대 사회의 불합리한 현실을 폭로하고 풍자함
대사	서민들의 일상적인 구어체, 관용적인 한문투, 비어, 재담 등이 활용됨
무대	· 무대 장치가 따로 없어 극 중 공간을 자유롭게 선택하고 변화시킴 · 관객이나 악사들이 공연 도중에 등장인물과 호응함
종류	가면극, 인형극

(1) 결혼

이강백

등장인물 : 남자, 여자, 하인

〈작가 노트〉

이 작품은 응접실 또는 아담한 소극장 같은 곳, 그런 실내에서 공연하기 알맞도록 썼다. 음악으로 비교한다면 실내악 같은 것이다.

무대를 따로 만들 필요도 있지 않고 별다른 조명이나 음향 효과의 도움을 받지 않아도 된다. 그러나 절대적으로 필요한 것은 그 장소에 모인 사람들이다. 이 연극의 등장인물, 하인은 그들로부터 잠시 모자라든가 구두, 넥타이 등을 빌려야 한다. 이 빌린 물건들을 단순히 소도구로 응용하기 위해서만이 아니다. 이 작품을 검토하면 알겠으나, 이 잠시 빌렸다가 되돌려 준다는 것엔 보다 더 깊은 의미가 있고 이 연극에서 중대한 역할을 차지하게 된다.

하인, 그는 빌린 물건들로 한 남자를 치장한다. 구색이 맞지 않고 엉뚱한 다른 물건들로 남자는 좀 우스꽝스럽기는 하지만 그럭저럭 부자처럼 보이게 된다.

〈중략〉

여자, 작별 인사를 하고 문전까지 걸어 나간다.

남자   잠깐만요, 덤…….

여자   (멈칫 선다. 그러나 얼굴은 남자를 외면한다.)

남자   가시는 겁니까, 나를 두고서?

여자   (침묵)

남자   덤으로 내 말을 조금 더 들어 봐요.

여자   (악의적인 느낌이 없이) 당신은 사기꾼이에요.

남자   그래요, 난 사기꾼입니다. 이 세상 것을 잠시 빌렸었죠. 그리고 시간이 되니까 하나둘씩 되돌려 줘야 했습니다. 이제 난 본색이 드러나 이렇게 빈털터리입니다. 그러나 덤, 여기 있는 사람들에게 물어봐요. 누구 하나 자신 있게 이건 내 것이다, 말할 수 있는가를. 아무도 없을 겁니다. 없다니까요. 모두들 덤으로 빌렸지요. 언제까지나 영원한 것이 아닌, 잠시 빌려 가진 거예요. (누구든 관객석의 사람을 붙들고 그가 가지고 있는 물건을 가리키며) 이게 당신 겁니까? 정해진 시간이 얼마지요? 잘 아꼈다가 그 시간이 되면 꼭 돌려주십시오. 덤, 이젠 알겠어요?

여자, 얼굴을 외면한 채 걸어 나간다.
하인, 서서히 그 무거운 구둣발을 이끌고 남자에게 다가온다.
남자는 뒷걸음질을 친다. 그는 마지막으로 절규하듯이 여자에게 말한다.

남자   덤, 난 가진 것 하나 없습니다. 모두 빌렸던 겁니다. 그런데 덤, 당신은 어떻습니까? 당신이 가진 건 뭡니까? 무엇이 정말 당신 겁니까? (넥타이를 빌렸었던 남성 관객에게) 내 말을 들어 보시오. 그럼 당신은 나를 이해할 거요. 내가 당신에게서 넥타이를 빌렸을 때, 그때 내가 당신 물건을 어떻게 다뤘었소? 마구 험하게 했었소? 어딜 망가뜨렸소? 아니오, 그렇진 않았습니다. 오히려 빌렸던 것이니까 소중하게 아꼈다간 되돌려 드렸지요. 덤, 당신은 내 말을 듣고 있어요? 여기 증인이 있습니다. 이 증인 앞에서 약속하지만, 내가 이 세상에서 덤 당신을 빌리는 동안에, 아끼고, 사랑하고, 그랬다가 언젠가 끝나는 그 시간이 되면 공손하게 되돌려 줄 테요. 덤! 내 인생에서 당신은 나의 소중한 덤입니다. 덤! 덤! 덤!

남자, 하인의 구둣발에 걸어차인다.
여자, 더 이상 참을 수 없다는 듯 다급하게 되돌아와서 남자를 부축해 일으키고 포옹한다.

— 막 —

핵심정리

갈래 : 희곡, 실험극
성격 : 희극적, 비판적
제재 : 남녀의 결혼
주제 : 소유의 본질과 진정한 사랑의 의미
특징 : ·별다른 무대 장치가 없으며 무대와 관객석의 구분이 명확하지 않음
　　　　·관객이 극 중에 참여하여 등장인물과의 소통이 이루어짐
핵심노트 :

남자가 깨달은 소유의 본질	·우리가 가진 것은 모두 빌린 것이며 언젠가는 돌려주어야 함 ·빌린 것이므로 더 소중하게 대해야 함

↓

진정한 사랑	사랑하는 사람을 빌리는 동안 헌신적으로 그 사람만을 사랑할 것임

(2) 두근두근 내 인생

원작 김애란

S# 16. 병원 앞 거리 / 오후

모자와 커다란 선글라스로 가렸어도 드러나는 아름이의 병색.

사람들, 미라와 아름이를 호기심 어린 눈빛으로 혹은 동정 어린 눈길로 힐끗댄다.

미라의 눈치를 보며 손을 잡아끄는 아름이.

하지만 생각에 잠긴 미라는 빨리 걸을 생각이 전혀 없어 보인다.

아름   빨리 좀 가. 사람들이 쳐다보잖아.

미라   (대수롭지 않은 듯이) 내가 너무 예쁜가 보지, 뭐!

아름   (미라의 손을 잡아끄는데 따라오지 않자 짜증을 내며) 엄만 안 창피해?

태연한 미라의 태도에 짜증이 나서 손을 놔 버리는 아름이.

미라, 앞장서 가는 아름이의 배낭을 잡아챘다.

미라   뭐가 창피한데, 뭐가?

아름   (주위를 의식하며) 왜 그래, 진짜.

미라   너 아픈 애야. 아픈 애가 왜 자꾸 딴 데 신경 써? 사람들이 보건 말건, 병원비가 있건 없건, 애처럼 굴어. 아프면 울고 떼를 쓰란 말이야. 그냥 애처럼!

아름   ……. 애처럼 안 보이니까 그렇지.

미라   (선글라스를 벗기면서) 연예인도 아니면서 이런 걸 쓰고 다니니까 사람들이 쳐다보지!

가슴이 답답한 미라, 고개를 돌려 한숨을 내쉰다.

괜한 말 꺼내서 오도 가도 못하는 아름이는 땅만 발로 찬다.

미라   한아름! 엄마 봐. 내가 누구야. 나…….

미라/아름 (아름이가 미라를 따라하며) 나, 열일곱 살에 애 낳은 여자야.

두 사람, 마주 보고 피식 웃는다.

S# 44. 병원 복도 / 오후

복도의 의자에 나란히 앉은 장 씨와 아름이. 장 씨가 아름이에게 따뜻한 물을 건넨다.

장 씨   방송 그거 쉬운 거 아니드만?

아름   (웃으며) 그렇죠. (물 받으며) 감사합니다.

장 씨   좀 괜찮아?

아름   네. (알약을 삼키는 장 씨를 보며) 짱가, 어디 아파요?

장 씨   아, 이 나이에 안 아픈 게 이상한 거지.

아름   (피식 웃으며) 그건 제가 좀 알죠. 그래도 짱가는 꽤 동안이에요.

장 씨   그치? 흐흐. (우당탕, 시끄럽게 지나가는 젊은이들을 보며) 저것들은 몰라. 젊은 게 얼마나 좋은 건지.

아름   너무 건강해서 자기들이 건강한지도 모를 거예요.

장 씨   (음흉한 미소를 지으며) 그리고 쟤들이 모르는 게 또 있어.

아름   뭔데요?

장 씨   흐흐흐, 앞으로 늙을 일만 남은 거.

아름   아!

장 씨를 보며 말갛게 웃는 아름이. 마주 보며 씩 웃어 주는 장 씨.

S# 50. 오솔길 / 오후 [아름이의 상상]

사진 위로 겹쳐진 두 손이 실제로 맞잡은 손이 된다.

손을 잡고 걷고 있는 소년과 소녀. 아름이와 서하의 뒷모습이다.

카메라가 점점 뒤로 가면서, 벚나무가 무성한 오솔길을 걷고 있는 소년과 소녀의 뒷모습이 아련하게 보인다.

서하가 아름이에게 전자 우편을 통해 들려주었던 음악이 잔잔하게 깔린다.

오솔길을 걷는 두 사람.

아름이는 자신의 꿈속에 등장했던 건강한 열여섯 살 소년의 모습을 하고 있다.

그리고, 아름이가 바라본 서하의 모습.

햇빛에 역광으로 비친 음영에서, 점점 윤곽이 또렷해지며 모습을 드러내는 서하.

청순한 얼굴의 한 소녀가 아름이를 향해 환하게 웃고 있다.

이때, 어디선가 살랑살랑 불어오는 바람. 서하의 긴 머리카락이 바람에 크게 흩날린다.

청량한 서하의 웃음소리가 울려 퍼지고, 그런 서하를 보며 미소 짓는 아름이.

서하　(소리) 아름아, 넌 언제 살고 싶어지니?

　　　　아름이 넌 어떨 때 가장 살고 싶어지냐구…….

- 원작 김애란 / 각본 최민석 외, 「두근두근 내 인생」 -

핵심정리

갈래 : 시나리오

주제 : 힘든 상황 속에서도 웃음을 잃지 않고 서로를 보듬는 부모와 자식의 아름다운 사랑

특징 : ·조로증을 앓고 있는 16세 소년의 삶과 사랑을 담담하고 유쾌한 시각으로 그려 냄
　　　·인물이 상상하는 장면을 통해 인물의 심리를 형상화함

핵심노트 : 시나리오에 담긴 사회·문화적 가치 확인

대수와 미라는 아름이를	세상에 하나뿐인 사랑스러운 자식으로 대한다.
택시 승객들은 아름이를	신기해하거나, 혐오하거나, 동정의 시선으로 바라본다.
장 씨는 아름이를	마음을 나눌 수 있는 진정한 친구로 여긴다.
불량한 학생들은 아름이를	기이한 동물처럼 대하며 괴롭힌다.

· 사람들마다 태도가 다른 이유 : 사람들은 각자의 경험이나 지식, 자라온 환경이나 처한 상황이 다르기 때문에 동일한 대상이라도 그에 대한 생각과 태도가 다른 것이다.

(3) 봉산탈춤

김진옥, 민천식 구술 / 이두현 채록

제 6 과장 양반춤

말뚝이 (벙거지를 쓰고 채찍을 들었다. 굿거리장단에 맞추어 양반 삼 형제를 인도하여 등장.)

양반 삼 형제 (말뚝이 뒤를 따라 굿거리장단에 맞추어 점잔을 피우나, 어색하게 춤을 추며 등장. 양반 삼 형제 맏이는 샌님[生員], 둘째는 서방님[書房], 끝은 도련님[道令]이다. 샌님과 서방님은 흰 창옷에 관을 썼다. 도련님은 남색 쾌자에 복건을 썼다. 샌님과 서방님은 언청이이며(샌님은 언청이 두 줄, 서방님은 한 줄이다.) 부채와 장죽을 가지고 있고, 도련님은 입이 삐뚤어졌고 부채만 가졌다. 도련님은 일절 대사는 없으며, 형들과 동작을 같이 하면서 형들의 면상을 부채로 때리며 방정맞게 군다.)

말뚝이 (가운데쯤에 나와서) 쉬이. (음악과 춤 멈춘다.) 양반 나오신다아! 양반이라고 하니까 노론(老論), 소론(少論), 호조(戶曹), 병조(兵曹), 옥당(玉堂)을 다 지내고 삼정승(三政丞), 육판서(六判書)를 다 지낸 퇴로 재상(退老宰相)으로 계신 양반인 줄 아지 마시오. 개잘량이라는 '양' 자에 개다리소반이라는 '반' 자 쓰는 양반이 나오신단 말이오.

양반들 야아, 이놈, 뭐야아!

말뚝이 아, 이 양반들, 어찌 듣는지 모르갔소. 노론, 소론, 호조, 병조, 옥당을 다 지내고 삼정승, 육판서 다 지내고 퇴로 재상으로 계신 이 생원네 삼 형제분이 나오신다고 그리하였소.

양반들 (합창) 이 생원이라네. (굿거리장단으로 모두 춤을 춘다. 도령은 때때로 형들의 면상을 치며 논다. 끝까지 그런 행동을 한다.)

말뚝이 쉬이. (반주 그친다.) 여보, 구경하시는 양반들, 말씀 좀 들어 보시오. 짤따란 곰방대로

잡숫지 말고 저 연죽전(煙竹廛)으로 가서 돈이 없으면 내게 기별이래도 해서 양칠간죽(洋漆竿竹), 자문죽(自紋竹)을 한 발가옷씩 되는 것을 사다가 육모깍지 희자죽(喜子竹), 오동수복(烏銅壽福) 연변죽을 이리저리 맞추어 가지고 저 재령(載寧) 나무리 거이 낚시 걸듯 죽 걸어 놓고 잡수시오.

양반들 뭐야아!

말뚝이 아, 이 양반들, 어찌 듣소. 양반 나오시는데 담배와 훤화(喧譁)를 금하라 그리하였소.

양반들 (합창) 훤화를 금하였다네. (굿거리장단으로 모두 춤을 춘다.)

말뚝이 쉬이. (춤과 반주 그친다.) 여보, 악공들 말씀 들으시오. 오음 육률(五音六律) 다 버리고 저 버드나무 홀뚜기 뽑아다 불고 바가지장단 좀 쳐 주오.

양반들 야아, 이놈, 뭐야!

말뚝이 아, 이 양반들, 어찌 듣소. 용두 해금(龍頭奚琴), 북, 장고, 피리, 젓대 한 가락도 뽑지 말고 건건드러지게 치라고 그리하였소.

양반들 (합창) 건건드러지게 치라네. (굿거리장단으로 춤을 춘다.)

핵심정리

갈래 : 전통극, 가면극, 탈춤 대본
성격 : 서민적, 풍자적, 해학적, 비판적
배경 : 조선 후기(18세기 경)
주제 : 무능한 양반에 대한 풍자와 비판
특징 : ·언어 유희, 과장, 희화화를 통해 양반을 조롱하고 풍자함
　　　　·무대를 따로 설치하지 않고 마당에서 공연이 이루어짐
　　　　·객석과 구분이 엄격하지 않아 관객이 극 중에 참여하고 연기자와 관객이 직접 소통할 수 있음
　　　　·각 과장이 서로 인과 관계 없이 독립적으로 구성됨(옴니버스식 구성)
핵심노트 : ① 봉산탈춤의 재담 구조
　　　　　　쉬이(재담의 시작을 알림, 관객의 이목을 집중시킴, 음악과 춤 멈추게 함) – 말뚝이의 조롱 – 양반의
　　　　　　호통 – 말뚝이의 변명 – 양반의 안심 – 춤(각 재담을 마무리하고 구분함, 갈등이 일시적으로 해소됨,
　　　　　　흥겨운 분위기를 조성함)
　　　　② 언어유희를 통한 말뚝이의 조롱 : 양반 = 개잘량의 '양' + 개다리 소반의 '반'
　　　　　　유사한 발음을 사용한 언어유희로 신분상 특권 계층인 '양반'을 조롱함

설득을 위한 글

1. 논설문
독자를 설득할 목적으로 자신의 주장이나 의견을 이치에 맞게 논리적으로 쓴 글

2. 논설문의 성격
- 주관성 : 글쓴이의 생각과 주장이 뚜렷하게 드러나 있어야 함
- 독창성 : 글쓴이의 주장이 독창적이어야 함
- 타당성 : 주장에 대한 근거는 타당하고 합리적이어야 함
- 명료성 : 전달하려는 의미나 표현, 용어 등이 분명하고 정확해야 함

3. 논설문의 구성
논설문의 일반적인 구성 : 3단 구성 '서론 - 본론 - 결론'
- 서론 : 글을 쓰게 된 동기, 문제 제기, 주장할 내용 등을 제시함
- 본론 : 서론에서 제기한 논제에 대한 주장과 근거를 제시함
- 결론 : 글 전체의 내용을 마무리, 본론에서 주장한 내용을 요약하고 강조함

4. 논설문을 읽는 방법
- 글쓴이의 주장, 관점, 의도를 파악하며 읽는다.
- 객관적인 사실과 주관적인 의견을 구분하며 읽는다.
- 글쓴이가 제시한 근거의 타당성을 검토하며 읽는다.

정보 전달을 위한 글

1. 설명문

어떤 사물의 이치나 현상, 지식 등에 대하여 글쓴이가 알고 있는 바를 쉽게 풀이하여 읽는 이를 이해시키고자 하는 글

2. 설명문의 성격

· 객관성 : 글쓴이의 개인적인 생각이나 느낌을 배제하고 객관적인 입장에서 전달함
· 사실성 : 정확한 지식과 정보를 사실에 근거하여 설명함
· 평이성 : 명확하고 알기 쉬운 어휘와 간결한 문장으로 구성함
· 명료성 : 뜻이 정확하고 분명하게 전달되도록 설명함

3. 설명문의 구성

① 처음 : 설명 대상 소개, 독자의 호기심 유발, 글 쓴 목적 제시
② 중간 : 대상에 대한 구체적인 사실과 정보 제시
③ 끝 : 본문의 내용 정리와 요약, 마무리

4. 설명문 읽는 방법

· 정확한 정보의 파악과 해석에 유의함
· 문단의 연결 관계에 유의하면서 문단의 중심 내용을 파악함
· 전체 내용을 요약하고 주제를 파악함

5. 설명문의 내용 전개 방식

· 정의 : '무엇은 무엇이다.'의 형식으로 어떤 말이나 사물의 의미를 밝히는 방법
· 예시 : 어떤 대상에 대한 구체적인 예를 들어서 대상을 설명하는 방법
· 비교 : 둘 이상의 대상이 지닌 공통점, 비슷한 점을 중심으로 설명하는 방법
· 대조 : 둘 이상의 대상이 지닌 차이점, 다른 점을 중심으로 설명하는 방법
· 인과 : 어떤 일의 원인과 이로 인해 결과적으로 초래된 현상을 중심으로 내용을 전개하는 방법
· 묘사 : 어떤 대상, 사건이나 행동을 눈에 보이듯이 진술하는 방법

(1) 로봇 시대, 인간의 일

구본권

인공지능은 컴퓨터 프로그램을 활용해 인간과 비슷한 인지적 능력을 구현한 기술을 말한다. 인공지능은 기본적으로 보고 듣고 읽고 말하는 능력을 갖춤으로써 인간과 대화할 수 있을 뿐만 아니라 지적 판단이 필요한 상황에서 합리적 결정을 내릴 수 있다.

인공지능이 인간의 말을 알아듣고 명령을 실행하는 똑똑한 기계가 되는 것은 반길 일인가, 아니면 주인과 노예의 관계를 역전시키는 재앙이라고 경계해야 할 일인가? 인간의 지적 능력을 뛰어넘는 인공지능 개발에 관한 보도가 잇따르는 가운데, 세계적 석학들이 인공지능 개발이 결국엔 인류의 종말로 이어질 것이라는 경고를 내놓기 시작했다. 세계적 물리학자 스티븐 호킹(Stephen Hawking)은 "인공지능은 결국 의식을 갖게 되어 인간의 자리를 대체할 것"이라며, "생물학적 진화 속도보다 과학 기술의 진보가 더 빠르기 때문"이라고 말했다.

'생각하는 기계'가 축복이 될지 재앙이 될지는 미지의 영역이며 미래 사회가 어디로 향할 것인지는 격렬한 공방을 가져올 주제이다. 하지만 분명한 것은 인류가 이제껏 고민해 본 적이 없는 문제와 마주했다는 점이다. 거대한 영향력을 지닌 신기술의 도입으로 예상치 못한 심각한 부작용이 생기면, 기술과 인간의 관계는 밑바닥에서부터 재검토되어야 한다.

인공지능 발달이 우리에게 던지는 새로운 과제는 두 갈래다. 로봇을 향한 길과 인간을 향한 길이다.

첫째는, 인류를 위협할지도 모를 강력한 인공지능을 우리가 어떻게 통제할 것인가의 문제이다. 로봇에 대응하는 차원에서 로봇이 지켜야 할 도덕적 기준을 만들어 준수하게 하는 방법이나, 살인 로봇을 막는 국제 규약을 제정하는 것이 접근방법이 될 수 있다. 또한, 다양한 상황에 관한 사회적 합의를 담은 알고리즘을 만들어 사회적 규약을 벗어나지 않는 범위에서 로봇이 작동하게 하는 방법도 모색할 수 있다. 설계자의 의도를 배반하지 못하도록 로봇이 스스로 무력화(武力化)

할 수 없는 원격 자폭 스위치를 넣는 것도 가능하다. 인공지능 로봇이 인간의 통제를 벗어나지 못하게 과학자들은 다양한 기술적 방법을 만들어 내고, 입법자들은 강력한 법률과 사회적 합의를 적용할 것이다.

둘째는, 생각하는 기계가 모방할 수 없는 인간의 특징을 찾아 인간의 가치를 높이는 것이다. 즉, 로봇이 아니라 인간을 깊이 생각하고 인간 고유의 특징을 활용하는 것이다. 인공지능이 마침내 인간의 의식 현상을 구현해 낸다고 하더라도 인간과 인공지능은 여전히 구분될 것이다. 인간에게는 감정과 의지가 있기 때문이다.

감정은 비이성적이고 비효율적이지만 인간됨을 규정하는 본능으로, 감정에 따라 판단하고 의지적으로 행동하는 인간에게 감정은 강점이면서 동시에 결함이 된다. 논리적으로 설명할 수 없는 인간의 행동은 대부분 감정과 의지에서 비롯한 것이다. 인류는 진화의 세월을 거쳐 공감과 두려움, 만족 등 다양한 감정을 발달시켜 왔다. 인간의 감정과 의지는 수백만 년의 진화 과정에서 인류가 살아남으려고 선택한 전략의 결과이다.

인공지능을 통제하는 것이 과학자들과 입법자들의 과제라면, '인간이란 무엇인가?', '인공지능이 대체할 수 없는 나만의 특징과 존재 이유는 무엇일까?'라는 철학적인 질문은 각 개인에게 던져진 과제이다.

인공지능 시대는 필연적으로 인간의 본질과 삶의 의미에 대해 근원적 질문을 던진다. 인공지능과 자동화는 우리에게 기계가 인간을 능가할 수 없는, 기계가 도저히 흉내 낼 수 없는 인간의 능력이 무엇이냐고 묻는다. 이것은 단지 기계와의 경주에서 살아남기 위해 경쟁력 있는 직업을 유지할 수 있는 인간만의 고유한 기능이 무엇인지를 묻는 게 아니다. 인공지능이 점점 더 똑똑해지고, 인간이 해 오던 많은 일을 기계가 대신하게 되는 상황에서 인간이 인간다워지는 것의 의미를 묻는 것이다.

인공지능 시대에 인간을 인간답게 만드는 것은 무엇보다 결핍과 그에 따른 고통이다. 인류의 역사와 문명은 이러한 결핍과 고통에서 느낀 감정을 동력으로 발달해 온 고유의 생존 시스템이다. 처음 마주하는 위험과 결핍은 두렵고 고통스러웠지만, 인류는 놀라운 유연성과 창의성으로 대응해 왔다. 결핍과 고통을 벗어나는 과정에서 인류가 체득한 생존의 방법이 유연성과 창의성이다. 이것은 기계에 가르칠 수 없는 속성이다. 그래서 인간의 약점은 인간과 기계를 구별하는 최후의 요소라고 할 수 있다. 우리는 기계를 설계할 때 부정확한 인식과 판단, 감정에서 비롯한 변덕스럽고 비합리적인 행동, 망각과 고통 같은 인간의 약점을 기계에 부여하지 않는다. 인간은 우리가 기계에 부여하지 않을, 이러한 부족함과 결핍을 지닌 존재이다. 하지만 거기에 인공지능 시대 우리가 가야 할 사람의 길이 있다.

결국, 앞에서 이야기한 두 가지 과제의 궁극적인 방향은 기계와의 경쟁이 아닌 공존과 공생이다. 인간 고유의 속성인 유연성과 창의성은 인공지능 시대라는 새로운 변화에서도 인간이 생존할 방법을 찾아낼 것이다.

– 구본권, 「로봇 시대, 인간의 일」

핵심정리

갈래 : 설명문적 논설문
주제 : 인공지능 시대에 인간과 기계가 공존·공생하는 길
특징 : · 전문가의 말을 인용하여 문제를 제기함
　　　· 문제 해결의 방안을 로봇에 대한 것과 인간에 대한 것으로 나누어 접근함
　　　· 인류 문명과 역사에 대한 유추를 통해 미래 사회의 문제를 해결하기 위한 접근법을 모색함

(2) 스마트폰 중독, 어떻게 해결할까?

고영삼

스마트폰 중독 위험에 노출된 청소년들

스마트폰을 많이 사용한다고 해서 반드시 과도한 의존 현상에 빠져 있다고 할 수는 없다. 그러나 분명한 목적이나 계획 없이 스마트폰을 자주 사용하는 습관은 스마트폰에 과도하게 의존하는 현상, 이른바 스마트폰 중독으로 이어질 위험이 있다. 특히 자기 조절 능력이 부족한 청소년들은 스마트폰에 중독될 위험이 더 크다. 실제로 한국 정보화 진흥원의 2015년 조사 자료를 보면, 청소년의 스마트폰 중독 정도는 성인보다 더 높은 것으로 나타났다.

또한 스마트폰에 중독된 청소년들이 해가 갈수록 늘어나는 추세이다. 2015년 청소년 스마트폰 이용자 중 스마트폰 중독 위험군은 31.6퍼센트로 전년 대비 2.4퍼센트포인트 상승하였으며, 2011년 이후 매년 꾸준히 증가하고 있다.

스마트폰 중독, 왜 위험한가?

먼저, 스마트폰에 중독되면 공부나 일에 집중할 수 없어 일상생활에 어려움을 겪는다. 내가 보낸 문자 메시지를 친구가 읽었는지, 무엇이라고 답했는지가 궁금해서 공부나 일에 집중하지 못했던 경험이 있을 것이다. 우리가 어떤 일에 몰두하면 두뇌의 '작업 기억'은 가득 차 버린다. 그래서 여러 가지 일을 동시에 하면 기억 공간이 부족해져서 공부나 일에 대한 주의가 분산되고 능률도 떨어진다. 스마트폰에 중독된 학생들의 학업 성적이 떨어지는 이유도 이 때문이다.

둘째, 스마트폰 중독은 금단 현상이나 강박 증세, 충동 조절 능력 저하, 우울 등과 같은 신경 정신과적 증상을 동반할 수 있다. 일반적으로 중독 물질에 반복적으로 노출되면, 두뇌에서 쾌락을 느끼게 하는 신경 전달 물질인 도파민이 과도하게 분비되어 이후에 같은 자극을 받더라도 처음과 같은 쾌락을 느끼지 못하는 내성이 생긴다. 또한 자극이 없을 때에는 극도의 불안을 느끼는 금단 현상이 나타난다. 마찬가지로 스마트폰에 중독되면 스마트폰을 이전보다 더 많이 사용하지 않는 이상 만족감이나 즐거움을 느낄 수 없게 되며, 스마트폰을 가지고 있지 않을 때에는 극도의 불안감이나 초조감을 느끼게 된다. 또한 스마트폰에 중독되면 기분과 사고 기능 등을 조절하게 하는 신경 전달 물질인 세로토닌의 분비가 줄어드는데, 이것이 줄어들면 감정 조절이 어려워 충동적으로 변하거나 우울증이 생기기도 한다.

셋째, 스마트폰 중독은 신체 건강에 악영향을 끼친다. 작은 화면을 오래 보면 눈이 피로해지고 목이나 손목, 척추 등에 이상이 온다는 것은 너무나 많이 알려진 상식이라 더 설명할 필요도 없다. 이 외에도 스마트폰 중독은 두통, 두뇌 기능 저하, 수면 장애 및 만성 피로 등의 원인이 될 수 있다. 또한, 세계 보건 기구에서는 2011년부터 스마트폰에서 나오는 전자파를 '발암 가능 물질'로 분류하였다. 전자파가 열작용을 일으켜 체온이 상승해 세포나 조직 기능에 영향을 줄 수 있기 때문이다. 따라서 스마트폰 중독이 신체 건강에 끼치는 피해는 심각하다고 할 수 있다.

마지막으로, 스마트폰 중독은 사회적으로 건강한 생활을 할 수 없게 만든다. 스마트폰에 중독된 사람은 가상 세계를 지향하려는 경향이 있는데, 가상 세계에 몰입하다 보면 현실 세계에서 원만한 대인 관계를 형성하거나 유지하는 데에 어려움을 겪을 수 있다. 또한, 스마트폰 중독이 심각한 경우에는 현실 세계와 가상 세계를 혼동하여 일탈 행동을 보이거나 범죄를 저지르는 등 사회적 물의를 일으킬 수 있다. 실제로 가상 세계에서의 비방이나 험담으로 시작된 다툼이 현실 세계에서의 폭력으로 이어진 사례가 있으며, 심지어 누리소통망(SNS)에서 익명의 다수에게 호응을 얻기 위해 일탈 행동을 저지르고는 이를 자기의 계정에 올려 충격을 준 사례도 있다.

핵심정리

갈래 : 논설문
주제 : 스마트폰 중독 현상과 위험성
특징 : · 인용이나 구체적 수치를 제시하여 주장에 대한 근거를 뒷받침함
· 스마트폰 중독의 위험성을 나열하고 그 근거를 구체적으로 제시함

(3) 옷 한 벌로 세상 보기

이민정

신상품을 최대한 빨리 만들어서 싼 가격으로 파는 것은 이제 하나의 사업 전략으로 자리 잡았고, 이 전략을 선택한 많은 의류 업체가 승승장구하고 있다. 이런 놀랄 만한 성장의 원동력은 무엇보다도 소비자의 열렬한 호응이다. 최신 유행을 반영한 옷을 싼 가격에 살 수 있게 된 소비자는 이러한 옷을 마다할 이유가 없고, 더 많은 제품을 판매하여 이익을 얻게 된 의류 업체도 함박웃음을 짓는다. 그런데 좀 더 깊이 살펴보면 이러한 변화가 과연 반가워만 할 일인가라는 의문이 든다.

우선 디자인이 도용되는 사태가 발생하고 있다. 일부 의류 업체는 옷을 빠르게 생산하는 것에만 초점을 맞추고, 옷을 디자인하는 데에는 충분한 시간을 투자하지 않는다. 하지만 새로운 옷은 계속 제작해야 하니 결국 이런 업체는 남의 디자인을 도용하여 불법 복제품을 만든다. 실제로 세계적인 규모의 한 의류 업체는 디자인 도용 혐의로 50번 넘게 고발당했고, 이 때문에 언론으로부터 수차례 비판을 받았지만 이를 개선하려는 의지를 보이지 않고 있다. 디자인 도용으로 얻을 수 있는 이익이 처벌로 입게 될 손해보다 더 크기 때문이다.

디자인 도용에 대응하기 위해 원작 디자이너는 지적 재산권 소송을 하기도 한다. 하지만 디자인과 관련된 지적 재산권 소송의 경우, 창조와 모방의 경계가 모호한 경우가 많아서 소송 과정이 길고 복잡하다. 게다가 소송에 드는 비용 또한 만만치가 않아서 어쩔 수 없이 소송 자체를 포기하는 디자이너도 많다. 상황이 이렇다 보니 원작 디자이너의 지적 재산권을 침해하는 불법 복제품은 쉽사리 사라지지 않고 있다. 이렇게 디자인 도용이 계속되는 현실 속에서는 디자이너가 창의성을 발휘하기 어려울 수밖에 없다.

다음으로 환경이 오염되고 있다. 그린피스(Green Peace)의 2016년도 보도 자료에 따르면 한 해에 생산되는 의류의 양은 약 800억 점이다. 전 세계 인구가 75억 명 남짓이니 한 사람당 10점 이상 가질 수 있는 엄청난 양이다. 그러나 그중 4분의 3, 즉 600억 점의 의류는 결국 소각되거나 매립된다. 옷의 원재료인 직물은 한 해에 약 40만 제곱킬로미터가 생산되는데, 이는 우리나라 국토를 약 네 번 덮을 수 있는 넓이이다. 그중 생산 과정에서 버려지는 직물의 양은 약 6만 제곱 킬로미터로, 제주도를 약 서른두 번 덮을 수 있는 넓이이다. 버려지는 옷과 직물 중 65퍼센트는 합성 섬유로 만들어진 것이기에 매립해도 좀처럼 썩지 않고, 태우면 유해 물질을 내뿜어 환경 오염을 가속화한다.

자원의 생산 과정에서도 환경이 오염된다. 대표적인 천연 섬유 재료인 면화는 전 세계 경작지의 약 2.5퍼센트에 해당하는 토지에서 생산되고 있는데, 여기에 사용되는 살충제의 양이 전 세계 살충제 사용량의 약 16퍼센트에 달한다. 작물로서는 단위 면적당 살충제 사용량이 최고인 셈이다. 맹독성 살충제는 토양에 스며들어 지하수를 타고 강으로 흘러들어가 동식물을 병들게 한다. 더 많이 생산하고 더 많이 버리는 과정에서 자연이 고통받는 것이다.

자연 못지않게 사람도 고통받고 있다. 많은 의류 업체가 제품 제작에 드는 비용을 줄이려 시간 당 임금이 낮은 개발도상국의 공장에서 제품을 만든다. 현재 세계에서 두 번째로 많은 옷을 만들고 수출하는 나라는 방글라데시로, 약 400만 명의 노동자가 의류 공장에서 일하고 있다. 일부 의류 업체는 옷을 더 빨리, 더 많이 판매하기 위해 이들 공장에 납품 기한을 최소한으로 준다. 납품 기한을 지키기 위해 노동자는 늦은 시간까지 노동을 강요당하고 쉬는 시간도 빼앗기는 등 부당한 대우를 받고 있다. 이런 환경에서 노동자가 일하고 받는 임금은 2014년 기준으로 한 달에 약 7만 원 남짓에 불과하다.

소비자가 부담 없이 살 수 있는 싼 옷을 만들기 위해 개발도상국의 노동자는 악조건 속에서 일하고 있다. 더욱 안타까운 것은 이런 현실을 개선하기가 쉽지 않을 것이라는 점이다. 싼 가격으로 경쟁하는 옷, 더 빠르게 유행을 따라가는 옷을 만들어야만 살아남을 수 있는 시장에서, 기업이 노동자의 임금을 인상하거나 근로 환경을 개선하는 데 적극적으로 투자하지는 않을 것이기 때문이다.

의류 업체는 이윤을 내는 데 열중하고, 소비자는 유행을 좇아 옷을 구매하다 보니 기업 윤리나 소비 윤리는 지켜지지 않고 있다. 이러한 상황을 변화시키기 위해 우리는 어떻게 해야 할까? 다른 무엇보다도 옷을 불필요하게 소비하지 않아야 한다. 필요 이상으로 옷을 여러 벌 산 적은 없는지, 일회용품처럼 옷을 쉽게 사고 쉽게 버린 적은 없는지 우리의 소비 생활을 돌아볼 필요가 있다. 옷을 일회용품이 아니라 필수품이라고 인식해야 과도하게 옷을 소비하지 않을 수 있다.

또한 내가 입는 옷을 누가, 어떤 과정을 거쳐 만들었는지에 관심을 기울여야 한다. 옷을 만드는 과정에서 지적 재산권 침해, 환경 오염, 기업의 노동력 착취와 같은 일이 발생했는지 안다면 우리가 어떤 옷을 입을지 선택할 때에 도움이 될 것이다. 옷의 정보를 알기 어렵다면 소비자는 해당 기업에 관련 정보를 공개하라고 요구할 수 있다. 소비자는 자신이 사용하는 제품의 상세한 정보를 알 권리가 있기 때문이다.

옷의 정보를 확인한 후에는 이를 고려하여 옷을 소비해야 한다. 바로 여기에 어려운 점이 있다. 공정한 과정을 거쳐 옷을 생산한 경우에는 그렇게 하지 않은 경우에 비해 더 많은 비용이 들고, 당연히 그 비용은 옷 가격에 반영된다. 옷이 더 비싸지는 것이다. 하지만 옷에 싼 가격을 매기기 위해 불공정한 방법을 사용하였다면 그 가격 역시 불공정하다는 것을 알아야 한다.

일일이 옷의 정보를 확인하고, 생산 과정이 공정했는지를 따져 보는 것은 번거로운 일일지도 모른다. 하지만 어떤 과정으로 만들어진 옷을 입을 것인지 결정하는 우리의 작은 선택은 전 세계 의류 산업과 이에 종사하는 사람들, 나아가 지구 환경에도 영향을 미칠 수 있다. 따라서 이제는 이를 깨닫고, 공존과 상생의 가치를 바탕으로 한 옷 입기를 실천해야 할 때이다.

핵심정리

갈래 : 논설문
성격 : 논리적, 분석적, 현실 비판적
주제 : 공존과 상생의 가치를 바탕으로 한 옷 입기의 필요성
특징 : · 사회 현상의 원인을 다양한 측면에서 분석하고 설명함
· 구체적인 사례와 객관적인 자료를 제시해 주장의 신뢰성을 높임
· 일상 속의 현상에서 사회적인 문제점을 도출하여 독자의 관심과 참여를 유도함

(4) 시각 상과 촉각 상
– 보이는 것을 그릴 것이냐, 아는 것을 그릴 것이냐 –

이주헌

고대 이집트인들에게 인체의 일부를 작게 그려 넣는 것은 이처럼 원근에 따른 불가피한 시각적 표현이 아니라 실제의 크기를 줄여 버리는 것으로 느껴졌다. 그것은 불균형이요, 파괴였다. 그들의 그림은 기본적으로 시각 상이 아니라 촉각 상에 토대를 둔 것이었기 때문이다.

촉각 상이란 촉각적 경험이 가져다주는 이미지이다. 이를테면 동일한 종류의 사물이 앞뒤로 떨어져 있어서 한 지점에서 볼 때 크기가 달라 보여도 만져 보면 같듯, 사물의 객관적 형태나 모양에 대한 인식을 상으로 나타낸 것이다. 시각 상이란 시각적 경험이 가져다주는 이미지이다. 같은 사물도 보는 위치에 따라 더 크거나 작아 보이듯, 주체가 본 그대로 상을 나타낸 것이다. 그런 까닭에 시각적으로 어떻게 보이느냐보다 실제 그 형태나 모양이 어떤가에 더 관심을 둔 이집트 벽화는 시각 상보다 촉각 상을 더 중시한 그림이라고 할 수 있다.

원근법적 표현에 익숙한 오늘의 시각에서 보자면 이처럼 시각 상보다 촉각 상에 더 치중하여 그린 이집트인들의 표현이 어색하게 느껴질 수 있다. 하지만 일반적으로 사람들은 이미지를 표현할 때 촉각 상에 기초한 형태 이해를 강하게 드러낸다. 원근법적으로 표현하는 훈련을 따로 받지 않았다면 말이다.

일례로 우리나라 민화의 책거리 그림을 보면 책장이나 탁자의 앞부분과 뒷부분의 길이가 같은 경우가 많다. 건물을 그린 그림도 마찬가지이다. 보이는 대로 그린다면 뒷부분의 길이가 짧게 그려져야 한다. 하지만 그렇게 그리지 않은 경우가 더 많았다. 이런 사례는 사람이 사는 곳이면 어디든 쉽게 볼 수 있는 현상이다. 그러나 고대 그리스와 르네상스 시대의 유럽에서 철저히 시각적 경험에만 의존하여 대상을 묘사하는 특수한 현상이 나타났다. 그리고 이런 시각적 사실성이 서양 미술의 고유한 표현 특성이 되었다.

이로부터 우리는 보이는 것을 재현하는 것 이전에 아는 것을 전달하는 데에 미술의 일차적인 기능이 있음을 알 수 있다. 말이나 글처럼 말이다. 이는 왜 완벽한 시각적 사실성을 표현하는 것이 오직 유럽에서, 그것도 특정한 시기에만 발달했으며, 나아가 현대에 들어서는 추상화 등이 나타나 그 전통마저 무너져 내렸는가에 대한 답이 된다.

미술의 보다 보편적인 기능은 시각적 사실의 재현이 아니라 세계에 대한 앎과 이해, 느낌을 전달하는 데 있다. 이를 시각적 사실성에 의지해 표현하는 것은 그 전달을 위한 수많은 방법 중 하나에 불과한 것이다.

고대 이집트 벽화로 다시 눈길을 돌려 보자. 사람을 그린 것임에도 정면과 측면의 봉합이 아니라 정면이나 측면 어느 한쪽에서 본, 보다 사실적인 묘사를 한 그림들이 있다. 농부나 무희를 그린 그림들이다. 이처럼 신분이 낮은 존재를 그릴 때는 시각 상에 가깝게 그리고, 파라오나 귀족처럼 신분이 높은 존재를 그릴 때는 촉각 상에 가깝게 그리는 형식으로부터 우리는 이 벽화에 '세계의 질서'에 대한 이집트인들의 고유 인식이 담겨 있음을 확인할 수 있다.

곧 보이는 대로 그려진다는 것은 찰나의 대상이 된다는 것이요, 그것은 필멸의 운명을 드러내는 것이다. 하지만 아는 대로 그려진다는 것은 영원한 질서의 대변자가 되는 것이요, 영생을 약속받는 것이다. 촉각 상은 시각 상에 비해 이런 '진리의 전달'에 보다 유리한 이미지다.

– 이주헌, 「지식의 미술관」

핵/심/정/리

갈래 : 설명문
성격 : 해설적, 예시적
주제 : 인간의 인식과 사유를 표현하는 예술로서의 미술
특징 : 시각 상과 촉각 상을 대조하여 설명함

(5) 고릴라를 못 본 이유

이은희

사실 실험의 목적은 따로 있었다. 실험 참가자들에게 보여 준 동영상 중간에는 고릴라 의상을 입은 한 학생이 걸어 나와 가슴을 치고 퇴장하는 장면이 무려 9초에 걸쳐 등장한다. 재미있는 사실은 동영상을 본 사람들 중 절반은 자신이 고릴라를 보았다는 사실을 전혀 인지하지 못했다는 것이다. 나머지 절반은 고릴라를 알아보고 황당하다는 반응을 보였다. 심지어 고릴라를 인지하지 못한 이들에게 고릴라의 등장 사실을 알려 주고 동영상을 다시 보여 주자, 분명 먼젓번 동영상에서는 고릴라가 등장하지 않았다고 말하는 사람도 있었다. 그러면서 실험자가 자신을 놀리려고 다른 동영상을 보여 준 것이 아니냐는 의심을 하기도 하였다. 도대체 왜 이들은 고릴라를 보지 못한 것일까?

대니얼 사이먼스와 크리스토퍼 차브리스는 이를 '무주의 맹시'라고 칭했다. 이는 시각이 손상되어 물체를 보지 못하는 것과는 달리, 물체를 보면서도 인지하지 못하는 경우를 말한다. 두 눈을 멀쩡히 뜨고 있는데 보지 못한다고? 정말 황당한 소리이다. 하지만 우리는 늘 이런 경험을 한다. 실연한 뒤에는 유난히 행복한 연인들의 모습이 눈에 자주 띄고, 오랜만에 만난 아버지의 늙은 모습에 마음이 짠했던 날에는 유독 나이 든 어른들의 모습이 눈에 들어온다. 그런 장면들은 어찌나 그렇게 내 마음이 요동칠 때에 잘 맞춰 나타나는지. 하지만 당연하게도 세상이 내 맘에 맞게 움직여 줄 리는 없다.

고릴라는 어디에나, 언제나 존재한다. 다만 내가 이를 인지하지 못했을 뿐이다. 그들은 갑자기 새롭게 나타난 것이 아니라 평소에도 늘 존재하였다. 하지만 평소에는 주의 깊게 보지 않아서 인식하지 못했던 것을 비로소 오늘에서야 뇌가 인지한 것이다.

그렇다면 우리는 어떤 경로로 세상을 보는 것일까? 우리의 신체는 눈만이 빛을 인식하고 받아들일 수 있게 진화해 왔다. 그래서 눈이 손상되거나 다른 이유로 기능을 잃게 되면, 우리는 그 즉시 빛 한 점 없는 어둠 속에 갇히게 된다. 하지만 눈 자체가 세상을 인식하는 것은 아니다. 눈동자를 지나 눈알 안쪽으로 파고든 빛은 망막의 시각 세포에 의해 전기적 신호로 변환된다. 그리고 이 신호가 시신경을 통해 눈의 반대편, 즉 뒤통수 쪽에 위치한 뇌의 시각 피질로 들어가야만 우리가 비로소 세상을 '본다'고 느낀다.

시각 피질은 단일한 부위가 아니라 현재 밝혀진 것만 약 30개의 영역으로 구성된 복합적인 영역이다. 시각 정보를 가장 먼저 받아들이고 물체의 기본적인 이미지인 선과 경계, 모서리를 구분하는 V1, V2 영역을 비롯하여 형태를 구성하는 V3, 색을 담당하는 V4, 운동을 감지하는 V5, 그리고 이 밖의 다른 영역이 조합되어 종합적으로 사물을 인지한다.

이들은 각각 따로따로 의미 있는 존재가 아니다. 여러 개의 악기가 모여 각자가 정확한 순간에 정확한 음을 연주해야 제대로 된 음악을 전할 수 있는 오케스트라처럼, 모든 영역이 각자의 역할에 맞게 일시에 조율되어야 세상을 바라볼 수 있다. 같은 피아니스트가 같은 곡을 동일하게 연주해도 피아노 건반이 몇 개 사라지거나 음이 제대로 조율되지 않으면 결과물이 달라지는 것처럼, 우리의 눈이 같은 것을 보더라도 시각 피질의 각 영역이 제대로 조율되지 않으면 세상을 같게 볼 수 없다.

예를 들어 시각 피질의 V4 영역이 제 기능을 하지 못하면 색맹이 아니었던 사람도 세상이 흑백으로 보이며, V5 영역이 손상되면 질주하는 자동차를 보아도 그것이 느리게 움직이는 것처럼 보인다.

뇌의 많은 영역이 오로지 시각이라는 감각 하나에 배정되어 있음에도, 세상은 워낙 변화무쌍하기 때문에 눈으로 받아들이는 모든 정보를 뇌가 빠짐없이 처리하기는 어렵다. 그래서 뇌가 선택한 전략은 선택과 집중, 적당한 무시와 엄청난 융통성이다. 우리는 쥐의 꼬리만 봐도 벽 뒤에 숨은 쥐 전체의 모습을 그릴 수 있으며, 빨간색과 파란색의 스펙트럼만 봐도 그 색이 주는 이미지와 의미까지 읽어 낼 수 있다. 하지만 이것은 때와 장소, 현재의 관심 대상과 그 수준에 따라 달라진다. 앞에서 보았듯이 우리는 하나에 집중하면 다른 것은 눈에 뻔히 보여도 인식하지 못하고 지나칠 수 있다. 즉, 우리는 정말로 보고 싶은 것만 보고 보기 싫은 것에는 눈을 질끈 감는 것이다.

감각 기관으로 들어오는 정보를 고스란히 받아들이지 않고 제 입맛에 맞는 부분만 편식하는 것은 뇌의 보편적인 특성으로, 다른 감각도 마찬가지이다. 그러니까 엄마의 잔소리를 흘려듣는 십 대 아이의 귀에 달린 엄청난 여과 능력은 일부러 그러는 것이 아니라, 무의식적으로 일어나는 자연스러운 결과일 수 있다. 따라서 눈앞에서 딴전을 피우는 아이의 귀에, 아니 뇌에 소리를 흘려 넣고 싶다면, 일단은 달콤한 말로 시작해서 집중시키는 것이 그나마 효과적이다. 눈앞에 뻔히 보이는 고릴라를 보지 못했던 사람들은 눈이 잘못되거나 얼빠진 것이 아니라, 집중하지 않은 시각적 정보는 은근슬쩍 뭉개 버리는 지극히 자연스러운 뇌를 가지고 있기 때문이다.

우리의 뇌는 이런 식으로 세상을 본다. 있어도 보지 못하거나 잘못 보는 경우도 많다. 그러므로 우리가 모든 것을 다 볼 수 없다는 사실을 제대로만 인정한다면, 서로 시각이 다른 현실에서 내 눈으로 본 것만이 옳다며 핏대를 세우거나 서로를 헐뜯는 일은 줄어들 것이다.

핵심정리

갈래 : 설명문
성격 : 사실적, 과학적
주제 : 주의 집중한 시각적 정보만 받아들이는 뇌의 특성
특징 : ·핵심 개념과 관련된 실험을 소개하여 독자의 이해를 도움
    ·적절한 예와 비유를 활용하여 어려운 과학적 개념을 쉽게 풀이함

(6) 바닷속 미세 플라스틱의 위협

김정수

수십 년 흘러든 플라스틱 미세 입자, 수산물 내장에서 잇따라 검출
한국 해역 오염 세계 최고 수준, 먹이 그물 거쳐 인체 도달 가능성도

미세 플라스틱은 맨눈으로는 잘 보이지 않는 5밀리미터 이하의 작은 플라스틱 조각으로, 현재 전 세계 대부분의 바다에서 발견되고 있다. 바다에는 해저 지각에서 녹아 나온 물질과 육지에서 바람에 날리거나 강물을 타고 흘러든 온갖 물질이 섞여 있는데, 인류는 지난 수십 년 사이에 미세 플라스틱이라는 새로운 물질을 바다에 대량으로 섞어 넣었다.

미세 플라스틱이 사람들의 눈길을 끌기 시작한 것은 오래되지 않았다. 불과 십몇 년 전까지만 해도 사람들은 버려진 그물에 걸리거나 떠다니는 비닐봉지를 먹이로 잘못 알고 삼켰다가 죽은 해양 생물의 불행에만 주로 관심이 있었다. 그러다 2004년 세계적인 권위를 지닌 과학 잡지 『사이언스(Science)』에 영국 플리머스 대학의 리처드 톰슨 교수가 바닷속 미세 플라스틱이 1960년대 이후 계속 증가해 왔다는 내용의 논문을 발표했다. 그 후로 미세 플라스틱이 해양 생태계에 끼치는 영향을 규명하려는 후속 연구들이 이어졌다.

최근에는 각질 제거나 세정, 연마 등의 기능을 위해 1밀리미터 정도의 작은 미세 플라스틱을 넣은 화장품이나 치약 같은 생활용품이 미세 플라스틱 문제의 원인으로 주목받고 있다. 이런 제품 가운데는 지름 500마이크로미터 이하의 플라스틱 알갱이들이 수십만 개까지 들어 있는 것도 있다. 이처럼 생산 당시 의도적으로 작게 만든 플라스틱을 '1차 미세 플라스틱'이라고 하는데, 이 알갱이들은 하수 처리장에서 걸러지지 않은 채 바다로 흘러든다.

미세 플라스틱은 바다에 떠다니는 다양한 플라스틱계 쓰레기가 파도나 자외선 때문에 부서져 만들어지기도 한다. 못 쓰게 된 어구, 페트병, 일회용 숟가락, 비닐봉지, 담배꽁초 필터, 합성 섬유 등 각종 플라스틱이 함유된 생활용품이 부서져 만들어진 미세 플라스틱을 '2차 미세 플라스틱'이라고 한다. 아직까지는 1차 미세 플라스틱에 비해 2차 미세 플라스틱의 비중이 더 높다는 게 전문가들의 설명이다.

해양 생물들이 플라스틱 조각을 먹이로 알고 먹으면, 포만감을 주어 영양 섭취를 저해하거나 장기의 좁은 부분에 걸려 문제를 일으킬 수 있다. 또한 플라스틱은 제조 과정에서 첨가된 잔류성 유기 오염 물질을 포함하고 있으며 바다로 흘러들어 간 후에는 물속에 녹아 있는 다른 유해 물질까지 끌어당긴다. 미세 플라스틱을 먹이로 착각하고 먹은 플랑크톤을 작은 물고기가 섭취하고, 작은 물고기를 다시 큰 물고기가 섭취하는 먹이 사슬 과정에서 농축된 미세 플라스틱의 독성 물질은 해양 생물의 생식력을 떨어뜨릴 수 있다.

미세 플라스틱은 인간에게도 위협이 될 수 있다. 한국 해양 과학 기술원의 실험 결과, 양식장 부표로 사용하는 발포 스티렌은 나노(10억분의 1) 크기까지 쪼개지는 것으로 확인되었다. 나노 입자는 생체의 주요 장기는 물론 뇌 속까지 침투할 수 있는 것으로 알려져 있다. 내장을 제거하지 않고 통째로 먹는 작은 물고기나 조개류를 즐기는 이들은 수산물의 체내에서 미처 배출되지 못한 미세 플라스틱을 함께 섭취할 위험이 상대적으로 높아지는 셈이다.

미세 플라스틱이 인간에게 어느 정도 위협이 되는지 현재로서는 과학자들도 분명한 답을 내놓지 못하고 있다. 하지만 미국이나 영국 등의 나라에서는 사람이나 환경에 심각한 피해를 줄 우려가 있으면 인과 관계가 확실히 입증되기 전이라도 필요한 조처를 해야 한다는 '사전 예방의 원칙'에 따라 이미 여러 환경 단체가 미세 플라스틱을 추방하기 위한 활동을 활발히 하고 있다. 이들은 치약이나 세정용 각질 제거제 등을 생산하는 제조업체들에 미세 플라스틱 알갱이를 호두 껍데기나 코코넛 껍질과 같은 유기 물질로 대체하도록 촉구하고 있다. 또한 소비자들에게는 미세 플라스틱이 함유된 생활용품을 쓰지 않도록 하는 캠페인을 진행 중이다.

국내의 환경 운동 단체들도 발포 스티렌 부표가 부서져서 생기는 2차 미세 플라스틱을 줄이기 위해 부표의 소재를 다른 재료로 바꾸거나 사용을 줄이는 양식법을 개발할 것을 정부에 제안했다. 이는 해양 수산부의 해양 쓰레기 관리 기본 계획에 반영되었고, 해당 기관은 어민들과 함께 발포 스티렌 부표 폐기물 발생을 줄일 수 있는 구체적인 방안을 찾아 적용하는 사업을 펼칠 계획이다.

－『한겨레』, 2014년 4월 16일 기사

핵심정리

갈래 : 기사문
성격 : 비판적, 성찰적
주제 : 미세 플라스틱의 문제점 및 해결책
특징 : ·미세 플라스틱 생성 과정 및 현황, 문제점을 사실적으로 서술함
　　　　·미세 플라스틱 문제에 대한 관심 및 예방적 차원의 대책을 촉구함

바른 말, 바른 글

1. 음운의 변동

음운의 변동이란

형태소가 단독으로 또는 다른 형태소와 결합되어 나타날 때, 형태소를 이루는 음운의 일부가 다른 음운으로 바뀌는 현상

음운 변동의 유형

교체 : 음절의 끝소리 규칙, 된소리되기, 비음화, 유음화, 구개음화

탈락 : 자음군 단순화, 'ㅎ'탈락, 'ㄹ'탈락, 'ㅡ'탈락

첨가 : 'ㄴ'첨가

축약 : 자음 축약, 모음 축약

교체 : 음운 변동의 결과 한 음운이 다른 음운으로 바뀌는 것

1) 음절의 끝소리 규칙

: 음절의 끝에 'ㄱ, ㄴ, ㄷ, ㄹ, ㅁ, ㅂ, ㅇ' 이외의 자음이 오면 이 일곱 자음 중의 하나로 발음됨

예 부엌[부억], 바깥[바깐]

2) 자음 동화

① 비음화 : 비음이 아닌 음운이 비음을 만나 비음 [ㅇ, ㄴ, ㅁ]으로 발음됨

예 국물[궁물], 닫는[단는], 밥물[밤물]

② 유음화 : 비음 'ㄴ'이 유음 'ㄹ'의 앞 또는 뒤에서 유음 [ㄹ]로 발음됨

예 산림[살림], 물놀이[물로리]

③ 구개음화 : 앞말의 끝소리가 'ㄷ, ㅌ'인 형태소가 주로 모음 'ㅣ'로 시작하는 형식 형태소와 만나 구개음 [ㅈ, ㅊ]으로 발음됨

예 굳이[구지], 같이[가치]

④ 된소리되기 : 안울림 예사소리인 'ㄱ, ㄷ, ㅂ, ㅅ, ㅈ'이 된소리 [ㄲ, ㄸ, ㅃ, ㅆ, ㅉ]으로 발음됨

예 독서[독써], 품고[품꼬], 발전[발쩐]

탈락 : 음운 변동의 결과 두 음운 중 하나가 없어지는 현상

1) **자음군 단순화** : 음절 끝에 두 개의 자음이 올 때, 이 중에서 한 자음이 탈락하는 현상

예 흙[흑], 삶[삼], 닭[닥]

2) **'ㄹ' 탈락** : 동사나 형용사의 어간 말 자음 'ㄹ'이 몇몇 어미 앞에서 탈락하는 현상

예 둥그니, 노는

3) **'ㅎ' 탈락** : 동사나 형용사의 어간 말 자음 'ㅎ'이 모음으로 시작하는 어미 앞에서 탈락하는 현상

예 좋 + -은 → [조은], 좋 + -으니 → [조으니]

첨가 : 형태소가 합성될 때 그 사이에 음운이 덧붙는 현상

1) **'ㄴ'첨가** : 앞 단어나 접두사의 끝이 자음이고, 뒤 단어나 접미사의 첫 음절이 '이,야,여,요,유'인 경우 'ㄴ'을 첨가하여 [니, 냐, 녀, 뇨, 뉴]로 발음하는 현상

예 솜이불[솜니불], 나뭇잎[나문닙]

축약 : 두 음운이 합쳐져서 하나의 음운으로 줄어 소리나는 현상

1) **자음 축약** : 'ㄱ, ㄷ, ㅂ, ㅈ'이 'ㅎ'과 만나면 'ㅋ, ㅌ, ㅍ, ㅊ'으로 바뀌어 발음되는 현상

예 놓고[노코], 좋던[조턴], 법학[버팍], 맞히고[마치고], 많다[만타]

2) 모음 축약 : 모음 'ㅣ'나 'ㅗ, ㅜ'가 다른 모음과 만나 이중모음으로 줄어드는 현상

예 뜨이 + 다 → 띄다, 되 + 어 → 돼, 보 + 아 → 봐

2. 단어의 형성법

1. 단어
홀로 설 수 있는 말(조사는 홀로 설 수 없지만 쉽게 분리되므로 단어로 인정함)

2. 어근과 접사
어근 : 단어에서 중심부를 이루면서 실질적인 뜻을 나타내는 부분
접사 : 어근에 붙어 뜻을 제한하거나 다른 뜻을 덧붙이는 부분(접두사, 접미사)

3. 단어의 형성법
1) 단일어 : 하나의 형태소(뜻을 가진 가장 작은 말의 단위)로 이루어진 단어

예 산, 아지랑이, 매우, 손, 하늘

2) 복합어 : 둘 이상의 어근이 결합되거나, 어근과 접사가 결합하여 이루어진 단어
① 합성어 : 어근 + 어근

예 밤나무, 책가방, 솜이불
② 파생어 : 접사 + 어근, 어근 + 접사

예 햇과일, 엿보다, 사냥꾼, 지우개

3. 품사

품사 : 단어를 공통된 문법적 성질에 따라 나누어 놓은 갈래

품사 분류표

기능	이름	형태
체언 문장의 몸체	명사	불변어
	대명사	
	수사	
용언 문장의 풀이말	동사	가변어
	형용사	
수식언 뒤에 오는 단어를 꾸밈	관형사	불변어
	부사	
관계언 문장에 쓰인 단어들의 관계를 나타냄	조사	불변어 (서술격조사 '이다' 제외)
독립언 독립적으로 쓰임	감탄사	불변어

1) 품사의 종류와 특성

① 체언(體言) : 명사, 대명사, 수사

- 문장에서 주로 주어, 목적어, 보어 등으로 쓰인다.
- 형태가 변하지 않는다.
- 조사와 결합하여 쓰이거나 홀로 쓰인다.

㉠ 명사 : 어떤 대상이나 사물의 이름을 나타내는 단어 예 학교, 영희, 행복

㉡ 대명사 : 사람, 사물, 장소의 이름을 대신하여 가리키는 단어 예 저기, 너, 나

㉢ 수사 : 물건의 양이나 순서를 가리키는 단어 예 하나, 둘, 첫째, 둘째

② 용언(用言) : 동사, 형용사

- 문장에서 주로 서술어로 쓰인다.
- 형태가 변하는데 이를 활용(活用)이라고 한다.
- 기본형이 '-다'로 끝나며, 여러 문장 성분으로 활용된다.

㉠ 동사 : 사람이나 사물의 움직임을 나타내는 단어
   예 먹다, 자다, 달리다, 뛰다, 노래하다
㉡ 형용사 : 사람이나 사물의 상태나 성질을 나타내는 단어
   예 작다, 착하다, 아름답다

③ 수식언(修飾言) : 관형사, 부사

> · 체언이나 용언을 꾸며주는 역할을 한다.
> · 형태가 변하지 않는다.

㉠ 관형사 : 문장 속에서 '어떠한(어떤)'의 방식으로 명사, 대명사, 수사를 꾸며 주는 단어
   예 새, 헌, 무슨
㉡ 부사 : 문장 속에서 '어떻게'의 방식으로 주로 동사, 형용사를 꾸며 주는 단어
   예 꼭, 잘, 매우, 일찍

④ 관계언(關係言) : 조사

> · 문장에 쓰인 단어들의 관계를 나타내는 말이다.
> · 홀로 독립해서 쓰이지 못하고 앞 말에 붙어서 의존적으로 쓰인다.
> · 형태가 고정되어 활용하지 않으며, 단 서술격 조사 '-이다'는 활용한다.

㉠ 조사 : 체언 뒤에 붙어서 다른 말과의 문법적 관계를 나타내 주거나 특별한 뜻을 더해 주는 역할을 하는 말
   예 은, 는, 이, 가, 을, 를, 만, 도, 까지, 만큼, 이다

⑤ 독립언(獨立言) : 감탄사

> · 문장에서 다른 성분에 얽매이지 않고 독립적으로 쓰이는 말이다.
>
> · 형태가 변하지 않는다.
>
> · 조사와 결합할 수 없다.

㉠ 감탄사 : 감정을 넣어 말하는 사람의 놀람, 느낌, 부름이나 대답을 나타내는 단어
예 앗, 네, 어머나!

4. 문장 성분

1. 문장 성분
문장을 형성하는 데 일정한 구실을 하는 요소

2. 문장 성분의 분류

문장 성분	
주성분 (필수 성분)	주어
	목적어
	보어
	서술어
부속 성분 (수식 성분)	관형어
	부사어
독립 성분	독립어

1) 주성분 : 문장을 이루는 데 꼭 필요한 성분. 주어, 서술어, 목적어, 보어

성분	의미	형태	예
주어	문장의 주체가 되는 성분	'누가', '무엇이'	· <u>철수가</u> 그림을 그린다. · <u>연필이</u> 없어졌다.
목적어	서술어의 동작이나 행위의 대상이 되는 성분	'누구를', '무엇을'	· 순희는 <u>공부를</u> 한다. · 미화가 <u>책을</u> 읽었다.
보어	서술어 '되다', '아니다'가 주어 이외에 꼭 필요로 하는 말	'되다', '아니다' 앞에 오는 '누가', '무엇이'	· 영수는 <u>교사가</u> 되었다. · 그는 <u>도둑이</u> 아니다.
서술어	주어의 동작, 작용, 상태 등을 나타내는 성분	'어찌하다', '어떠하다', '무엇이다'	· 개미가 <u>기어간다</u>. · 아버지께서 집에 <u>오셨다</u>.

2) 부속 성분 : 주성분을 꾸며 주는 성분. 관형어, 부사어

성분	의미	형태	예
관형어	· 주로 체언 앞에서 이를 꾸며 주는 역할을 하는 말 · '어떤', '무슨' 등에 해당하는 말	'어떠한', '무엇의'	· <u>새</u> 옷을 입었다. · 나는 <u>도시의</u> 삭막함이 싫다.
부사어	· 주로 용언을 꾸며 그 의미를 자세하게 설명해 주는 말 · '어떻게', '어디서', '언제' 등에 해당하는 말 · 다른 부사어나 관형어를 꾸며 주기도 하고, 문장 전체를 꾸미기도 함	'어떻게', '어찌'	· 바람이 <u>살랑살랑</u> 분다. · 날씨가 <u>무척</u> 덥다.

3) 독립 성분 : 문장의 다른 성분과 직접적인 관련이 없이 문장 전체에 작용하는 성분

성분	의미	형태	예
독립어	· 문장의 다른 성분과 직접 관련을 맺지 않고 홀로 쓰이는 성분 · 필수 성분이 아니므로 생략해도 완전한 문장이 됨	감탄, 부름, 응답	· <u>철수야</u>, 집에 가니? · <u>어머나</u>, 깜짝이야.

5. 문장의 종류

1. 홑문장(주어 + 서술어) : 주어와 서술어가 한 번 나타나는 문장

예 그는 노래를 잘 불렀다.

　저는 과일 중에서 포도를 정말 좋아합니다.

2. 겹문장 : 주어와 서술어가 두 번 이상 나타나는 문장

　1) 이어진 문장 : 두 개 이상의 홑문장이 연결 어미로 결합되어 이루어진 문장

　　① 대등하게 이어진 문장 : '-고, -(으)며, -(으)나, -지만' 등에 의하여 의미 관계가 대등한 홑문장이 이어진 문장

　　　예 영희는 노래를 부르고, 명수는 영화를 본다.

　　② 종속적으로 이어진 문장 : 앞과 뒤 문장의 의미가 독립적이지 못하고 종속적인 관계에 있는 문장

　　　예 봄이 되면, 꽃이 핀다.

　2) 안은 문장 : '주어 + 서술어'로 이루어진 홑문장을 하나의 문장 성분으로 포함하고 있는 문장

　　① 안은 문장 : 다른 홑문장을 하나의 문장 성분으로 포함하고 있는 문장

　　② 안긴 문장 : 다른 문장 속에 들어가 하나의 성분처럼 쓰이는 홑문장으로, 절의 형태로 변형되어 쓰임

　　　예 · 나는 <u>간밤에 비가 왔음</u>을 알았다.

　　　　· 어둠이 <u>소리 없이</u> 내린다.

　　　　· 토끼는 <u>앞발이 짧다</u>.

6. 높임 표현

1. 주체 높임법

주체 높임법은 일반적으로 서술어의 어간에 선어말 어미 '-(으)시-'가 붙어 실현되며, 주격 조사 '이/가' 대신 '께서'를 쓰기도 한다. 또한 '계시다', '주무시다' 등의 어휘를 사용하여 주체 높임을 나타내기도 한다.

예 할머니께서 집에 오시다.

2. 객체 높임법

객체 높임법은 조사 '에게' 대신 '께'를 사용하거나 '모시다', '드리다', '여쭈다' 등의 어휘를 사용하기도 한다.

예 그는 어머님을 모시고 고향에 갔다.

3. 상대 높임법

상대 높임법은 주로 '종결 어미'에 의해 실현되는데, 정중하게 격식을 차려 표현하는 격식체와 정감 있고 격식을 덜 차려 표현하는 비격식체로 나눌 수 있다.

	하십시오체	가십니다
격식체	하오체	가(시)오
	하게체	가네
	해라체	간다
비격식체	해요체	가요
	해체	가

4. 잘못된 높임 표현

① 높여야 할 대상을 제대로 높이지 않거나 높이지 말아야 할 대상을 높이는 것

예 철수야, 선생님이 너 교무실로 오시래.

② 사물에 대한 존칭 등 과도한 높임 표현을 사용하는 경우

예 주문하신 커피 나오셨습니다.

7. 시간 표현

1. 시제
화자가 말하는 시점을 기준으로 어떤 일이 일어나는 시간을 구분하여 나타내는 표현
① 과거 시제 : 사건시가 발화시보다 앞서는 시제
② 현재 시제 : 사건시와 발화시가 일치하는 시제
③ 미래 시제 : 사건시가 발화시보다 뒤에 오는 시제

2. 동작상
① 진행상 : 말하는 시점을 기준으로 동작이 진행되고 있음
② 완료상 : 말하는 시점을 기준으로 동작이 완료됨

8. 피동 표현

주어가 자신의 힘으로 행하는 동작을 능동이라고 한다면, 주어가 남의 행동에 의해 동작을 당하는 것을 피동이라고 한다.
피동문의 피동사는 능동사 어간에 '-이-, -히-, -리-, -기-'를 결합시키거나, '-되다', '-어지다', '-게 되다'를 결합해 만들 수 있다.
예 ┌ 능동문 : 고양이가 쥐를 잡다.
   └ 피동문 : 쥐가 고양이에게 잡히다.

· 잘못된 피동 표현 고치기 : 이중 피동
  예 · 쥐가 고양이에게 잡혀지다. (잡+히+어지다) → 쥐가 고양이에게 <u>잡히다</u>.
     · 나는 굳게 잠겨진 문 앞에 서 있었다. → 나는 굳게 <u>잠긴</u> 문 앞에 서 있었다.

9. 사동 표현

주어가 직접 동작을 하는 것을 주동이라고 하고, 남에게 동작을 하도록 시키는 것을 사동이라고 한다.

사동문에서 사동사는 주동사의 어간에 사동 접미사 '-이-, -히-, -리-, -기-, -우-, -구-, -추-' 등을 붙이거나, 접미사 '-시키다'를 결합시켜 만들 수 있고, 어미와 보조 용언을 결합해 '-게 하다'를 붙여서 만들 수 있다.

예 ┌ 주동문 : 동생이 밥을 먹다.
　　└ 사동문 : 엄마가 동생에게 밥을 먹이다.

· 잘못된 사동 표현 고치기 : 소개시키다, 금지시키다, 설득시키다 등
예 내가 친구 한 명 소개시켜 줄게. → 내가 친구 한 명 <u>소개해 줄게</u>.

10. 부정 표현

1) **'안' 부정문** : 주어가 어떤 일을 할 수 있지만 일부러 하지 않는 것(의지 부정)
예 나는 밥을 안 먹는다. (먹지 않는다.)

2) **'못' 부정문** : 주어가 어떤 일을 할 수 있는 능력이 없는 것(능력 부정)
예 나는 밥을 못 먹는다. (먹지 못한다.)

3) **'말다' 부정문** : 보조동사 '말다'를 이용하여 금지의 의미를 나타내는 것
예 너는 밥을 먹지 마라.

11. 종결 표현
종결 어미에 따라 문장 전체의 의미가 좌우됨

1) **의문문** : 말하는 이가 듣는 이에게 문장의 내용을 질문하여 그 대답을 요구하는 문장
2) **명령문** : 말하는 이가 듣는 이에게 어떤 행동을 하게 하거나, 하지 않도록 요구하는 문장
3) **청유문** : 말하는 이가 듣는 이에게 어떤 행동을 함께하기를 요청하는 문장
4) **감탄문** : 말하는 이가 듣는 이를 별로 의식하지 않거나 혼잣말처럼 자기의 느낌을 표현하는 문장

· 종결 어미의 형태와 실제 발화의 의도가 다른 경우도 있다.

예 · 교실 창문이 열린 상태에서 창가에 앉은 친구에게 – "춥지 않니?"

　 · 버스에서 문 앞을 막은 사람에게 – "좀 내립시다!"

12. 인용 표현

다른 사람의 말이나 글을 자신의 말이나 글 속에 끌어 쓰는 것을 인용 표현이라고 하는데, 전달하는 방식에 따라 직접 인용과 간접 인용으로 나뉜다.

· 직접 인용 표현 : 다른 사람의 말이나 글을 원래의 형식과 내용을 그대로 유지한 채 끌어다 쓰는 것

인용절에 따옴표를 하고, 조사 '라고'를 사용한다.

예 찬영이는 나에게 "네가 꿈을 이룰 것 같아."라고 말했다.

· 간접 인용 표현 : 다른 사람의 말이나 글을 인용할 때 내용만 끌어다 쓰는 것

인용절의 종결 어미를 바꾸고 조사 '고'를 사용한다.

예 찬영이는 나에게 내가 꿈을 이룰 것 같다고 말했다.

13. 부정확한 문장 표현 바르게 고치기

1. 필요한 문장 성분 갖추기

유형	잘못된 문장의 예	바르게 고친 문장
주어를 부당하게 생략한 경우	주민들 모두 그 계획을 찬성했으나 유독 반대했다.	주민들 모두 그 계획을 찬성했으나 이장님이 유독 반대했다.
목적어를 부당하게 생략한 경우	동생은 우체통에 넣었다.	동생은 우체통에 편지를 넣었다.
부사어를 부당하게 생략한 경우	사람은 운명을 개척하기도 하고, 순응하기도 한다.	사람은 운명을 개척하기도 하고, 운명에 순응하기도 한다.

2. 문장 성분 간의 호응 이루기

유형	잘못된 문장의 예	바르게 고친 문장
주어와 서술어의 호응	내가 운 이유는 이별을 했다.	내가 운 이유는 이별을 <u>했기 때문이다</u>.
목적어와 서술어의 호응	영희는 시간이 나면 음악이나 책을 읽는다.	영희는 시간이 나면 <u>음악을 듣거나</u> 책을 읽는다.
부사어와 서술어의 호응	나는 결코 시험에 합격할 것이다.	나는 <u>반드시</u> 시험에 합격할 것이다.

3. 명료하게 표현하기

1) 높임법의 잘못된 쓰임 고치기

예 주례 선생님의 말씀이 계시겠습니다.

→ 주례 선생님의 말씀이 <u>있겠습니다. (있으시겠습니다.)</u>

2) 정확한 단어 선택하기

예 그는 우리와 생각이 틀려. → 그는 우리와 생각이 <u>달라</u>.

3) 문장의 중의성 없애기

예 현정이는 나보다 영화를 더 좋아한다.

→ ① 현정이는 내가 영화를 좋아하는 것보다 영화를 더 좋아한다.

→ ② 현정이는 나를 좋아하는 것보다 영화를 더 좋아한다.

예 학생들이 다 오지 않았다.

→ ① 학생들 모두가 오지 않았다.

→ ② 학생들 일부가 아직 오지 않았다.

예 민호는 지금 옷을 입고 있다.

→ ① 민호는 지금 옷을 입는 중이다.

→ ② 민호는 지금 옷을 입은 상태이다.

14. 지시 표현

무엇인가를 가리키는 기능을 하는 표현으로, 그 스스로는 특정한 의미를 지니지 않으며 쓰임에 따라 의미가 달라짐

1. 지시 표현의 종류

① 이것 : 화자에게 가까이 있는 대상을 가리키는 말

② 그것 : 청자에게 가까이 있는 대상을 가리키는 말

③ 저것 : 화자와 청자에게 모두 멀리 있는 대상을 가리키는 말

예 영희 : 철수야, 그것 좀 건네줄래? / 철수 : 이것 말이야? 내가 가져다줄게.

　　– 같은 대상이더라도 상황에 따라 지시 표현을 달리함

15. 한글 맞춤법의 원리

1. 한글 맞춤법 총칙

[제1항]
한글 맞춤법은 표준어를 소리대로 적되, 어법에 맞도록 함을 원칙으로 한다.
예 앞 : 앞에, 앞길, 앞날

[제2항]
문장의 각 단어는 띄어 씀을 원칙으로 한다.

2. 형태에 관한 것

우리말에는 단어의 본래 형태를 밝혀 적는 경우와 그렇지 않은 경우가 있음

1) 용언의 어간과 어미

한글 맞춤법 조항 [제15항]

용언의 어간과 어미는 구별하여 적는다.

[예] 먹- + -어 → 먹어[머거],　　　　먹- + -는 → 먹는[멍는]

2) 접사가 붙어 만들어진 말

한글 맞춤법 조항[제19항]

어간에 '-이'나 '- 음/-ㅁ'이 붙어서 명사로 된 것과 '-이'나 '-히'가 붙어서 부사로 된 것은 그 어간의 원형을 밝히어 적는다.

[예] 명사 '다듬이, 믿음', 부사 '많이, 익히'

한글 맞춤법 조항[제20항]

명사 뒤에 '-이'가 붙어서 된 말은 그 명사의 원형을 밝히어 적는다.

[예] 곳곳이, 낱낱이, 삼발이

3) 사이시옷

한글 맞춤법 조항 [제30항]

사이시옷은 다음과 같은 경우에 받치어 적는다.

- 두 명사로 이루어진 합성어
- 하나 이상의 '고유어 명사'가 결합함
- 앞 단어는 모음으로 끝남
  (1) 뒷말의 첫소리가 된소리로 나는 것 [예] 꼭짓점 [꼭찌쩜 / 꼭찓쩜]
  (2) 뒷말의 첫소리 'ㄴ, ㅁ' 앞에서 'ㄴ' 소리가 덧나는 것 [예] 빗물[빈물]
  (3) 뒷말의 첫소리 모음 앞에서 'ㄴㄴ' 소리가 덧나는 것 [예] 뒷일[뒨닐]

※ 예외 : 두 음절로 된 한자어
  · 곳간(庫間), 셋방(貰房), 숫자(數字), 찻간(車間), 툇간(退間), 횟수(回數)

3. 소리에 관한 것

우리말에는 발음을 표기에 적용하는 경우와 그렇지 않은 경우가 있음

1) 된소리 표기

한글 맞춤법 조항[제5항]

한 단어 안에서 뚜렷한 까닭 없이 나는 된소리는 다음 음절의 첫소리를 된소리로 적는다.

① 두 모음 사이에서 나는 된소리   예 어깨, 거꾸로

② 'ㄴ,ㄹ,ㅁ,ㅇ'받침 뒤에서 나는 된소리   예 잔뜩, 몽땅, 훨씬

다만 'ㄱ, ㅂ'받침 뒤에서 나는 된소리는 같은 음절이나 비슷한 음절이 겹쳐 나는 경우가 아니면 된소리로 적지 아니한다.   예 딱지, 몹시, 국수

한글 맞춤법 조항[제13항]

한 단어 안에서 같거나 비슷한 음절이 겹쳐 나는 부분은 같은 글자로 적는다.

예 똑딱똑딱, 눅눅하다

2) 두음법칙

한글 맞춤법 조항[제10항]

한자음 '녀, 뇨, 뉴, 니'가 단어 첫머리에 올 적에는, 두음 법칙에 따라 '여, 요, 유, 이'로 적는다.

예 여자, 연세

한글 맞춤법 조항[제11항]

한자음 '랴, 려, 례, 료, 류, 리'가 단어의 첫머리에 올 적에는, 두음 법칙에 따라 '야, 여, 예, 요, 유, 이'로 적는다.

예 양심, 역사

4. 띄어쓰기에 관한 것

띄어쓰기를 하면 우리말의 의미를 파악하기 쉬움

> **한글 맞춤법 조항[제41항]**
>
> 조사는 그 앞말에 붙여 쓴다.
>
> 예 꽃이, 꽃으로만, 꽃마저, 꽃밖에, 꽃이다

> **한글 맞춤법 조항[제42항]**
>
> 의존 명사는 띄어 쓴다.
>
> 예 아는 것이 힘이다, 나도 할 수 있다.

> **한글 맞춤법 조항[제43항]**
>
> 단위를 나타내는 명사는 띄어 쓴다.
>
> 예 차 한 대, 소 한 마리, 옷 한 벌, 열 살

16. 상황에 따른 언어 예절 이해하기

대화의 원리

① 협력의 원리 : 대화에 참여하는 사람은 대화의 목적과 방향에 맞게 상호 협력해야 한다.

② 공손성의 원리 : 공손하지 않은 표현은 최소화하고 공손한 표현은 최대화해야 한다.

③ 순서 교대의 원리 : 화자와 청자의 역할은 고정된 것이 아니라 의사소통 상황에 맞게 끊임
없이 서로의 역할이 순환되어야 한다.

09 한글의 창제 원리

1. 자음의 제자 원리

· 상형 : 발음 기관의 모습을 본떠 기본 글자를 만듦으로써 문자 자체가 소리의 특성을 나타 내는 역할을 함

· 가획 : 기본 글자에 소리의 세기에 따라 획을 더해 만듦

· 이체 : 기본 글자의 모양을 달리하여 글자를 만듦

제자 원리 / 소리의 종류	상형	가획	이체
어금닛소리	ㄱ (혀뿌리가 목구멍을 막는 모양)	ㅋ	ㆁ
혓소리	ㄴ (혀끝이 윗잇몸에 붙는 모양)	ㄷ, ㅌ	ㄹ
입술소리	ㅁ (입의 모양)	ㅂ, ㅍ	
잇소리	ㅅ (이의 모양)	ㅈ, ㅊ	ㅿ
목소리	ㅇ (목구멍의 모양)	ㆆ, ㅎ	

▲ 초성자 17자의 제자 원리

2. 모음의 제자 원리

· 상형 : 삼재(하늘, 땅, 사람)의 모양을 본떠 글자를 만듦

상형의 원리	하늘 [天]을 본뜸	땅 [地]을 본뜸	사람 [人]을 본뜸
기본자	ㆍ	ㅡ	ㅣ

· 합성 : 모음의 기본 글자끼리 합성하여 초출자를 만들고, 초출자에 'ㆍ'를 더하여 재출자 를 만듦

초출자			재출자		
ㆍ + ㅡ	→	ㅗ	ㅗ + ㆍ	→	ㅛ
ㅡ + ㆍ	→	ㅜ	ㅜ + ㆍ	→	ㅠ
ㆍ + ㅣ	→	ㅓ	ㅓ + ㆍ	→	ㅕ
ㅣ + ㆍ	→	ㅏ	ㅏ + ㆍ	→	ㅑ

10 중세 국어의 이해

음운	· 현대 국어에 쓰이지 않는 자모가 사용됨 ㆆ, ㅸ, ㅿ, ㆁ, ㆍ · 어두 자음군이 존재함 · 된소리가 발달하기 시작함 · 모음조화가 현대 국어보다 잘 지켜짐. 후대로 갈수록 모음조화는 잘 지켜지지 않게 됨
표기	· 방점을 찍어 성조를 나타냄 · 훈민정음 창제 당시의 받침 표기는 'ㄱ, ㄴ, ㄷ, ㄹ, ㅁ, ㅂ, ㅅ, ㆁ'의 여덟 자만 허용하는 8종성법이었음 · 띄어쓰기를 하지 않음 · 끊어적기보다 이어적기가 우세함 (훈민정음 창제 초기에는 소리 나는 대로 적는 이어적기가 일반적이었으나 16세기 이후 끊어적기와 혼용되기도 함) · 초기의 한자음 표기는 모음으로 끝나도 종성에 'ㆁ'을 적어 초·중·종성을 모두 갖추어 쓰는 동국정운식 한자음 표기를 사용하였다가, 점차 실제 발음하는 한자음에 맞게 표기하였음
어휘	· 현대 국어와 의미나 형태가 다른 것이 있었음 · 한자어와 고유어의 경쟁이 계속되고 한자어의 쓰임이 확대됨
문법	· 주격 조사로 '이'만 사용됨 · 명사형 어미로 '-움/-옴'을 모음조화에 따라 규칙적으로 사용함, 후기에는 '-기'가 대신 쓰임 · 중세 국어 특유의 주체 높임법, 객체 높임법, 상대 높임법 등이 있었음

(1) 용비어천가 (龍飛御天歌)

海東(해동)六龍(육룡)·이ᄂᆞᆫ·샤:일·마다天福(천복)·이시·니古聖(고성)·이同符(동부)
·ᄒᆞ시·니

〈제1장〉

불·휘기·픈남·ᄀᆞᆫᄇᆞᄅᆞ·매아·니:뮐·ᄊᆡ곶:됴·코여·름·하ᄂᆞ·니
:ᄉᆡ·미기·픈·므·른·ᄀᆞ무·래아·니그·츨·ᄊᆡ:내·히이·러바·ᄅᆞ·래·가ᄂᆞ·니

〈제2장〉

– 《용비어천가》, 세종 27년(1445)

▶ 현대 국어 자료

해동의 여섯 용이 나시어, 일마다 하늘의 복이시니 옛날의 성인과 서로 꼭 들어맞으시니.

〈제1장〉

뿌리가 깊은 나무는 바람에 아니 움직이므로, 꽃 좋고 열매 많으니.
샘이 깊은 물은 가뭄에 아니 그치므로, 내가 이루어져 바다에 가느니.

〈제2장〉

핵심정리

갈래 : 악장
성격 : 설득적, 예찬적, 송축적
주제 : 조선 건국의 정당성과 후대 왕에 대한 권계
의의 : 훈민정음으로 지어진 최초의 작품임
표현 : 상징과 대구, 설의법 등의 표현법이 사용되었음
음운와 표기 : · 'ㅿ, ·'를 사용함
　　　　　　　· 방점을 사용하여 성조를 나타냄
　　　　　　　· 이어적기가 보편적이었음
문법 : · 주체 높임 선어말 어미 '-시-/-샤-'가 사용됨
　　　　· 상대 높임 선어말 어미 '-이-/-잇-'이 사용됨
　　　　· 주격 조사는 '이'가 사용됨
어휘 : · 뜻이 변한 어휘가 사용됨
　　　　 – '하다'가 '많다'는 뜻으로 사용됨
　　　　 – '여름'이 '열매'라는 뜻으로 사용됨

(2) 세종 어제 훈민정음 (世宗御製訓民正音)

世·솅宗·종 御엉·製·졩 訓·훈民·민正·졍音·흠
(세종대왕님이 손수 훈민정음을 만드시다.)

나·랏:말ᄊᆞ·미中듕國·귁·에달·아 文문字·ᄍᆞ·와·로 서르 ᄉᆞᄆᆞᆺ·디
아·니홀·ᄊᆡ
(우리나라 말이 중국과 달라 한자와는 서로 통하지 아니하여서)

이런젼·ᄎᆞ·로 어·린百·빅姓·셩·이
(이런 이유로 어리석은 백성이)

니르·고·져·홅·배 이·셔·도 ᄆᆞ·ᄎᆞᆷ:내
(말하고자 하는 바가 있어도 마침내는)

제·ᄠ·들 시·러 펴·디 :몯홅·노·미 하·니·라
(제 뜻을 능히 펴지 못하는 사람이 많다.)

·내·이·를 爲·윙·ᄒᆞ·야 :어엿·비 너·겨
(내가 이를 위하여 백성을 가엾게 생각하여)

·새·로·스·믈여·듧字·ᄍᆞ·를 밍·ᄀᆞ노·니
(새로 스물여덟 글자를 만드니)

:사ᄅᆞᆷ:마·다:히·ᅇᅧ:수·비니·겨
(모든 사람들로 하여금 쉽게 익혀서)

·날·로·ᄡᅮ·메便뼌安한·킈 ᄒᆞ·고·져 홅 ᄯᆞᄅᆞᆞ·미니·라.
(날마다 쓰는 데 편하게 하고자 할 따름이다.)

- '훈민정음', 세조 5년(1459년)

핵심정리

1. 훈민정음 창제 정신 : 자주 정신, 애민 정신, 창조 정신, 실용 정신
2. '세종 어제 훈민정음'의 특징

    음운 : · 'ㅸ, ㆁ, ㆆ, ·' 등의 음운을 사용함
         · 'ㅳ, ㅮ' 등의 어두 자음군을 사용함
         · 방점을 사용하여 성조를 나타냄
         · 두음법칙과 구개음화가 적용되지 않음
         · 모음조화가 잘 지켜짐

    문법 : · 주격 조사 '이'가 쓰임
         · 비교 부사적 조사 '에'가 쓰임
         · 명사형 어미 '- 옴 / 움 -'이 사용됨

    표기법 : · 이어 적기를 함(연철 표기)
         · 띄어쓰기를 하지 않음
         · 8종성법에 따라 표기함
           - 받침을 여덟 자음(ㄱ, ㄴ, ㄷ, ㄹ, ㅁ, ㅂ, ㅅ, ㆁ)으로 적도록 하는 것
         · 동국정운식한자음 표기 사용함

    어휘 : · 현재 쓰이지 않거나 뜻이 변한 어휘가 사용됨
         - 의미가 이동함 [예] 어린, 어엿비
         - 의미가 축소됨 [예] 노미

(3) 소학언해 (小學諺解)

孔·공字·ᄌㅣ 曾증子·ᄌ다·려 닐·러 ᄀᆞᆯ·ᄋᆞ·샤·ᄃᆡ ·몸·이며 얼굴·이며
머·리털·이·며 ·슬·흔
(공자께서 증자에게 일러 말씀하시기를 몸과 형체와 머리털과 살은)

父·부母 :모·씌 받ᄌ·온 거·시·라 :감·히 헐·워 샹히 ·오·디 아·니:홈·이
:효·도·이 비·르·소미·오,
(부모께 받은 것이라 감히 헐게 하여 상하게 하지 아니함이 효도의 비롯함,
즉 시작이요,)

·몸·을 셰·워 道:도·를 行ᄒᆡᆼ·하·야 일:홈·을 後:후世:셰·예 :베퍼
(몸을 세워, 즉 입신(출세)하여 도를 행하여 이름을 후세에 베풀어, 즉 널리 퍼지게
하여)

·뻐父 ·부母:모롤 :현·뎌케 :홈·이 :효·도·이 무·춤·이니·라.
(이로써 부모를 현저하게, 즉 두드러지게 함이 효도의 마침, 즉 끝이니라.)

:유·익흔 ·이 :세 가·짓 :벋·이요 :해·로온 ·이 :세 가·짓 :벋·이니
(유익한 이 세 가지 벗이고 해로운 이 세 가지 벗이니)

直·딕흔 이·룰 :벋흐·며 :신·실흔 ·이·룰 :벋흐·며
(정직한 이를 벗하며 믿음직하고 성실한 이를 벗하며)

들:온 ·것 한 ·이·룰 :벋흐·면 :유·익흐·고
(견문이 많은 이를 벗하면 유익하고)

:거·동·만 니·근 ·이··를 :벋흐·며 아:당흐·기 잘 ·흐·는 이·를 :벋흐·며
(행동만 익숙한 이를 벗하며 아첨하기 잘 하는 이를 벗하며)

:말·슴·만 니·근 ·이·룰 :벋흐·면 해·로·온이·라.
(말만 익숙한 이를 벗하면 해로우니라.)

　　　　　　　　　　　　　　　　　　　　　　　　－ '소학언해', 선조 20년(1587년)

핵심정리

음운 : · 봉을 사용하지 않음
　　　 · 모음 조화가 파괴됨
문법 : · 명사형 어미 '-옴/움'의 혼란
　　　 · 명사형 어미 '-기' 사용
표기 : · 끊어적기(분철)가 확대됨
　　　 · 현실적인 한자음으로 표기함
어휘 : · 의미가 축소됨 [예] 얼굴

02

수학

[유형 01] 다항식의 덧셈과 뺄셈

(1) 덧셈 : 괄호를 풀고 동류항끼리 계산한다.

예 $(ax + b) + (cx + d) = (a + c)x + (b + d)$

$(ax^2 + bx + c) + (dx^2 + ex + f) = (a + d)x^2 + (b + e)x + (c + f)$

(2) 뺄셈 : 괄호를 풀고 동류항끼리 계산한다.

예 $(ax + b) - (cx + d) = (a - c)x + (b - d)$

$(ax^2 + bx + c) - (dx^2 + ex + f) = (a - d)x^2 + (b - e)x + (c - f)$

(3) 두 다항식 A, B가 주어졌을 때, 다음과 같은 방법으로 구하는 식을 간단히 한다.

1) 두 다항식 A, B를 구하는 식에 대입한다.

2) 괄호가 있으면 괄호를 풀고, 동류항끼리 모아서 간단히 한다.

기본문제 1   다음을 계산하여라.

(1) $(2x + 3y) + (4x + y)$

(2) $(-5x + 2) + (-3x + 1)$

(3) $(3x^2 + 5) + (4x^2 + 2)$

(4) $2(2x + 1) + (-5x + 3)$

정답   (1) $6x + 4y$ (2) $-8x + 3$
       (3) $7x^2 + 7$ (4) $-x + 5$

기본문제 2 다음을 계산하여라.

(1) $(2x + 3y) - (4x + y)$

(2) $(-5x + 2) - (-3x + 1)$

(3) $(3x^2 + 5) - (4x^2 + 2)$

(4) $2(x^2 + 2x + 1) - (2x^2 - 5x + 3)$

|정|답| (1) $-2x + 2y$ (2) $-2x + 1$
              (3) $-x^2 + 3$ (4) $9x - 1$

기본문제 3 다음 다항식에 대하여 물음에 답하여라.

$$A = x^2 + 4x + 1, \ B = 3x^2 - 2x + 3, \ C = x^2 + x + 1$$

(1) $A + B$를 구하여라.

(2) $A - B$를 구하여라.

(3) $B + C$를 구하여라.

(4) $2B + 3C$를 구하여라.

|정|답| (1) $4x^2 + 2x + 4$
              (2) $-2x^2 + 6x - 2$
              (3) $4x^2 - x + 4$
              (4) $9x^2 - x + 9$

(1) 지수법칙과 분배법칙을 이용하여 전개한 다음 동류항끼리 모아서 간단히 한다.

(2) 전개공식(곱셈공식)

① $(x + a)(x + b) = x^2 + (a + b)x + ab$

② $(ax + b)(cx + d) = acx^2 + (ad + bc)x + bd$

③ $(a + b)(a - b) = a^2 - b^2$

④ $(a + b)^2 = a^2 + 2ab + b^2$

⑤ $(a - b)^2 = a^2 - 2ab + b^2$

기본문제 1 다음을 계산하여라.

(1) $(x + 3)(x + 4)$

(2) $(x + 5)(x + 2)$

(3) $(x - 4)(x - 6)$

(4) $(x + 5)(x - 3)$

|정|답| (1) $x^2 + 7x + 12$ (2) $x^2 + 7x + 10$
(3) $x^2 - 10x + 24$ (4) $x^2 + 2x - 15$

기본문제 2 다음을 계산하여라.

(1) $(2x + 3)(4x + 1)$

(2) $(5x + 2)(3x + 1)$

(3) $(2x - 1)(3x - 2)$

(4) $(3x + 2)(2x - 5)$

|정|답| (1) $8x^2 + 14x + 3$ (2) $15x^2 + 11x + 2$
(3) $6x^2 - 7x + 2$ (4) $6x^2 - 11x - 10$

기본문제 3 다음을 계산하여라.

(1) $(x + 3)(x - 3)$

(2) $(x + 2)(x - 2)$

(3) $(3x + 2)(3x - 2)$

(4) $(2x + 4)(2x - 4)$

|정답| (1) $x^2 - 9$　　　　(2) $x^2 - 4$

(3) $9x^2 - 4$　　　　(4) $4x^2 - 16$

기본문제 4 다음을 계산하여라.

(1) $(x + 2)^2$

(2) $(x + 3)^2$

(3) $(x + 4)^2$

(4) $(x + 5)^2$

|정답| (1) $x^2 + 4x + 4$　　　　(2) $x^2 + 6x + 9$

(3) $x^2 + 8x + 16$　　　　(4) $x^2 + 10x + 25$

기본문제 5 다음을 계산하여라.

(1) $(x - 1)^2$

(2) $(x - 2)^2$

(3) $(x - 3)^2$

(4) $(x - 7)^2$

|정답| (1) $x^2 - 2x + 1$　　　　(2) $x^2 - 4x + 4$

(3) $x^2 - 6x + 9$　　　　(4) $x^2 - 14x + 49$

(1) 항등식 : 미지수의 값에 상관없이 항상 성립하는 등식

　　　　 어떠한 수를 대입하여도 등호가 항상 성립하는 식

(2) 항등식의 성질

　① 계수비교법 : 항등식의 성질을 이용하여 좌변과 우변을 비교

　　· $ax + b = a'x + b'$ 이 x에 대한 항등식

　　⇔ $a = a'$, $b = b'$

　　· $ax^2 + bx + c = a'x^2 + b'x + c'$ 이 x에 대한 항등식

　　⇔ $a = a'$, $b = b'$, $c = c'$

　② 수치대입법 : 항등식의 정의를 이용하여 적당한 수를 양변에 대입

기본문제 1　 다음 중 x에 대한 항등식인 것에는 ○표, 아닌 것에는 ×표를 하여라.

(1) $2x + 3 = 2x + 3$　　　　(　)

(2) $(x + 1)(x - 1) = x^2 - 1$　(　)

(3) $2x - 6 = 0$　　　　　　(　)

(4) $(x + 3)^2 = x^2 - 6x + 9$　(　)

정답　 (1) ○　 (2) ○　 (3) ×　 (4) ×

기본문제 2 다음 등식이 x에 대한 항등식일 때, 상수 a, b의 값을 구하여라.

(1) $4x + 1 = ax + b$

(2) $-3x + 1 = ax + b$

(3) $(x + 2)(x + 3) = x^2 + ax + b$

(4) $(2x + 1)(x + 2) = 2x^2 + ax + b$

|정답| (1) $a = 4$, $b = 1$ (2) $a = -3$, $b = 1$
   (3) $a = 5$, $b = 6$ (4) $a = 5$, $b = 2$

기본문제 3 다음 등식이 x에 대한 항등식일 때, 상수 R의 값을 구하여라.

(1) $x^2 + 3x + 4 = (x - 1)Q(x) + R$

(2) $x^2 + 4x + 5 = (x - 2)Q(x) + R$

(3) $x^2 + 3x - 1 = (x + 1)Q(x) + R$

(4) $2x^2 - 2x + 1 = (x + 2)Q(x) + R$

|정답| (1) 8   (2) 17
   (3) -3 (4) 13

기본문제 4 다음 등식이 x에 대한 항등식일 때, 상수 a의 값을 구하여라.

$x^2 + 4x + 6 = (x + 1)^2 + 2(x + 1) + a$

|정답| 3

x에 관한 다항식 $f(x)$를 $(x-\alpha)$로 나눈 나머지는 $f(\alpha)$이다.
즉, 부호반대 수를 대입

예 $f(x) = x^2 + 2x + 3$을 $x - 1$로 나누었을 때의 나머지는
$f(1) = 1^2 + 2 \times 1 + 3 = 6$이다.

기본문제 1 다음 각 다항식을 $x - 1$로 나눈 나머지를 구하시오.

(1) $x^2 + 3x + 2$

(2) $x^2 - 4x + 2$

(3) $2x^2 + 4x - 1$

(4) $x^3 + 2x^2 - 4x + 1$

정답   (1) 6   (2) -1
        (3) 5   (4) 0

기본문제 2 다항식 $x^2 - 4x + 5$를 $x - 2$로 나눈 나머지를 구하여라.

정답   1

기본문제 3   다항식 $x^2 - 2x + 3$을 $x + 1$로 나눈 나머지를 구하여라.

|정답| 6

기본문제 4   다항식 $x^2 + 5x + k$를 $x - 1$로 나눈 나머지가 8일 때, k의 값을 구하여라.

|정답| 2

기본문제 5   다항식 $x^2 + 3x + k$가 $x - 1$로 나누어떨어질 때, k의 값을 구하여라.

|정답| -4

[유형 05] 조립제법

다항식 $f(x)$를 $x - \alpha$꼴의 일차식으로 나눌 때, 계수만을 사용하여 몫과 나머지를 구하는 방법

예 $2x^2 + 3x + 5$를 $x - 2$로 나눈 몫과 나머지를 조립제법을 이용하여 구하시오.

[조립제법]

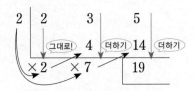

$\therefore$ 몫 : $2x + 7$, 나머지 : 19

기본문제 1   다음 나눗셈의 몫과 나머지를 조립제법을 이용하여 구하여라.

(1) $(x^2 + 3x + 5) \div (x - 1)$

(2) $(x^2 + 4x - 5) \div (x - 2)$

(3) $(x^3 + 4x^2 - 5x + 3) \div (x - 2)$

(4) $(x^3 - 2x^2 + 3x + 2) \div (x - 1)$

[정답]

(1)
$$
\begin{array}{c|ccc}
1 & 1 & 3 & 5 \\
  &   & 1 & 4 \\
\hline
  & 1 & 4 & \boxed{9} \\
\end{array}
$$
몫 : $x + 4$ 나머지 : 9

(2)
$$
\begin{array}{c|ccc}
2 & 1 & 4 & -5 \\
  &   & 2 & 12 \\
\hline
  & 1 & 6 & \boxed{7} \\
\end{array}
$$
몫 : $x + 6$ 나머지 : 7

(3)
$$
\begin{array}{c|cccc}
2 & 1 & 4 & -5 & 3 \\
  &   & 2 & 12 & 14 \\
\hline
  & 1 & 6 & 7 & \boxed{17} \\
\end{array}
$$
몫 : $x^2 + 6x + 7$
나머지 : 17

(4)
$$
\begin{array}{c|cccc}
1 & 1 & -2 & 3 & 2 \\
  &   & 1 & -1 & 2 \\
\hline
  & 1 & -1 & 2 & \boxed{4} \\
\end{array}
$$
몫 : $x^2 - x + 2$
나머지 : 4

기본문제 2 다항식 $2x^2 + 3x + 1$을 $x - 2$로 나눈 나머지를 구하여라.

정답   15

$$
\begin{array}{r|rrr}
2 & 2 & 3 & 1 \\
  &   & 4 & 14 \\
\hline
  & 2 & 7 & \boxed{15}
\end{array}
$$

[유형 06] 인수분해

(1) 인수분해 : 하나의 다항식을 2개 이상의 다항식의 곱의 꼴로 나타내는 것을 인수분해라고 한다.

(2) 인수분해 공식

① $ma + mb = m(a + b)$ ⇒ 공통인수

② $a^2 - b^2 = (a + b)(a - b)$ ⇒ 제곱−제곱

③ $a^2 + 2ab + b^2 = (a + b)^2$, $a^2 - 2ab + b^2 = (a - b)^2$ ⇒ 완전제곱식

④ $x^2 + (a + b)x + ab = (x + a)(x + b)$ ⇒ 합, 곱

기본문제 1   다음을 인수분해 하시오.

(1) $x^2 + 4x$

(2) $x^2 + 3x$

(3) $x^2 - 4x$

(4) $x^2 - 9x$

정답   (1) $x(x + 4)$ (2) $x(x + 3)$

         (3) $x(x - 4)$ (4) $x(x - 9)$

기본문제 2   다음을 인수분해 하시오.

(1) $x^2 - 4$

(2) $x^2 - 9$

(3) $x^2 - 1$

(4) $x^2 - 25$

정답   (1) $(x - 2)(x + 2)$ (2) $(x - 3)(x + 3)$

         (3) $(x - 1)(x + 1)$ (4) $(x - 5)(x + 5)$

기본문제 3 다음을 인수분해 하시오.

(1) $x^2 + 6x + 8$

(2) $x^2 + 8x + 12$

(3) $x^2 - 8x + 15$

(4) $x^2 + 3x - 10$

|정|답| (1) $(x + 2)(x + 4)$　(2) $(x + 2)(x + 6)$
(3) $(x - 3)(x - 5)$　(4) $(x - 2)(x + 5)$

기본문제 4 다음을 인수분해 하시오.

(1) $x^2 + 6x + 9$

(2) $x^2 + 4x + 4$

(3) $x^2 - 10x + 25$

(4) $x^2 - 2x + 1$

|정|답| (1) $(x + 3)^2$　(2) $(x + 2)^2$
(3) $(x - 5)^2$　(4) $(x - 1)^2$

[유형 01] 복소수

(1) 허수단위 : 제곱하여 -1이 되는 수를 i로 나타내고 $i^2 = -1$인 수 i를 허수단위라 한다.

　　　즉, $i = \sqrt{-1}$ 이다.

(2) 복소수 : $a + bi$ (단, a, b는 실수)로 나타낼 수 있는 수

　　　　　이 때, a는 실수부분, b는 허수부분

(3) 켤레 복소수 : 주어진 복소수의 허수부분의 부호를 바꾼 수가 켤레 복소수이다.

　① 복소수 $z = a + bi(a$, b는 실수)에 대하여 z의 켤레 복소수는

　　　$\rightarrow \overline{z} = a - bi$ ($\overline{a + bi}$ 로도 나타낸다.)

(4) 두 복소수가 서로 같다. : 실수부분끼리 같고, 허수부분끼리 같다.

　a, b, c, d가 실수일 때

　① $a + bi = c + di \Leftrightarrow a = c$, $b = d$

　② $a + bi = 0 \Leftrightarrow a = 0$, $b = 0$

기본문제 1　**다음 복소수의 실수부분과 허수부분을 각각 구하여라.**

(1) $3 + 4i$

(2) $-4 + 5i$

(3) $5 - 2i$

(4) $6i$

정답　(1) 실수부분 : 3, 허수부분 : 4　　(2) 실수부분 : -4, 허수부분 : 5

　　　(3) 실수부분 : 5, 허수부분 : -2　(4) 실수부분 : 0, 허수부분 : 6

기본문제 2 다음을 구하여라.

(1) $2 + 3i$의 켤레 복소수는?

(2) $-1 + 2i$의 켤레 복소수는?

(3) $\overline{6 + i}$ 와 같은 복소수는?

(4) $\overline{3 - 4i}$ 와 같은 복소수는?

|정답| (1) $2 - 3i$ (2) $-1 - 2i$

           (3) $6 - i$ (4) $3 + 4i$

기본문제 3 다음 등식을 만족하는 실수 a, b의 값을 구하여라.

(1) $a + bi = 5 + 4i$

(2) $(a + 4) + (b - 2)i = 6 + 3i$

(3) $(a - 1) + (b + 3)i = 0$

(4) $(a + 2) + (b - 4)i = 0$

|정답| (1) $a = 5, b = 4$ (2) $a = 2, b = 5$

           (3) $a = 1, b = -3$ (4) $a = -2, b = 4$

(1) 덧셈, 뺄셈 : 끼리끼리 계산

    ① $(a + bi) + (c + di) = (a + c) + (b + d)i$

    ② $(a + bi) - (c + di) = (a - c) + (b - d)i$

(2) 곱셈 : 전개한다 $(i^2 = -1)$

    ① $ai(b + ci) = abi + aci^2$

$$= abi - ac$$

$$= -ac + abi$$

    ② $(a + bi)(c + di) = ac + adi + bci + bdi^2$

$$= ac + adi + bci - bd$$

$$= (ac - bd) + (ad + bc)i$$

기본문제 1 다음을 계산하여라.

(1) $(2 + 3i) + (1 - 4i)$

(2) $(-1 + 2i) + (3 + i)$

(3) $(2 + 4i) + (2 - 3i)$

(4) $(2 + i) + (2 - i)$

|정답| (1) $3 - i$ (2) $2 + 3i$
(3) $4 + i$ (4) 4

기본문제 2

다음을 계산하여라.

(1) $(5 + 6i) - (2 + 4i)$

(2) $(-1 + 2i) - (3 + 4i)$

(3) $(2 + 4i) - (2 - 3i)$

(4) $(2 - 4i) - (-1 - 2i)$

정답   (1) $3 + 2i$ (2) $-4 - 2i$

        (3) $7i$ (4) $3 - 2i$

기본문제 3

다음을 계산하여라.

(1) $3i(1 + 2i)$

(2) $2i(3 + i)$

(3) $4i(2 - 3i)$

(4) $-2i(2 - i)$

정답   (1) $-6 + 3i$ (2) $-2 + 6i$

        (3) $12 + 8i$ (4) $-2 - 4i$

기본문제 4　다음을 계산하여라.

(1) $(2 + 3i)(1 + 4i)$

(2) $(1 + 2i)(3 + i)$

(3) $(2 + 4i)(2 - 3i)$

(4) $(3 + 2i)(3 - 2i)$

|정|답|　(1) $-10 + 11i$　　(2) $1 + 7i$

　　　　　(3) $16 + 2i$　　　　(4) 13

기본문제 5　다음 두 복소수 $x = 5 + 3i$, $y = 1 + 2i$일 때, 다음을 계산하여라.

(1) $x + y$

(2) $x - y$

(3) $2x + 3y$

(4) xy

|정|답|　(1) $6 + 5i$　　　(2) $4 + i$

　　　　　(3) $13 + 12i$　　(4) $-1 + 13i$

[유형 03] 이차방정식의 두 근과 중근

(1) 이차방정식 $ax^2 + bx + c = 0$의 풀이

　　인수분해 후 두 근을 구한다.

　　예 $x^2 + 6x + 8 = 0$

　　　$(x + 2)(x + 4) = 0$

　　　답 : $x = -2$ 또는 $x = -4$

(2) 중근 : 이차방정식이 중근을 갖기 위한 조건 $b^2 - 4ac = 0$ 또는 완전제곱식

　　예 중근을 갖는 이차방정식　$x^2 \pm 2x + 1 = 0$

　　　　　　　　　　　　　　　　$x^2 \pm 4x + 4 = 0$

　　　　　　　　　　　　　　　　$x^2 \pm 6x + 9 = 0$

　　　　　　　　　　　　　　　　　　$\vdots$

기본문제 1 다음 이차방정식의 근을 구하여라.

(1) $x^2 + 5x + 6 = 0$

(2) $x^2 - 7x + 10 = 0$

(3) $x^2 - 4x = 0$

(4) $x^2 + 6x + 9 = 0$

정답　(1) $x = -2$ 또는 $x = -3$　(2) $x = 2$ 또는 $x = 5$
　　　(3) $x = 0$ 또는 $x = 4$　(4) $x = -3$ (중근)

기본문제 2 다음 이차방정식이 중근을 가질 때, k의 값을 구하여라.

(1) $x^2 + 6x + k = 0$

(2) $x^2 - 8x + k = 0$

(3) $x^2 - 4x + k = 0$

(4) $x^2 + 10x + k = 0$

정답　(1) $k = 9$　(2) $k = 16$
　　　(3) $k = 4$　(4) $k = 25$

기본문제 3　이차방정식 $x^2 + 6x + k + 2 = 0$이 중근을 가질 때, k값을 구하시오.

정답　7

기본문제 4　이차방정식 $x^2 + 4x + k - 1 = 0$이 중근을 가질 때, k값을 구하시오.

정답　5

[유형 04] 이차방정식의 근과 계수

(1) 이차방정식 $ax^2 + bx + c = 0(a \neq 0)$의 두 근을 α, β라 할 때,
① $\alpha + \beta = -\dfrac{b}{a}$
② $\alpha\beta = \dfrac{c}{a}$

(2) 합, 곱에 관한 곱셈공식
① $\alpha^2 + \beta^2 = (\alpha + \beta)^2 - 2\alpha\beta$
② $\dfrac{1}{\alpha} + \dfrac{1}{\beta} = \dfrac{\alpha + \beta}{\alpha\beta}$

기본문제 1 이차방정식 $x^2 + 7x + 5 = 0$의 두 근이 α, β일 때, 다음 식의 값을 구하여라.

(1) $\alpha + \beta$

(2) $\alpha\beta$

(3) $\alpha^2 + \beta^2$

(4) $\dfrac{1}{\alpha} + \dfrac{1}{\beta}$

|정답| (1) -7 (2) 5

(3) 39 (4) $-\dfrac{7}{5}$

기본문제 2 이차방정식 $x^2 - 4x + 3 = 0$의 두 근이 α, β일 때, 다음 식의 값을 구하여라.

(1) $\alpha + \beta$

(2) $\alpha\beta$

(3) $\alpha^2 + \beta^2$

(4) $\dfrac{1}{\alpha} + \dfrac{1}{\beta}$

|정답| (1) 4 (2) 3

(3) 10 (4) $\dfrac{4}{3}$

기본문제 3 $x^2 + 3x - 2 = 0$의 두 근을 α, β 라 할 때, $\alpha^2 + \beta^2$ 의 값을 구하여라.

|정답| 13

기본문제 4 $x^2 + 3x + 4 = 0$의 두 근을 α, β 라 할 때, $\dfrac{1}{\alpha} + \dfrac{1}{\beta}$ 의 값을 구하여라.

|정답| $-\dfrac{3}{4}$

[유형 05] 이차함수의 꼭짓점

(1) 이차함수의 뜻

    $y = ax^2 + bx + c$ 와 같이 y를 x에 관한 이차식으로 나타낼 때, 이 함수를 이차함수라 한다.

(2) 이차함수의 표준형 : $y = a(x - p)^2 + q$

    꼭짓점 : $(p,\ q)$

(3) 이차함수의 일반형 : $y = ax^2 + bx + c$ 의 꼭짓점은 공식을 이용하여 구하거나, 표준형으로 고친다.

    꼭짓점 : $\left(-\dfrac{b}{2a},\ 대입\right)$

기본문제 1 다음 이차함수의 꼭짓점의 좌표를 구하여라.

(1) $y = (x + 2)^2 + 1$

(2) $y = (x + 3)^2 + 5$

(3) $y = (x - 1)^2 + 7$

(4) $y = (x - 4)^2 - 3$

|정답| (1) $(-2,\ 1)$ (2) $(-3,\ 5)$
　　　　(3) $(1,\ 7)$ (4) $(4,\ -3)$

기본문제 2 다음 이차함수의 꼭짓점의 좌표를 구하여라.

(1) $y = -(x + 3)^2 + 2$

(2) $y = -2(x + 1)^2 + 2$

(3) $y = -(x - 1)^2 + 5$

(4) $y = -(x - 3)^2 - 1$

|정답| (1) $(-3,\ 2)$ (2) $(-1,\ 2)$
　　　　(3) $(1,\ 5)$ (4) $(3,\ -1)$

다음 이차함수의 꼭짓점의 좌표를 구하여라.

(1) $y = x^2 + 4x + 5$

(2) $y = x^2 + 2x + 4$

(3) $y = x^2 - 6x + 7$

(4) $y = x^2 - 10x + 21$

정답 (1) $(-2, \ 1)$ (2) $(-1, \ 3)$
     (3) $(3, \ -2)$ (4) $(5, \ -4)$

다음 이차함수의 꼭짓점의 좌표를 구하여라.

(1) $y = 2x^2 + 4x + 7$

(2) $y = 2x^2 + 8x + 5$

(3) $y = -x^2 + 2x + 3$

(4) $y = -x^2 + 6x + 4$

정답 (1) $(-1, \ 5)$ (2) $(-2, \ -3)$
     (3) $(1, \ 4)$ (4) $(3, \ 13)$

[유형 06] 이차함수의 최대, 최소

(1) 정의역에 제한이 없을 때의 최대, 최소

$f(x) = ax^2 + bx + c$ 의 최대, 최소

$a > 0$ 일 때 : 꼭짓점에서 최솟값을 갖는다. 최댓값은 없다.

$a < 0$ 일 때 : 꼭짓점에서 최댓값을 갖는다. 최솟값은 없다.

(2) 정의역에 제한이 있을 때의 최대, 최소

$m \le x \le n$ 일 때 $f(x) = ax^2 + bx + c$ 의 최대, 최소 :

$f(m),\ f(n),\ f\left(-\dfrac{b}{2a}\right)$ 중 가장 큰 값이 최대, 가장 작은 값이 최소이다.

※ 꼭짓점이 범위 안에 없을 때는 $f(m),\ f(n)$ 중 큰 값이 최대, 작은 값이 최소이다.

기본문제 1　다음 이차함수의 최댓값과 최솟값을 구하시오.

(1) $y = (x - 2)^2 + 4$

(2) $y = (x + 3)^2 + 7$

(3) $y = x^2 - 6x + 11$

(4) $y = x^2 - 2x + 4$

|정답|　(1) 최솟값 : 4, 최댓값 : 없다.　(2) 최솟값 : 7, 최댓값 : 없다.
　　　　(3) 최솟값 : 2, 최댓값 : 없다.　(4) 최솟값 : 3, 최댓값 : 없다.

다음 이차함수의 최댓값과 최솟값을 구하시오.

(1) $y = -(x-1)^2 + 5$

(2) $y = -(x+3)^2 + 4$

(3) $y = -x^2 + 2x + 1$

(4) $y = -x^2 + 4x - 3$

　(1) 최솟값 : 없다, 최댓값 : 5　　(2) 최솟값 : 없다, 최댓값 : 4
　　(3) 최솟값 : 없다, 최댓값 : 2　　(4) 최솟값 : 없다, 최댓값 : 1

　$y = x^2 - 2x + 5$ 는 $x = a$에서 최솟값 b를 갖는다. $a + b$의 값을 구하시오.

　5

다음 주어진 범위에서 이차함수의 최댓값과 최솟값을 구하시오.

(1) $y = (x-2)^2 + 5 \ (0 \le x \le 3)$

(2) $y = (x+1)^2 + 2 \ (-2 \le x \le 1)$

(3) $y = -(x-1)^2 + 2 \ (1 \le x \le 3)$

(4) $y = -(x+2)^2 + 3 \ (0 \le x \le 2)$

　(1) 최솟값 : 5, 최댓값 : 9　　(2) 최솟값 : 2, 최댓값 : 6
　　(3) 최솟값 : −2, 최댓값 : 2　　(4) 최솟값 : −13, 최댓값 : −1

기본문제 5 $y = x^2 - 2x + 3 \ (0 \le x \le 3)$의 최댓값과 최솟값의 합은?

정답 8

기본문제 6 $y = x^2 - 4x + 6 \ (3 \le x \le 5)$의 최댓값과 최솟값의 합은?

정답 14

[유형 07] 연립방정식

(1) 미지수가 2개인 연립일차방정식 : 미지수가 2개인 두 일차방정식을 한 쌍으로 묶어 놓은 것
(2) 연립방정식의 해 : 두 일차방정식을 동시에 만족하는 x, y의 값
(3) 연립방정식의 풀이
  ① 가감법 : 두 일차방정식을 변끼리 더하거나 빼서 한 미지수를 소거하여 해를 구하는 방법

※ 해가 주어진 방정식은 주어진 해를 식에 대입한다.

기본문제 1   연립방정식 $\begin{cases} x + y = 5 \\ x - y = 3 \end{cases}$ 을 만족하는 x, y의 값을 구하시오.

|정답| $x = 4, y = 1$

기본문제 2   연립방정식 $\begin{cases} 2x + y = 9 \\ x - y = 3 \end{cases}$ 을 만족하는 x, y의 값을 구하시오.

|정답| $x = 4, y = 1$

기본문제 3   연립방정식 $\begin{cases} x + y = 8 \\ xy = a \end{cases}$ 를 만족하는 해가 $x = 2$, $y = b$일 때, $a + b$의 값은?

|정답| 18

기본문제 4   연립방정식 $\begin{cases} x + y = a \\ xy = 8 \end{cases}$ 을 만족하는 해가 $x = 4$, $y = b$일 때, $a + b$의 값은?

|정답| 8

기본문제 5 연립방정식 $\begin{cases} x^2 + y^2 = a \\ xy = 6 \end{cases}$ 을 만족하는 해가 $x = 2$, $y = b$일 때, $a + b$의 값은?

〔정답〕 16

[유형 08] 절댓값부등식

양의 실수 a, b에 대하여

(1) $|x| < a \Leftrightarrow -a < x < a$

(2) $|x| > a \Leftrightarrow x < -a$ 또는 $x > a$

기본문제 1 다음 부등식 $|x| < 3$의 해를 구하시오.

〔정답〕 $-3 < x < 3$

기본문제 2 다음 부등식 $|x| > 2$의 해를 구하시오.

〔정답〕 $x < -2$ 또는 $x > 2$

기본문제 3 다음 부등식 $|x - 2| < 4$ 의 해를 구하시오.

|정답| $-2 < x < 6$

기본문제 4 다음 부등식 $|x + 1| > 3$ 의 해를 구하시오.

|정답| $x < -4$ 또는 $x > 2$

기본문제 5 다음 부등식 $|2x - 1| < 5$ 를 만족하는 정수 x의 개수를 구하시오.

|정답| 4개

[유형 09] 이차부등식

이차부등식의 풀이

$ax^2 + bx + c = 0 \, (a > 0)$의 두 근을 $\alpha, \ \beta(\alpha < \beta)$라 하면

① $ax^2 + bx + c > 0$의 해는 $x < \alpha$ 또는 $x > \beta$

② $ax^2 + bx + c < 0$의 해는 $\alpha < x < \beta$

기본문제 1 ⟩ 다음 이차부등식의 근을 구하여라.

(1) $x^2 - 7x + 10 < 0$

(2) $x^2 + 8x + 12 < 0$

(3) $x^2 - 4x < 0$

(4) $x^2 - 9 < 0$

정답   (1) $2 < x < 5$ (2) $-6 < x < -2$
           (3) $0 < x < 4$ (4) $-3 < x < 3$

기본문제 2 ⟩ 다음 이차부등식의 근을 구하여라.

(1) $x^2 - 9x + 14 > 0$

(2) $x^2 - 3x - 4 > 0$

(3) $x^2 - 3x > 0$

(4) $x^2 - 4 > 0$

정답   (1) $x < 2$ 또는 $x > 7$ (2) $x < -1$ 또는 $x > 4$
           (3) $x < 0$ 또는 $x > 3$ (4) $x < -2$ 또는 $x > 2$

기본문제 3 다음 그림을 해로 갖는 최고차항의 계수가 1인 이차부등식을 구하여라.

〈정답〉 $(x-1)(x-3) \geq 0$

기본문제 4 다음 그림을 해로 갖는 최고차항의 계수가 1인 이차부등식을 구하여라.

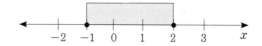

〈정답〉 $(x+1)(x-2) \leq 0$

기본문제 5 부등식 $x^2 - 3x - 4 \leq 0$의 해가 $a \leq x \leq b$일 때, $b - a$의 값을 구하여라.

〈정답〉   5

03 도형의 방정식

[유형 01] 두 점 사이의 거리 / 중점

(1) 두 점 사이의 거리

좌표평면 위의 두 점 $A(x_1,\ y_1)$, $B(x_2,\ y_2)$

사이의 거리는

$$\overline{AB} = \sqrt{(x_2-x_1)^2 + (y_2-y_1)^2}$$

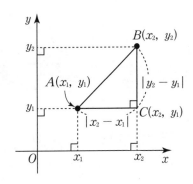

(2) 중점

두 점 $A(x_1,\ y_1)$, $B(x_2,\ y_2)$를 이은

선분 $\overline{AB}$의 중점 좌표는

$$\left(\frac{x_1+x_2}{2},\ \frac{y_1+y_2}{2}\right)$$

기본문제 1   주어진 두 점 A, B 사이의 거리를 구하시오.

(1) $A(2,\ 4)$, $B(5,\ 6)$

(2) $A(1,\ 7)$, $B(5,\ 4)$

(3) $A(-1,\ 2)$, $B(3,\ 3)$

(4) $A(3,\ -1)$, $B(5,\ 3)$

[정답]   (1) $\sqrt{13}$ (2) 5
(3) $\sqrt{17}$ (4) $2\sqrt{5}$

기본문제 2 두 점 $A(3, 5)$, $B(7, 2)$일 때, $\overline{AB}$ 의 길이를 구하여라.

5

기본문제 3 두 점 $A(-1, 3)$, $B(2, 6)$일 때, 두 점 사이의 거리를 구하여라.

|정답| $3\sqrt{2}$

기본문제 4 주어진 두 점 A, B에 대하여 $\overline{AB}$ 의 중점의 좌표를 구하시오.

(1) $A(2, 1)$, $B(0, 7)$

(2) $A(1, 7)$, $B(5, 5)$

(3) $A(-1, 1)$, $B(3, 3)$

(4) $A(3, -1)$, $B(5, 3)$

|정답| (1) (1, 4)   (2) (3, 6)
         (3) (1, 2)   (4) (4, 1)

기본문제 5 $A(-2,\ 5),\ B(4,\ 1)$에 대하여 $\overline{AB}$ 의 중점의 좌표는?

기본문제 6 $A(2,\ 1),\ B(a,\ b)$의 중점의 좌표가 $(3,\ 5)$일 때, $a+b$의 값은?

[유형 02] 수직선 상에서 내분, 외분

(1) 수직선 위에 있는 두 점 $A(x_1)$과 $B(x_2)$에 대하여 선분 AB를 $m:n$

$(m>0,\ n>0)$으로 내분하는 점 P와 외분하는 점 Q의 좌표는 다음과 같다.

① 내분점 : $P\left(\dfrac{mx_2+nx_1}{m+n}\right)$ ② 외분점 : $Q\left(\dfrac{mx_2-nx_1}{m-n}\right)$

(2) 좌표평면 위의 두 점 $A(x_1,\ y_1),\ B(x_2,\ y_2)$에 대하여

① 선분 AB를 $m:n(m>0,\ n>0)$으로 내분하는 점을 P라고 하면

$$P\left(\dfrac{mx_2+nx_1}{m+n},\ \dfrac{my_2+ny_1}{m+n}\right)$$

② 선분 AB를 $m:n(m>0,\ n>0)$으로 외분하는 점을 Q라고 하면

$$Q\left(\dfrac{mx_2-nx_1}{m-n},\ \dfrac{my_2-ny_1}{m-n}\right)$$

수직선 위에 있는 두 점 $A(5)$와 $B(8)$에 대하여 선분 AB를 2:1로 내분하는 점의 좌표를 구하시오.

|정|답| 7

수직선 위에 있는 두 점 $A(3)$과 $B(7)$에 대하여 선분 AB를 3:2로 외분하는 점의 좌표를 구하시오.

|정|답| 15

주어진 두 점 A, B에 대하여 선분 AB를 2:1로 내분하는 점의 좌표를 구하시오.

(1) $A(1,\ 2)$, $B(4,\ 8)$

(2) $A(6,\ 4)$, $B(3,\ 7)$

(3) $A(9,\ 4)$, $B(3,\ 1)$

(4) $A(-1,\ 1)$, $B(8,\ 7)$

|정|답| (1) $(3,\ 6)$ (2) $(4,\ 6)$

              (3) $(5,\ 2)$ (4) $(5,\ 5)$

기본문제 4 주어진 두 점 A, B에 대하여 선분 AB를 3:1로 외분하는 점의 좌표를 구하시오.

(1) $A(3,\ 1)$, $B(5,\ 7)$

(2) $A(2,\ 6)$, $B(4,\ 4)$

(3) $A(1,\ 2)$, $B(5,\ 8)$

(4) $A(-2,\ 3)$, $B(4,\ 1)$

|정답|　　(1) $(6,\ 10)$　　(2) $(5,\ 3)$
　　　　　(3) $(7,\ 11)$　　(4) $(7,\ 0)$

기본문제 5 주어진 두 점 A, B에 대하여 선분 AB를 $2 : 3$으로 내분하는 점의 좌표를 구하시오.

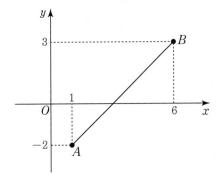

|정답|　　$(3,\ 0)$

(1) 직선의 방정식

① 기울기가 a이고 y절편이 b인 직선의 방정식 : $y = ax + b$

② 기울기가 a이고, (p, q)를 지나는 직선의 방정식 : $y = ax + b$에 (p, q)를 대입

③ 두 점을 지나는 직선의 방정식 : 기울기를 구한다.

$$\text{기울기} : \frac{y의\ 증가량}{x의\ 증가량} = \frac{y_2 - y_1}{x_2 - x_1}$$

(2) 두 직선의 위치 관계

① 평행 : 기울기가 같다.

② 수직 : 기울기의 부호가 반대, 역수

기본문제 1 다음 직선의 방정식을 구하시오.

(1) 기울기가 3이고, y절편이 6인 직선

(2) 기울기가 2이고, $(0, 4)$를 지나는 직선

(3) 기울기가 5이고, $(1, 8)$을 지나는 직선

(4) 기울기가 2이고, $(3, 7)$을 지나는 직선

정답   (1) $y = 3x + 6$ (2) $y = 2x + 4$
(3) $y = 5x + 3$ (4) $y = 2x + 1$

기본문제 2 다음 직선의 방정식을 구하시오.

(1) 두 점 $(1,\ 5)$, $(3,\ 9)$를 지나는 직선

(2) 두 점 $(1,\ 2)$, $(3,\ 4)$를 지나는 직선

(3) 두 점 $(-1,\ 0)$, $(0,\ 2)$를 지나는 직선

(4) 두 점 $(3,\ 0)$, $(0,\ 6)$을 지나는 직선

|정|답| (1) $y = 2x + 3$ (2) $y = x + 1$
(3) $y = 2x + 2$ (4) $y = -2x + 6$

기본문제 3 $y = 4x + 1$과 $y = mx + 2$가 평행할 때, m의 값을 구하시오.

|정|답| 4

기본문제 4 $y = 2x - 1$과 평행하고, 점 $(1,\ 3)$을 지나는 직선의 방정식을 구하시오.

|정|답| $y = 2x + 1$

기본문제 5 $y = 5x + 1$과 $y = mx + 2$가 수직일 때, m의 값을 구하시오.

|정|답| $-\dfrac{1}{5}$

기본문제 6 $y = 2x + 1$과 수직이고, y절편이 4인 직선의 방정식을 구하시오.

〈정답〉 $y = -\dfrac{1}{2}x + 4$

기본문제 7 $3x + y + 2 = 0$과 평행하며, y절편이 1인 직선의 방정식을 구하시오.

〈정답〉 $y = -3x + 1$

[유형 04] 원의 방정식

(1) 원의 방정식의 표준형

   $(x - a)^2 + (y - b)^2 = r^2$은 중심이 점 $(a, \ b)$, 반지름의 길이가 r

(2) 여러 가지 원의 방정식

   ① 중심이 $(a, \ b)$이고 x축에 접하는 원의 방정식 (반지름이 $|b|$)

        $(x - a)^2 + (y - b)^2 = b^2$

   ② 중심이 $(a, \ b)$이고 y축에 접하는 원의 방정식 (반지름이 $|a|$)

        $(x - a)^2 + (y - b)^2 = a^2$

   ③ 중심이 $(a, \ b)$이고 $(m, \ n)$을 지나는 원의 방정식

        $(x - a)^2 + (y - b)^2 = r^2$에 $(m, \ n)$ 대입

기본문제 1 다음 원의 중심과 반지름을 구하시오.

(1) $x^2 + y^2 = 1$

(2) $(x - 2)^2 + (y - 1)^2 = 4$

(3) $(x + 1)^2 + (y + 3)^2 = 25$

(4) $(x - 3)^2 + (y + 2)^2 = 6$

|정답| (1) 중심 $(0, 0)$, 반지름 1   (2) 중심 $(2, 1)$, 반지름 2
                (3) 중심 $(-1, -3)$, 반지름 5   (4) 중심 $(3, -2)$, 반지름 $\sqrt{6}$

기본문제 2 $(x - 2)^2 + (y + 5)^2 = 9$의 중심을 (a, b), 반지름을 r이라 할 때,
$a + b + r$의 값을 구하여라.

|정답| 0

기본문제 3 중심이 $(1, 2)$이고, 반지름이 3인 원의 방정식을 구하여라.

|정답| $(x - 1)^2 + (y - 2)^2 = 9$

기본문제 4   중심이 $(3,\ 4)$이고 x축에 접하는 원의 방정식을 구하여라.

정답 $(x-3)^2 + (y-4)^2 = 16$

기본문제 5   중심이 $(2,\ 3)$이고 원점을 지나는 원의 방정식을 구하여라.

정답 $(x-2)^2 + (y-3)^2 = 13$

[유형 05] 도형의 평행이동

(1) 점의 평행이동

     점 $P(x,\ y)$를 x축의 방향으로 a만큼, y축의 방향으로 b만큼 평행이동한 점을 P' 이라 하면 $P'(x+a,\ y+b)$

(2) 도형의 평행이동

     식 $f(x,\ y) = 0$을 x축의 방향으로 a만큼, y축의 방향으로 b만큼 평행이동한 도형의 방정식은 $f(x-a,\ y-b) = 0$

기본문제 1   점 $(4,\ 1)$을 x축의 방향으로 2만큼, y축의 방향으로 3만큼 평행이동한 점의 좌표를 구하여라.

정답 $(6, 4)$

기본문제 2   원 $x^2 + y^2 = 4$ 를 x축의 방향으로 1만큼, y축의 방향으로 2만큼 평행이동한 도형의 방정식을 구하시오.

정답 $(x-1)^2 + (y-2)^2 = 4$

[유형 06] 도형의 대칭이동

(1) 점의 대칭이동

  ① x축에 대한 대칭이동 $(x,\ y) \rightarrow (x,\ -y) \Rightarrow y$의 부호가 바뀐다.

  ② y축에 대한 대칭이동 $(x,\ y) \rightarrow (-x,\ y) \Rightarrow x$의 부호가 바뀐다.

  ③ 원점에 대한 대칭이동 $(x,\ y) \rightarrow (-x,\ -y) \Rightarrow x,\ y$의 부호가 바뀐다.

  ④ $y = x$에 대한 대칭이동 $(x,\ y) \rightarrow (y,\ x) \Rightarrow x,\ y$의 자리를 바꾼다.

기본문제 1 점 $(1, -3)$을 x축에 대해 대칭이동한 점의 좌표는?

정답 $(1, 3)$

기본문제 2 점 $(-4, -3)$을 원점에 대하여 대칭이동한 점의 좌표는?

정답 $(4, 3)$

기본문제 3 $P(2, 5)$를 $y = x$에 대해 대칭이동한 점을 Q라 할 때, Q의 좌표는?

정답 $(5, 2)$

기본문제 4 $P(2, 3)$을 y축에 대해 대칭이동한 점을 Q라 할 때, $\overline{PQ}$ 의 길이는?

정답 4

집합과 명제

[유형 01] 집합의 정의

집합 : 어떤 조건에 의해서 명확하게 구분되는 것들의 모임

① 원소 : 조건에 의하여 집합 안에 들어가는 것

② 부분집합 : B의 모든 원소가 집합 A에 속할 때,

   B는 A의 부분집합이라 한다.

·a는 집합 A의 원소이다. ⇔ $a \in A$

·B는 집합 A의 부분집합이다. ⇔ $B \subset A$

③ A의 원소의 개수 : $n(A)$로 나타낸다.

기본문제 1 $A = \{x \mid x$는 10의 약수$\}$ 에 대하여 다음 중 옳지 <u>않은</u> 것은?

① $1 \in A$ ② $5 \in A$

③ $6 \in A$ ④ $7 \notin A$

정답   ③

기본문제 2 집합 $A = \{0, \ 1, \ 2\}$의 모든 부분집합을 구하여라.

정답 $\varnothing, \{0\}, \{1\}, \{2\}, \{0, 1\}, \{0, 2\}, \{1, 2\}, \{0, 1, 2\}$

기본문제 3 $A = \{x \mid x$ 는 4미만의 자연수$\}$ 의 부분집합이 <u>아닌</u> 것은?

① $\varnothing$　　　　　　　　　　② $\{2, \ 4\}$

③ $\{1, \ 2\}$　　　　　　　　　④ $\{1, \ 2, \ 3\}$

정답　②

[유형 02] 집합의 연산

(1) $A \cup B$ (합집합)

　: A 또는 B에 있는 모든 원소

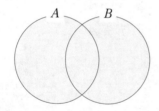

(2) $A \cap B$ (교집합)

　: A, B에 겹치는(중복) 원소

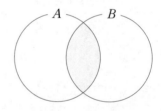

(3) $A - B$ (차집합)

　: A에서 B를 지운 나머지

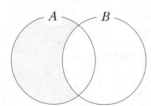

(4) A^c (여집합)

　: 전체집합에서 A를 지운 나머지

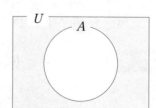

기본문제 1 $U = \{1,\ 2,\ 3,\ 4,\ 5,\ 6,\ 7,\ 8\}$의 두 부분집합

$A = \{2,\ 4,\ 6,\ 8\}$, $B = \{1,\ 2,\ 3,\ 6\}$일 때, 다음 집합을 구하여라.

(1) $A \cup B$ (2) $A \cap B$

(3) $A - B$ (4) $B - A$

(5) A^c (6) B^c

(7) $(A \cup B)^c$ (8) $(A \cap B)^c$

정답   (1) $\{1,\ 2,\ 3,\ 4,\ 6,\ 8\}$ (2) $\{2,\ 6\}$ (3) $\{4,\ 8\}$

       (4) $\{1,\ 3\}$ (5) $\{1,\ 3,\ 5,\ 7\}$ (6) $\{4,\ 5,\ 7,\ 8\}$

       (7) $\{5,\ 7\}$ (8) $\{1,\ 3,\ 4,\ 5,\ 7,\ 8\}$

기본문제 2   다음 중 오른쪽 벤 다이어그램의 색칠한 부분을 나타내는 집합은?

① $A - B$

② $B - A$

③ $A \cup B$

④ A^c

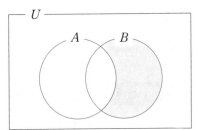

정답   ②

두 집합 $A = \{2,\ 4,\ 6,\ 8\}$, $B = \{1,\ 3,\ 4\}$에 대하여 $n(A \cap B)$의 값은?

① 1   ② 2

③ 3   ④ 4

|정답| ①

기본문제 4   전체집합 $U = \{1,\ 2,\ 3,\ 4,\ 5\}$의 두 부분집합 $A = \{1,\ 2,\ 3\}$, $B = \{3,\ 4\}$에 대하여 집합 $(A \cup B)^c$ 은?

① $\{1,\ 2\}$ ② $\{5\}$

③ $\{3\}$ ④ $\{1,\ 2,\ 3,\ 4\}$

|정답| ②

[유형 03] 명제

명제 : 참, 거짓을 명확하게 구분할 수 있는 식 또는 문장

기본문제 1   다음 중 명제인 것을 찾고, 명제인 것은 참, 거짓을 판별하여라.

(1) $2 + 3 < 1$ 이다.

(2) $x + 1 = 5$ 이다.

(3) $x = 3$이면 $2x = 6$이다.

(4) 수학은 어렵다.

|정답| (1) 거짓 명제   (2) 명제가 아님 (조건)
                         (3) 참인 명제   (4) 명제가 아님

[유형 04] 명제의 역, 대우

(1) 명제의 역과 대우

  역 : 자리바꿈

  대우 : 자리바꿈 + 부정

※ 어떤 명제가 참이면 그 대우도 반드시 참이다.

기본문제 1 다음 □ 안에 알맞은 것을 써넣어라.

(1) 명제 $p \rightarrow q$의 역은 □ 이다.

(2) 명제 $p \rightarrow q$의 대우는 □ 이다.

정답 (1) $q \rightarrow p$ (2) $\sim q \rightarrow \sim p$

기본문제 2 다음 명제의 역, 대우를 구하여라.

(1) $x = 1$이면 $x^2 = 1$이다.

(2) $x > 2$이면 $x > 1$이다.

정답 (1) 역 : $x^2 = 1$이면 $x = 1$이다.
         대우 : $x^2 \neq 1$이면 $x \neq 1$이다.
      (2) 역 : $x > 1$이면 $x > 2$이다.
         대우 : $x \leq 1$이면 $x \leq 2$이다.

기본문제 3 명제 $\sim p \to q$가 참일 때, 다음 중 항상 참인 명제는?

① $p \to q$ ② $q \to p$

③ $\sim q \to p$ ④ $\sim p \to \sim q$

|정답| ③

[유형 05] 필요조건, 충분조건

두 조건 p, q의 진리집합을 각각 P, Q라 할 때

(1) $P \subset Q \Rightarrow p$가 q이기 위한 충분조건

(2) $P \supset Q \Rightarrow p$가 q이기 위한 필요조건

(3) $P = Q \Rightarrow p$가 q이기 위한 필요충분조건

기본문제 1 다음 □ 안에 알맞은 것을 써넣어라.

(1) 'x가 2의 약수'는 'x가 4의 약수'이기 위한 □ 조건이다.

(2) $x^2 = 4$는 $x = 2$이기 위한 □ 조건이다.

(3) $x^2 = 0$은 $x = 0$이기 위한 □ 조건이다.

|정답| (1) 충분   (2) 필요
          (3) 필요충분

함수 : X의 각 원소에 Y의

원소가 오직 하나씩만 대응

① 정의역 : 집합 X

② 공역 : 집합 Y

③ 치역 : 함숫값 전체의 집합

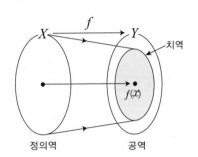

기본문제 1 다음 중 함수인 것을 찾고, 정의역, 공역, 치역을 구하여라.

(1) 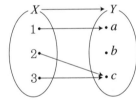　　(2)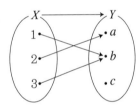

(3) 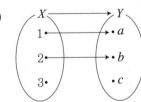　　(4)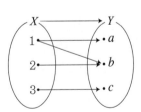

정답　(1) 함수이다. 정의역 : $\{1, 2, 3\}$, 공역 : $\{a, b, c\}$, 치역 : $\{a, c\}$

(2) 함수이다. 정의역 : $\{1, 2, 3\}$, 공역 : $\{a, b, c\}$, 치역 : $\{a, b\}$

(3) 함수가 아니다.

(4) 함수가 아니다.

기본문제 2 다음 대응표를 보고 $f(1) + f(3)$ 을 구하여라.

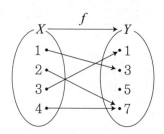

|정|답| 4

기본문제 3 함수 $f(x) = 3x + 4$ 에 대하여 $f(2)$ 를 구하여라.

|정|답| 10

[유형 02] 합성함수와 역함수

(1) 합성함수

두 함수 f, g에서 $(f \circ g)(a)$의 값 구하기

$\Rightarrow (f \circ g)(a) = f(g(a))$이다. 따라서 $g(a)$의 값을 구하여 $f(x)$의 x에 대입한다.

(2) 역함수

함수 f의 역함수가 f^{-1}일 때

$\Rightarrow f(a) = b \Leftrightarrow f^{-1}(b) = a$

기본문제 1 두 함수 $f(x) = 3x - 1$, $g(x) = x + 1$ 에 대하여 $(f \circ g)(4)$의 값을 구하여라.

|정|답| 14

기본문제 2 두 함수 $f(x) = 2x + 1$, $g(x) = x^2 - 2$ 에 대하여 $(g \circ f)(2)$의 값을 구하여라.

|정|답| 23

기본문제 3 다음 대응표를 보고 $f(3) + f^{-1}(4)$ 를 구하여라.

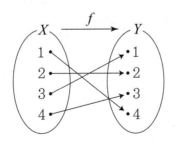

|정|답| 2

함수 $f(x) = 2x + 1$에 대하여 $f^{-1}(5)$를 구하여라.

|정|답| 2

[유형 03] 유리함수

유리함수 $y = \dfrac{k}{x-p} + q$의 그래프

(1) $y = \dfrac{k}{x}$의 그래프를 x축의 방향으로 p만큼, y축의 방향으로 q만큼 평행이동한 것이다.

(2) 정의역 : $\{x \,|\, x \neq p$인 실수$\}$, 치역 : $\{y \,|\, y \neq q$인 실수$\}$

(3) 점근선의 방정식 : $x=p$, $y=q$

(4) 점 (p, q)에 대하여 대칭이다.

기본문제 1 함수 $\dfrac{1}{x}$의 그래프를 x축의 방향으로 -1만큼, y축의 방향으로 3만큼 평행이동 그래프의 방정식을 구하여라.

|정|답| $y = \dfrac{1}{x+1} + 3$

기본문제 2 함수 $y = \dfrac{2}{x-p} + q$ 의 그래프가 다음 그림과 같을 때, 두 상수 p, q에 대하여 $p + q$의 값을 구하여라.

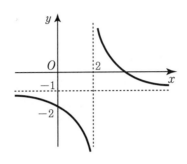

|정답| 1

기본문제 3 유리함수 $y = \dfrac{a}{x+1} - 3$ 의 그래프가 원점을 지날 때, 상수 a의 값을 구하여라.

|정답| 3

[유형 04] 무리함수

무리함수 $y = \sqrt{a(x-p)} + q\,(a \ne 0)$의 그래프

(1) $y = \sqrt{ax}$의 그래프를 x축의 방향으로 p만큼, y축의 방향으로 q만큼 평행이동한 것이다.

(2) 정의역 : $a > 0$일 때 $\{x \mid x \ge p\}$, $a < 0$일 때 $\{x \mid x \le p\}$

치역 : $\{y \mid y \ge q\}$

기본문제 1 함수 $y = \sqrt{x}$ 의 그래프를 x축의 방향으로 3만큼, y축의 방향으로 2만큼 평행이동한 그래프의 방정식을 구하여라.

정답 $y = \sqrt{x - 3} + 2$

기본문제 2 함수 $y = \sqrt{x + p} + q$ 의 그래프가 다음 그림과 같을 때, 두 상수 p, q에 대하여 $p + q$의 값을 구하여라.

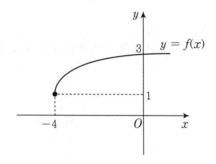

정답 5

기본문제 3 무리함수 $y = \sqrt{2x - 1} + 1$의 그래프가 $(5, \; k)$를 지날 때, 상수 k의 값을 구하여라.

정답 4

06 경우의 수

[유형 01] 합의 법칙과 곱의 법칙

(1) 사건과 경우의 수
   ① 사건 : 동일한 조건에서 반복할 수 있는 실험이나 관찰에 의해 일어나는 결과
   ② 경우의 수 : 어떤 사건이 일어나는 경우의 모든 가짓수

(2) 합의 법칙
   두 사건 A, B가 동시에 일어나지 않을 때, 사건 A, B가 일어나는 경우의 수가 각 각 m, n이면 사건 A 또는 사건 B가 일어나는 경우의 수는 $m + n$(가지)이다.

(3) 곱의 법칙
   두 사건 A, B에 대하여 사건 A가 일어나는 경우의 수가 m이고, 그 각각에 대하 여 사건 B가 일어나는 경우의 수가 n일 때, 두 사건 A, B가 동시에 일어나는 경 우의 수는 $m \times n$(가지)이다.

기본문제 1 음료 3종류와 아이스크림 4종류 중에서 1가지를 선택하는 경우의 수를 구하시오.

정답 7

기본문제 2 1부터 10까지 적혀있는 공 10개 중에서 한 개의 공을 꺼낼 때, 3의 배수 또는 5의 배수의 눈이 나오는 경우의 수를 구하시오.

정답 5

커피 5종류와 전통차 3종류가 있는 자동판매기가 있다. 이 자동판매기에서 다음과 같이 선택하는 경우의 수를 구하여라.

(1) 커피 또는 전통차 중에서 한 잔을 선택하는 경우
(2) 커피와 전통차를 각각 한 잔씩 선택하는 경우

|정답|　　(1) 8　　　(2) 15

그림과 같이 A도시에서 B도시로 가는 길은 3가지이고, B도시에서 C도시로 가는 길은 4가지이다. A도시를 출발하여 B도시를 거쳐 C도시로 가는 경우의 수를 구하시오.

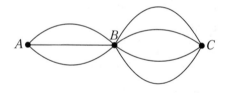

|정답|　　12

A, B 두 개의 주사위를 동시에 던질 때, 주사위 A는 홀수의 눈이 나오고, 주사위 B는 짝수의 눈이 나오는 경우의 수를 구하시오.

|정답|　　9

기본문제 6 햄버거 5종류, 음료 2종류를 한 가지씩 선택하여 세트 메뉴를 만들려고 한다. 나올 수 있는 경우의 수를 구하시오.

|정|답| 10

[유형 02] 순열

(1) 순열의 뜻

서로 다른 n개에서 $r(0 < r \leq n)$개를 택하여 일렬로 나열하는 것을 n개에서 r개를 택하는 순열이라고 하며, 이 순열의 수를 기호로 $_nP_r$과 같이 나타낸다.

(2) 순열의 수

서로 다른 n개에서 r개를 택하는 순열의 수는

$$_nP_r = \underbrace{n(n - 1)(n - 2) \cdots (n - r + 1)}_{r개} \ (0 < r \leq n)$$

① $_nP_r = \dfrac{n!}{(n - r)!} \ (0 \leq r \leq n)$

② $_nP_n = n!, \ 0! = 1, \ _nP_0 = 1$

$$_nP_n = n(n - 1)(n - 2) \times \cdots \times 3 \times 2 \times 1 = n!$$

(n의 계승 또는 n 팩토리얼이라고 읽는다.)

다음을 계산하여라.

(1) $_5P_1$

(2) $_6P_1$

(3) $_7P_0$

(4) $_4P_0$

(5) $_5P_2$

(6) $_6P_2$

(7) $_5P_3$

(8) $_7P_3$

정답 (1) 5 (2) 6 (3) 1 (4) 1
(5) 20 (6) 30 (7) 60 (8) 210

기본문제 2 다음을 계산하여라.

(1) 1!

(2) 2!

(3) 3!

(4) 4!

(5) 5!

(6) 0!

(7) $_3P_3$

(8) $_4P_4$

정답 (1) 1 (2) 2 (3) 6 (4) 24
(5) 120 (6) 1 (7) 6 (8) 24

기본문제 3 다음 물음에 답하여라.

(1) 4명의 학생을 일렬로 세우는 방법의 수를 구하여라.

(2) 4명의 학생 중 2명을 뽑아 일렬로 세우는 방법의 수를 구하여라.

정답 (1) 24   (2) 12

기본문제 4 다음 물음에 답하여라.

(1) 5명의 학생을 일렬로 앉히는 방법의 수를 구하여라.

(2) 10명의 학생 중에서 반장, 부반장을 각각 1명씩 뽑는 경우의 수를 구하여라.

정답 (1) 120   (2) 90

기본문제 5 4장의 카드 ①, ②, ③, ④가 있다. 이 중에서 서로 다른 두 장의 카드를 택하여 만들 수 있는 두 자리 정수의 개수를 구하여라.

정답 12

(1) 조합의 뜻

서로 다른 n개 중에서 순서를 생각하지 않고 $r(0 < r \leq n)$개를 택할 때, 이것을 n개에서 r개를 택하는 조합이라 하며, 이 조합의 수를 기호로 ${}_nC_r$과 같이 나타낸다.

(2) 조합의 수

서로 다른 n개에서 r개를 택하는 조합의 수는

$${}_nC_r = \frac{{}_nP_r}{r!} = \frac{n(n-1)(n-2)\cdots(n-r+1)}{r!} = \frac{n!}{r!(n-r)!} \quad (0 \leq r \leq n)$$

① ${}_nC_r = {}_nC_{n-r} \quad (0 \leq r \leq n)$

② ${}_nC_n = 1, \ {}_nC_0 = 1$

기본문제 1 다음을 계산하여라.

(1) ${}_5C_1$ (2) ${}_6C_1$

(3) ${}_7C_0$ (4) ${}_4C_0$

(5) ${}_5C_2$ (6) ${}_6C_2$

(7) ${}_5C_3$ (8) ${}_7C_3$

|정|답| (1) 5   (2) 6   (3) 1   (4) 1

            (5) 10   (6) 15   (7) 10   (8) 35

기본문제 2 ${}_6C_2 + {}_6C_3$ 을 계산하시오.

|정|답| 35

기본문제 3 다음을 구하여라.

(1) 회원이 5명인 모임에서 반장, 부반장을 각각 1명씩 정하는

경우의 수

(2) 회원이 5명인 모임에서 청소당번 2명을 정하는 경우의 수

정답 (1) 20   (2) 10

기본문제 4 다음을 구하여라.

(1) 회원이 6명인 모임에서 회장, 부회장, 총무를 각각 1명씩 정하는

경우의 수

(2) 회원이 6명인 모임에서 대표 3명을 정하는 경우의 수

정답 (1) 120   (2) 20

기본문제 5 10종류의 과일이 있다. 이 중에서 서로 다른 두 개를 택하여 과일 주스를 만들려고 한다. 나올 수 있는 경우의 수를 구하시오.

정답 45

03

영어

01 어법

1 명사와 대명사

[핵심 01] 명사 : 사람, 동식물, 사물의 이름을 나타내는 말

구분	셀 수 있는 명사	셀 수 없는 명사
단수명사	앞에 a(n)을 쓴다.	셀 수 없는 명사는 단수 및 복수 개념이 없다. 앞에 a(n)을 쓰지 않고 뒤에 -(e)s를 쓰지도 않는다.
복수명사	뒤에 -(e)s를 쓴다.	
종류	보통명사 : a book - books 집합명사 : family, police audience, cattle	물질명사 : coffee, salt, water 추상명사 : peace, advice, love 고유명사 : Seoul, the Pacific

· He has a good <u>computer</u>.

· There are many <u>computers</u> on the desk.

· They gave me some <u>milk</u>.

· We have much <u>experience</u>.

[핵심 02] 셀 수 없는 명사의 수량표시

셀 수 없는 명사(예 paper, coffee 등)는 단수 및 복수 개념이 없으므로 수를 표현하기 위해서는 셀 수 있는 명사(예 piece, cup 등)를 사용한다.

(1) 우유 한 잔 : a cup of milk

　　우유 두 잔 : <u>two cups</u> of milk (O) / two cups of milks (X)

(2) 단위명사의 종류

명사 종류	단위명사	예시
water, juice, tea 등	glass, cup, bottle	two bottles of water
information, advice 등	piece	a piece of advice
bread, meat, soap 등	loaf	four loaves of bread

· I drink a cup of coffee after dinner.

· I heard a piece of interesting information.

대명사 : 명사의 반복을 피하기 위해 명사 대신 쓰는 말

대명사의 종류		의미	예시
인칭대명사	재귀대명사	'~자신' : -self , -selves	myself, himself, themselves …
	소유대명사	'~의 것'	mine, hers, ours …
지시대명사		앞, 뒤 어구를 가리킴	this (these), that (those)
부정대명사		불특정한 대상을 가리킴	one, all, some, both, either …

[핵심 03] 지시대명사

구분	단수	복수
가까운 곳의 사람, 사물 / 후자	this	these
먼 곳에 있는 사람, 사물 / 전자	that	those

· **This** is my brother.

· Could I have one of **these**?

· I have a dog and a cat; **that** is lovelier than **this**.

· The price of gold is much higher than **that** of silver.

[핵심 04] 부정대명사 one : 막연한 물건이나 일반인을 나타내는 대명사

· **One** should do **one's** best. (불특정 일반인)
· If you need a pen, here is **one**. (동일한 종류의 다른 것)

[핵심 05] 부정대명사의 표현방법

· I have two pens. **One** is green, and **the other** is red.
· I have three brothers. **One** is a doctor, **another** is a lawyer and **the other** is a teacher.
· I have four kids. **One** is in Seoul, and **the others** are in Busan.
· I have many books. Some are comic books, and **others** are novels.

2 형용사와 부사

형용사 : 명사 수식, 보어 역할 (주격보어와 목적격보어)
부사 : 형용사, 동사, 부사, 문장 전체를 수식 (장소, 방법, 시간 등)

명사 + ly ⇒ 형용사 : lovely, friendly, weekly …
형용사 + ly ⇒ 부사 : sadly, slowly, happily …

[핵심 06] 형용사가 명사보다 뒤에 오는 경우

원칙	형용사 + (대)명사 + to부정사	
예외	(대)명사 + 형용사 + to부정사	명사가 -thing, -body, -one으로 끝나는 경우

· She is a <u>**beautiful girl**</u>.

· There are many <u>**interesting books to read**</u> in the library.

· I saw <u>**somebody strange**</u> on my way home.

· Please, give me <u>**something hot to drink**</u>.

[핵심 07] 부정수량 형용사

명사	부정수량 형용사				
	많은	약간의	거의 없는	전혀 없는	많은
수 (셀 수 있는 명사)	many	a few	few	no	a lot of = lots of = plenty of
양 (셀 수 없는 명사)	much	a little	little		

· How <u>**many**</u> tickets do we need?

· I have <u>**much**</u> money in my pocket.

· We have <u>**a few**</u> eggs. Let's make an omelette.

· I have <u>**a little**</u> time to see him.

· I have <u>**few**</u> friends in my class.

· I have <u>**little**</u> interest in politics.

· I have <u>**no**</u> friend to go with there.

· I have <u>**no**</u> time to play computer games.

· There are <u>**plenty of**</u> ways for kids to help other kids.

· Don't hurry. There's <u>**plenty of**</u> time.

[핵심 08] 형용사+ly=부사 중 의미가 완전히 달라지는 부사

형용사와 부사		부사	
late	늦은 / 늦게	lately	최근에 = recently
near	가까운 / 가깝게	nearly	거의 = almost
high	높은 / 높게	highly	매우 = very
hard	어려운, 단단한 / 열심히	hardly	거의 ~하지 않다

· **Lately**, I met the doctor in the street.
· It took me **nearly** a week to finish the report.
· That was a **highly** successful play.
· He can **hardly** understand what I said.

[핵심 09] 형용사 및 부사의 변화

형용사와 부사가 성질, 상태, 수량 등의 정도를 비교하기 위해 어형변화를 하는데, 이를 비교라 하며,「원급, 비교급, 최상급」으로 표현한다.

원급	비교급	최상급
원래 단어 형태 그대로	원급 + (e)r	원급 + (e)st
	단어가 3음절 미만인 경우	단어가 3음절 미만인 경우
	more + 원급	most + 원급
	단어가 3음절 이상인 경우	단어가 3음절 이상인 경우

원급	비교급	최상급
fast	faster	fastest
famous	more famous	most famous
good / well	better	best
bad / ill	worse	worst
little	less	least
many / much	more	most

[핵심 10] 원급, 비교급, 최상급의 기본구조

원급 표현	as 원급 ~ as ⋯	⋯ 만큼 ~한/하게
비교 표현	비교급 ~ than ⋯	⋯ 보다 더 ~한/하게
최상급 표현	the 최상급 ~ in 장소⋯/ of ⋯	⋯에서/⋯중에서 가장 ~한/하게

· He is **as tall as** Mike.

· He is not **as/so tall as** Mike.

· She is **older than** Su-mi.

· Sally is **more beautiful than** Jane.

· Tom is **the tallest** boy in his class.

· Time is **the most precious** thing of all.

비교급의 다양한 표현들

구분	표현	해석
1	get + 비교급 and 비교급	점점 더 ~하게 되다.
	It's getting **darker and darker**.	
2	The + 비교급 ~, the + 비교급 …	~하면 할수록 점점 더 …하게 되다.
	The more you eat, **the fatter** you become.	
3	The + 비교급 of the two	둘 중에 더 ~하다.
	He is **the taller of the two** boys.	

[핵심 12] 최상급을 나타내는 여러 가지 표현

구분	최상급 표현
1	the + 최상급
2	비교급 + than any other + 단수명사
3	부정주어 + 비교급 + than
4	부정주어 + as/so + 원급 + as

· He is **the tallest student** in his class.

· He is **taller than any other student** in his class.

· **No student** is **taller than** he in his class.

· **No student** is **as tall as** he in his class.

· Time is **the most precious thing** of all.

· Time is **more precious than any other thing**.

· Time is **more precious than anything else**.

· **Nothing** is **more precious than** time.

· **Nothing** is **so precious as** time.

3 문장의 형식

[핵심 13] 문장의 구성

형식	문장의 구성 요소	해석 방법
1형식	S + V (주어 + 완전자동사) The sun disappeared.	S가 V하다 태양이 사라졌다.
2형식	S + V + S.C (주어 + 불완전자동사 + 주격보어) He is my son. She became a doctor.	S는 SC이다 / S는 SC가 되다 그는 나의 아들이다. 그녀는 의사가 되었다.
3형식	S + V + O (주어 + 완전타동사 + 목적어) I need you.	S는 O를 V하다 나는 당신이 필요해요.
4형식	S + V + I.O + D.O (주어 + 완전타동사 + 간접목적어 + 직접목적어) I gave you my heart.	S는 IO에게 DO를 V하다 나는 너에게 마음을 주었다.
5형식	S + V + O + O.C (주어 + 불완전타동사 + 목적어 + 목적격보어) They call me a poet. He made me angry.	S가 O를 OC라고 V하다 S는 O가 OC 하는 것을 V하다 그들은 나를 시인이라 부른다. 그가 나를 화나게 만들었다.

주격보어 or 목적격보어 자리에는

명사, 형용사, to 부정사, 분사 등이 온다.

· My sister is **a high school student**.

· The sofa looks **comfortable**.

· I asked him **to call** her first.

· Don't leave the baby **crying**.

[핵심 14] 지각동사, 사역동사

(1) 사역동사 + 목적어 + 동사원형

```
make, have, let / help(준사역동사)
```

· My friend **made** me **wait** too long.

· We won't **let** you **eat** too many sweets.

· I **helped** her **(to) move** the table.

　→ help는 목적격보어 자리에 동사원형, to부정사 모두 가능

(2) 지각(=감각)동사 + 목적어 + 동사원형(현재분사)

```
see, watch, look at, hear, listen to, taste, feel 등
```

· Did you **hear** Paul sing that song?

· I **saw** her smile brightly.

· **Look at** the clown jumping high.

· I **felt** the building shaking.

　→ 현재분사 형태는 동작의 '진행'의 의미를 강조

4 동사 시제

> 시제 : 동작과 상태가 언제 일어나느냐를 나타내는 동사의 형태 변화

[핵심 15] 시간과 조건의 부사절에서 현재가 미래를 대신한다.

단어	의미		미래시제 가능 여부
when	언제 (명사절)		+ will 가능
	~할 때 (미래의미 포함) - 부사절		+ will 불가
if	~인지 아닌지 (명사절)		+ will 가능
	만약 ~라면 (미래의미 포함) - 부사절		+ will 불가

· I don't know <u>when he **will come** home</u>. (명사절)

· <u>When he **comes** home</u>, I will have a party. (부사절)

· I don't know <u>if it **will rain** tomorrow</u>. (명사절)

· <u>If it **rains** tomorrow</u>, I won't go out. (부사절)

[핵심 16] 현재완료시제의 이해

> 현재완료 : 현재의 한 시점을 기준으로 과거의 어느 때부터 현재까지의 동작의 완료(막 ~다했다), 경험(~한 적이 있다), 결과(지금도 그 결과가 계속되고 있다), 상태의 계속(쭉 계속해왔다) 등을 나타낸다.
>
> ```
>          현재완료
> ─────────────────────
> 과거              현재
> ```
>
> • I lost my book. (과거)
> • I have lost my book. (현재완료)
> = I lost my book so I don't have it now.

종류	의미	특징
have(has) been to ★	★에 가본 적이 있다.	현재 ★에 없다.
have(has) gone to ★	★에 가버리고 없다.	현재 ★에 있다.

· Min-ho went to America last year and he is in Seoul now.

  ⇒ Min-ho **has been to** America.

· Min-ho went to America last year and he is in America now.

  ⇒ Min-ho **has gone to** America.

[**핵심 17**] 과거완료시제의 이해

과거완료 : 과거보다 한 시제 이전에 일어난 사건을 표현할 때 주로 사용하며 과거시제와 항상
        함께 쓰이는 것이 원칙이다.

	과거완료	현재완료
대과거	과거	현재

· When the police **caught** the thief, he **had spent** all the money.
· When I **arrived** at the airport, the plane **had taken** off.

5 조동사

> 조동사 : 동사의 한 종류. 동사와 함께 쓰여, 그 동사를 도와주는 역할을 한다.
>
> 조동사와 함께 쓰이는 동사를 본동사라 하며 반드시 동사원형을 쓴다.

[핵심 18] 조동사 must와 should

구분	표현	의미
1	must	~해야 한다 (= have to) ↔ don't have to ~할 필요 없다
2	must be	~임이 틀림없다. ↔ can't be ~일리가 없다
3	must not	~해서는 안 된다. (강한 금지)
4	must have p.p	~이었음이 틀림없다. (과거 사실에 대한 단정)
5	should	~해야 한다 (= ought to)
6	should have p.p	~했어야만 했는데 (과거 사실에 대한 비난 / 후회)

· You **must** study very hard to pass the exam.

· You **must not** smoke here.

· He **must be** rich now.

  = It is **certain** that he **is** rich now.

· He **must have been** rich those days.

  = It is **certain** that he **was** rich those days.

· I think he **should** brush his teeth three times a day.

· She **should have done** the work.

· I **shouldn't have bought** the cap.

[핵심 19] 조동사 can / could

구분	표현	의미
1	가능 / 능력	~할 수 있다 (= be able to)
2	허락	~해도 좋다 (= may)
3	can't have p.p	~이었을 리가 없다
4	관용표현	can't help ~ing ~하지 않을 수 없다 can't ~ too much 아무리 ~해도 지나치지 않다

· He **can** play the guitar.

  = He **is able to** play the guitar.

· You **can** use my cellphone.

· She **can't have gone** there last night.

  = It is **impossible** that she **went** there last night.

· I **can't help doing** my best.

· I **can't** thank you **too much**.

[핵심 20] 조동사 used to와 관련된 중요 구문

구분	내용	의미
1	used	use(사용하다)의 과거(분사)형
2	used to + 동사원형	~하곤 했다. (과거의 규칙적인 습관, 현재X)
3	be used to + 동사원형ing	~하는 데 익숙하다. (사람주어)
4	be used to + 동사원형	~하는 데 사용되다. (사물주어)

· I **used** the tool to fix the machine.

· He bought a **used** car.

· I **used to go** to school by bus.

· I **am used to doing** such a thing.

· The tool **is used to fix** the machine.

[핵심 21] had better / would rather

구분	내용	의미
1	had better + 동사원형	~ 하는 게 더 낫다 (충고, 가벼운 명령) ↔ had better not + 동사원형
2	would rather + 동사원형	(…하기보다는) 차라리 ~하겠다 (선호)

· You **had better** go there right now.

  = **Why don't you** go there right now?

· You**'d better not** go there right now.

· I**'d rather** go skiing tomorrow than today.

· I **would rather** not tell you.

6 준동사

> 준동사 : 한 문장에는 하나의 동사만 오는 것이 원칙이다. 그 이외의 동사는 동사의 기능을 간직하면서 다른 품사(명사, 형용사, 부사)의 기능을 하게 되는데, 이를 준동사라 한다. 준동사에는 부정사, 동명사, 분사가 있다.

[핵심 22] to부정사 (to+동사원형)

> 부정사 : 「to+동사원형」의 형태
>
> · 명사적 용법 : 문장 안에서 주어, 목적어, 보어 역할
> · 형용사적 용법 : 명사를 수식
> · 부사적 용법 : 목적, 결과, 감정의 원인, 판단의 근거 등

1. 명사적 용법
   · <u>**To tell** a lie</u> is wrong. [주어]
   = <u>**It**</u> is wrong <u>**to tell** a lie</u>. [가주어, 진주어]
   · His hobby is **to play** mobile games. [주격보어]
   · She wants **to be** a doctor when she grows up. [목적어]
   · I think <u>**it**</u> dangerous <u>**to travel** alone</u>. [가목적어, 진목적어]

2. 형용사적 용법
   · He was the first <u>man</u> **to reach** the North Pole.
   · She bought an interesting <u>book</u> **to read**.
   · We are looking for an <u>apartment</u> **to live in**.

· We **are to meet** here at ten. [예정]

· You **are to obey** the traffic rules. [의무]

· If you **are to succeed**, you must do your best. [의도]

· Nothing **was to be seen** in the night sky. [가능]

· He **was** never **to see** his family. [운명]

3. 부사적 용법

· We eat **to live**, not live **to eat**. [목적]

· The girl grew up **to become** a famous musician. [결과]

· She was surprised **to hear** the news. [감정의 원인]

· He must be crazy **to do** such a thing. [판단의 근거]

[핵심 23] to부정사의 문장 전환

구 (단문)	절 (복문)
in order to Root ···	so that - may ···
···하기 위해서	
too ~ to Root ···	so ~ that - can't ···
너무 ~해서 ···할 수 없다	
~ enough to Root ···	so ~ that - can ···
너무 ~해서 ···할 수 있다	

· He studied hard **in order to pass** the exam.

  = He studied hard **so that** he **might** pass the exam.

· She is **too** young **to go** to school.

  = She is **so** young **that** she **can't go** to school.

· The box was **too** heavy for him **to carry**.

  = The box was **so** heavy **that** he **couldn't carry** it.

· She was smart **enough to solve** the problem.

  = She was **so** smart **that** she **could solve** the problem.

[핵심 24] 부정사의 의미상의 주어

가주어	형용사	의미상 주어	진주어
[일반] It is	이성적 판단 important, hard, difficult, easy 등	for + 목적격	to + 동사원형
[예외] It is	인간의 성질, 상태 kind, wise, clever, foolish 등	of + 목적격	to + 동사원형

· It is *important* <u>for him</u> **to study** English everyday.

· It is *hard* <u>for me</u> **to memorize** those words by tomorrow.

· It was *foolish* <u>of her</u> **to do** such a thing.

· It is *kind* <u>of them</u> **to help** the poor every weekend.

[핵심 25] 독립부정사

구분	구문	의미
1	to tell the truth	사실대로 말하자면
2	to begin with	우선, 무엇보다도
3	to make matters worse	설상가상으로, 엎친 데 덮친 격으로
4	strange to say	이상한 말이지만
5	needless to say	말할 필요도 없이, 두말할 나위도 없이

· **To tell the truth**, I love her very much.

· **To begin with**, you must study English.

· **To make matters worse**, it rained a lot.

· **Strange to say**, he must be mad.

· **Needless to say**, she must be a liar.

[핵심 26] 동명사와 to부정사

동명사 : 「동사원형 + ~ing」
　　　　동사와 명사의 기능을 겸하며 주어, 목적어, 보어 역할
　　　　'~하는 것, ~하기'로 해석

주어	동사	목적어(동사일 때)
명사 혹은 대명사	stop, finish, give up, avoid, mind, enjoy 등	동명사(동사원형 + ing)
	want, hope, expect, decide, promise, plan 등	to부정사(to + 동사원형)
	love, like, start, begin continue, hate 등	동명사 혹은 to부정사 (둘 다 가능하고 의미 차이 없음)
	remember, forget	to부정사 (미래) (~해야 할 것을 기억한다/잊다) 동명사 (과거) (~했던 것을 기억한다/잊다)

· He **finished** *doing* his homework last night.

· Mike **wants** *to become* a doctor in the future.

· He **likes to** *watch*(= *watching*) TV.

· I **remember** *to meet* her in the office tomorrow morning.

· I **remember** *meeting* her in the office last month.

[핵심 27] 동명사의 관용적 표현

구분	표현		의미
1	cannot help ~ing		~하지 않을 수 없다
	I cannot help doing my homework now. = I can't but do my homework now.		
2	It is no use ~ing		~해도 소용이 없다
	It is no use crying over the spilt milk. = It is useless to cry over the spilt milk.		
3	There is no ~ing		~하는 것은 불가능하다
	There is no finishing the work within a week. = It is impossible to finish the work within a week.		
4	cannot(=never) ⋯ without ~ing		⋯할 때마다 반드시 ~하다
	They can't meet without fighting. = Whenever they meet, they always fight.		
5	feel like ~ing		~하고 싶은 생각이 들다
	I feel like reading the book today. = I feel inclined to read the book today.		
6	be busy (in) ~ing		~하느라 바쁘다
	They are busy (in) preparing for the examination.		
7	keep A from ~ing		A가 ~하는 것을 막다
	My mother kept me from going to the concert.		

구분	표현	의미
8	On(= Upon) ~ing	~하자마자
	On hearing the news, he was surprised. = As soon as he heard the news, he was surprised.	
9	It goes without saying that ~	~은 말할 것도 없다
	It goes without saying that honesty is the best policy. = It is needless to say that honesty is the best policy.	
10	be used to ~ing	~하는 데 익숙하다
	Janet is used to cooking Korean food.	
11	look forward to ~ing	~을 고대하다
	He looks forward to meeting her again.	
12	spend + 돈, 시간 + (on/in) + ~ing	~하는 데 돈, 시간 등을 소비하다
	I spent much money buying the new car. I spend two hours watching television everyday.	
13	have difficulty/trouble + (in) + ~ing	~하는 데 어려움을 겪다
	We have difficulty (in) finding the house. I always have trouble waking up in the morning.	

[핵심 28] 분사의 용법

분사 : 동사적인 성격과 형용사적인 성격을 가진다.

　현재분사(동사원형 + ~ing) : 능동과 진행의 의미

　과거분사(p.p) : 수동과 완료의 의미

　* 분사를 이용하여 특별한 형태의 구문(분사구문)을 만들기도 한다.

구분	종류	예문
한정적 용법 - 명사 수식	현재분사 : 동사원형 + ing → 능동, 진행의 의미	I saw the **crying** girl right here.
		Do you know the man **standing** at the gate?
	과거분사 : p.p → 수동, 완료의 의미	Look at the **fallen** leaves.
		Yesterday I got a letter **written** in English.
서술적 용법 - 보어 역할	주격보어 : 주어를 보충설명	I feel **tired** all the time.
		He stood **watching** TV.
	목적보어 : 목적어를 보충설명	I heard him **playing** the guitar.
		Leave the door **closed**.

[핵심 29] 분사구문

- 시간, 이유, 조건, 양보 등의 부사절과 부대상황(연속동작, 동시동작)의 종속절을 분사를 이용하여 간단히 만든 형태의 문장이다.

분사구문 만드는 법

① 부사절(종속절)의 접속사를 생략한다.

② 부사절(종속절)의 주어와 주절의 주어가 같으면 생략하고, 다르면 그대로 둔다.

③ 부사절(종속절)과 주절의 시제가 같으면 부사절의 동사를 「동사원형 + ~ing」 형태로, 한 시제 앞서면 「having + p.p」의 형태로 쓴다.

④ 부사절(종속절)의 동사가 수동태이면 동사를 「being + p.p」로, 한 시제 앞서면 「having been + p.p」로 나타낸다.

* 이때 being이나 having been은 생략할 수 있다.

(능동) Because she had a fever, she couldn't go shopping.

= Having a fever, she couldn't go shopping.

(완료) As he had done it before, he knew how to do it.

= Having done it before, he knew how to do it.

(수동) When he is compared with other boys, he is sensible.

= (Being) Compared with other boys, he is sensible.

(완료형 수동) As I have been raised in France, I speak French well.

= (Having been) Raised in France, I speak French well.

구분	의미	예문
1	시간 when, as, while, after	When she heard the news, she began to cry. = **Hearing the news**, she began to cry.
2	원인, 이유 because, as	Because he was sick, he was absent from school. = **Being sick**, he was absent from school.
3	조건 if	If you turn to the right there, you will find the building. = **Turning to the right there**, you will find the building.
4	양보 though, although	Though I live next to his house, I don't know him. = **Living next to his house**, I don't know him.
5	연속동작 and	The train leaves at six, and it arrives in Seoul at noon. = The train leaves at six, **arriving in Seoul at noon**.
6	동시동작 as	He went out of the house as he said "Good-bye". = **Saying "Good-bye"**, he went out of the house.

[핵심 30] 독립분사구문

분사구문을 만들 때, 부사절의 주어와 주절의 주어가 다른 경우에, 부사절의 주어를 남겨 두는데, 이를 '**독립분사구문**'이라 한다.

If it is fine tomorrow, I will go on a picnic.
= **It being fine tomorrow**, I will go on a picnic.

As the bookstore was closed, I could not buy our textbook.
= **The bookstore being closed**, I could not buy our textbook.

단, 주절과 부사절의 주어가 다르더라도, 부사절 주어가 we, you, they, people 등과 같은 일반인일 때 주어를 생략하는데 이를 '**비인칭 독립분사구문**' 이라 한다.

구분	표현	의미
1	<u>Judging from</u> his accent, he must be a foreigner.	~로 판단해 볼 때
2	<u>Generally speaking</u>, women live longer than men.	일반적으로 말하자면
3	<u>Strictly speaking</u>, what he said is false.	엄밀하게 말하자면
4	<u>Considering</u> his age, he looks so young.	~을 고려해 볼 때
5	<u>Roughly speaking</u>, he spent two hours watching TV everyday.	대략적으로 말해서

7 수동태

> 주어와 동사의 능동 · 수동 관계를 나타내는 문장의 형식을 태라 한다.
>
> 능동태 : 「주어가 ~을 …하다」 같이 주어가 동작을 행하는 형태
>
> 수동태 : 「주어가 ~에 의해 …당하다」 같이 주어가 동작을 받거나 당하는 형태

▨ 수동태 만드는 법

> ① 능동태의 목적어를 주어로 한다. (a doll → A doll)
> ② 능동태의 동사를 「be동사 + 과거분사(p.p)」로 고친다.(makes → is made)
> ③ 능동태의 주어를 「by + 목적격」의 형태로 바꾼다. (She → by her)
>
> She makes a doll.
>
> A doll is made by her.

진행형 수동태	be + being p.p
완료형 수동태	have(has, had) been + p.p

Somebody is cleaning the room at the moment.

→ The room **is being cleaned** at the moment.

We have postponed the concert because of the rain.

→ The concert **has been postponed** because of the rain.

구분	구문	의미
1	They <u>were surprised at</u> the news.	~에 놀라다
2	I <u>was pleased with</u> the gift.	~로 기뻐하다
3	We <u>are satisfied with</u> the result.	~에 만족하다
4	The doctor <u>is known to</u> everybody.	~에게 알려지다
5	I <u>am tired with</u> walking.	~에 피곤하다
6	I <u>am tired of</u> eggs.	~에 싫증나다
7	I <u>am interested in</u> English.	~에 흥미가 있다
8	The table <u>was covered with</u> books.	~로 덮여 있다
9	Butter <u>is made from</u> milk.	(화학적) ~로 만들어지다
10	The desk <u>is made of</u> wood.	(물리적) ~로 만들어지다

8 의문사와 관계사

의문사와 관계사는 형태는 같지만, 문장 속에서의 위치와 역할이 다르므로 그 쓰임에 따라 의문사, 접속사, 관계대명사, 관계부사로 구별한다.

의문사 / 접속사 / 관계사					
의문부사 / 관계부사			의문대명사 / 관계대명사		
시간	언제	when	사람	누가	who – whom - whose
장소	어디서	where	사물	무엇	what
방법	어떻게	how	선택	어느 것	which
이유	왜	why			

[핵심 32] 간접의문문 : 직접의문문이 다른 문장의 일부가 되어 명사절로 쓰임

의문문	직접의문문	의문사 + (조)동사 + 주어 ~?
	간접의문문	··· 의문사 + 주어 + 동사 ~?

(1) 의문사가 있는 경우 : **의 + 주 + 동**

· I don't know + Who is he?

⇒ I don't know **who he is**.

· Do you know + Where does she live?

⇒ Do you know **where she lives**?

(2) 의문사가 없는 경우 : **if(= whether) + 주 + 동**

· I don't know + Will it rain tomorrow?

⇒ I don't know **if(= whether) it will rain tomorrow**.

· Do you know + Is he happy?

⇒ Do you know **if(= whether) he is happy**?

(3) 주절이 의문문이고, 주절의 동사가 think, believe, guess, imagine, suppose 등이 오면
의문사가 문장 앞으로 나간다.

· Do you **know**? + How old is he?

⇒ Do you know **how old he is**?

· Do you **think**? + How old is he?

⇒ **How old** do you think **he is**?

[핵심 33] 관계대명사

- 접속사 + 대명사의 역할을 한다.

선행사	주격 관계대명사	소유격 관계대명사	목적격 관계대명사
사람	who	whose	who(m)
사물, 동물	which	whose, of which	which
사람, 사물, 동물	that	-	that
선행사 없음	what	-	what

- 앞 문장 전체를 받을 때는 무조건 which를 쓴다.
- 앞에 명사(선행사)가 없으면 무조건 what을 쓴다.

· This is the boy **who** likes to play tennis.

· This is the boy **whom** I want to meet.

· This is the boy **whose** name is Jack.

· The book **which** is on the table is mine.

· This is the book **which** I bought yesterday.

· Find the book **whose** cover is very old.

· She didn't say anything, **which** made him sad.

· We should do **what** is right.

· Show me **what** you bought.

[핵심 34] 관계부사

- 접속사 + 부사의 역할을 한다.

선행사	관계부사
장소 (the place)	where
시간 (the time)	when
이유 (the reason)	why
방법 (the way)	how

- the way와 how는 함께 쓸 수 없다.

· I went to the place **where** he lived last year.

· I remember the time **when** we met him for the first time.

· I don't know the reason **why** he didn't come home last night.

· I want to know **how** he studies English.

9 가정법

[핵심 35] 가정법 기본공식

종류	문장 형식
가정법 과거 (현재 사실 반대)	If + 주어 + 동사의 과거형(were), 주어 + [조동사의 과거형 + 동사원형]
가정법 과거완료 (과거 사실 반대)	If + 주어 + had p.p~ , 주어 + [조동사의 과거형 + have p.p]
혼합 가정법 (현재까지 미치는 과거사실의 반대)	If + 주어 + had p.p~ , 주어 + [조동사의 과거형 + 동사원형]

· If I were a bird, I could fly to you.

· If I had much money, I could buy it to you.

· If he had given me a flower, I would have been happy.

· If I had taken her advice, I would have a fortune now.

[핵심 36] I wish 가정법 / as if 가정법

가정법	직설법
if	as (= because)
I wish 가정법 (~하면 좋을 텐데)	I am sorry (실현 불가능한 소망)
as if 가정법 (마치~인 것처럼)	in fact (실제와 다른 상황)

· If I were rich, I could buy the house. (가정법 과거)

 ⇒ As I am not rich, I can't buy the house. (직설법 현재)

· If he had studied hard, he would have passed the exam. (가정법 과거완료)

 ⇒ As he didn't study hard, he didn't pass the exam. (직설법 과거)

· **I wish** I were a doctor. (가정법 과거)

 ⇒ **I am sorry** I am not a doctor. (직설법 현재)

· He talks **as if** he knew the answer. (가정법 과거)

 ⇒ **In fact**, he doesn't know the answer. (직설법 현재)

10 접속사와 전치사

접속사 + 주어 + 동사 - 문장과 문장을 연결하는 역할
전치사 + (대)명사/ 동명사 - 형용사구 혹은 부사구의 역할

· He went out for a walk **after** he had dinner.

  ⇒ He went out for a walk **after** dinner.

· **Because** it rained heavily, I couldn't go there in time.

  ⇒ **Because of** the heavy rain, I couldn't go there in time.

· **Though** he is old, he is still in good health.

  ⇒ **Despite** his old age, he is still in good health.

[핵심 37] 접속사의 종류

구분	표현	의미
1	명령문 ~ and …	~해라 그러면 …할 것이다 = **if**
	Work hard, **and** you will succeed in your job. = **If** you work hard, you will succeed in your job.	
2	명령문 ~ or …	~해라 그렇지 않으면 …할 것이다. = if + not = unless
	Hurry up, **or** you will not catch the first train. = If you **don't** hurry up, you will not catch the first train. = **Unless** you hurry up, you will not catch the first train.	
3	if	만약 ~라면, ~인지 아닌지(= whether)
	If you want to be a leader, you must have a leadership. I don't know **if** he will come here tonight.	

구분	표현	의미
4	unless	만약 ~하지 않는다면
	Unless you work hard, you can never succeed.	
5	though, although, even though, even if	비록 ~일지라도, ~임에도 불구하고
	Although he is very poor, he likes to help other people.	
6	as	~할 때, ~ 때문에, ~함에 따라서
	As he was young, he learned to swim with his mother. As he often lies, I don't like him. As she grew older, she became more silent.	

[핵심 38] 등위상관접속사

구분	표현	의미
1	Both A and B	A와 B 둘 다 (동사는 **복수기준**)
	Both **he** and **I are** right. 그와 나 둘 다 옳다.	
2	Either A or B	A와 B 둘 중 하나 (동사는 **B기준**)
	Either he or **I am** right. 그와 나 둘 중 한 사람만 옳다.	
3	Neither A nor B	A와 B 둘 다 아니다 (동사는 **B기준**)
	Neither he nor **I am** right. 그와 나 둘 다 옳지 않다.	
4	Not A but B	A가 아니라 B이다 (동사는 **B기준**)
	Not he but **I am** right. 그가 아니라 내가 옳다.	
5	Not only A but also B	A뿐만 아니라 B도 역시 (동사는 **B기준**)
	Not only he but also **I am** right. 그뿐만 아니라 나도 역시 옳다.	
6	B as well as A	A뿐만 아니라 B도 역시 (동사는 **B기준**)
	I as well as he **am** right. 그뿐만 아니라 나도 역시 옳다.	

[핵심 39] 전치사의 주요개념

- [전치사 + (대)명사/ 동명사] = 형용사구 혹은 부사구의 역할을 한다.

· The moon **in the sky** is bright.

· The moon is bright **in the sky**.

· This typewriter **is of no use**.

· Make yourself **at home**.

· He goes **to school on foot in the morning**.

		명사	
전치사	**+**	**대명사**	반드시 목적격을 쓴다.
		동명사	동사가 올 때 동사원형 + ing(동명사)로 바꾼다.

· I am proud of <u>my mother</u>. (명사)

· I am proud of <u>him</u>. (대명사)

· I am proud of <u>winning</u> the game. (동명사)

[핵심 40] 주요 전치사 정리

구분	표현	예시
1	until(= till) : ~까지 (계속)	I will wait for you here **until** tomorrow.
	by : ~까지 (완료)	You must come home **by** ten.
2	before : ~전에	You must go there **before** dark.
	after : ~후에	He came back **after** a few hours.
3	from : ~부터 (시간의 출발점)	He will live here **from** next month.
	since : ~이래로 (시간의 계속)	He has lived here **since** last year.

구분	표현	예시
4	for : ~동안 (+ 숫자 + 시간명사)	He has studied English **for** three hours.
	during : ~동안 (+ 시간명사)	I went to the resort **during** summer vacation.
5	between : ~사이에 (둘 사이)	The post office lies **between** a bookstore and a hospital.
	among : ~사이에 (셋 이상)	Many birds are singing **among** the trees.
6	of : 물리적 변화	The desk is made **of** wood.
	from : 화학적 변화	Butter is made **from** milk.
7	for : ~에 찬성하는	I am **for** the opinion. (= in favor of)
	against : ~에 반대하는	I am **against** the opinion.

[유형 1] 일상 묻고 답하기

01 대화의 빈칸에 들어갈 알맞은 것을 고르시오.

> A : Can I help you, ma'am?
> B : Yes, I'd like to return this sweater.
> A : What's the matter with it?
> B : _____

① Here's $15.　　　　② That sounds great.

③ It has a hole in it.　　④ That's fine with me.

02 대화의 빈칸에 들어갈 알맞은 것을 고르시오.

> A : Excuse me, can you show me a sweater?
> B : Okay. How about this red one?
> A : It's pretty. Is it on sale?
> B : _____ The sale is only for pants.

① Of course.　　　　② Yes, please.

③ I don't mind.　　　④ I'm afraid not.

정답 | 1. ③　2. ④

03 대화의 빈칸에 들어갈 말로 적절하지 <u>않은</u> 것은?

> A : You always keep your words. I think that's great.
>
> B : Thank you for saying that.
>
> A : _____

① My pleasure.   ② Not exactly.

③ Don't mention it.   ④ You are welcome.

04 대화의 빈칸에 들어갈 알맞은 것을 고르시오.

> A : King Hotel. May I help you?
>
> B : Yes, I'd like to speak to Bill in room 301.
>
> A : _____

① Pass me the salt, please.

② It took 3 days to get there.

③ I hope your dream come true.

④ Hold on please. I'll connect you.

05 대화의 빈칸에 들어갈 알맞은 것을 고르시오.

> A : Did you have a nice vacation?
>
> B : Terrible.
>
> A : _____?
>
> B : I stayed home and studied for my exam.

① why   ② who

③ when   ④ which

정답 ┊ 3. ② 4. ④ 5. ①

06 대화의 빈칸에 들어갈 알맞은 것을 고르시오.

> A : Let's go see a movie together tomorrow.
>
> B : Sounds great! What time shall we make it?
>
> A : _____

① Three times a day.

② It opened yesterday.

③ Let's meet at nine o'clock.

④ I've seen the movie twice.

[유형 2] 의도 파악하기

07 대화에서 B의 의도로 알맞은 것은?

> A : Don't you think we eat too much junk food?
>
> B : <u>I couldn't agree more</u>.

① 동의 　　　② 제안 　　　③ 비난 　　　④ 충고

08 대화에서 밑줄 친 부분의 의도로 알맞은 것은?

> A : I'm not good at English. Could you give me some advice?
>
> B : Why don't you watch English DVDs?
>
> A : That sounds good. <u>I appreciate your advice</u>.

① 축하 　　　② 감사 　　　③ 칭찬 　　　④ 충고

정답 | 6. ③ 7. ① 8. ②

09 대화에서 밑줄 친 부분의 의도로 알맞은 것은?

> A : What are you doing this Saturday?
>
> B : Nothing special.
>
> A : <u>How about going to the swimming pool</u>?

① 동의　　　　　② 제안　　　　　③ 의심　　　　　④ 칭찬

10 밑줄 친 문장의 의도로 알맞은 것은?

> A : <u>You did a good job</u>! I like your speech.
>
> B : Thanks a lot.

① 칭찬하기　　　　　　　　② 소개하기

③ 상담하기　　　　　　　　④ 비난하기

11 대화에서 밑줄 친 부분의 의도로 알맞은 것은?

> A : I broke up with my girl friend.
>
> B : <u>Sorry to hear that, but cheer up</u>.

① 예약하기　　　　　　　　② 위로하기

③ 초청하기　　　　　　　　④ 칭찬하기

12 밑줄 친 말의 의도로 알맞은 것은?

> A : <u>Will you do me a favor</u>?
>
> B : Sure. What can I do for you?

① 부탁하기　　　　　　　　② 사과하기

③ 불평하기　　　　　　　　④ 칭찬하기

13 다음 대화에서 밑줄 친 말의 의도로 알맞은 것은?

> A : This is how to prove it. <u>Are you with me</u>?
>
> B : Yes, I am. That's not so difficult.

① 사과하기   ② 확인하기

③ 허락하기   ④ 거절하기

14 밑줄 친 말의 의도로 가장 알맞은 것은?

> A : You can use my computer if you want to.
>
> B : Thanks. <u>I'm very grateful for your kindness</u>.

① 사과하기   ② 제안하기

③ 보고하기   ④ 감사하기

정답 | 13. ②   14. ④

[유형 3] 관계 / 장소 파악하기

(1) post office(우체국) : stamp(우표), postcard(엽서), package/parcel(소포), airmail (항공우편)

(2) airport(공항), airplane(비행기) : passport(여권), gate(탑승구), flight number(항 공 편 번호), window/aisle seat(창가/통로 쪽 좌석), departure time(출발 시각), destination(목적지), one-way(편도), round trip(왕복), land(착륙하다), take off (이륙 하다), delay(지연되다), check in(탑승 수속을 하다)
What's the purpose of your visit? - 방문 목적이 무엇인지요?

(3) library(도서관), bookstore(서점) : kind(종류), section(구역), shelf(선반), ID card(신분증), due(기한), borrow(빌리다), take out(대출하다), return(반납하다)

(4) bank(은행) : cash(현금), check(수표), account number(계좌번호), exchange(환전하다)

(5) hospital(병원), drugstore, pharmacy(약국) : medicine(약), pill(알약), prescription(처방전), shot(주사), toothache(치통), dentist(치과의사), headache(두통), cough(기침), fever(열), stomachache(복통), symptom(증상), sore throat(인후통)

(6) restaurant(식당) : order(주문), meal(식사), dessert(후식), bill/check(계산서), receipt(영수증), steak(스테이크)
   I will treat you. − 제가 대접할게요.
   Let's go Dutch. − 각자 부담합시다.

(7) taxi(택시) : Where would you like to go? - 어디로 가시겠습니까?
   Here we are. - 다 왔습니다. / What's the fare? - 요금이 얼마지요?
   Keep the change. - 거스름돈은 가지세요.

(8) store, shop(상점)
   What can I do for you? / How can I help you? - 무엇을 도와 드릴까요?
   How do you like this one? - 이것은 어떻습니까?
   I'm just looking around. - 그냥 둘러보고 있습니다.
   Can I try it on? - 그것을 입어 봐도 될까요?
   I'll take it. - 그것으로 살게요.

15 대화에서 두 사람의 관계로 가장 알맞은 것은?

> A : Hi, Tom. What's wrong?
>
> B : I have a terrible headache.
>
> A : Let me check. Don't worry. It's not so serious.
>   Here is the prescription.

① 의사 – 환자　　　　　　　② 기자 – 배우

③ 점원 – 고객　　　　　　　④ 경찰 – 범인

16 대화에서 두 사람의 관계로 알맞은 것은?

> A : May I see your passport?
>
> B : Here you are.
>
> A : Are you here for business or pleasure?
>
> B : For pleasure.

① 약사 – 환자　　　　　　　② 택시운전사 – 승객

③ 판매원 – 고객　　　　　　④ 입국심사원 – 여행객

17 대화에서 두 사람의 관계로 가장 알맞은 것은?

> A : Sam's Restaurant. May I help you?
>
> B : Yes. Can I make a reservation for Sunday?
>
> A : Certainly. For what time?
>
> B : 7 o'clock.

① 의사 – 환자　　　　　　　② 기자 – 배우

③ 지배인 – 손님　　　　　　④ 수리공 – 주인

정답 | 15. ①　16. ④　17. ③

18 대화에서 두 사람의 관계로 가장 알맞은 것은?

> A : May I help you?
> B : When is the earliest flight for Boston?
> A : It's at 6:10.
> B : Then I'd like a ticket to Boston.

① 경찰관 – 행인 ② 택시 운전사 – 승객
③ 식당 지배인 – 손님 ④ 항공사 직원 – 손님

19 대화에서 두 사람의 관계로 가장 알맞은 것은?

> A : May I take your order, please?
> B : Yes, I'd like spaghetti with tomato sauce.

① 의사 – 환자 ② 사장– 직원
③ 은행원 – 고객 ④ 식당 종업원 – 손님

20 다음 대화에서 두 사람의 관계로 가장 알맞은 것은?

> A : Hello? Can I help you?
> B : Yes. I'm calling to reserve a single room.
> A : Sure. How long do you want to stay?
> B : For six nights.

① 경찰 – 시민 ② 교수 – 학생
③ 호텔직원 – 고객 ④ 택시기사 – 승객

21 대화가 이루어지는 장소로 가장 알맞은 것은?

> A : How can I help you?
>
> B : Could I have five 40-cent stamps, please.
>
> A : Of course. Anything else?
>
> B : Yes. How much is a postcard to Germany?
>
> A : Fifty cents.

① In an airport   ② In a post office

③ In a police station   ④ In a department store

22 대화가 이루어지는 장소로 가장 알맞은 것은?

> A : May I help you?
>
> B : I would like to exchange Korean wons for US dollars.
>
> A : How much do you want?
>
> B : Thirty dollars.

① In a bank   ② In a theater

③ In a restaurant   ④ In a coffee shop

23 대화가 이루어지는 장소로 가장 알맞은 것은?

> A : Fill her up, please.
>
> B : Yes, regular or premium?
>
> A : Regular, please.

① At a bank   ② At a hospital

③ At a gas station   ④ At a post office

정답 | 21. ②   22. ①   23. ③

24 대화가 이루어지는 장소로 가장 알맞은 것은?

A : May I help you?

B : Yes, I'm looking for a shirt.

A : Are you looking for a particular design?

B : Not really, but I think red one would be nice.

① At a bank
② At a police station
③ At a hospital
④ At a clothing store

25 대화가 이루어지는 장소로 가장 알맞은 것은?

A : Can I borrow a book now?

B : Of course. Which one do you want to read this time?

A : I'd like to try a science novel today.

B : Let's see. Oh, here's a good one.

① 사진관
② 도서관
③ 운동장
④ 동물원

26 대화가 이루어지는 장소로 가장 알맞은 것은?

A : Are these books on sale?

B : Yes, all of these are four dollars each.

A : Do you have books of travel?

B : Yes, they are on the second floor.

① 서점
② 식당
③ 세탁소
④ 옷가게

[유형 4] 제안, 부탁, 권유, 초대하기

27 대화의 빈칸에 들어갈 말로 적절하지 <u>않은</u> 것은?

> A : These books are so heavy. _____
>
> B : Sure, I'd like to.

① Help me, please.　　　② I need your help.

③ I'm not sure.　　　④ Can you give me a hand?

28 대화에서 빈칸에 알맞은 것은?

> A : How can I get information about the World Cup?
>
> B : _____ That's the best way.

① Take some rest.　　　② Get some exercise.

③ Clean the bicycle.　　　④ Search on the Internet.

29 다음 대화에서 빈칸에 들어갈 알맞은 표현을 고르시오.

> A : You look tired. What's the matter?
>
> B : I have sleep problems. What should I do?
>
> A : _____

① I'm glad you slept well last night.

② Thank you for buying me this comfortable bed.

③ You should take a warm bath before going to bed.

④ I have something to do, so I cannot go to bed now.

정답 | 27. ③　28. ④　29. ③

30 대화에서 빈칸에 가장 알맞은 것은?

> A : Please, help yourself to the cake.
>
> B : _____ I've had enough.

① Certainly.   ② Yes, please.

③ No, thank you.   ④ You're welcome.

31 다음 대화에서 빈칸에 들어갈 알맞은 표현을 고르시오.

> A : I lost my watch on the subway.
>
> B : That's too bad. _____
>
> A : Thanks. I will.

① Maybe next time.

② What are you interested in?

③ How can I get to the post office?

④ How about checking the lost-and-found?

32 다음 대화에서 빈칸에 들어갈 알맞은 표현을 고르시오.

> A : Jane, shall we go to the park?
>
> B : _____ I have to finish my homework.
>
> A : All right. Maybe next time.

① I'm afraid I can't.

② I agree with you.

③ Certainly, I'd like to.

④ You did a good job.

[유형 5] 대화의 순서 파악하기

33 주어진 글에 이어질 대화의 순서로 알맞은 것은?

> Good morning. What's the problem?

> (A) Anything else?
> (B) I have a stomachache and fever.
> (C) No, that's all.

① (A) - (B) - (C)　　② (B) - (A) - (C)
③ (C) - (A) - (B)　　④ (C) - (B) - (A)

34 주어진 글에 이어질 대화의 순서로 알맞은 것은?

> What are you interested in?

> (A) Then how about joining the movie club?
> (B) That's a good idea.
> (C) I'm interested in movies.

① (A) - (B) - (C)　　② (B) - (A) - (C)
③ (B) - (C) - (A)　　④ (C) - (A) - (B)

35 (A)에 이어질 대화의 순서로 알맞은 것은?

> (A) Why don't we go swimming this Saturday?

> (B) Well, I am not good at swimming.
> (C) Good. Thanks.
> (D) Don't worry. I can help you.

① (B) - (D) - (C)　　② (C) - (D) - (B)
③ (D) - (B) - (C)　　④ (D) - (C) - (B)

정답 | 33. ② 34. ④ 35. ①

36 다음에 이어질 대화의 순서로 알맞은 것은?

> Which club are you going to join?

> (A) Why do you like that one?
> (B) I'd like to join the Magic Club.
> (C) Because I want to learn some magic tricks.

① (A) - (B) - (C)　　　　② (B) - (A) - (C)
③ (C) - (A) - (B)　　　　④ (C) - (B) - (A)

37 주어진 말에 이어질 대화의 순서로 알맞은 것은?

> Did you hear the news?

> (A) Oh! That's incredible.
> (B) Our soccer team won the game.
> (C) What news?

① (A) - (B) - (C)　　　　② (B) - (A) - (C)
③ (B) - (C) - (A)　　　　④ (C) - (B) - (A)

38 주어진 글에 이어질 두 사람의 대화 순서로 가장 알맞은 것은?

> What's the purpose of your visit?

> (A) How long are you staying here?
> (B) About two weeks.
> (C) I'm here on vacation.

① (A) - (C) - (B)　　　　② (B) - (A) - (C)
③ (B) - (C) - (A)　　　　④ (C) - (A) - (B)

[유형 6] 의문사에 맞는 답하기

39 대화에서 빈칸에 알맞지 <u>않은</u> 것은?

> A : How often do you read newspaper?
> B : _____.

① Never　　　　　　　　② Every day

③ Once a week　　　　　④ For an hour

40 대화에서 빈칸에 알맞은 것은?

> A : Who is your best friend?
> B : It's Minsu.
> A : _____?
> B : He is tall with long hair.

① How old is he　　　　② Where is he from

③ What does he look like　④ When does he arrive here

41 대화의 빈칸에 알맞은 것은?

> A : Long time no see. Where have you been?
> B : I have been to Italy.
> A : _____?
> B : I went there on business.

① Where did you go

② Why did you go there

③ When did you go there

④ With whom did you go there

정답 | 39. ④　40. ③　41. ②

42 대화의 빈칸에 들어갈 말로 가장 알맞은 것은?

A : _____?
B : I'm going to visit my friend in America.

① What does it look like

② What kind of sports do you like

③ What do you want to be in the future

④ What are you going to do this summer

43 대화의 빈칸에 가장 알맞은 것은?

A : Which fruit do you like better, bananas or grapes?
B : _____.

① I hope so

② No, you can't go

③ Yes, I will

④ I like grapes better

44 대화의 빈칸에 들어갈 말로 가장 알맞은 것은?

A : _____?
B : It takes 10 minutes by bus from here.

① What do you do for a living

② Who do you think is the smartest

③ How much do you pay for your cooking lessons

④ How long does it take to get to the art gallery

[유형 7] 심정 파악하기

45 대화에서 알 수 있는 A의 심경으로 적절한 것은?

> A : Finally, I've passed the test for a driver's license.
>   I'm so happy.
> B : Congratulations!

① angry   ② glad

③ sad   ④ worried

46 대화에서 알 수 있는 A의 심경으로 가장 알맞은 것은?

> A : Look at this! I got opera tickets for free.
> B : Really? How is that possible?
> A : I won them at the quiz. I'm so happy.

① sad   ② upset

③ bored   ④ excited

47 대화에서 알 수 있는 B의 심경으로 가장 알맞은 것은?

> A : What's the matter with you?
> B : I didn't do well in the speech contest.
> A : Come on! You can do better next time.

① bored   ② excited

③ satisfied   ④ disappointed

정답 | 45. ②   46. ④   47. ④

48 대화에서 알 수 있는 A의 심경으로 가장 알맞은 것은?

> A : I shouldn't have bought a cap.
>
> B : Do you mean you don't like the cap?
>
> A : I don't need it.
>   I should have been more careful when spending money.

① bored

② joyful

③ scared

④ regretful

49 대화에서 알 수 있는 A의 심경으로 가장 알맞은 것은?

> A : Mom, I won the first prize in the singing contest.
>
> B : Wow, you did it. Congratulations!
>
> A : I am very happy about that.

① excited

② fearful

③ regretful

④ depressed

50 대화에서 알 수 있는 A의 심경으로 가장 알맞은 것은?

> A : I am finally going to New Zealand.
>
> B : Great! It's a very beautiful country.
>
> A : Yes, I'm really glad to go there!

① sad

② upset

③ happy

④ gloomy

[유형 1] 빈칸 채우기

01 글의 빈칸에 들어갈 알맞은 것을 고르시오.

> Seat belts _____ you in many ways. They extend the time it takes your body to stop. They make the change in speed less sudden and dangerous for your body.

① hurt   ② protect
③ destroy   ④ celebrate

words

extend 늘이다   hurt 상처입히다   protect 보호하다
destroy 파괴하다   celebrate 축하하다

정답 : ②

02 글의 빈칸에 들어갈 알맞은 것을 고르시오.

> A sense of control is the key to success. Optimists feel in control of their own lives. Even when things go wrong, their will remains strong. They try to look on the _____ side of things.

① tiny   ② awful
③ bright   ④ negative

words

a sense of control 통제력   optimist 낙천주의자   in control of ~을 통제하는
will 의지, 뜻   remain 남아있다   tiny 작은
awful 두려운   negative 부정적인

정답 : ③

03 빈칸에 공통으로 들어갈 말로 가장 알맞은 것은?

> A _____ is like a photo of our times and a time capsule of our history. If you want to keep up with the world around you, read a _____. Most _____ stories deal with straight facts.

① diary

② letter

③ newspaper

④ pamphlet

words

keep up with ~에 밝다, 뒤떨어지지 않다   deal with 다루다
straight fact 꾸밈없는 사실

정답 : ③

04 빈칸에 들어갈 말로 가장 알맞은 것은?

> Some people do not eat particular food for _____ reasons. For example, Hindus do not eat beef because cows are considered holy animals. Jewish people and Moslems do not eat pork because pigs are thought to be unclean.

① religious

② technical

③ physical

④ economic

words

particular 특정한   holy 신성한   unclean 불결한
religious 종교적인   technical 기술적인   physical 신체적인
economic 경제적인

정답 : ①

[유형 2] 글의 목적 찾기

05 다음 글의 목적으로 가장 알맞은 것은?

> If you are serious about being a cook, your parents will support you. They want you to be happy more than anything. You'd better talk to your parents about your dream.

① to complain ② to advise

③ to advertise ④ to apologize

words

serious 진지한, 심각한 support 지원(응원)하다 complain 불평하다
advertise 광고하다 apologize 사과하다

정답 : ②

06 글을 쓴 목적으로 가장 알맞은 것은?

> Dear Teacher
>
> My son was late for school this morning because he didn't get out of bed until noon. His laziness is a big problem. Please tell me how I can break his bad habit.

① 감사 인사 ② 고민 상담

③ 초청 거절 ④ 취업 부탁

words

get out of bed 일어나다 laziness 게으름
break a habit 버릇을 고치다

정답 : ②

07 글을 쓴 목적으로 가장 알맞은 것은?

> Dear Kevin
>
> My family is going to visit the Folk Village this weekend. I want you come and join us. Do you have time on this Saturday? Let's have a great time together. Please let me know if you can come or not.

① to appreciate　　　　　　② to encourage

③ to comfort　　　　　　　④ to invite

words

Folk Village 민속촌　　　join 함께 하다, 가입하다　　appreciate 감사하다
encourage 격려하다　　　comfort 위로하다

정답 : ④

08 다음 글을 쓴 목적으로 가장 알맞은 것은?

> Our volunteer service center has many great activities for you. These activities give you a chance to help others. We hope to see you join us.

① 감사　　　　　　　　　② 동의

③ 권유　　　　　　　　　④ 항의

words

volunteer 자원봉사(하다)
activity 활동

정답 : ③

[유형 3] 글의 제목 찾기

09 다음 글의 제목으로 알맞은 것은?

> Friendships need as much care as garden flowers. Good friendships involve careful listening, honesty, respect, and trust. Without these things, friendships are as weak as glass. However, with effort, friendships can become stronger than stone.

① How Flowers Die　　　　② How Friendships Grow
③ How Honesty Pays　　　　④ How Glass Breaks Down

words

care 관심, 보살핌	**involve** 수반(포함)하다	**honesty** 정직
respect 존경, 존중	**trust** 신뢰	**effort** 노력

정답 : ②

10 다음 글의 제목으로 가장 알맞은 것은?

> My family had a trip to Australia last summer. We liked the beautiful beaches and the warm weather. We visited the Sydney Opera House. We had a good time.

① Beaches in Australia　　　② Weather of Sydney
③ Opera House in Sydney　　④ Family Trip to Australia

words

trip 여행	**Australia** 오스트레일리아, 호주
weather 날씨	

정답 : ④

11 다음 글의 제목으로 알맞은 것은?

> It helps to talk to someone about your problem. Perhaps friends, family members, or teachers can help you see your problem in a different way. By sharing your problem, it can be solved easily.

① Read a Good Book

② Share Your Problem

③ Make a Lot of Money

④ Keep Your Room Clean

words

problem 문제   **share** 공유하다, 나누다
solve 풀다, 해결하다

정답 : ②

12 다음 글의 제목으로 가장 알맞은 것은?

> There are many ways to save the environment. First, recycle a can. Then you can save enough energy to run a TV for two hours. Second, try to walk, ride a bike, or use a bus or a subway. Also, take a short shower. These can save the Earth.

① Take a Walk!

② Enjoy Your Life!

③ Brush Your teeth!

④ Help the Environment!

words

environment 환경   **recycle** 재활용하다   **can** 깡통, 통조림
run 작동시키다   **ride** (자전거, 차량을) 타다

정답 : ④

[유형 4] 글의 주제 찾기

13 다음 글의 주제로 가장 알맞은 것은?

> Rain is a wonderful gift of nature. It helps to grow food in many areas of the world. This rainwater supports the life of human beings, animals and plants. With enough rain, you can drink water at home when you are thirsty.

① 비의 유용성　　　　　　　　② 갈증 해소법

③ 농작물 재배　　　　　　　　④ 빗물의 오염

words

gift 선물	**nature** 자연	**grow** 재배하다	**area** 지역
support 지탱(유지)하다	**human being** 인간	**plant** 식물	**thirsty** 목이 마른, 갈증이 나는

정답 : ①

14 인터넷에 관한 다음 글의 주제로 가장 알맞은 것은?

> In cyberspace it is important to remember the other person. You should keep the same standard of behavior online that you follow in your life. This means that you should be thoughtful about other people and keep good manners when you are on the Net.

① 사용의 편리성　　　　　　　　② 중독의 심각성

③ 접속의 용이성　　　　　　　　④ 예절의 중요성

words

cyberspace 가상의 공간	**standard** 기준, 규범	**behavior** 행동, 태도
follow 따르다, 지키다	**thoughtful** 사려 깊은	**manners** 예절, 예의

정답 : ④

15 다음 글의 주제로 가장 알맞은 것은?

> Gift-giving customs and rules vary from culture to culture. If you send flowers in Europe, be sure to send them in odd numbers. In China, try to give things in pairs because Chinese culture stresses harmony and balance.

① 선물의 역사　　　　　　　　　② 선물하는 이유

③ 선물을 받는 즐거움　　　　　　④ 선물하기의 문화적 차이

words

custom 관습, 풍습	**vary** 다르다, 달라지다	**culture** 문화
be sure to 꼭 ~해라	**odd number** 홀수	**in pairs** 짝을 지어
stress 강조하다	**harmony** 조화	**balance** 균형

정답 : ④

16 다음 글의 주제로 가장 알맞은 것을 고르시오.

> Kevin is short, but he is proud that he can run fast. He knows who he is, how he looks and what he can do well. Although he sometimes experiences problems with his weakness, he doesn't accept it badly. He loves himself and takes pride in his abilities.

① 외모의 중요성　　　　　　　　② 자신에 대한 존중감

③ 다양한 경험의 중요성　　　　　④ 호기심은 문제 해결의 시작

words

proud 자랑으로 여기는	**experience** 경험하다	**weakness** 약점
accept 받아들이다	**take pride in** ~을 자랑스러워하다	**ability** 능력

정답 : ②

[유형 5] 글의 요지 찾기

17 동물원에 대한 글의 요지로 알맞은 것은?

> We are surprised to hear that a lion escaped from the zoo. We need more guards at the zoo to keep animals from running away. Besides, more guards are needed to provide safety for the public.

① 경비원 숫자를 늘려야 한다.　　② 다른 장소로 이전해야 한다.

③ 관람 시간을 연장해야 한다.　　④ 식물원도 함께 있어야 한다.

> **words**
>
> **surprised** 놀란　　　　　　**escape** 탈출하다　　　　**guard** 경비원
> **run away** 달아나다　　　　**keep A from ～ing** A가 ～하지 못하게 하다
> **provide** 제공하다　　　　　**besides** 게다가

정답 : ①

18 글의 요지로 알맞은 것은?

> People may think that chocolate is okay for pets. However, chocolate can kill them. For example, a few weeks ago, a dog died after eating chocolate. I don't think that any pet owner wants to suffer the death of a pet. Therefore, you had better keep chocolate away from your pets.

① 버려지는 애완동물이 많다.　　② 애완동물은 추위에 약하다.

③ 초콜릿은 영양분이 풍부하다.　　④ 초콜릿은 애완동물에게 해롭다.

> **words**
>
> **pet** 애완동물　　　　　　**owner** 주인, 소유자　　　　**suffer** 경험하다, 괴로워하다
> **therefore** 그러므로　　　　**had better** ～하는 게 좋다

정답 : ④

19 다음 글의 요지로 가장 알맞은 것은?

> Eating breakfast is very good for teenagers' learning. Many researchers have shown that students who eat breakfast do better in school than those who don't eat it.

① 비만은 청소년들의 건강에 해롭다.

② 학교의 적극적인 학습지도가 필요하다.

③ 학생들의 학습량이 학업성취에 영향을 미친다.

④ 아침밥을 먹는 것이 학생들의 학습에 도움이 된다.

words

be good for ~에 좋다　　　**teenager** 십대, 청소년　　　**learning** 학습
researcher 연구원

정답 : ④

20 다음 글의 요지로 가장 알맞은 것은?

> Animals can predict weather changes. Birds fly much lower right before it rains. Also, black bears stay in deeper caves when they expect a very cold winter.

① 인간은 자연재해를 극복할 수 있다.

② 많은 동물이 멸종위기에 처해 있다.

③ 동물은 인간의 도움 없이 살 수 없다.

④ 동물은 날씨의 변화를 예측할 수 있다.

words

predict 예측(예상)하다　　　**lower** 더 낮은　　　**cave** 동굴
expect 예상하다

정답 : ④

[유형 6] 흐름과 관계없는 문장 고르기

21 다음 글에서 전체 흐름과 관련이 <u>없는</u> 문장은?

> ① Animals have magic power to help people. ② Scientists think the magic is simply love and trust. ③ People want to find some unusual animals. ④ Pets usually welcome people and show them love.

words

magic 신비로운, 불가사의한 (힘), 마술	**scientist** 과학자
simply 그저, 단순히	**trust** 신뢰 **unusual** 특이한, 드문
welcome 다정하게 맞이하다, 환영하다	

정답 : ③

22 다음 글에서 전체 흐름과 관련이 <u>없는</u> 문장은?

> ① When you apply for a job, you need to think about the personal happiness it could bring. ② You need to decide if this is the kind of job you would like to do. ③ Doctors can make much money. ④ Think about how you would enjoy working at this job day after day.

words

apply for ~에 지원하다	**personal** 개인적인	**happiness** 행복
decide 결정하다	**day after day** 매일같이, 날마다	

정답 : ③

23 다음 글에서 전체 흐름과 관련이 없는 문장은?

> Teens who cannot stop using computers by themselves show various symptoms. ① They become upset when not using computers. ② Some stay up all night to use computers. ③ You should protect animals. ④ These symptoms can be harmful to teens' health.

24 글의 전체 흐름과 가장 관계가 없는 문장은?

> Traveling gives you new pleasure of experiencing new things around the world. ① This world has many things that you haven't seen before. ② I will go shopping next weekend with my father. ③ However, traveling might not always be enjoyable unless you prepare for it. ④ Therefore, you should make plans for traveling.

[유형 7] 주어진 글에 이어질 내용 찾기

25 다음 글에 이어질 내용으로 알맞은 것은?

> Soccer is one of the most popular sports in the world. It is played by people of all ages in more than 200 countries. Do you know the origin of this popular game?

① 축구의 기원　　　　　　　② 축구의 규칙

③ 축구의 인기도　　　　　　④ 축구 인구의 증가

words

popular 인기 있는, 대중적인　　　　　　**age** 나이
origin 기원, 유래

정답 : ①

26 다음 글에 이어질 내용으로 알맞은 것은?

> The earth is our home and we must share the earth with all its plants and animals. But our earth is being polluted by us ever day. Can you think of some things you can do to protect the earth?

① 지구의 생성 과정　　　　　② 지구의 동물과 식물

③ 지구 오염의 종류　　　　　④ 지구를 보호하는 방법

words

earth 지구　　　　　　**share A with B** A를 B와 공유하다, 나누다
pollute 오염시키다　　　**protect** 보호하다

정답 : ④

27 다음 글 바로 뒤에 올 내용으로 가장 알맞은 것은?

> Every day, more than 28 million people around the world use the Internet. However, even with the many useful functions of the Net, some experts warn of the danger of Internet Addiction Disorder.

① 인터넷의 유용성   ② 인터넷 예절의 중요성

③ 인터넷 사용 인구   ④ 인터넷 중독의 위험성

> **words**
>
> | | | |
> |---|---|---|
> | **million** 백만 | **even** 심지어 ~조차도 | **useful** 유용한 |
> | **function** 기능, 역할 | **expert** 전문가 | **warn** 경고하다 |
> | **danger** 위험 | **addiction** 중독 | **disorder** 장애, ~증 |

정답 : ④

28 다음 글 바로 뒤에 이어질 내용으로 가장 알맞은 것은?

> Today, tomatoes are one of the most common foods in the world. They are served alone or with your favorite dishes such as pizza and spaghetti. Here are some various recipes for tomatoes.

① 토마토의 가격   ② 토마토의 요리법

③ 토마토의 생산지   ④ 토마토의 재배 방법

> **words**
>
> | | | |
> |---|---|---|
> | **common** 흔한, 보통의 | **food** 식품, 음식 | **serve** 제공하다 |
> | **alone** 혼자, 단독으로 | **favorite** 마음에 드는, 가장 좋아하는 | |
> | **dish** 요리, 음식, 접시 | **recipe** 요리법 | |

정답 : ②

[유형 8] 주어진 문장 삽입하기

29 다음 문장이 들어가기에 가장 알맞은 곳은?

> After we finished putting up the tent, we cooked lunch.

> My friends and I went camping at a mountain last weekend. (①) Arriving there, we started to put up our tent. (②) While we were cooking, many insects gathered around us. (③) They bit and made us mad. (④)

words

put up 세우다, 설치하다	**insect** 곤충, 벌레	**gather** 모이다
bite-bit-bitten 물다	**mad** 미친, 몹시 화난	

정답 : ②

30 다음 문장이 들어가기에 가장 알맞은 곳은?

> As I had a few hours to spend until then, I decided to watch a movie.

> One morning, my father asked me to drive him into town. (①) When we arrived, I promised to pick him up at 4 p.m. (②) I was enjoying the movie so much and I completely forgot about the time. (③) When the movie had finished, I was two hours late! (④)

words

spend (시간을) 보내다	**decide** 결심(결정)하다	**pick up** ～를 차로 태우러 가다
completely 완전히	**forget** 잊다	

정답 : ②

31 다음 문장이 들어가기에 가장 알맞은 곳은?

> But one woman changed this idea.

> Today, anyone can learn to fly airplanes. (①) But this was not true in 1903. (②) At that time, people thought only men could be pilots. (③) Her name was Amelia Earhart. (④)

words
- **fly** 날다, 조종하다
- **pilot** 조종사
- **true** 사실의, 진실한

정답 : ③

32 다음 문장이 들어가기에 가장 알맞은 곳은?

> Instead I decided to make them with paper myself.

> On the way home, I wanted to buy carnations for my parents. (①) I went to a flower shop. (②) However, I gave up buying them because of their high price. (③) Fortunately, my parents really loved my carnations. (④)

words
- **instead** 대신에
- **fortunately** 다행스럽게도
- **give up** 포기(단념)하다

정답 : ③

[유형 9] 내용 파악하기

33 담배를 끊을 때 사용할 수 있는 방법으로 언급되지 <u>않은</u> 것은?

> If you want to quit smoking, you can. A good way to quit smoking is to exercise, drink more water and eat food with vitamins. Remember, the longer you wait to quit, the harder it will be.

① 운동하기   ② 물 마시기
③ 휴식 취하기   ④ 비타민 섭취하기

> **words**
>
> **quit** 끊다, 그만두다   **exercise** 운동하다
> **the 비교급 ~, the 비교급 …** ~하면 할수록 더욱 더 …하다

정답 : ③

34 Interact 클럽의 주요 활동이 <u>아닌</u> 것은?

> I am in a school club called 'Interact'. It mainly helps others and does good things for communities. These are the activities we did last year. We cleaned neighborhoods and helped old people.

① 등산하기   ② 다른 사람 돕기
③ 동네 청소하기   ④ 지역사회에 기여하기

> **words**
>
> **mainly** 주로   **community** 지역사회   **activity** 활동
> **neighborhood** 이웃, 근처

정답 : ①

35 다음 글에서 설명하는 숲의 기능은?

> Trees push their roots deep into the soil. Even when there are storms, the roots hold the soil in place. Without trees, the soil is washed away by the rainwater.

① 공기 정화 ② 병충해 예방
③ 토양 침식 방지 ④ 휴식 장소 제공

정답 : ③

36 밑줄 친 two basic things가 가리키는 것으로 알맞은 것은?

> Driving can be fun. However, most of drivers ignore **two basic things** when they drive: They forget to keep enough distance from the car in front, and they don't wear seat belts.

① 차선 지키기, 신호 지키기 ② 안전거리 확보, 차선 지키기
③ 안전거리 확보, 좌석벨트 착용 ④ 좌석벨트 착용, 규정 속도 유지

정답 : ③

[유형 10] 지칭 추론하기

37 밑줄 친 <u>This(this)</u>가 가리키는 것은?

> <u>This</u> tells about the things they did, the food they ate, the people they met and how they felt during that day. Most people feel that keeping <u>this</u> is a very private thing. They don't like to show <u>this</u> to others.

① a pet
② a diary
③ a wallet
④ a mirror

words

during ~동안(내내)	**keep a diary** 일기를 쓰다
private 개인적인, 사적인	**wallet** 지갑

정답 : ②

38 밑줄 친 <u>They</u>가 가리키는 것은?

> <u>They</u> are very smart animals. They have four long legs and two big ears. <u>They</u> pull the cart and people ride on them. <u>They</u> eat carrots. <u>They</u> are cousins of horses.

① dogs
② rabbits
③ monkeys
④ donkeys

words

smart 영리한	**cart** 수레, 마차	**ride** (올라)타다
carrot 당근	**cousin** 사촌	**donkey** 당나귀

정답 : ④

39 밑줄 친 <u>this</u>가 가리키는 것은?

> In recent years, <u>this</u> has become very important. By using <u>this</u> you can find information on any subject and communicate with others anywhere in the world. Truly, <u>this</u> is making the world a global society.

① X-ray

② package

③ Internet

④ vacation

words

recent 최근	**information** 정보	**subject** 주제
communicate 소통(통신, 대화)하다	**anywhere** 어느 곳이든	**truly** 정말로, 진정으로
global 세계적인	**package** 소포, 포장	**vacation** 방학, 휴가

정답 : ③

40 밑줄 친 <u>It(it)</u>이 가리키는 것으로 알맞은 것은?

> <u>It</u> surrounds the earth. we cannot see, smell, or taste <u>it</u>. When the wind blows, you feel <u>it</u> against your face. All living things need <u>it</u> to stay alive.

① air

② soil

③ tree

④ water

words

surround 둘러싸다	**smell** 냄새를 맡다	**taste** 맛보다
blow (바람이) 불다	**against** ~에 부딪히는	**living thing** 생물, 생명체
alive 살아있는		

정답 : ①

[유형 11] 속담, 교훈

41 다음 격언이 주는 교훈으로 가장 알맞은 것은?

> No pains, no gains.

① 노력   ② 관용

③ 감사   ④ 청결

정답 : ①

42 다음 격언이 주는 교훈으로 가장 알맞은 것은?

> Honesty is the best policy.

① 정직   ② 인내

③ 협동   ④ 효도

정답 : ①

43 다음 밑줄 친 속담의 뜻은?

> A : I'll ride my bike to school for my health and saving money.
> B : It is <u>to kill two birds with one stone</u>.

① 모든 일에 조심해야 한다.

② 기회는 올 때 잡아야 한다.

③ 한 번에 두 가지 이득을 얻는다.

④ 부지런하면 언젠가 보상이 온다.

정답 : ③

44 다음 격언이 주는 교훈으로 가장 알맞은 것은?

> Slow and steady wins the race.

① 성실   ② 우정

③ 신속   ④ 협동

정답 : ①

45 대화에서 밑줄 친 표현의 의미로 알맞은 것은?

> A : Our team lost the soccer game. I don't know what to do.
> B : I think that <u>practice makes perfect</u>.

① 행운을 기다려라.

② 꾸준히 연습하라.

③ 규칙을 잘 지켜라.

④ 협동심을 길러라.

정답 : ②

46 밑줄 친 격언이 주는 교훈으로 가장 알맞은 것은?

> A : Good morning! You've come to work first again.
> B : <u>The early bird catches the worm</u>.

① 용기   ② 협동

③ 배려   ④ 근면

정답 : ④

[유형 12] 실용문 - 게시문, 광고, 도표

47 다음 광고에서 알 수 없는 것은?

Insa Art Gallery

Location : Insa-dong

What to see : Old paintings, crafts, etc.

Open : 10 a.m. ~ 9 p.m.   Admission fee : Free

---

① 연락처   ② 입장료

③ 전시 내용   ④ 관람 시간

words

gallery 미술관, 화랑   location 위치   craft (수)공예
etc 기타 등등   admission fee 입장료

정답 : ①

---

48 다음 구인광고에서 알 수 없는 것은?

••••• **Wanted** •••••

• Position : Salesperson
• Working Hours : 17:00~22:00
• Pay : $5 / hour
• Tel : 789-1234
      Great Bookstore

① 연락처
② 근무 요일
③ 근무 시간
④ 시간당 급여

words

wanted 구인광고   position 일자리, 직위
salesperson 판매원

정답 : ②

49 다음 축제 포스터에서 알 수 <u>없는</u> 것은?

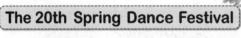

The 20th Spring Dance Festival

●**Date:** May 3rd — 5th
●**Time:** 10 a.m. — 6 p.m.
●**Admission Fee:** Free
●**Place:** Star Dance Hall

① 기간
② 입장료
③ 장소
④ 상금

words

festival 축제
admission fee 입장료

정답 : ④

50 다음 라벨에서 언급되지 <u>않은</u> 것은?

100% WOOL
DRY CLEAN
DO NOT MACHINE WASH
DRY IN SHADE

① 옷의 소재
② 세탁 방법
③ 건조 방법
④ 착용 방법

words

wool 양모, 울   machine wash 세탁기로 세탁하다
shade 그늘, 응달

정답 : ④

51 도표를 보고 빈칸에 알맞은 것을 고르시오.

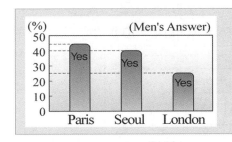

The percentage of people who cook meal is 15 percent _____ in London than in Seoul.

① more

② lower

③ better

④ higher

정답 : ②

52 도표를 보고 빈칸에 알맞은 것을 고르시오.

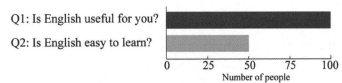

We asked one hundred people the above two questions. All of the people answered that English is useful for them. Still only _____ of them said that English is easy to learn.

① a half

② one-third

③ a quarter

④ one-fifth

정답 : ①

53 도표의 내용으로 보아 빈칸에 들어갈 말로 알맞은 것은?

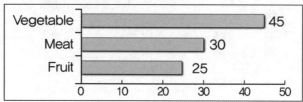

Friends' Favorite Food (Total Number = 100)

We asked one hundred friends about their favorite food. It show that just _____ of them like fruit.

① a half   ② a third

③ a quarter   ④ a fifth

words

favorite (가장) 좋아하는   **vegetable** 채소   **meat** 고기
fruit 과일

정답 : ③

54 도표의 내용으로 보아 빈칸에 들어갈 말로 알맞은 것은?

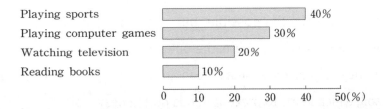

Our Students' Favorite Free-time Activities

Playing sports 40%
Playing computer games 30%
Watching television 20%
Reading books 10%

The above graph shows what our students do in their free time. _____ is the most favorite activity of our students.

① Playing sports

② Playing computer games

③ Watching television

④ Reading books

---

words

graph 그래프   **free time** 자유 시간
activity 활동

정답 : ①

[55~56] 다음 글을 읽고 물음에 답하시오.

> Trees not only make life possible, but also make the air clean. Humans and animals breathe in oxygen and breathe out carbon dioxide. Trees do the opposite. In this way they help to keep the air clean and fresh. _____, trees soak up water from the soil, which helps to prevent floods during heavy rain.

55 윗글의 주제로 가장 알맞은 것은?

① 홍수 예방 시기
② 토양 관리 방법
③ 공기청정기 원리
④ 나무가 주는 혜택

56 윗글의 흐름으로 보아 빈칸에 알맞은 것은?

① But   ② Instead
③ In addition   ④ For example

words

not only A but also B A뿐만 아니라 B도 역시		possible 가능한
oxygen 산소	breathe in 숨을 들이쉬다	breathe out 숨을 내쉬다
carbon dioxide 이산화탄소	the opposite 정반대	soak up 흡수하다
soil 토양	prevent 예방하다	flood 홍수
instead 대신에	in addition 게다가, 더욱이	for example 예를 들어

정답 : 55. ④ 56. ③

[57~58] 다음 글을 읽고 물음에 답하시오.

> Nearly 50% of all workers have jobs that they aren't happy with. Don't let this happen to you! If you want to find the right job, don't rush to look through the ads in the newspaper. _____, sit down and think about yourself. What kind of person are you? What makes you happy?

57 윗글의 주제로 가장 알맞은 것은?

① 올바른 직업 찾기
② 실직 문제의 심각성
③ 신문 광고의 효과
④ 근로자의 여가 활용

58 윗글의 흐름으로 보아 빈칸에 알맞은 것은?

① Instead
② Besides
③ Therefore
④ For instance

words

nearly 거의	**happen** 일어나다
rush 급히 가다, ~을 서두르다	**besides** 게다가
look through ~을 훑어보다	**ads(= advertisements)** 광고
therefore 그러므로	**for instance** 예를 들어

정답 : 57. ① 58. ①

[59~60] 다음 글을 읽고 물음에 답하시오.

Each culture has its own customs. They are not "right" or "wrong," but just different. _____, when we meet foreigners, we should be careful not to judge their actions in our own way. Rather, we should learn to understand other culture with open mind.

59 윗글의 흐름으로 보아 빈칸에 알맞은 것은?

① Therefore   ② However

③ In contrast   ④ On the other hand

60 윗글의 요지로 가장 알맞은 것은?

① 우리 문화의 우수성을 알리자.

② 문화 예술에 대한 투자를 늘리자.

③ 문화 차이를 이해하고 받아들이자.

④ 후손을 위해 우리 문화재를 잘 보존하자.

---

words

culture 문화	**own** 자신만의	**custom** 풍습, 관습
not A but B A가 아니라 B	**foreigner** 외국인	**careful** 신중한, 주의 깊은
judge 판단하다	**action** 행동, 동작	**rather** 오히려
understand 이해하다	**therefore** 그러므로	**however** 하지만
in contrast 그에 반해서	**on the other hand** 다른 한 편으로는, 반면에	

정답 : 59. ①   60. ③

부록

'합격을 위해 꼭 알아야 할' 고졸 검정고시 빈출 단어

단어	뜻	단어	뜻
A		ambition	야망, 야심
able	~할 수 있는	amount	총액, 양
ability	~을 할 수 있음, 능력 ↔ inability 무능, 무력	ancient	옛날의, 고대의
		announce	발표하다, 알리다
above	~위에	apologize	사과하다
abroad	해외에(서), 해외로	appear	나타나다 ↔ disappear 사라지다
absent	부재한, 결석한		
absolutely	전적으로, 틀림없이	appearance	모습, 외모
absorb	흡수하다, 받아들이다	applaud	박수를 치다
accept	받아들이다, 인정하다	appointment	약속, 임명, 지명
accident	사고, 우연	appreciate	감사하다, 인정하다
ache	통증, 고통	attack	공격하다
achieve	이루다, 달성하다	attend	참석하다, 출석하다
across	건너서, 가로질러	attractive	매력적인, 멋진
activity	활동	avoid	피하다
actually	실제로	**B**	
additional	추가적인	baggage	수하물
address	주소, 연설	beach	바닷가, 해변
admire	존경하다	become	~가 되다
adventure	모험	behind	~의 뒤에
advise	충고하다	believe	믿다
affluent	풍부한, 부유한(= rich) ↔ poor 가난한	belong to	~에 속하다
		between	~사이에
afraid	두려워하는(= fearful)	beyond	저 너머에, 뒤편에
against	~에 대항하여	blame	~을 탓하다, 비난하다
allow	허락하다, 허용하다	bleed	피를 흘리다
aloud	큰소리로	blind	눈 먼, 맹목적인
although	비록 ~일지라도(접속사)	blow	(바람) 불다

단어	뜻	단어	뜻
boil	끓다	conduct	지휘하다, 안내하다
boring	지루한, 따분한	confuse	혼란시키다
borrow	빌리다	consist	~으로 구성되다
bother	괴롭히다, 신경 쓰다	contest	경쟁, 논쟁
brave	용감한 ↔ timid 소심한	continent	대륙
build	세우다, 짓다	continue	계속하다
burn	태우다	contract	계약서, 수축시키다
bury	묻다, 매장하다	convenient	편리한
C		correct	정확한
calm	조용한, 평온한	crash	사고, 충돌
capital	수도, 자본	creative	창조적인, 창의적인
captain	대장, 선장, (항공기의) 기장	criticize	비난하다
careful	조심스러운	crowd	군중, 무리
cargo	(선박, 비행기의) 화물	curious	궁금한, 호기심이 많은
celebrate	축하하다	**D**	
central	중심의, 중앙의	dangerous	위험한
certain	확실한, 틀림없는	decide	결심하다
challenge	도전, 도전하다	decision	결심, 결정
character	성격, 기질, 특징	delay	지연, 지체
charming	매력적인	delicious	맛있는
chase	쫓다, 추격하다	democracy	민주주의
cheap	저렴한 ↔ expensive 비싼	depend	의존하다, 의지하다
collect	수집하다	desert	사막, 황야, 불모지
comfortable	편안한, 안락한	destroy	파괴하다
common	공통의, 일반적인	destruction	파괴
commonly	보통, 흔히	development	발전, 발달
communicate	의사소통하다	device	장치, 기기, 기구
complain	불평하다	devote	바치다, 헌신하다

단어	뜻	단어	뜻
difficult	어려운	excite	흥분시키다, 들뜨게 만들다
digest	소화하다	exercise	연습하다, 훈련하다
diligent	성실한, 부지런한 ↔ lazy 게으른	exhaust	다 써 버리다, 고갈시키다
direct	직접적인, 정확한	expect	기대하다
disappoint	실망시키다	experience	경험
discover	발견하다	explain	설명하다
discuss	토론하다	express	표현하다
disease	질병, 질환	**F**	
distance	거리, 간격	famous	유명한
divide	나누다, 차이점	fault	실수, 실패(= failure) ↔ success 성공, 성과
doubt	의심하다	favor	호의, 친절
during	~하는 동안 (전치사)	favorite	좋아하는, 마음에 드는
E		feed	먹이 주다
effective	효과적인	female	여성 ↔ male 남성
effort	노력	flame	불꽃, 불길
elect	선출하다, 선택하다	flat	평평한
election	선거, 당선	follow	따르다
elementary	기초의, 기본의	foolish	어리석은, 멍청한
endure	참다, 견디다	forgive	용서하다
enough	충분한	freedom	자유(= liberty)
environment	(주변의) 환경	funny	우스운, 재미있는
equipment	장비, 용품, 설비	furniture	가구
escape	탈출하다	furthermore	뿐만 아니라, 더욱이 (= besides)
especially	특히, 특별히	**G**	
examine	조사하다, 시험을 실시하다	garage	차고
example	보기, 견본	gather	모으다
excellent	훌륭한, 우수한	generally	일반적으로
except	제외하다		

단어	뜻	단어	뜻
gesture	몸짓	impressive	인상적인
gloomy	우울한	increase	증가하다, ↔ decrease 감소하다
glory	영광, 영예	incredible	믿을 수 없는, 놀라운
grade	등급, 성적, 학년	independent	독립적인
graduate	졸업하다, 졸업자	industrial	산업의, 공업의
grammar	문법	industrious	근면한, 부지런한
grave	무덤, 죽음, 심각한	influence	영향
greed	탐욕	instance	사례, 보기, 경우
guess	추측, 짐작	instead	~대신에 (전치사)
H		instructive	교육적인, 지시하는
habit	습관, 버릇	interest	관심, 흥미
harvest	수확, 추수	international	국제적인
headache	두통	introduce	소개하다, 도입하다
health	건강	invade	침입하다
healthy	건강한	invite	초대하다
helpful	도움이 되는	**J**	
honest	정직한	jealous	질투하는
honor	명예, 명성	jewel	보석
horror	공포, 전율	judge	판단하다, 판사
huge	거대한, 엄청난	junior	청소년
humorous	익살스러운, 익살스러운	justice	공평성, 정의
I		justify	정당화하다
ignore	무시하다	**K**	
illegal	불법의, 어기는	keep	유지하다, 지키다
imagine	상상하다	kind	종류, 유형 / 친절한
important	중요한	knowledge	지식
impossible	불가능한, 곤란한 ↔ possible 가능한, 있을 수 있는	**L**	
		lately	최근에

단어	뜻	단어	뜻
lecture	강의	national	국가의, 국민의
lend	빌려주다	natural	자연스러운, 타고난
less	더 적은	necessary	필요한
library	도서관, 서재	neighbor	이웃(사람)
limit	제한, 한계	nervous	불안한, 초조한
literature	문학, 문헌	nobility	고결함, 숭고함
local	지방의	north	북쪽
lonely	외로운, 쓸쓸한	notice	주목, 주의, 공지
loud	시끄러운	novel	소설 / 새로운
M		nuclear	원자력의, 핵의
machine	기계	**O**	
mad	미친, 열중한	oath	서약, 맹세
manager	관리자, 지배인	obey	복종하다, 따르다
material	재료, 자료	occupation	직업
medium	중간의	occur	일어나다, 발생하다
memory	기억, 회상	offer	제공(제안)하다
mend	고치다(= fix)	operate	작동하다, 수술하다
mention	언급하다	opinion	의견, 견해
mercy	자비, 연민	overweight	과체중의, 비만의
method	수단, 방법	owe	(돈을) 빚지다, ~은 덕분이다
middle	중간의	**P**	
midnight	한밤중, 자정	pardon	용서, 허용
million	백만, 수많은	particular	특별한
modern	현대의	patient	환자, 참을성 있는
monument	기념물	peek	엿보다
movement	운동, 움직임	perfect	완벽한(= complete)
museum	박물관, 미술관	perform	공연하다, 실행하다
N		perhaps	아마도
narrow	좁은 ↔ wide 넓은	pity	연민, 동정

단어	뜻	단어	뜻
pleasure	기쁨, 즐거움	quit	그만두다
polite	예의 바른, 공손한, 정중한	**R**	
pollution	오염, 공해	rapid	빠른
popular	인기 있는	rare	희귀한, 드문
population	인구	reach	도착하다, 이르다
possibility	가능성	recently	최근에, 요즘에
practice	실행, 실천, 연습	recommend	추천하다, 권장하다
precious	귀중한, 소중한	recycle	재활용하다
predict	예측하다	refuse	거부, 거절하다
prefer	선호하다	regretful	후회하는
prepare	준비하다	regular	규칙적인, 정기적인
present	선물 / 현재의	relative	상대적인
president	대통령, 학장	religious	종교의
principle	원리	remarkable	놀랄 만한, 주목할 만한
prison	감옥, 교도소	remind	상기시키다
private	사적인, 은밀한	remove	제거하다
product	생산, 제품	repair	수리하다
professor	교수	reserve	예약하다
progress	진전, 진척(하다)	respect	존경하다
protection	보호, 옹호	result	결과 / 발생하다
proud	자랑스러운	rough	거친
public	공공의, 대중의	routine	(판에 박힌) 일상, 일상적인
purchase	구입하다	rub	문지르다, 비비다
purpose	목적	rude	무례한, 버릇이 없는
puzzle	당황, 혼란	**S**	
Q		sacrifice	희생, 제물
quarrel	싸우다, 불평하다	safety	안전
quarter	4분의 1, 25%	satisfy	만족시키다
quiet	조용한	scholar	학자, 장학생

단어	뜻	단어	뜻
search	찾다, 조사하다	temperature	온도, 기온
secret	비밀	terrible	끔찍한, 무서운
secretary	비서	therefore	그러므로
seed	씨, 열매	thick	두꺼운, 굵은 ↔ thin 얇은, 가는
sentence	문장	thirsty	목마른
serious	심각한, 진지한	though	비록 ~ 일지라도(접속사)
servant	하인	throw	던지다
several	몇 개의, 몇몇의	tiny	아주 작은
shallow	얕은 ↔ deep 깊은	tire	피곤하게 하다, 지치다
shame	부끄러움, 수치	tradition	전통
share	공유하다, 나누다	traffic	교통(량)
sharp	날카로운, 예리한	treatment	치료, 처리, 대우
shine	빛나다, 반짝이다	trick	속임수, 장난
silent	조용한	**U**	
silence	정적, 침묵	upset	화난, 기분 나쁜
silly	어리석은	unable	~할 수 없는, ~하지 못하는
society	사회	unfortunately	불행하게도 ↔ fortunately 다행히도
steady	꾸준한	unify	통일(통합)하다
steal	훔치다	until	~까지
stomach	위장, 복부	unusual	특이한
suffer	고통 받다, 고생하다	usually	보통, 일반적으로
summarize	요약하다	**V**	
support	지지하다, 후원하다	valuable	가치 있는
surround	둘러싸다, 에워싸다	variety	다양함, 여러 가지, 갖가지
symptom	증상, 징후	vary	(크기, 모양 등이) 다르다
T		vegetable	채소, 야채
take	떠맡다	view	풍경 / 보다
talent	재능, 연예인	visit	방문하다
taste	맛보다, ~맛이 나다		

단어	뜻	단어	뜻
visitor	방문객	**Y**	
voyage	항해(바다 여행)	yard	마당, 뜰
W		yet	아직
want	원하다	yield	양보, 생산(하다)
warn	경고하다	**Z**	
waste	쓰레기, 낭비하다	zealous	열광적인
weak	약한		
weight	무게		
whether	~인지 아닌지(접속사)		
whole	전체의		
wisdom	지혜, 지식		

고졸 검정고시 빈출 숙어

숙어	뜻	숙어	뜻
A		be aware of	~을 알다
account for	~설명하다, 차지하다	be bad for	~에 나쁘다
agree with	~에 동의하다	be certain of	~을 확신하다
and the like	(기타) 같은 것	be composed of	~으로 구성되다(= be sure of)
apply for	~에 지원하다	be covered with	~으로 뒤덮이다
arrive at	~에 도착하다	be different from	~와 다르다
as soon as	~하자마자	be disappointed	실망하다
available for	~ 이용 가능한	be engaged to	~와 약혼하다
B		be full of	~로 가득차다(= be filled with)
be able to	~을 할 수 있다	be good at	~을 잘하다, 능숙하다
be afraid	~을 두려워하다	be good for	~에 좋다

숙어	뜻	숙어	뜻
be good to	~에게 친절히 대하다	cheer up	힘내!
be interested in	~에 흥미가 있다	climb up and down	오르내리다
be known for	~으로 유명하다 (= be famous for)	come after	~을 따라가다
		come from	~에서 오다
be late for	시간에 늦다	come to + V	~하게 되다
be made from	~으로 만들어지다 (재료의 성질이 남아있지 않은 경우)	concentrate on	~에 집중하다(= focus on)
		compare A to B	A를 B에 비유하다
be made of	~으로 만들어지다 (재료의 성질이 남아있는 경우)	count on(upon)	의지하다, 믿다
		D	
be made up of	~으로 구성되다	day after day	날마다, 매일같이
be pleased at	~에 기뻐하다	deal with	~을 다루다
be proud of	~을 자랑스럽게 여기다	depend on (upon)	~에 의지하다
be over	끝나다		
be supposed to	~하기로 되어 있다	do homework	숙제를 하다
be thankful to	~을 고맙게 여기다	don't mention it	별말씀을요
be tired of	싫증나다	**E**	
be used to ~ing	~에 익숙하다	engage in	~에 참여하다
be used up	다 써 버리다	**F**	
bend down	허리를 굽히다	fall asleep	잠들다
bring up	양육하다	fall in love with	사랑에 빠지다
by chance	우연히	far more	훨씬 더
by oneself	홀로, 혼자서	feel down	마음이 울적하다
C		figure out	~을 이해하다
can afford to	~할 수 있다	fill out the form	서식을 작성하다
cannot help ~ing	~하지 않을 수 없다	fill up	~로 채우다
catch a cold	감기에 걸리다	find out	(사실 등을) 알아내다
catch up with	따라잡다	for instance	예를 들어 (= for example)
check in	수속을 밟다		
check with	확인하다	for oneself	혼자 힘으로

숙어	뜻	숙어	뜻
G		have to	~해야 한다 (의무)
get along with	사이좋게 지내다	head for	~으로 향하다
get dressed	옷을 입다	help yourself to	(음식) 챙겨 드세요
get in trouble	곤란에 처하다	help with	~을 돕다
get married to	~와 결혼하다	how about ~ing	~하는 게 어때?
get rid of	없애다	hurry up	서두르다
get together	~와 만나다, 모으다	**I**	
get used to	~에 익숙해지다	in front of	~의 앞에
get off	내리다, (옷, 신발 등) 벗다	in need	어려움에 처한
get on	~에 타다, (옷 등을) 입다	in order to	~하기 위해서
get well	~이 좋아지다	in turn	차례 차례
give in	~에게 항복하다, 제출하다	it seems that	~처럼 보이다
give it a try	시도해보다, 한번 해보다	**K**	
give me a hand	도와주세요	keep in mind	명심하다
give up	포기하다	keep in touch with	연락하다
go ahead	앞서 가다, 어서 하세요	**L**	
go down	내려가다	laugh at	비웃다
go fishing	낚시하러 가다	leave for	~을 향하여 떠나다
go shopping	물건을 사러 가다	line up	한 줄로 서다, 정렬하다
go wrong	실수를 하다, 잘못하다	listen to	~을 귀 기울여 듣다
grow up	성장하다	live on	~을 먹고 살다
H		long for	갈망하다
had better + V	~하는 게 낫다	look after	돌보다
hand in	제출하다	look at	~을 보다
have a seat	자리에 앉다	look for	(무엇을) 찾다
have got to	~해야 한다 (의무)	look forward to ~ing	~ 기대(고대)하다
have something to do with	~와 관계가 있다	look like	~할 것 같다
		look on	지켜보다
have nothing to do with	~와 아무 관계가 없다	look up to	존경하다

숙어	뜻	숙어	뜻
lose weight	살이 빠지다	**R**	
M		refer to	~을 언급하다
make a fire	불을 피우다	result from	~에서 비롯되다
make a plan	계획을 세우다	result in	~의 결과를 가져오다
make a reservation	예약하다	run into	~와 우연히 만나다
make a speech	연설하다	run out of	~을 다 써버리다
make an appointment	약속을 하다, 임명하다	**S**	
make efforts	노력하다, 애쓰다	set free	~을 놓아주다, 석방하다
make it	성공하다	set out	나서다, 시작하다
make plans for	~의 계획을 세우다	set up	~을 세우다, 건립하다
make sure	~을 확실히 하다	show off	~을 자랑하다, 과시하다
N		show up	나타내다, 눈에 띄다
never have to	~하지 않아도 된다	sit down	앉다
not only A but also B	A뿐만 아니라 B도	stand for	~을 나타내다, 대표하다
O		suffer from	~로 고통 받다
on the other hand	반면에	**T**	
on the way	~하는 중에	take a bus	버스를 타다
on time	제시간에, 정각에	take a picture	사진을 찍다
out of order	고장난	take a rest	쉬다, 휴식을 취하다
owe A to B	A가 B의 덕분(덕택)이다	take care of	~을 돌보다
P		take it easy	진정해
pay attention to	~에 주목하다	take off	이륙하다
pick up	~를 데리러가다, 전화 받다	take part in	~에 참가하다
put off	연기하다	take place	일어나다, 발생하다
put up with	참다, 견디다	take pride in	~을 자랑하다
put up	(건물 등을) 짓다	take to	~로 가다
put out	(불, 전기 등을) 끄다	tend to	~하는 경향이 있다
		traffic jam	교통 체증

숙어	뜻	숙어	뜻
try on	(옷, 신발 등을) 입어 보다	**W**	
turn down	거절, 거부하다 (소리, 온도 등을) 낮추다	wait for	~을 기다리다
		what's up?	무슨 일이야?
turn off	(전기, 가스 등을) 끄다	why don't you + V	~하는 것은 어때?
turn on	켜다	worry about	걱정하다
U		would like to + V	~하고싶다, 원하다
under the weather	몸이 좀 안 좋은, 기분이 개운치 않은 (= unwell)	write down	받아적다, 기록하다

04

사회

01. 인간, 사회, 환경을 바라보는 시각

(1) 인간, 사회, 환경의 탐구

1) 인간, 사회, 환경의 탐구 필요성 : 인간은 사회환경과 상호작용하면서 서로 영향을 주는 존재이기 때문에

2) 인간, 사회, 환경의 탐구 방법 : 시간적 관점, 공간적 관점, 사회적 관점, 윤리적 관점 등 다양한 관점에서 탐구

(2) 인간, 사회, 환경을 바라보는 여러 가지 관점

1) 시간적 관점

① 의미와 특징 : 과거로부터 변화해 온 자취를 통해 시대적 배경과 맥락에 초점을 두고 바라보는 것으로 앞으로의 예측과 해결 방안을 찾는 데 도움이 될 수 있음

② 사례 : 과거 효사상과 풍수사상으로 매장을 했으나 최근 화장이 확대되면서 화장장 건설이 사회적 쟁점화 되고 있음

2) 공간적 관점

① 의미와 특징 : 현상들을 위치와 장소, 분포양상과 형성과정, 이동과 네트워크 등의 공간적 맥락에서 살피는 것으로 지역 간 차이를 비교하고 사회 현상에 대한 환경의 영향을 파악하는 데 도움이 되고 지역네트워크 형성과 변화를 살펴보는 데 유용함

② 사례 : 화장장 건설의 최적조건과 건설 후 지역사회에 미칠 영향을 분석

3) 사회적 관점

① 의미와 특징 : 특정 사회현상에 대한 사회제도, 사회정책, 사회구조의 영향력을 분석하고 이해하는 것으로 분석을 통해 개인의 행위를 이해할 수 있고 사회 현상이 발생한 원인이나 배경을 이해할 수 있고 정책적 대안을 마련하는 데 도움

② 사례 : 화장장 건설에 따른 문제를 해결하기 위해 법과 제도를 정비해야 함

4) 윤리적 관점

① 의미와 특징 : 양심과 규범적 차원에서 사회문제를 살펴보고 바람직한 사회를 실현하기 위한 방안을 살펴보는 것으로 변화하는 사회에서 어떻게 하면 바람직하고 행복한 삶을 살아갈 수 있을까를 성찰하고 사회 문제의 바람직한 해결책을 모색하는 데 도움

② 사례 : 화장장 건설로 인해 피해를 본 주민들에게 적절한 보상을 해주고 주민들은 공익도 고려해야 함

(3) 통합적 관점

1) **의미** : 사회현상을 시간적, 공간적, 사회적, 윤리적 관점을 모두 고려하여 통합적으로 살피는 것으로 균형 있는 관점으로 종합적으로 이해해야 사회현상을 제대로 파악할 수 있음

2) **효과** : 사회현상에 대한 균형 있는 관점을 가짐, 다각적인 사회문제 해결방안 모색, 인간과 사회에 대한 통찰력 향상

3) **방법**

시간적, 공간적 탐구 주제를 선정함	→	자료를 수집하고 탐구	→	탐구 내용을 종합하여 현상을 파악

02. 행복의 기준과 행복의 진정한 의미

(1) 행복의 의미와 다양성

1) **행복의 의미** : 만족감과 기쁨을 느끼는 상태

2) **행복의 다양성** : 행복의 기준은 시대와 장소에 따라 다양

3) **행복의 사례** : 목표달성의 성취감, 화목한 가정, 봉사하면서 느끼는 보람 등

(2) 동서양의 행복

1) 동양에서의 행복

유교	하늘에서 받은 도덕적 본성을 함양하고 인(仁)을 실현하는 것
불교	불성을 바탕으로 수행과 중생구제를 위한 노력을 통해 해탈의 경지에 이르는 것
도교	타고난 본성에 따라 인위적이지 않은 자연 그대로의 모습으로 살아가는 것

2) 서양에서의 행복

아리스토텔레스	인생의 궁극적인 목표는 행복(이성에 기반한 행복)
에피쿠로스 학파	고통 없는 육체, 불안 없는 마음, 평온한 삶이 행복
스토아 학파	이성적 통찰에 근거한 금욕하는 삶(욕망에 흔들리지 않는 삶)
칸트	자신의 상황에 만족하는 것이 행복(도덕적인 사람이 행복할 자격)
벤담(공리주의)	행복 = 쾌락(삶의 목적), '최대다수의 최대행복'

(3) 행복의 기준

1) 시대 상황에 따른 행복의 기준

① 선사 시대 : 생존을 위한 의식주의 확보가 행복의 기준

② 고대 그리스 시대 : 철학적 · 지적 활동을 통해 얻는 지혜와 덕의 결과물이 행복의 기준

③ 헬레니즘 시대 : 전쟁과 사회 혼란에서 벗어나는 것이 행복의 기준

④ 서양 중세 시대 : 종교적으로 신과 하나가 되어 신에게 구원을 얻는 것이 행복의 기준

⑤ 산업화 시대 : 물질적인 풍요가 행복의 기준

⑥ 현대 : 개인이 느끼는 주관적인 만족감이 행복의 기준

2) 지역 여건에 따른 행복의 기준

① 자연환경 : 기후나 지형에 따라 얻을 수 있는 것에 행복을 느끼거나 반대로 환경적인 결핍을 채우면서 행복을 느낌

예 사막에서 오아시스를 발견하는 것이 행복

② 인문환경 : 종교, 문화, 산업 등 인문환경에 따라 행복의 기준이 달라짐

예 빈곤에서 벗어나거나 종교 간의 갈등이 해결되는 것이 행복

(4) 삶의 목적과 행복

1) 삶의 목적으로서의 행복

① 성공, 재물이나 명예 → 행복해지기 위한 수단에 불과

② 진정한 행복의 성격 : 일시적, 감각적, 단기적인 것이 아니라 목적적이고 본질적인 것

③ 결국 사람들이 궁극적으로 추구하는 삶의 목적은 행복

2) 내 삶에서 행복의 의미

① 물질적, 정신적 가치의 조화로운 추구

② 행복은 자기 삶에 만족할 때 가질 수 있음 → 안분지족

③ 의미 있는 목표의 설정과 추구 → 자아실현

④ 개인의 주관적 만족감과 사회 구성원들의 사회적 여건을 함께 고려

⑤ 다양한 행복의 기준을 인정하고, 행복의 의미를 능동적으로 성찰하는 자세가 필요

03. 행복한 삶을 실현하기 위한 조건

(1) 질 높은 정주 환경의 조성

1) **정주 환경의 의미** : 정착해 살고 있는 지역의 생존환경을 말함, 일상생활의 전 영역

2) **질 높은 정주 환경** : 안락한 주거환경, 위생시설, 교육시설과 의료시설 등이 충분하고 정치적으로 안정된 곳

3) **질 높은 정주 환경의 필요성** : 질 높은 정주 환경은 인간의 정서적 유대감에 영향을 줌, 그 곳에서 살아가는 사람들이 역사를 담고 있어 인간의 행복과 긴밀한 관련을 맺음

4) **질 높은 정주 환경을 만들기 위한 노력**

① 주거환경의 개선 : 적극적인 주택개발정책, 대중교통의 확충 등

② 교육과 의료시설의 확충

③ 삶의 질 개선 : 문화, 예술, 체육, 복지 시설의 마련

④ 생태 환경의 조성 : 도심 내 녹지공간의 확대

(2) 경제적 안정

1) **필요성** : 경제적 안정 → 생계유지, 필요충족, 건강관리, 안락한 생활 가능

2) **경제적 안정의 내용** : 고용안정(최저임금, 일자리창출), 복지확충, 경제적 불평등 해소(상대적 박탈감 감소)

(3) 민주주의 발전

1) 민주주의 발전의 필요성 : 독재나 권위주의 정치 체제에서는 인권 보장이 어렵고, 그에 따라 삶의 만족감이나 행복을 느끼기 어렵기 때문에 민주주의가 필요

2) 민주주의 실현을 위한 구체적인 노력

① 민주적 제도의 마련 : 독재방지와 국민의 기본권 보장을 위해 권력분립제도, 복수정당제, 선거제도 등의 민주적인 절차 마련

② 참여형 정치문화 확산 : 주체로서 공동체의 문제를 해결해 나가는 경험 → 지방자치제도의 활성화, 인터넷 청원 등

③ 정치참여의 다양한 방법 : 선거 등에 적극적 참여, 공직자를 선출, 집회나 시위, 언론투고, 행정기관에의 진정 · 건의 · 청원, 시민단체 · 정당 · 이익집단 등을 통한 집단적 사회참여

(4) 도덕적 실천과 성찰하는 삶

1) 도덕적 실천

① 도덕적 성찰 의미 : 행동과 삶을 도덕적 측면에서 반성해 보는 것 → 도덕실천으로 연결

② 도덕적 실천의 필요성

㉠ 실천이 전제되지 않으면 스스로에게 떳떳하지 못하기 때문

㉡ 실천을 통해 개인은 만족감과 행복감을 얻을 수 있기 때문

㉢ 실천 의지는 하루아침에 길러지지 않음, 평소 일상생활에서 노력이 필요

2) 도덕적 실천과 행복 실현과의 관계

① 사회구성원이 도덕적으로 행동하고 성찰하는 삶을 추구하면 개인뿐만 아니라 사회 전체의 행복수준도 함께 올라감

② 사람들이 각자의 행복을 지나치게 추구하다 보면 다른 사람의 행복을 침해할 수도 있는데, 도덕수준이 높은 사회에서는 이러한 문제를 최소화 할 수 있음

③ 개인들의 도덕적 실천이 쌓여 그 사회의 도덕 수준이 올라가면, 사회 구성원 모두가 서로를 존중하고 배려하는 행복한 삶을 누릴 수 있음

02 자연환경과 인간

01. 자연환경과 인간 생활

(1) 자연환경이 인간 생활에 끼치는 영향

1) 기온에 따른 생활양식의 차이

① 열대기후 : 얇고 헐렁한 옷(통풍, 땀), 향신료와 볶음요리(음식변질방지), 개방적인 가옥구조와 고상가옥(더위, 지열, 해충, 습기방지)

② 온대, 냉대기후 : 4계절 뚜렷, 더위와 추위에 대비하는 의식주 문화

③ 한대기후 : 가죽옷과 털옷(추위방지), 날고기 음식(농사안됨), 폐쇄적 가옥구조(추위 방지)

④ 최근의 변화 : 기술발달로 지역 간 의식주 격차 감소

2) 강수량에 따른 전통 가옥의 차이

① 열대우림 : 스콜(소나기) 때문에 빗물이 잘 흘러내리도록 지붕의 경사를 급하게 만듦

② 건조기후
  ㉠ 사막 : 평평한 지붕, 흙집과 돌집, 폐쇄적 구조(햇빛과 모래바람차단), 좁은 골목(그늘 마련)
  ㉡ 스텝 : 이동하기에 편리하도록 천막집(게르)을 지음

③ 지중해 연안 : 여름의 고온 건조한 기후 → 햇빛 반사를 위해 하얀 벽, 푸른 지붕

④ 최근의 변화 : 건축기술의 발달과 건축 재료의 발달로 지역차이가 감소 추세

3) 지형에 따른 생활양식의 차이

① 산지 : 해발고도가 높고 경사가 급해 거주에 불리 → 밭농사, 가축 사육, 관광 발달

② 평야 : 농업, 교통에 유리 → 주로 벼농사나 밀 농사, 교통의 요지에는 도시 성장

③ 해안 : 편리한 교통으로 거주에 유리 → 농업, 어업 발달, 항구도시

④ 독특한 경관 : 화산·카르스트·빙하지형 등 → 세계적인 관광지(하롱베이, 마테호른 등)

(2) 안전하고 쾌적하게 살아갈 시민의 권리

1) 자연재해의 의미와 유형

① 의미 : 기후, 지형 등이 인간의 안전한 생활을 위협하면서 피해를 주는 현상

② 자연재해의 유형

　㉠ 기상재해 : 홍수, 태풍, 강풍, 폭설, 가뭄 등

　㉡ 지형재해 : 화산, 지진, 지진해일(쓰나미) 등

③ 자연재해에 따른 피해와 대책

　㉠ 피해 : 인명 피해, 산업과 경제 피해, 기반시설 피해

　㉡ 대책 : 사전예측, 방어시설 구축, 신속한 대피, 복구 대책 수립

④ 안전하기 위한 노력

　㉠ 개인 : 재난 대응 훈련 적극 참여, 피해회복을 위해 함께 노력

　㉡ 국가 : 개인의 안전을 위해 노력할 의무, 재해 예방을 비롯해 복구와 지원에 대한 정책 수립(스마트 재난관리 시스템 구축, 재해발생 시 즉각적인 복구와 피해 보상 지원)

02. 인간과 자연의 관계

(1) 인간중심주의 자연관

1) 의미 : 인간의 가치를 가장 중시, 인간의 이익을 먼저 고려

2) 특징

① 이분법적 관점(자연과 인간을 분리, 인간 〉 자연)

② 자연의 도구적 가치 강조(자연은 인간의 풍요로운 삶을 위한 도구)

3) 사상가

① 아리스토텔레스 : "식물은 동물을 위해, 동물은 인간의 생존을 위해 존재"

② 베이컨 : "자연을 사냥해서 노예로 만들어 인간에 봉사하도록 해야 한다."

③ 칸트 : "동물에 대한 우리의 의무는 인간성 실현을 위한 간접적인 의무임"

4) 장 · 단점

① 장점 : 과학기술의 발전과 경제 성장에 도움

② 단점 : 자원고갈, 환경오염, 생태계 파괴 등

(2) 생태중심주의 자연관

1) 의미 : 자연 그 자체의 가치를 인정, 자연 전체를 도덕적 고려 대상으로 여기는 관점

2) 특징

① 전일론적 관점(자연과 인간은 하나의 생명공동체)

② 자연의 내재적 가치 강조(인간의 이익과는 상관없이 자연의 가치를 존중)

3) 장 · 단점

① 장점 : 인간과 자연의 공존을 모색, 환경문제 해결에 도움

② 단점 : 생태계 전체의 이익을 중시하기 때문에 '환경 파시즘'이 나타남

(3) 인간과 자연의 바람직한 관계

1) 인간과 자연의 유기적 관계 : 인간도 생태계의 일부로 자연환경과 유기적 관계를 맺으며 공존

2) 인간과 자연의 공존을 위한 노력

① 현세대 + 미래세대 + 생태계 전체 보전을 고려

② 환경 친화적 가치관 함양

③ 자연과 인간의 공생을 중시, 자연과 조화를 이루는 개발

예 생태도시, 슬로시티, 생태통로, 자연 휴식년제, 환경 영향 평가제

동양의 자연관

① 유교 : 천인합일(天人合一) - 인간과 하늘은 하나

② 불교 : 연기설(緣起說) - 인간과 자연은 하나로 연결

③ 도교 : 무위자연(無爲自然) - 인위적인 것을 거부하고 자연의 순리대로 살자

03. 환경 문제 해결을 위한 노력

(1) 환경 문제의 발생, 특징, 유형

1) 환경 문제의 원인과 특징

① 환경 문제의 발생 원인 : 인구 증가, 산업화 → 자원 소비 증가 → 무분별한 자원 개발 → 생태계 파괴 및 자정 능력 상실 → 환경 문제의 발생

② 특징 : 복구하는 데 많은 시간과 비용 필요, 전 지구적 차원의 환경 문제

2) 환경 문제의 종류와 대책

환경 문제 종류	원인	피해	대책
지구온난화	화석에너지사용으로 인한 온실가스 증가	빙하해빙으로 해수면 상승과 침수, 이상기후 등	교토의정서, 파리협정
사막화	가뭄, 과도한 경작과 방목, 열대림파괴	토양황폐화, 식량부족 등	사막화 방지 협약
산성비	황·질소산화물의 배출	산림고사, 토양산성화, 건축물부식 등	제네바 협약
오존층파괴	프레온 가스(염화 불화 탄소, 스프레이, 냉장고에 주로 사용)	피부암, 백내장	몬트리얼 의정서
열대림파괴	화전, 벌목, 개간	지구온난화, 생태계파괴와 다양성 감소	

* 기타 국제 환경 협약 : 바젤협약(폐기물의 국가 간 이동규제), 람사르 협약(습지와 갯벌의 보호)

(2) 환경 문제 해결을 위한 노력

1) 정부 : 국제 사회와 공조, 환경에 대한 법률적·제도적 정비, 소비자에게 친환경 제품 정보 제공, 친환경 산업 육성

2) 시민사회 : 비정부 기구(NGO)의 조직, 오염 행위 감시, 여론형성, 기업·정부에 압력 행사, 환경 운동 전개

3) **기업** : 정화 시설 설치, 저탄소 상품 개발, 에너지 고효율 제품 생산, 신재생에너지 개발 및 투자 확대, 유통 과정 간소화, 친환경 상품 공급, 과대 포장 지양, 재활용을 통한 제품 생산 등

4) **개인** : 자원 절약(재사용과 재활용의 생활화), 에너지 절약, 환경 친화적 상품 소비 (녹색소비), 환경 관련 법 준수

01. 산업화와 도시화로 인한 변화

(1) 산업화와 도시화의 정의

1) 기온에 따른 생활양식의 차이

① 산업화 : 농업 중심의 사회에서 광공업과 서비스업 중심의 사회로 변화하는 과정

② 도시화 : 도시 거주 인구의 비율이 증가, 도시적 생활양식이 확산되는 현상

2) 우리나라의 산업화와 도시화

① 1960년대 : 1차 산업중심, 도시 거주 인구 〈 촌락 거주 인구

② 1960년대 이후 : 산업화와 도시화 본격 시작, 2차 · 3차 산업 비중 증가,
　　　　　　　　　이촌향도 현상

③ 현재 : 대부분이 도시에 거주, 역도시화 현상

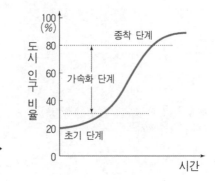

도시화 곡선 ▶

3) 산업화와 도시화로 인한 공간의 변화와 생활양식의 변화

① 공간의 변화 : 고층건물과 아파트의 등장(토지의 집약적 이용), 다양한 공간 이용(토지이용의 다양성 확대), 하천의 인위적인 정비와 개발, 포장면적확대로 녹지면적 감소, 생태계 변화 초래

② 생활양식의 변화 : 도시성의 확산(자유와 다양성 강화, 유대감 약화), 직업분화 촉진, 개인주의적 가치관의 확산

4) 산업화와 도시화로 인한 문제의 발생과 해결방안

① 문제점 : 주택부족 문제와 슬럼화, 교통체증과 주차난, 수질과 토양, 대기오염 심각, 열섬현상 발생, 실업문제, 노사갈등문제, 이기주의로 인한 소통부족, 물질 만능주의 확산 등

② 해결 방안

㉠ 사회적 차원 : 주택공급확대, 도시재개발사업실시, 교통체계개편, 대중교통 확대, 거주자우선주차제도실시, 공영주차장확대, 실업관련 복지제도 확충, 최저임금제, 비정규직 보호법제정 등

㉡ 개인적 차원 : 환경 친화적인 사고방식확립, 대중교통이용, 자원재활용참여, 공동체의식(연대의식)함양, 인간의 존엄성 중시, 타인존중 등

02. 교통 통신의 발달과 정보화

(1) 교통, 통신의 발달에 따른 변화

이동시간과 비용의 감소, 대도시권의 형성, 의사소통 확산, 빠른 화물수송, 국제금융거래 활성화로 경제활동범위의 확대, 다국적 기업의 등장, 해외여행의 증가, 생태환경에 도움(GPS를 이용한 멸종위기동물보호, 헬기를 이용한 산불진압 등)

(2) 교통, 통신의 발달에 따른 문제점과 해결 방안

1) 지역 격차의 발생

· 해결 방안 : 새로운 교통 기반 시설의 구축, 경제가 위축된 지역의 경제 활성화를 위한 지방 중추 도시권 육성 사업의 실시 등

2) 생태 환경의 파괴

· 해결 방안 : 도로 건설시 우회 도로나 생태 통로 만듦, 생태 환경 보존을 위한 제도적 방안 마련, 선박 평형수 처리 장치의 설치 의무화 등

(3) 정보화에 따른 생활양식의 변화

1) 정보화의 실현

· 컴퓨터, 인터넷, 인공위성 등을 이용한 신속 정확한 정보 수집가능

→ 지리 정보 시스템(GIS), 위치 정보 시스템(GPS) 등을 적극 활용

2) 생활양식의 변화 : SNS나 가상 공간을 통한 의견 표현, 전자 민원서류 업무가능, 전자 상거래활성화, 인터넷 뱅킹, 원격 근무, 화상회의, 원격 진료, 원격 교육, 스마트 기기를 통해 문화의 확산 속도가 빨라짐

(4) 정보화에 따른 문제점과 해결 방안

1) 인터넷 중독

① 문제점 : 대면적 인간관계의 약화

② 대책 : 인터넷 중독 예방 및 치료 프로그램 시행

2) 정보 격차

① 문제점 : 지역간 · 계층 간의 정보 격차 발생 → 양극화 심화

② 대책 : 정보 소외 계층을 위한 사회 복지 제도 확충

3) 사이버 범죄

① 문제점 : 사이버 폭력, 해킹, 프로그램 불법복제, 인터넷사기, 유해 사이트 운영 등의 범죄 발생

② 대책 : 정보 윤리 교육 강화 및 관련 법률 정비

4) 사생활 침해

① 문제점 : 개인 정보 유출, CCTV 등을 통한 감시나 통제 발생

② 대책 : 『개인정보보호법』, 『국가정보화기본법』 등의 법률 정비 및 강화

03. 지역의 공간 변화

(1) 지역과 지역성 및 공간 변화

1) 지역 : 타지역과 구별되는 지표상의 공간 범위, 유사하거나 기능적으로 관련된 장소들의 모임

2) 지역성 : 어떤 지역의 자연환경과 인문환경이 상호 작용하여 형성된 그 지역 안의 고유한 특성. 지역성은 고정된 것이 아니며, 시간에 따라 변화함

3) 지역의 공간 변화 : 산업화, 도시화, 교통, 통신의 발달, 정보화 등의 영향으로 끊임없이 다양하게 공간 변화가 이루어지고 있음

(2) 지역 조사 방법

1) 의미 : 지역에 대해 자료를 수집하고 분석, 종합하여 지역성을 파악하는 활동

2) 과정

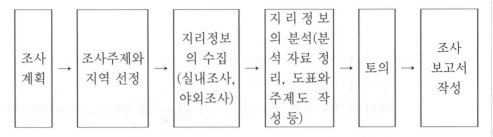

(3) 도시와 촌락에서 발생하는 문제점과 해결 방안

1) 도시에서 발생하는 문제점과 해결 방안

① 대도시

ㄱ 문제점 : 인구 과밀화, 시설 부족, 도시 내 노후 공간 증가, 삶의 질 하락

ㄴ 해결 방안 : 도시 내 기반 시설 확충, 재개발을 통한 주거 환경 개선 등

② 중소도시

ㄱ 문제점 : 일자리, 문화 공간 등의 부족, 대도시로의 인구 유출 등

ㄴ 해결 방안 : 지역특성화 사업 추진, 서비스 개선을 통한 자족기능 확충 등

2) 촌락에서 발생하는 문제점과 해결 방안

① 문제점

ㄱ 근교 농촌 : 도시화로 전통적 가치관과 문화가 사라짐 → 공동체의식 약화

ㄴ 원교 농촌 : 노동력 부족, 성비불균형, 유휴경작지 증가, 인구 유출 증가

② 해결 방안

ㄱ 지리적 표시제, 지역 브랜드화, 지역 축제 및 체험관광 추진, 경관 농업, 농공단지 조성 등을 통한 농촌 소득 증대 방안 마련

ㄴ 교육, 의료, 문화 시설 확충을 통해 도시와의 생활환경 격차를 줄이고 주민들의 삶의 질을 향상시킴

지리적 표시제 : 농·수산물 및 그 가공품이 특정 지역에서 생산되었음을 나타내는 표시

예 보성 녹차, 횡성 한우 등

지역 브랜드화 : 지역 그 자체 또는 지역의 상품을 소비자에게 특별한 브랜드로 인식시키는 것

예 남원시 → 사랑의 도시, 건강한 남원, 성춘향 캐릭터

04 인권보장과 헌법

01. 인권의 역사와 확장

(1) 인권의 의미와 인권의 확립 과정

1) 인권의 의미 : 인간의 기본적인 권리로 '인간의 존엄성'에 기반, 인간은 수단이 아니라 목적

2) 인권의 특성 : 보편성(누구나), 천부성(가지고 태어남), 항구성(영원히), 불가침성(침해할 수 없음)

(2) 인권보장의 역사

근대이전	18세기	19세기	20세기 초	2차 세계 대전 이후
대다수 사람들이 자유와 권리를 인정받지 못함 →	영국명예혁명(권리장전), 미국독립혁명(독립선언문), 프랑스혁명(인권선언문), 봉건질서붕괴 →	빈농, 노동자, 여성 등의 참정권 요구(차티스트 운동) →	사회권 등장(독일 바이마르헌법) →	UN의 세계인권 선언, 연대권의 강조

계몽사상, 사회계약설

- 계몽사상 : 시민혁명에 영향을 준 대표사상, 인간의 합리적 이성을 강조하는 사상
- 사회계약설 : 국가가 개인들의 합의나 계약으로 발생하였다는 이론, 홉스, 로크, 루소가 주장, 시민혁명에 영향을 준 대표적인 사상

시민혁명과 세계인권 선언의 내용

〈미국 독립 선언문〉 (1776)

모든 사람은 평등하게 태어났고, 누구에게도 양도할 수 없는 생명과 자유, 행복을 추구할 천부적인 권리를 (→ 천부인권) 지니고 있다. 정부는 국민의 주권에 의해 만들어지며 (→ 주권재민, 국민주권), 이러한 권리를 보장하는 데 목적이 있다.

〈프랑스 인권 선언〉 (1789)

제1조 사람은 태어날 때부터 자유롭고 또한 권리에 있어서 평등하다. (→ 천부인권)

제3조 모든 주권의 원리는 국민 속에 있다. (→ 주권재민, 국민주권)

제4조 자유란 타인을 해치지 않는 한 무엇이라도 할 수 있다는 것이다.

〈세계 인권 선언〉 (1948)

제1조 모든 인간은 태어날 때부터 자유로우며 (→ 천부인권), 누구에게나 동등한 존엄성과 권리가 있다. 인간은 타고난 이성과 양심을 지니며 형제애의 정신에 입각해서 행동해야 한다.

(3) 현대사회에서의 인권 확장

주거권, 안전권, 환경권, 문화권, 연대권, 잊혀질 권리 등

인권 개념의 확대(바사크의 구분)

제1세대 인권 : 자유와 관련된 개념, 자유권, 선거권, 공정한 재판을 받을 권리 등

제2세대 인권 : 평등과 관련된 개념, 사회권

제3세대 인권 : 박애와 관련된 개념, 환경권, 평화적 생존권, 연대권

02. 인권 보장을 위한 헌법의 역할과 시민 참여

(1) 인권과 헌법

1) 인권과 헌법의 관계

① 인권은 최고법인 헌법을 통해 기본권으로 보장 → 인권은 국가권력보다 우선하는 자연법에 해당

2) 헌법에 명시된 기본권

① 자유권 : 간섭이나 침해 없이 자유로운 생활을 누릴 수 있는 권리. 포괄적·천부적 권리, 가장 오래됨

　예 신체의 자유, 종교의 자유, 언론·집회·결사의 자유, 거주·이전의 자유 등

② 평등권 : 법 앞에서 차별받지 않을 권리, 모든 사람을 동등하게 대우하나 선천적, 후천적 차이를 고려

　예 "모든 국민은 법 앞에 평등하다." (헌법 11조 1항)

③ 참정권 : 정치에 참여할 수 있는 권리, 정부를 구성하고 선택, 국민주권의 원리 실현

　예 선거권, 피선거권, 공무담임권, 국민투표권 등

④ 청구권 : 다른 기본권을 보장하기 위한 기본권, 수단적 성격, '기본권 보장을 위한 기본권'

　예 재판청구권, 청원권, 국가 배상 청구권, 형사 보상 청구권 등

⑤ 사회권 : 인간다운 생활을 누릴 권리, 적극적인 기본권. (최초 독일의 바이마르 헌법)

　예 근로권, 환경권, 교육권, 사회보장권 등

3) 인권 보장을 위한 제도적 장치

법치주의, 권력분립(입법권, 행정권, 사법권), 헌법재판소, 민주적 선거제도(보통 · 평등 · 직접 · 비밀 선거의 원칙, 선거 공영제, 선거구 법정주의 등), 복수정당제, 적법절차의 원리, 국가인권위원회, 국민권익위원회 등

(2) 준법 의식과 시민 참여

1) **준법 의식** : 사회정의 실현 및 인권 보장을 위해 법을 존중하고 지키려는 의식

2) **시민 참여** : 공동체의 의사 결정에 직 · 간접적으로 시민들이 참여하는 것, 정의로운 사회 실현에 이바지

3) **참여 방법**
   ① 합법적 방법 : 선거, 국민투표, 공청회, 국민 참여 재판, 1인 시위, 이익 집단 활동, 시민단체 활동 등
   ② 비합법적 방법 : 시민불복종

4) **기능**
   ① 인권 수호 기능
   ② 대의 민주주의 보완기능

(3) 시민 불복종

1) **의미** : 잘못된 법이나 정책을 바로잡기 위해 양심에 따라 행동하는 위법행위

2) **조건**
   ① 목적의 정당성 : 불복종의 대상인 법이 사회정의에 위배되어야 함
   ② 최후의 수단 : 합법적인 방법을 통한 해결이 불가능해야 함
   ③ 처벌의 감수 : 처벌을 피하지 않고 받아들임으로서 법 체계를 존중하고 있음을 분명히 해야 함
   ④ 비폭력성 : 어떤 경우에도 폭력을 사용해서는 안됨
   ⑤ 공개성 : 몰래 어기는 것이 아니라 당당하게 드러내고 어김
   ⑥ 공익성 : 사익에만 도움이 되지 않고 모두에게 도움이 되어야 함

3) 사례

① 미국 '소로'의 멕시코전쟁으로 인한 인두세 거부

② 인도 '간디'의 비폭력 불복종 운동

③ 미국 '킹 목사'의 흑인 인권 운동

④ 남아프리카공화국 '만델라'의 흑인 인권 운동

03. 인권 문제의 양상과 해결 방안

(1) 우리 사회의 인권 문제

1) 사회적 소수자 차별 문제

① 사회적 소수자의 의미 : 신체적 또는 문화적 특징으로 인해 사회의 다른 구성원들에게 차별을 받으며 스스로 차별받는 집단에 속해 있다는 의식을 가진 사람들

② 특징과 유형 : 숫자가 소수인 사람들을 꼭 의미하지는 않음, 소수자는 상대적 개념

　예 장애인, 이주노동자, 결혼이주민, 여성, 노인, 아동청소년, 북한이탈주민(새터민), 저소득층, 성소수자 등

③ 소수자 문제 해결 방안

　㉠ 개인적 차원 : 소수자에 대한 편견을 버리고 인간의 존엄성 배려

　㉡ 사회적 차원 : 사회적 소수자를 차별하는 정책과 법률을 정비

　　→ 관련 정책과 법률이 실질적인 보호 대책이 되도록 보완

　　예 장애인 차별 금지법, 외국인 근로자의 고용 등에 관한 법률 등

2) 청소년 노동권 침해

① 침해 원인 : 청소년 노동권에 대한 이해부족, 고용주의 준법의식 결여, 법적 제도의 미흡 등

② 침해 사례 : 최저임금을 보장 받지 못하는 경우, 사고로 다쳤을 때 배상받지 못하는 경우, 장시간의 야간 근무 등

③ 대응 방법 : 표준계약서 작성, 임금체불시 고용노동부에 신고, 적법한 휴게시간 요구, 원치 않는 초과 근무요구 거부 등

청소년 알바 십계명

1계명 – 만 15세 이상 근로가 가능해요.

2계명 – 부모님 동의서와 나이를 알 수 있는 증명서가 필요해요.

3계명 – 근로계약서를 반드시 작성해야 해요.

4계명 – 성인과 동일한 최저임금을 적용 받아요.

5계명 – 하루 7시간 일주일에 40시간을 초과해서 일할 수 없어요.

6계명 – 휴일에 일하거나 초과 근무를 했을 경우 50%의 가산금을 받을 수 있어요.

7계명 – 일주일을 개근하고 15시간 이상 일을 하면 하루의 유급 휴일을 받을 수 있어요.

8계명 – 청소년은 위험한 일이나 유해 업종의 일을 할 수 없어요.

(9계명, 10계명 생략)   – 고용노동부 2014년-

(2) 세계 인권 문제

1) 인종 차별 문제 : 특정 인종에 대한 적대감을 나타내는 것

예 미국의 흑인차별, 나치(히틀러)의 유태인 차별

2) 여성 차별 문제 : 교육, 고용, 승진 등에서 다양한 방법으로 차별

예 사우디 남성 후견인 제도(마흐람 제도), 매매혼 등

3) 아동 노동 문제

전 세계 1억 3400만 명의 아동노동인구가 존재, 감소추세이나 수많은 아동들이 농장, 광산, 공장 등에서 착취에 시달리고 있음

4) 빈곤 문제

생존을 위협하고 최소한의 인간다운 삶을 어렵게 하는 심각한 문제

예 가뭄, 기근, 독재, 잦은 내전 등으로 인한 빈곤

5) 기타

난민, 기아, 인신매매 등 수많은 인권 문제가 발생하고 있음

(3) 인권 문제의 해결 방안

1) 국내 인권 문제 해결을 위한 노력
① 국가 : 법과 제도로서 적극적으로 인권 보장
② 사회 : 인권교육강화, 인권보호캠페인, 인권단체들의 적극적인 활동
③ 개인 : 인권의 소중함을 깨닫고 타인의 인권보호를 위해 노력

2) 세계 인권 문제의 해결 방안
① 세계시민의식 함양 : 국제 사회의 인권문제 해결을 위해 세계 시민 차원에서 노력
② 국제적인 연대 : 국제연합(UN)이나 비정부기구(NGO)의 지원, 국제적인 여론조성, 위반국에 대한 국제법에 근거한 제재 등 국제 사회가 함께 노력

05 시장 경제와 금융

01. 자본주의의 전개 과정과 합리적 선택

(1) 자본주의의 특징과 전개 과정

1) 자본주의의 의미와 특징

① 의미 : 사유 재산 제도를 바탕으로 자유로운 경제 활동을 할 수 있도록 보장하는 시장 경제의 운용원리

② 특징 : 사적 이익 추구 인정, 사유 재산권의 인정, 경제 활동의 자유 보장, 시장 경제

경제체제의 분류

생산수단의 소유형태	자본주의 경제체제	개인의 생산수단소유를 법적으로 보장
	사회주의 경제체제	사유재산금지, 생산수단의 국유화
경제 문제 해결방식에 따라	전통경제 체제	전통 및 관습에 따라 경제문제해결
	계획경제 체제	정부의 계획 및 명령에 따라 경제 문제 해결
	시장경제 체제	시장 가격에 따라 자유롭게 경제 문제 해결

2) 자본주의의 전개 과정

상업자본주의	16C~17C, 상품의 유통을 통한 이윤획득, 신항로개척과 식민지 개척을 배경으로 중상주의정책과 절대왕정의 보호아래 성장
산업자본주의	17C 말~19C 초, 산업혁명시기, 가내수공업 → 공장제 수공업, 상품의 생산과정에서 이윤을 얻음
독점자본주의	19C~20C 초, 자본의 집중, 기업결합 등에 의한 독점기업의 출현
수정자본주의	20C 초~20C 말, 시장의 실패를 극복하기 위해 국가의 적극적인 개입을 시작(뉴딜정책), 최소한의 인간다운 삶을 국가가 보장, 큰 정부
신자유주의	1970년대 석유 파동 및 스태그플레이션으로 나타나게 됨. 과도한 복지로 인한 근로 의욕저하, 정부의 재정적자 발생 → 정부의 규제완화와 철폐, 복지축소, 공기업의 민영화 등을 주장하는 신자유주의 등장

(2) 합리적 선택의 의미와 한계

    1) 합리적 선택의 의미 : 최소의 비용으로 최대의 만족을 얻는 것, 자원의 희소성 때문에 필요

    2) 편익과 비용
      ① 편익 : 선택을 통해 얻는 경제적인 이익이나 효용(주관적인 만족감)
      ② 비용 : 선택한 대안을 위해 포기해야 하는 가치 → 기회비용

    3) 기회비용 : 경제학적 비용(명시적 비용 + 암묵적 비용)
      ① 명시적 비용 : 선택을 위해 실제로 지출된 비용
      ② 암묵적 비용 : 선택을 위해 포기한 대안이 갖는 경제적 이익

    4) 매몰비용 : 이미 지불하여 회수할 수 없는 비용, 합리적 선택을 위해 고려할 필요 없는 비용

    5) 합리적 선택의 한계
      ① 개인의 합리적 선택이 사회 전체적으로 비합리적인 결과를 초래하기도 함
      ② 편익과 비용을 정확하게 계산하기 어려운 경우가 있음
      ③ 자신의 이익을 추구하는 것이 타인의 이익과 공익을 해치기도 함
      ④ 바람직하지 못한 소비발생(밴드웨건 효과, 스노브 효과, 베블런 효과)

    6) 합리적 선택 시 유의 사항 : 사익과 공익의 조화, 사회 규범과의 조화

(3) 합리적 선택의 과정
    1) 과정

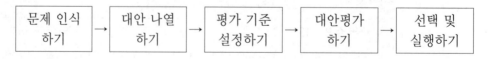

문제 인식 하기 → 대안 나열 하기 → 평가 기준 설정하기 → 대안평가 하기 → 선택 및 실행하기

기회비용 구하기

문제 : A는 시간당 9000원을 받고 식당에서 아르바이트를 하고 있다. 그런데 친구들이 영화를 보러가자고 해서 3시간동안 아르바이트 대신 영화를 보고 왔다. 영화 티켓 값은 8000원이었다. 이때 기회비용은 얼마일까?

답 : 기회비용은 명시적 비용과 암묵적 비용의 합이므로 티켓 값 8000원과 아르바이트로 벌 수 있었던 돈 3시간분인 27000원을 더해 35000원이다.

비합리적인 소비

밴드웨건 효과	동조소비, 타인의 소비를 무조건 모방하는 것, 유행하는 물건의 구매
스노브 효과	타인들이 소비하는 것은 무조건 거부, 남과 다른 것만을 소비
베블런 효과	과시소비, 부를 과시하기 위해 가격이 비싸도 소비하는 것

02. 시장경제와 경제 주체의 역할

(1) 시장의 의미와 기능

1) 시장의 의미 : 상품에 대한 정보 교환 및 거래가 이루어지는 장소

2) 시장의 기능 : 비용을 줄이고 특화와 교환을 가능하게 해 생산성 향상에 기여, 자원의 효율적인 배분가능

(2) 시장의 한계

1) 불완전 경쟁

① 독점 : 공급자가 하나밖에 없어 공급자가 가격이나 생산량을 마음대로 결정

② 과점 : 소수의 공급자가 담합을 통해 가격이나 생산량을 조절

③ 문제점 : 소비자들이 시장가격보다 높은 가격을 지불해야 할 가능성이 높아짐
→『독점규제 및 공정거래에 관한 법률』(일명 공정거래법) 로 규제

2) 공공재 공급 부족

① 공공재 : 치안, 국방 등과 같이 다수의 사람들이 공동으로 소비할 수 있는 재화와 서비스

② 공공재의 특징 : 대가를 지불하지 않은 사람들의 소비를 막을 수 없고, 한 사람의 소비가 다른 사람들의 소비를 제한하지 않음

> **외부 경제, 외부 불경제**
> · 외부 경제 : 의도치 않게 제3자에게 이익을 주지만 댓가를 받지 못하는 것으로 보조금 지급, 세제 혜택 등 긍정적 유인을 제공해 생산이나 소비를 늘림으로써 증가시킴
> · 외부 불경제 : 의도치 않게 제3자에게 불이익을 주지만 어떠한 비용도 지불하지 않는 것으로 오염 물질 배출량 제한, 세금 부과 등 규제를 통해 생산이나 소비를 줄임으로써 해결

(3) 시장에서 나타날 수 있는 다양한 문제

경제적 불평등, 노사갈등, 실업, 인플레이션 등

(4) 시장 경제 참여자의 바람직한 역할

1) 정부의 역할 : 공정경쟁을 위한 제도 제정(독점기업의 횡포와 담합에 대한 단속, 소비자 권리 보호장치 마련), 공공재 생산 및 공급, 사회간접자본제공, 소득재분배 정책(누진세, 상속세, 증여세, 저소득층지원제도 등), 물가안정정책

2) 기업의 역할 : 기업가 정신(혁신, 창의성, 도전, 통찰력, 인내심, 소신, 블루오션에 도전), 건전한 이윤을 추구하고 소비자의 권익을 고려하는 기업윤리경영

3) 노동자의 역할 : 노동 3권의 보장(단결권, 단체교섭권, 단체행동권), 역할에 충실해서 기업과의 공생을 위한 의무이행

> **노동 3권**
> · 단결권 : 노동조합을 결성할 수 있는 권리
> · 단체교섭권 : 노동조합이 사용자와 근로조건 등에 대해 교섭할 수 있는 권리
> · 단체행동권 : 근로자가 파업이나 태업 등과 같은 단체 행동을 할 수 있는 권리

(5) 소비자의 역할

1) 소비자 주권 : 생산물의 종류와 수량을 결정하는 권한이 소비자에게 있다는 것

2) 합리적 소비 : 편익과 비용을 고려하여 소비, 소득을 넘어서는 과소비 지양

3) 윤리적 소비 : 노동자의 인권, 환경 보호, 공정무역 등을 고려하여 소비

03. 국제 무역의 확대와 영향

(1) 국제 분업과 무역의 필요성

1) 국제 분업

① 의미 : 각 나라가 타국보다 더 잘 만들 수 있는 재화와 서비스를 특화하여 생산

② 발생 이유 : 국가 간 생산비의 차이 → 자원의 편재성, 노동과 자본의 양 및 질적 차이

2) 무역

① 의미 : 각 나라가 자신들이 생산한 상품이나 서비스를 다른 나라와 사고파는 국제 거래

② 필요성 : 각국이 특화 생산하여 교환하면 거래 당사자 간에 이익이 발생, 자국에서 얻기 힘든 물건을 다른 나라에서 얻을 수 있음

3) 절대 우위와 비교 우위

① 절대 우위(애덤스미스) : 한 나라가 어떤 상품을 생산하는 비용이 다른 나라보다 적게 드는 것으로 그 상품을 특화해서 타국과 상호교환하면 무역 이익이 발생한다고 보는 것

② 비교 우위(리카도) : 한 나라가 생산하는 상품의 기회비용이 다른 나라보다 낮은 것으로 이 부분을 특화해서 교환하면 양국 모두에 무역 이익이 발생함

(2) 국제 무역 확대와 영향

1) 국제 거래 확대 : 세계무역기구(WTO) 등장과 자유무역협정(FTA) 체결로 국제 거래가 더욱 확대되고 있음

2) 무역의 긍정적 영향

① 기업의 생산성과 효율성 향상 : 외국 기업과의 경쟁을 통한 기술 개발과 생산성 향상에 힘쓰게 됨

② 규모의 경제와 고용 창출 : 전 세계를 대상으로 생산하므로 대량 생산을 통해 단위당 생산비가 절감되고 생산량 증가로 인해 고용 창출이 이루어질 수 있음

③ 새로운 아이디어 및 기술전파 : 교류의 확대는 다양한 기술이나 문화가 들어오는 계기가 됨

④ 풍요로운 소비 생활 : 선택할 수 있는 재화와 서비스의 폭이 확대되어 저렴하고 질 좋은 재화와 서비스의 소비 가능

⑤ 문화 교류의 활성화 : 다양한 문화를 누릴 수 있고 문화 발전에 이바지함

3) 무역의 부정적 영향

① 산업의 위축 : 경쟁력이 없는 기업과 산업 위축, 실업증가, 국가 산업에 악영향

② 무역의존도 증가 : 무역비중이 높은 경우 상대 국가의 경제 상황에 따라 국내 경제가 큰 영향을 받음

③ 국가 간 빈부 격차 심화 : 선진국과 개발도상국 간의 무한경쟁으로 격차가 더욱 커질 수 있음

04. 자산 관리와 금융 생활

(1) 다양한 금융 자산과 합리적 자산 관리

1) 자산 : 유무형의 재산, 현금 · 예금 · 주식 · 채권 · 부동산 등

2) 자산 관리 : 저축과 투자에 대한 계획을 세우고 실행하는 것, 평균수명 연장으로 더욱 필요

(2) 다양한 금융 자산

1) 예금

① 자본을 일정기간 은행에 예치해 만기일에 원금과 이자를 받는 것

② '예금자보호법' 적용으로 안전성이 높지만 수익성은 낮은 편

2) **적금**
① 계약 기간 동안 일정 금액을 여러 번 납입하여 만기 시 원금과 이자를 받는 것
② 예금과 함께 예금자보호법의 적용을 받음

3) **주식** : 주식회사가 자금 조달을 위해 발행하는 증서, 배당금을 받거나 주식을 팔아 시세 차익을 얻을 수 있음, 수익성은 높지만 안전성이 낮은 편

4) **채권** : 정부, 은행, 기업 등이 정해진 시점에 원금과 이자를 지급할 것을 약속하고 돈을 빌린 후 제공하는 증서, 주식보다 비교적 안전성이 높지만 원금 손실 가능성도 있음, 예금보다 수익성이 높은 편

5) **펀드** : 다수의 투자자에게서 모은 자금을 금융 기관이 주식 및 채권 등에 투자하여 그 수익을 투자자들에게 분배하는 간접 투자 상품, 원금 손실이 발생할 수 있음

6) **보험** : 미래 사고에 대비해 정기적으로 보험료를 내고, 사고가 나면 약속한 보험금을 받는 제도

7) **연금** : 노후를 위해 돈을 적립해 두고 은퇴 후 일정 금액을 정기적으로 지급받는 상품

(3) **자산 관리의 원칙**
1) **자산의 안전성**
① 예금 : 원금의 손실을 가져올 가능성이 거의 없으므로 안전성이 높음
② 주식, 채권 : 원금의 손실을 가져올 수 있어 예금보다 안전성은 낮음

2) **자산의 수익성**
① 예금 : 예금이자가 유일한 기대수익으로 수익성이 낮음
② 주식, 채권 : 주식가격의 상승분, 배당금, 기대수익이 예금보다 높은 편

3) **자산의 유동성**
① 자산을 쉽게 현금으로 바꿀 수 있는 정도
② 예금은 유동성이 높은 편, 부동산은 유동성이 낮은 편

4) 합리적 자산 관리

① 목적과 기간에 따라 수익성, 안전성, 유동성을 고려해야 함

② 분산투자(포트폴리오)가 필요

(4) 생애 주기와 금융 생활의 설계

1) 생애 주기

① 생애 주기 의미 : 시간의 흐름에 따라 인간의 삶이 어떻게 변하는지를 단계별로 표시

② 발달 과업 : 생애 주기에 따라 단계별로 요구되는 과업

③ 생애 주기에 따른 발달 과업

㉠ 아동기(청소년기 포함) : 지식과 규범 학습, 자아정체성을 형성, 진로 탐색

㉡ 청년기 : 경제적 독립, 취업 준비, 신념 확립, 결혼과 가족생활 준비

㉢ 중장년기 : 자녀 양육, 주택 마련, 직업역할 수행, 노후대비

㉣ 노년기 : 은퇴 이후 소득 감소에 적응, 건강 관리, 노후 생활 준비

2) 생애 설계의 의미와 방법

① 생애 설계의 의미 : 인생 목표를 실현하기 위해 수행하는 전 생애에 걸친 종합적이고 장기적인 계획

② 생애 설계의 중요성 : 자신의 삶 예측 가능, 과업에 대한 사전 인식, 미래의 과업 수행에 대비

③ 생애 설계의 방법 : 삶의 목표 설정 → 세부적인 하위목표 설정 → 실천 방안 마련

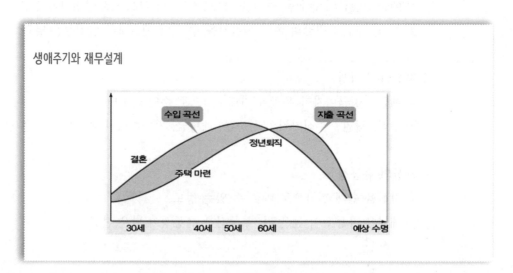

생애주기와 재무설계

3) 생애 주기별 재무 설계

생애 주기에 따른 단계적 과업을 설정하고 생애 주기별 과업을 바탕으로 재무 목표를 설정하여 목표 달성에 필요한 구체적인 계획을 세우는 과정

재무설계의 과정

① 재무 목표 수립 : 결혼 자금 마련, 주택 마련, 은퇴 준비 등 생애 주기에 따른 과업들을 재무 목표로 삼을 수 있음, 목표에 따른 지출 금액을 예상해보고 투자 기간을 설정함

② 재무상태 파악 : 현재 소득과 지출 상황, 보유 자산 등을 점검함, 목표 달성을 위해 부족한 예산을 확인하고 이를 계획 수립에 반영함

③ 포트폴리오 구성 : 재무 목표의 성격과 투자 기간에 따라 수익성, 안전성, 유동성을 고려해서 포트폴리오를 구성함

④ 실행 : 재무 설계에 따라 이를 성실하게 실천함

⑤ 실행 결과 평가 : 정기적으로 포트폴리오를 점검함, 소득과 지출의 변화 발생 시 계획을 수정함

---

06 정의와 사회 불평등

01. 정의의 의미와 실질적 기준

(1) 정의의 의미와 역할

1) 정의의 의미 : 공정하고 올바른 도리, 우리 모두가 추구해야 할 기본적 덕목, 자기 몫을 분배받는 것

아리스토텔레스의 정의

① 일반적 정의 : 공동선과 덕을 장려하는 법을 지킴으로써 성립되는 정의

② 특수적 정의

⊙ 분배적 정의 : 시민들 사이에 분배되는 권력, 명예, 재화 등에 관련된 것으로 각자가 기여한 정도에 따라 비례해서 분배하는 정의

ⓒ 교정적 정의 : 이익과 손해의 균등을 회복시켜주는 정의로 다른 사람에게 해를 끼치면 그만큼 보상 해주고 다른 사람에게 이익을 준 경우 그만큼 받는 것

ⓒ 교환적 정의 : 같은 가치를 지닌 두 물건을 교환하게 함으로써 교환의 결과가 공정하게 하는 정의

---

2) 정의의 역할 : 국민의 기본권을 보장(최소한의 인간다운 삶을 보장), 개인선과 공동 선의 조화를 통한 사회통합의 기반마련, 옳고 그름의 판단기준 제시

개인선과 공동선

① 개인선 : 사익, 개인에게 이익이 되거나 행복을 가져다주는 것

② 공동선 : 공익, 공동체 모두의 행복이나 발전을 가져다주는 것

---

(2) 정의의 실질적 기준

1) 정의의 실질적 기준의 필요성 : 사회자원의 희소성과 유한성 때문에 공정분배가 필요

2) 정의의 실질적 기준 : 능력, 업적, 필요 등

① 능력에 따른 분배

   ㉠ 의미 : 신체적, 정신적 능력에 따라 분배

   ㉡ 장점 : 개인이 지닌 잠재력을 실현할 수 있는 기회를 제공

   ㉢ 단점 : 능력 평가 기준 모호, 선천적이고 우연한 능력 고려하지 않음,
   경제적 약자의 소외감 유발, 사회불평등 심화

② 업적에 따른 분배

   ㉠ 의미 : 사람들의 업적과 기여도에 따른 분배

   ㉡ 장점 : 성취동기자극, 공정성 확보

   ㉢ 단점 : 과열경쟁으로 사회적 갈등 발생, 약자에 대한 배려 부족

③ 필요에 따른 분배

   ㉠ 의미 : 인간다운 삶을 보장하기 위해 기본 욕구를 충족하는 분배

   ㉡ 근거 : 능력과 업적만으로 분배하는 것은 불공정(신체, 인종, 지역, 가정환
   경, 교육여건 등의 영향을 받기 때문)하기 때문에 사회적 약자를 보호하기
   위해 기회의 평등을 넘어 결과의 평등을 지향

   ㉢ 장점 : 다양한 복지 제도와 사회 안전망을 마련하는 근거, 사회적 불평등 문
   제를 개선하여 경제의 안정성을 도모

   ㉣ 단점 : 경제적 비효율성 증가, 모든 사람의 필요와 욕구를 만족시킬 수 없음

롤스의 정의

롤스는 공정한 절차를 통해 합의된 것이라면 정의롭다고 보는 순수 절차적 정의를 내세워 '공정으로서의 정의'를 주장하였다.

제 1 의 원칙	평등한 자유의 원칙	모든 사람은 동등한 기본적 자유를 최대한 누려야 한다
제 2 의 원칙	차등의 원칙	"최소 수혜자에게 최대이익을 보장" 해야 한다.
	기회균등의 원칙	직책이나 지위는 모든 사람에게 개방되어야 한다.

02. 다양한 정의관

(1) 자유주의적 정의관

1) 자유주의 의미와 특징

① 의미 : 개인의 자유로운 선택, 소유권을 절대적인 가치로 인정

② 특징 : 타인에게 피해를 주지 않는 한, 국가는 개인의 삶에 개입하거나 간섭하지 않고 자유를 최대한 보장하는 것이 효율적

2) 자유주의 정의관과 공동선 : 자유로운 이익 추구로 개개인의 욕구가 충족되고 국부가 증진되어 공동선에 이바지, 자유로운 경제활동을 위해 국가는 최소한의 역할만 하는 것이 좋음

3) 자유주의 한계

① 사회적 약자는 경쟁에서 도태

② 우연적 조건이나 운에 의한 분배가 나타날 수 있음

③ 타인에게 무관심, 자기 이익만을 추구, 공동선이 사라질 수도 있음

(2) 공동체주의적 정의관

1) 공동체주의 의미와 특징

① 의미 : 개인의 자아정체성과 삶은 공동체의 역사와 전통을 공유

② 특징 : 공동체가 지향하는 가치와 미덕을 고려하여 분배하고 개인은 이를 존중

2) 공동체주의 정의관과 공동선

① 개인의 권리나 의무는 공동체와의 관계 속에서 적용

② 개인은 연대 의식, 봉사정신, 희생정신 필요, 국가는 이와 같은 미덕을 제시하고 권장

3) 공동체주의 한계

① 개인의 자유를 억압하는 정의롭지 못한 제도가 나타날 수 있음

② 연고주의, 인류의 보편적 가치를 위협하는 행위가 등장할 수 있음

03. 개인과 공동체의 관계

(1) 개인과 공동체의 조화

1) 상호 보완적 관계로 조화를 지향 : 개인선의 실현은 자연스럽게 공동선의 실현으로 연결

2) 사익과 공익의 조화 : 자유주의는 의무를 존중, 공동체주의는 개인의 사익을 존중해야 함

3) 권리와 의무의 조화

① 권리는 사회 속 개인이 자유를 행사하는 것, 의무는 공동체의 질서를 유지하기 위해 지켜야 하는 것

② 책임과 의무는 개인의 권리를 전제함, 권리와 의무, 권리와 책임은 상호보완적

(2) 개인선 또는 공동선만을 추구할 때의 문제점

1) 개인선만을 추구 : 타인의 권리를 침해하고 공동선을 훼손하여 사회적 갈등과 위기를 유발

예 공유지의 비극

2) 공동선만을 추구 : 개인의 자유와 권리가 위축되고, 사회를 위한 개인의 희생을 정당화 함

예 전체주의

공유지의 비극

어느 마을의 공유지에 풀이 가득했다. 마을 주민들은 자신의 목장에 풀이 많음에도 불구하고 너도나도 공짜인 공유지에 몰려들어 자신의 가축들을 풀어놓았다. 결국 1년도 안되어 공유지의 풀은 씨가 말랐고 가축들의 오물만이 가득해져 이후 그 누구도 공유지를 이용하지 못하게 되었다.

---

3) 자유와 권리 보장 및 의무 이행 : 공동체는 개인의 자유와 권리를 최대한 보장하고, 개인은 공동체에 대한 의무를 적극적으로 다할 필요가 있음

자유주의와 공동체주의 비교

구분	자유주의	공동체주의
인간관	공동체 역할보다 개인의 선택에 의한 자아정체성 중시	공동체 전통과 가치를 통해 개인의 정체성 형성
국가관	국가는 개인 보호에만 집중 국가의 중립성 강조	국가가 개인의 삶에 적극적 관여 국가의 중립적 태도 반대
한계	의무에 무관심, 사회통합어려움	개인의 자유를 억압
대표적 사상가	노직, 롤스	매킨타이어, 샌델

03. 불평등의 해결과 정의의 실현

(1) 사회 불평등 현상의 의미와 양상

1) 의미 : 희소한 자원이 차등적으로 분배되어 구성원들의 위치가 서열화 되어 있는 상태

2) 영향

① 긍정적 영향 : 차별적 보상으로 구성원들에게 동기 부여가 됨

② 부정적 영향 : 불평등이 심화될 경우 정의로운 사회 실현을 방해하고 구성원들을 무기력하게 만들며 결국 사회불안을 불러옴

3) 불평등의 양상

① 계층의 양극화 현상(중층 감소, 상하층 증가)

② 공간 불평등(도시와 농촌, 수도권과 비수도권 간의 격차 증가)

③ 사회적 약자 차별(성별, 나이, 신체조건, 경제지위 등으로 차별)

(2) 정의로운 사회를 위한 다양한 제도와 실천 방안

1) 사회복지제도

① 의미 : 기본적 욕구 충족 및 정상적인 생활을 할 수 있도록 사회적으로 지원하는 제도

② 의의 : 사회적 양극화의 완화, 인간의 존엄성 보장, 사회통합에 도움

③ 종류

종류	특징	사례
공공부조	생활유지가 어려운 사람들에게 국가가 최저의 생활을 보장하고 자립을 지원하는 제도, 본인부담 없음, 가입 없음, 소득재분배 효과 강함	국민기초생활보장제도, 의료급여제도
사회보험	일정한 소득이 있는 국민에게 보험방식으로 미래에 있을 사회적 위험을 미리 대비하게 하는 제도, 본인 부담 있음, 의무가입, 상호부조 기능 강함	국민연금, 국민건강보험, 고용보험, 산업재해보상보험, 노인장기요양보험 등
사회복지 서비스	사회적인 약자에게 실질적이고 비금전적인 지원을 하는 것	복지시설이용, 직업소개, 직업훈련과 교육 등

2) 공간 불평등의 완화 방안(지역 격차 완화 정책)

① 지방 분산 : 공공기관의 이전, 혁신도시 개발

② 자립형 지역 발전 기반 마련 : 지역 브랜드 구축, 관광마을 조성, 지역 축제 등의 장소 마케팅

③ 도시 불평등 개선 : 저렴한 공공임대 주택, 장기전세 주택 보급, 도시환경정비 등

3) 적극적 우대 조치

① 의미 : 사회적 약자에게 실질적 기회의 평등을 보장하기 위해 혜택을 부여하는 것

② 필요성 : 오랫동안 차별받아온 상태로 강력한 우대 조치 없이는 해결 어려움
　　　　　(역차별이나 낙인효과 발생가능성 있음)

③ 사례 : 여성 고용 할당제, 장애인 의무 고용 제도, 사회적 배려 대상자 전형 등

문화와 다양성

07

01. 세계의 다양한 문화권

(1) 문화권의 형성에 영향을 끼친 요인

1) 문화와 문화권

① 문화 : 인간이 만들어낸 의식주, 종교, 언어, 풍습 등의 총체적인 생활양식

② 문화권 : 문화적 특성이 유사하게 나타나는 범위

2) 자연환경 : 기후와 지형 등의 자연환경은 의복, 음식, 주거형태 등에 영향을 줌

① 의복

ㄱ 열대기후지역 : 통풍이 잘되는 옷

ㄴ 건조기후지역 : 얇은 천으로 온몸을 감싸는 옷

ㄷ 한대기후지역 : 동물의 가죽이나 털로 만든 옷

② 음식

ㄱ 고온다습한 아시아 계절풍 기후 지역 : 쌀을 주식으로 하는 음식 문화

ㄴ 건조 기후 지역과 유럽 : 빵과 고기를 먹는 음식 문화

ㄷ 남아메리카의 고산지대 : 감자와 옥수수를 먹는 음식 문화

③ 주거

ㄱ 열대기후지역 : 고상가옥, 경사가 급한 지붕

ㄴ 건조기후지역 : 흙벽돌집, 평평한 지붕

ㄷ 냉대기후지역 : 통나무집

3) 인문환경 : 종교, 산업 등의 인문환경은 문화권 형성에 영향을 줌

① 종교

ㄱ 이슬람 문화권 : 모스크 건축양식, 돼지고기 금식, 할랄 산업 발달 등

ㄴ 힌두교 문화권 : 쇠고기 금식, 신분제, 갠지스 강의 종교의식 등

ㄷ 크리스트교 문화권 : 성당, 교회와 십자가 등

ㄹ 불교 문화권 : 사원과 탑, 불상 등

② 산업 : 농경 문화권, 유목 문화권 등

(2) 다양한 문화권의 특징

  1) **동부아시아 지역** : 유교와 불교문화 발달, 젓가락 사용, 한자사용, 벼농사
     (한국, 중국, 일본)

  2) **동남아시아 지역** : 중국·인도·이슬람 문화 혼재 → 불교, 이슬람교, 크리스트교
     등 종교 다양, 세계적인 벼농사지역, 플랜테이션 활발
     (베트남, 태국, 인도네시아 등)

  3) **남부아시아 지역** : 잦은 외세의 영향으로 민족, 언어, 종교가 다양하게 분포, 힌두
     교와 불교, 이슬람교의 혼재, 카스트제도(인도)

  4) **북서부유럽 지역** : 게르만족과 개신교 중심, 산업혁명 발상지, 서안 해양성기후, 혼
     합농업과 낙농업 발달(영국, 프랑스, 독일 등)

  5) **남부유럽 지역** : 라틴족과 가톨릭교 중심, 지중해성 기후, 수목농업, 관광업 발달
     (이탈리아, 그리스, 스페인 등)

  6) **동부유럽 지역** : 슬라브족과 그리스 정교 중심, 농업중심

  7) **건조문화 지역** : 이슬람교 중심, 아랍어, 유목과 오아시스 농업, 석유개발
     (서남아시아, 북부아프리카, 중앙아시아 등)

  8) **아프리카 지역** : 유럽 식민 지배로 종족과 국경 불일치(잦은 분쟁), 종교와 언어 혼
     재, 원시문화 존재, 이동식 화전, 플랜테이션 발달

  9) **앵글로아메리카 지역** : 영어 사용, 개신교, 세계 경제의 중심, 세계적인 농축산물
     수출 지역(미국, 캐나다)

  10) **라틴아메리카 지역** : 에스파냐, 포르투갈의 식민지, 가톨릭 중심, 혼혈민족(인종),
     잉카와 마야문명(브라질, 멕시코, 아르헨티나 등)

11) 오세아니아 지역 : 깨끗한 환경, 영어, 개신교, 상업적 농목업, 어보리진, 마오리 족(호주, 뉴질랜드 등)

12) 북극 지역 : 순록 유목, 수렵 · 어로 생활, 이누이트 족 등

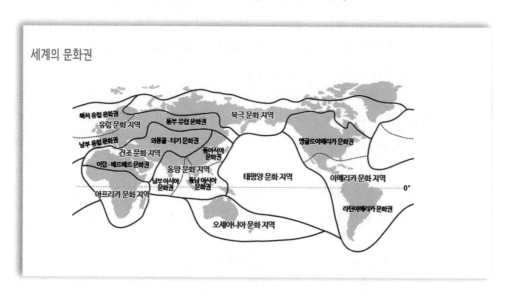

02. 문화 변동과 전통 문화의 창조적 계승

(1) 문화 변동

1) 의미 : 새로운 문화 요소가 등장하거나 다른 문화와의 접촉을 통해 문화가 변화하는 현상

2) 변동 요인

① 내재적 요인 : 발명(1차 발명, 2차 발명), 발견

② 외재적 요인 : 타문화와 교류, 접촉하면서 새 문화 요소가 전달되어 정착하는 문화전파

ㄱ 직접 전파 : 사람 간의 직접적인 접촉에 의한 전파

예 문익점의 목화씨, 담징의 종이와 먹 일본 전파

ㄴ 간접 전파 : 인쇄물, TV, 인터넷 등의 매개물에 의한 전파 예 한류열풍

ㄷ 자극 전파 : 타문화 전파 + 발명

예 한자에 자극 받아 이두 발명, 알파벳에 자극 받아 체로키문자 발명

3) 문화접변의 양상

문화접변의 의미	다른 문화체계가 접촉을 하면서 변동이 일어나는 것 문화접변 결과 문화동화, 문화병존, 문화융합으로 나타남
문화동화 (A+B=B)	① 의미 : 외부 문화요소에 기존의 문화요소가 완전히 흡수되어 소멸 ② 사례 : 아프리카 원주민이 기독교와 이슬람을 믿는 모습
문화병존 (A+B=A,B)	① 의미 : 기존의 문화와 전파된 문화가 각자 정체성 유지하며 공존 ② 사례 : 한의학과 서양의학의 공존
문화융합 (A+B=C)	① 의미 : 기존 문화와 전파된 문화가 결합하여 새로운 문화가 만들어짐 ② 사례 : 간다라 문화(그리스 + 불교), 밥버거, 돌침대, 과달루페 성모상(가톨릭교 + 멕시코 토착문화)

(2) 전통문화의 의의와 계승

1) 전통문화의 의미와 의의

① 의미 : 과거에 형성되어 전승을 통해 오늘날까지 영향을 미치고 있는 고유한 생활 양식 예 한글, 김치, 불고기, 한복, 세시풍속

② 의의 : 과거와 현재를 연결, 사회 유지와 통합에 이바지, 고유한 문화 정체성의 바탕, 세계 문화의 다양성 증진

2) 전통문화의 창조적 계승

① 의미 : 전통문화의 정체성을 유지하면서 현실적 여건에 맞게 재해석 또는 재창조하면서 계승하는 것

② 방안 : 전통문화를 재해석하고 재평가함, 외래문화를 비판적으로 수용

03. 문화 상대주의와 보편 윤리적 성찰

(1) 문화적 차이와 문화의 다양성

1) 문화적 차이가 나타나는 이유 : 서로 다른 자연환경, 인문환경 때문에

2) 문화 다양성 : 그 지역의 환경의 차이로 문화적 다양성이 만들어짐

(2) 문화를 이해하는 태도

긍정적	문화 상대주의	① 의미 : 다른 사회의 문화는 그 사회의 입장에서 이해해야 함 ② 특징 : 모든 문화는 나름의 가치 존재, 우열 없음, 　　　　　 문화의 특수성 인정, 역지사지 ③ 장점 : 갈등 방지, 문화의 다양성 보존
부정적	자문화 중심주의	① 의미 : 자기 문화는 우월, 다른 문화는 열등 ② 장점 : 자문화에 대한 자부심을 통해 사회 통합에 기여 ③ 단점 : 국수주의, 문화제국주의 ④ 사례 : 중국인의 중화사상, 흥선대원군의 통상수교거부, 나치즘
	문화 사대주의	① 의미 : 다른 문화를 동경, 숭상, 자기문화 비하 ② 장점 : 다른 문화를 쉽게 수용 ③ 단점 : 자기 문화의 주체성과 정체성 상실 ④ 사례 : 조선시대 선비들의 중화사상, 혼일강리역대국도지도
	극단적 문화 상대주의	① 의미 : 보편적인 가치를 무시하는 행위까지도 인정하자는 주장 ② 문제점 : 인권유린, 문화의 질적 발전 저해, 타문화에 무관심 ③ 사례 : 인도의 순장(사티)제도, 이슬람의 명예살인 문제

(3) 문화에 대한 보편 윤리의 성찰

1) 보편 윤리 : 시대와 사회를 초월하여 모든 사람이 존중하고 따라야 할 행위의 원칙
　　예 인간의 존엄성, 생명존중, 자유와 평등, 평화와 정의 등

2) 보편 윤리의 필요성
　　① 극단적 문화 상대주의는 인류문화 발전에 방해
　　② 보편 윤리를 통해 자문화와 타문화를 제대로 성찰 가능

3) 보편 윤리의 성찰 방법 : 우리 문화와 다른 문화를 보편적 기준으로 비교해 어긋남
　　이 있는지 성찰

04. 다문화 사회와 문화적 다양성의 존중

(1) 다문화 사회의 이해

1) 다문화 사회의 의미와 원인

① 의미 : 다양한 인종, 민족, 종교, 문화를 가진 사람들이 함께 어우러져 살아가는 사회

② 원인 : 교통과 통신기술의 발달, 다른 문화권에 속한 사람들 간의 접촉 증가

　예 국제결혼 이민자, 외국인 근로자, 유학생, 북한이탈주민 등

2) 다문화 사회의 영향

① 긍정적 영향

　㉠ 노동력 부족 문제 해소에 기여함

　㉡ 문화 선택의 기회가 확대

　㉢ 문화 발전 촉진

② 부정적 영향

　㉠ 문화적 차이에 관한 이해 부족으로 갈등 발생

　㉡ 일자리 부족

　㉢ 외국인에 대한 편견과 차별발생, 외국인 범죄 증가

(2) 다문화 사회의 갈등 해결 방안과 문화 다양성

1) 다문화 정책의 종류

① 용광로 이론 : 이주민들의 문화적 특성 등을 인정하지 않고 지배적 문화에 완전 동화시킴

② 샐러드 볼 이론 : 모든 문화가 자기만의 특성을 유지하면서 기존 문화와 공존할 수 있다고 봄

2) 우리나라의 다문화 정책

① 다문화 초기 : 용광로 이론, 우리문화에 일방적인 동화시도

② 최근 : 샐러드 볼 이론, 문화의 다양성 인정

3) 다문화 사회의 갈등 해결 방안

① 개인적 차원 : 개방적 자세, 타문화에 대한 편견이나 고정관념 버림, 관용과 문화 상대주의적 태도 함양 → 세계 시민 의식 필요

② 사회적 차원 : 다문화 교육 강화, 법과 제도적 지원 확대(다문화 가족 지원법 등)

01. 세계화의 양상과 문제의 해결

(1) 세계화와 지역화

1) 세계화와 지역화

① 세계화

　⊙ 의미 : 국제 사회의 상호 의존성 증가로 세계가 하나로 통합되는 현상

　⊙ 영향 : 동질적인 문화 경관의 확산, 국가 간 경계를 넘나드는 문화, 자본, 정보 등의 증가, 세계적인 영향력 확산

② 지역화 : 지역의 생활 양식이나 문화 등이 세계적 차원에서 가치를 지니게 되는 현상

2) 세계화와 지역화의 확산 배경

① 교통과 통신의 발달 : 이동시간과 비용 감소, 물리적 거리제한 감소, 이동범위 확대

② 지역 간 상호 의존성의 증가 : 생활권 확대, 지역 간 상호 작용 증가

③ 국제 사회의 변화

　· WTO의 출범으로 상품, 서비스의 자유로운 이동 확대

　· 국제적 분업(공간적 분업)이 확대

(2) 세계화에 따른 공간적 경제적 변화

1) 세계도시

① 의미 : 경계를 넘어 세계적인 중심지 역할을 수행하는 도시(뉴욕, 런던, 도쿄 등)

② 등장배경 : 교통, 통신의 발달, 각 국가의 경제 개방 및 자유무역 확대, 다국적 기업 등장, 자본 및 금융의 국제화 등

③ 특징 : 생산자 서비스업 발달, 국제 정치의 중심지, 정보통신 네트워크발달, 최신 교통체계 발달 등

2) 다국적 기업

① 의미 : 국경을 넘어 세계적으로 생산과 판매 활동을 하는 기업

② 등장배경 : 교통과 통신의 발달로 국가 간 상호 교류 및 의존성 강화, 세계무역기구(WTO)의 등장과 자유무역협정(FTA)의 확대 등으로 인한 경제 활동의 세계화

③ 특징

· 공간적 분리 : 본사는 본국의 대도시, 연구소는 선진국, 생산 공장은 개발도상국(저렴한 노동력)에 입지

④ 영향

㉠ 긍정적 : 더 많은 이익창출, 투자대상국은 일자리창출과 기술이전의 기회

㉡ 부정적 : 본국의 실업률 증가, 투자대상국은 경쟁력 낮은 산업의 쇠퇴, 다국적 기업에 대한 의존도 심화

(3) 세계화에 따른 문제점과 해결 방안

1) 국가 간 빈부격차

① 내용 : 선진국과 개발도상국 간의 소득 격차 확대

② 해결 방안 : 개발도상국의 경제적 자립을 위해 국제기구의 지원, 선진국의 투자와 기술이전, 개발도상국 간의 협력 추진, 공정무역의 확대 등

2) 문화의 획일화

① 내용 : 국가 간 문화교류가 증가하면서 문화가 비슷해짐

② 해결 방안 : 자국 문화의 정체성을 유지하며 외래문화 능동적 수용

3) 보편윤리와 특수윤리 간의 갈등

① 내용 : 인간 존엄성, 인권 등의 보편윤리가 강조되면서 특수윤리와 충돌이 발생

② 해결 방안 : 보편윤리를 존중하며 각 사회의 특수윤리를 성찰

02. 국제 사회의 모습과 평화의 중요성

(1) 국제 사회의 성격과 행위 주체의 역할

1) 국제 사회의 성격

① 상호 의존 : 세계 각국은 많은 부분에서 밀접한 관계를 맺고 상호 의존하고 있음

② 경쟁, 갈등, 분쟁

㉠ 자국 이익을 우선적으로 추구하는 과정에서 국제 갈등 발생

㉡ 자국의 이익, 민족, 인종, 종교, 영토, 역사 문제로 갈등 발생

③ 협력증가
  ⊙ 국제 의존이 심해지고 한 국가만의 노력으로 해결할 수 없는 문제가 증가하면서 국제 협력도 증가추세
  ⓒ 사례 : 국제연합을 통한 평화유지, 국제스포츠대회, 환경관련 조약

2) 국제 사회의 행위 주체와 역할
① 국가
  ⊙ 의미 : 국제 사회를 구성하는 가장 기본적인 행위 주체, 독립적 주권행사
  ⓒ 특징 : 공식적인 활동, 자국의 이익과 자국민 보호를 위해 외교 활동을 함
② 정부 간 국제기구
  ⊙ 의미 : 각국 정부를 회원으로 하는 국제 사회의 행위주체
  ⓒ 특징 : 국가들 사이의 이해관계 조정, 국가 간 분쟁 중재, 국제 규범 정립을 통해 국제관계에 영향을 미침
  ⓒ 종류 : UN, EU, OECD 등
③ 국제 비정부 기구(NGO)
  ⊙ 의미 : 개인이나 민간단체를 회원으로 하는 국제 사회의 행위 주체
  ⓒ 특징 : 국제적 연대를 통해 범세계적인 문제를 제기하고 공동의 노력을 이끌어내는 데 기여함
  ⓒ 종류 : 그린피스, 국제 사면 위원회, 국경없는 의사회 등
④ 기타 : 다국적 기업, 지방정부, 전직 국가 원수나 노벨상 수상자처럼 국제적 영향력이 강한 개인 등

(2) 평화의 의미와 중요성
1) 평화의 의미
① 소극적 평화 : 전쟁, 테러와 같은 물리적 폭력이 없는 상태
  → 빈곤, 인권 침해 같은 낮은 삶의 질에 의한 고통을 설명하기 어려움
② 적극적 평화 : 직접적 폭력의 근본 원인인 구조적 폭력이 해소된 상태
  → 구조적 폭력의 문제가 해소되어 인류가 경제적 빈곤 차이, 정치, 군사적 영향력의 차이가 없는 평등하고 자유로운 상태를 의미함

2) 평화의 중요성 : 인류 안전과 생존의 바탕, 인류의 번영 도모, 국제 정의 실현 등을 위해 필요

03. 남북 분단 및 동아시아 갈등과 국제 평화

(1) 남북 분단의 평화적 해결

1) 남북 분단의 배경

① 국제적 배경 : 냉전 체제 하에서 미국과 소련이 한반도를 분할 점령함

② 국내적 배경 : 민족 내부의 응집력과 통일에 대한 역량 부족

2) 통일의 필요성

① 인도주의적 요청 : 이산가족과 실향민 문제 해결의 필요성

② 민족동질성 회복 : 다른 체제와 이념 속에서 공통의 문화가 사라지고 있음

③ 민족의 경제적 발전과 번영 : 분단으로 발생하는 소모적 비용을 절감, 남한의 자본과 기술력 + 북한의 노동력 및 자원 = 경제발전

④ 세계 평화에 기여 : 통일은 동아시아를 넘어서 세계 평화 정착에 기여할 수 있음

3) 통일을 위한 노력 : 남북한 간 지속적인 평화적 교류와 협력 추진, 통일에 우호적인 국제 환경 조성 노력

(2) 동아시아의 역사 갈등

1) 동아시아 역사 갈등

① 일본의 역사 왜곡 : 독도에 대한 부당한 영유권 주장, 일본 교과서에 식민지 지배와 침략 전쟁을 정당화함, 일본군 위안부 문제, 야스쿠니 신사 참배 문제 등

② 중국의 동북공정 : 현재의 영토를 확고히 하기 위해 한반도 북부와 만주에서 활동했던 고조선, 고구려, 발해 등의 역사를 모두 중국의 역사라고 주장

2) 영토분쟁

① 쿠릴열도 남부 4개 섬(북방 4도) : 러시아의 실효지배에 대해 일본이 반환요구 중

② 센카쿠열도(중국명 '댜오위다오') : 일본이 실효지배 중, 중국과 대만이 자국영토 주장

③ 시사군도(파라셀제도) : 중국의 영유권 주장에 베트남이 반발

④ 난사군도(스프래틀리 군도) : 중국의 영유권 주장에 베트남, 말레이시아, 브루나이, 필리핀, 대만의 영유권 주장 충돌

남중국해의 영토 분쟁 지역 – 시사군도, 난사군도, 센카쿠열도

3) 동아시아 역사 갈등 해결을 위한 노력 : 공동 역사 연구, 민간 교류 확대

(3) 국제 평화에 기여하는 대한민국

　1) 세계 속의 우리나라

　　① 지정학적 측면 : 유라시아 대륙과 태평양을 연결하는 지리적 요충지에 위치

　　② 정치, 경제적 측면 : 각종 국제기구에서 주도적인 활동(UN, OECD, APEC 등)

　　③ 문화적 측면 : 유네스코 세계 문화유산으로 등재, 대중문화의 한류 열풍 확산

　2) 국제 평화를 위한 노력

　　① 국가적 차원

　　　　㉠ 분단 극복을 통한 동아시아 지역의 긴장 완화

　　　　㉡ 해외 원조를 통해 국제 사회 평화를 위해 이바지

　　　　㉢ 분쟁, 테러, 전쟁 등에 평화 유지군 파견 등 적극적인 평화 유지 활동

　　　　㉣ 친환경 산업 발전 및 탄소 배출량 감축 등으로 지구 온난화 방지와 환경 보호에
　　　　　　적극 동참

　　② 개인, 민간단체 차원 : 국제 비정부 기구에 참여하여 반전 및 평화 운동을 펼치는
　　　　등의 다양한 활동 전개

통일관련 비용

① 분단비용 : 분단 상태에 따라 발생하는 군사비, 체제유지비 등

② 평화비용 : 북한과의 교류와 협력비용으로 분단비용과 통일비용을 줄일 수 있는 비용

③ 통일비용 : 통일 후 남북 간의 격차를 줄이기 위한 재건비용

---

01. 세계 인구와 인구 문제

(1) 세계의 인구

1) 세계의 인구 변화와 인구 분포

① 세계의 인구 변화

⊙ 산업화 이후 생활수준의 향상, 의학 기술 발달 및 위생 시설 개선으로 인한 평균 수명의 연장으로 급격히 증가

ⓒ 선진국 : 18C ~ 20C 초까지 인구가 빠르게 증가, 1960년대 이후 출생률 감소

ⓒ 개발도상국 : 2차 대전 후 산업화로 인구 증가, 높은 인구 증가율

2) 인구 분포의 요인

① 인구 분포의 자연적 요인

· 인구 밀집 지역 : 북반구 온대 기후의 하천 및 해안 지역

· 인구 희박 지역 : 건조기후와 한대기후 지역, 산악 지대

② 인구 분포의 사회 · 경제적 요인 : 농업 발달 지역(식량 확보), 공업 발달 지역 (일자리 확보), 임금 수준이 높은 선진국 등에 인구 집중

3) 선진국과 개발도상국의 인구 구조와 세계의 인구 이동

① 선진국과 개발도상국의 인구 구조 비교

구분	선진국	개발도상국
출생률	낮다	높다
유소년층 인구 비중	낮다	높다
노년층 인구 비중	높다	낮다
평균 기대 수명	길다	짧다
중위 연령	높다	낮다

② 세계의 인구 이동

⊙ 경제적 이동 : 개발도상국에서 임금 수준이 높고 일자리가 많은 선진국으로 이동, 최근경향

ⓛ 정치적 이동 : 전쟁이나 분쟁 등을 피하기 위한 이동

　　例 시리아, 아프가니스탄 난민이동

ⓒ 환경적 이동 : 사막화, 지구온난화로 인한 해수면 상승 등 환경 재앙을 피해 이동

(2) 세계의 인구 문제와 해결 방안

1) 세계의 인구 문제

① 인구 과잉문제(주로 개발도상국)

　　㉠ 개발도상국의 대도시 인구집중 문제, 기반 시설 부족

　　ⓛ 사망률 감소와 높은 출생률에 따른 인구 급증 → 식량 및 자원 부족 문제 발생

② 저출산, 고령화 문제(주로 선진국)

저출산	원인	여성의 사회 활동 증가, 만혼, 결혼 및 출산에 대한 가치관의 변화 등
	영향	노동력 부족, 잠재성장률 하락, 소비 감소로 인한 경기 침체 등
고령화	원인	평균 수명 연장, 저출산
	영향	노인을 위한 사회적 비용 증가, 세대 간 갈등 문제 발생

2) 인구 이동에 따른 문제

① 인구 유입 국가 : 문화가 서로 다른 이주민과 원거주민 간의 갈등 발생

② 인구 유출 국가 : 노동력 부족, 사회적 분위기 침체 등

3) 인구 문제의 해결 방안

① 선진국

　　㉠ 저출산 대책 : 출산비용과 육아비용 지원, 보육 시설 확충, 유급 출산 휴가 확대 등

　　ⓛ 고령화 대책 : 노인일자리 확대, 정년 연장, 사회보장제도 정비

② 개발도상국

　　㉠ 인구과잉문제대책 : 경제발전, 식량증산, 출산억제정책

　　ⓛ 대도시 인구 과밀 문제 대책 : 도시 기반 시설 정비, 촌락의 생활환경 개선

③ 가치관 변화를 통한 인구 문제 해결 : 가족 친화적 가치관 확대, 양성평등 문화 확립, 세대 간 정의 실현

02. 세계의 자원과 지속가능한 발전

(1) 세계의 자원

1) 자원의 의미 : 인간에게 이용가치가 있고 기술적, 경제적으로 개발이 가능한 것

2) 자원의 특성

① 유한성 : 언젠가 자원은 고갈됨 예 석유, 석탄 등

② 가변성 : 시간, 장소, 기술, 경제성의 변화 등으로 자원의 가치가 달라짐

　예 내연기관의 개발로 석유는 가장 중요한 자원이 됨

③ 편재성 : 지구상에 고르게 분포되어 있지 않음

　예 자원민족주의, 자원의 무기화현상

3) 세계의 자원 소비량 변화 : 인구 증가와 산업발달로 지속적으로 증가(에너지 사용 급속 증가)

4) 주요 에너지 자원의 종류와 특징

자원 종류	역사	특징	이동
석탄	산업혁명 시기 수요 증가	고생대지층, 제철 공업용, 발전용 등 산업용으로 주로 이용	사용량 감소와 광범위한 분포로 국제적 이동 적음
석유	내연기관의 발명으로 사용량 증가	신생대지층, 페르시아만에 60% 분포, 가장 사용량이 많은 에너지, OPEC에서 생산량 조절	국제적 이동 많음 (사용량이 많고 편재성이 크기 때문)
천연가스	냉동 액화 기술의 발달 → 소비 증가	청정에너지, 가정용과 산업용으로 사용	국제적 이동 증가

5) 자원의 분포와 소비에 따른 문제점

① 국가 간 갈등

　㉠ 자원 민족주의의 심화로 자원 보유국과 자원 수입국 간의 분쟁 심화

　㉡ 자원 개발권을 둘러싸고 국가 간 영역 분쟁 심화

② 자원 고갈 : 에너지 자원의 소비가 빠르게 증가하면서 자원 고갈 문제가 증가

③ 환경 문제 : 자원의 개발, 이용 과정에서 환경 파괴 → 생태계가 파괴

④ 에너지 소비의 격차 심화 : 에너지 소비 상위 10개국이 전체 화석 에너지 소비량의 50% 이상 차지

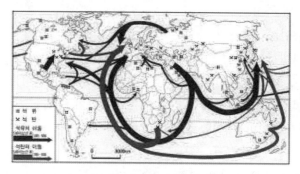

석탄과 석유의 이동

자원민족주의

천연자원은 이를 생산하는 국가의 것이라고 여기고 자원을 무기화하여 자원의 지배권을 확대하려는 움직임을 말한다. 특히 석유자원과 구리, 희토류 등에서 이러한 생각들이 나타나고 있다.

(2) 지속 가능한 발전을 위한 방안과 노력

1) 지속 가능한 발전의 의미 : 미래세대가 그들의 필요를 충족시킬 가능성을 손상시키지 않는 범위에서 현재 세대의 성장을 추구하는 발전

2) 지속 가능한 발전의 구체적인 방안

① 세대 간 형평성 : 다음 세대에 부담주지 않기

② 삶의 질 향상 : 친환경적인 농산물, 사회적 안정, 건강

③ 사회적 통합 : 부의 균등 분배, 정치참여 기회 확보

④ 국제적 책임 : 지구적 차원의 협력

3) 국제적 · 국가적 노력

① 전 지구적 차원의 환경 문제의 경우 국제 사회가 국제 협약을 통해 해결해야 함

② 경제적 측면 : 지속할 수 있고 안전한 에너지 체계 구축을 위해 신재생에너지의 보급 확대를 위한 제도 실시

③ 사회적 측면 : 사회 계층 간 통합을 위한 사회 취약 계층 지원 제도 실시

④ 환경적 측면 : 기후 변화에 대응하기 위해 온실가스 감축 제도 실시

4) 개인적 노력

① 윤리적 소비 실천 : 사회 정의와 형평성을 위해 지구촌의 구성원으로서 건강한 시민의식을 가짐

② 친환경적인 생활 방식 실천 : 자원 절약 및 물건 재활용, 로컬 푸드 구매하기, 공정 무역 제품 이용하기, 사회적 취약 계층이나 빈곤국 주민 후원하기, 재능을 나누는 봉사 활동에 참여하기 등

03. 미래 지구촌의 모습과 내 삶의 방향

(1) 미래의 예측

1) 미래 예측의 필요성 : 변화를 예측해 미래 사회에 유연하게 대응, 안정적인 발전이 가능

2) 미래 예측의 방법 : 전문가 합의법(델파이 법), 시나리오 법 등

(2) 미래 지구촌의 모습

1) 정치, 경제, 사회적 측면과 환경적 측면에서의 변화 예측

① 정치, 경제, 사회적 측면

㉠ 빈부 격차, 문화적 차이, 영토 분쟁 등의 갈등 심화

㉡ 자유 무역 확대, 지역무역협정 체결, 국제기구의 활동 증가

㉢ 특정 직업의 소멸로 인한 실업 문제 발생

㉣ 사이버 범죄, 사생활 침해 등의 문제 증가

② 환경적 측면

㉠ 환경문제가 전지구적 차원에서 인류의 생존을 위협

㉡ 경제성장과 인구 증가로 인한 자원 소비량의 증가로 이용 가능한 자원과 환경의 범위 축소 → 지속가능한 발전을 위해 전 지구적 차원의 협력 강화 필요

㉢ 멸종 위기의 생물 종 복원, 극단적 지형에도 재배가능한 식용작물 재배

2) 과학 기술 발달과 미래 지구촌의 모습

정보 통신 기술의 발달로 초연결 사회 등장, 개인의 정치참여 증가로 영향력 증가, 교통·통신의 발달로 시·공간의 제약 감소, 생명공학의 발달로 평균수명 증가, 유전자 조작으로 인해 생명과 인간의 정체성의 혼란 초래

(3) 미래의 삶을 위한 준비

1) 올바른 인성과 가치관의 정립 : 산업화·도시화·정보화 등으로 공동체 의식이 약해지고 이기주의적 가치관이 확산됨 → 개방적 태도, 관용 등을 바탕으로 올바른 인성과 가치관을 키우기 위해 노력

2) 비판적 사고력 증진 : 사회 현상을 비판적으로 분석하여 현대 사회의 변화 양상을 과학적으로 분석하고 사회 문제 발생의 원인, 배경 등을 명확하게 파악할 수 있어야 함

3) 세계 시민으로서의 공동체 의식 함양 : 지구촌이 하나의 유기체처럼 연결된 공동체로서의 성격이 점차 강해지고 있음 → 세계를 하나의 공동체로 인식하고 세계 시민으로서 나 자신이 지구촌의 구성원임을 자각할 수 있어야 함

4) 개방성과 관용의 정신 지향 : 미래 사회는 문화적 다양성은 물론 개인이 갖는 가치, 신념, 정체성의 다양성이 심화될 것임 → 문화적 차이를 인정하고 다양성을 존중하는 태도 필요

05

과학

물질과 규칙성

1 물질의 기원

01. 외부 은하의 스펙트럼

(1) **별빛 스펙트럼의 파장 변화(빛의 도플러효과)**

    1) 관측자로부터 멀어지는 천체가 방출한 빛 : 파장이 길어지는 적색 편이

    2) 관측자를 향해 다가오는 천체가 방출한 빛 : 파장이 짧아지는 청색 편이

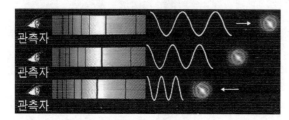

멀어질 때 : 적색 편이

정지할 때 : 실제 파장

다가올 때 : 청색 편이

(2) **외부 은하의 스펙트럼** : 스펙트럼선들이 모두 적색 편이 되었으며, 멀리 떨어진 은하일수록 적색 편이가 더 크게 관측되었다.

02. 허블의 법칙과 우주의 팽창

(1) **허블의 법칙** : 외부 은하의 적색 편이 현상으로부터 은하의 후퇴 속도를 알아냈다.

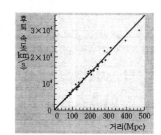

$$V = H \cdot r \begin{cases} H : \text{허블상수} \\ r : \text{은하까지의 거리} \end{cases}$$

  → 은하의 후퇴 속도는 은하까지의 거리 r에 비례한다.

  → 거리가 먼 은하일수록 후퇴 속도가 더 빠르다.

(2) **우주의 팽창** : 허블의 법칙은 은하들이 서로 멀어지고 있음을 의미하는 것으로 우주가 팽창하고 있음을 나타낸다.

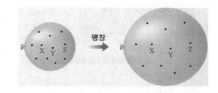

03. 빅뱅 우주론과 원소의 생성

(1) 빅뱅과 원자의 형성

1) 물질의 구성

원자 > 원자핵과 전자 > 양성자와 중성자 > 쿼크

2) 빅뱅 우주론(가모)

우주는 약 138억 년 전 초고온, 초고밀도의 한 점에서 빅뱅(대폭발)으로 시작되었다.

> **빅뱅 → 기본 입자(쿼크, 전자 등) → 양성자, 중성자 → 원자핵 → 원자**

3) 팽창하는 우주와 물질의 생성

① 빅뱅 후 10^{-35}초 : 기본 입자인 쿼크(6종)와 전자(렙톤6종) 등이 생성되었다.

   ㉠ **쿼크** : 업(u), 다운(d), 참(c), 스트레인지(s), 톱(t), 보텀(b)

   ㉡ **렙톤(경입자)** : 전자, 뮤온, 타우와 그들의 중성미자

② 빅뱅 후 10^{-6}초 : 쿼크들이 결합하여 양성자와 중성자가 생성되었다.

   ㉠ **양성자** : 업 쿼크 2개 + 다운 쿼크 1개 → (+)전하

   ㉡ **중성자** : 업 쿼크 1개 + 다운 쿼크 2개 → 전하 띠지 않음

③ 빅뱅 후 3분 : 수소 원자핵과 헬륨 원자핵이 생성되었다.

   ㉠ **수소 원자핵** : 양성자 1개

   ㉡ **헬륨 원자핵** : 양성자 2개 + 중성자 2개

양성자   중성자   양성자=수소 원자핵   헬륨 원자핵

④ 빅뱅 후 38만 년 후

　　⊙ 원자 생성 : 수소 원자(H)와 헬륨 원자(He)가 생성되었다.

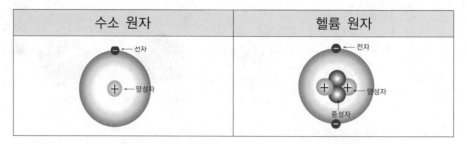

수소 원자	헬륨 원자

　　ⓛ 우주 배경 복사 : 빅뱅 약 38만 년 후 빛의 직진을 방해하던 전자들이 원자핵
　　에 붙잡히면서 그동안 갇혀있던 빅뱅 초기의 빛들이 우주 전체로 퍼져 나갔는
　　데, 이 빛을 우주 배경 복사라고 한다.

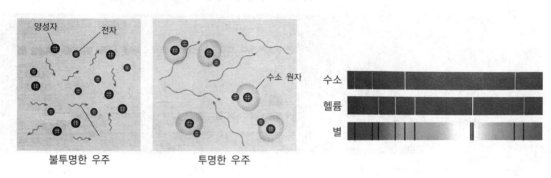

(2) 빅뱅 우주론의 증거

1) 우주 초기 수소 원자핵과 헬륨 원자핵의 개수비

　　① 수소 원자핵(양성자)과 헬륨 원자핵의 개수비가 12 : 1, 질량비로는 3 : 1이었다
　　고 한다. 따라서 현재 우주에서도 그 비가 동일하게 3 : 1로 관측되어야 할 것
　　이다.

　　② 별빛의 선스펙트럼 분석을 통해 우주에 존재하는 수소와 헬륨의 질량비가 빅뱅
　　우주론에서 예측했던 대로 3 : 1로 관측되었다. **(빅뱅 우주론을 지지하는 증거)**

2) 우주 배경 복사의 예측과 발견

　　① 예측 : 빅뱅으로 우주가 팽창하면서 온도가 3000K일 때 빠져나온 우주 배경 복
　　사의 파장이 길어져 3K 복사인 마이크로파(전파)로 관측되리라 예측하였다.

　　② 관측 : 펜지어스와 윌슨이 약 3K인 물체에서 방출되는 파장과 같은 마이크로파
　　(전파)로 우주 어느 방향에서나 대체로 동일한 세기로 관측됨을 발견하였다.
　　(빅뱅 우주론을 지지하는 증거)

04. 지구와 생명체를 이루는 원소의 생성

(1) 별의 탄생과 원소의 생성

1) 별의 탄생 과정

① 빅뱅 때 만들어진 수소와 헬륨의 가스 구름이 중력으로 주변의 물질을 끌어 모아 성운을 형성한다.

발광 성운　　　　　　　반사 성운　　　　　　　암흑 성운

② 성운의 밀도가 높은 곳에서 중력 수축으로 온도가 높아지면 원시별이 생성된다.

③ 원시별이 수축을 계속하여 중심부의 온도가 1000만K 이상이 되면 4개의 수소(H) 원자핵이 융합하여 1개의 헬륨(He) 원자핵이 되는 수소 핵융합 반응으로 에너지를 방출하는 주계열성이 된다.

④ 주계열성 : 중심부에서 수소 핵융합 반응으로 에너지를 방출하는 별을 말한다. 별은 일생의 약 90% 기간을 주계열성으로 보낸다. 현재 태양도 주계열성이다.

⑤ 주계열성의 크기 : 별의 중심으로 수축하려는 중력과 밖으로 팽창하려는 내부 압력이 균형을 이루어 그 크기가 일정하게 유지된다.

(2) 별의 진화와 원소의 생성

1) 질량이 태양 정도인 별 : 헬륨, 탄소, 산소 등 가벼운 원소 생성

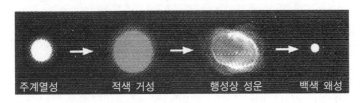

주계열성　　　적색 거성　　　행성상 성운　　　백색 왜성

2) 질량이 태양의 10배 이상인 큰 별 : 중심부에서 가장 안정한 철까지 생성

※ 블랙홀 : 중력이 매우 커서 빛조차도 빠져나오지 못하는 별

3) 별의 진화 단계와 폭발 과정에서 생성되는 원소

① 별의 진화 과정에서 생성되는 원소 : 탄소, 산소, 질소, 네온, 마그네슘, 규소, 황
  … 철

② 초신성 폭발로 생성되는 원소 : 납, 우라늄, 금 …

05. 태양계와 지구의 형성

(1) 태양계의 형성

1) 성운설 : 회전하는 성운의 수축에 의해 태양과 행성들이 형성되었다는 이론이다.

2) 태양계의 형성 과정

태양계 성운의 형성   원반 모양의 성운 형성   원시 태양과 미행성의 형성   원시 행성의 형성

3) 성운설의 증거

① 태양이 태양계의 중심이며, 태양계 전체 질량의 99.8%를 차지한다.

② 태양의 자전 방향과 행성들의 공전 방향이 서로 같다.

③ 태양계를 구성하는 행성들의 나이가 거의 비슷하다.

④ 행성들의 공전 궤도면이 거의 일치한다.

(2) 행성의 종류

1) 지구형 행성(암석) : 수성, 금성, 지구, 화성

원시 태양으로부터 거리가 가까워 온도가 높았으므로 가벼운 기체는 대부분 날아가고 철, 니켈, 규소와 같은 녹는점이 높고 밀도가 큰 미행성체를 형성하였고, 이들의 충돌로 지구형 행성이 형성되었다.

2) 목성형 행성(가스) : 목성, 토성, 천왕성, 해왕성

태양으로부터 거리가 멀어 온도가 낮았으므로 얼음과 메테인, 암모니아 등으로 둘러
싸인 금속 또는 암석 티끌 등이 응집되어 미행성체들을 형성하였고, 서로 충돌하면
서 주변의 수소와 헬륨 같은 가벼운 기체들을 끌어당겨 목성형 행성을 형성하였다.

구분	반지름	질량	평균 밀도	자전 주기	위성수	고리	표면 상태	주요 성분	대기 성분
지구형 행성	작다	작다	크다	길다	없거나 적다	없다	고체	Fe, Si, O	N_2, O_2, CO_2
목성형 행성	크다	크다	작다	짧다	많다	있다	기체	H, He	H_2, He, NH_3, CH_4

3) 행성의 특징

① 수성 : 대기가 없어 낮과 밤의 기온차가 크며, 운석 구덩이가 많다. 약 400℃

② 금성 : 95기압의 CO_2 대기, 샛별, 온실 효과가 매우 크게 일어난다. 약 500℃

③ 화성 : 붉은색, 극관, 계절, 물 흐른 강의 흔적들이 있다.

④ 목성 : 가장 크고, 적도 아래에 붉은 대적점이 있다.

⑤ 토성 : 고리가 가장 뚜렷하고 아름다우며, 위성 수가 가장 많다.

(3) 지구의 형성과 생명체 탄생

1) 원시 지구의 형성

미행성 충돌　　　　　마그마 바다　　　　원시 지각과 바다 형성　　　원시 지구 대기 형성

2) 원시 대기의 변화

① 기권의 형성 : 가벼운 기체인 H_2와 He은 대부분 지구를 탈출하였고, 화산 활동으
로 분출된 기체가 원시 대기를 형성하였다.

② 원시 대기 : 수증기(H_2O), 이산화탄소(CO_2), 질소(N_2), 메테인(CH_4), 암모니아
(NH_3) 등

③ 원시 대기의 조성 변화

　㉠ 질소 : 화산 분출과 암모니아(NH_3)의 광
　　분해 등으로 생성된 질소는 반응성이 작
　　고 안정하여 양에 큰 변화가 없이 현재
　　까지 유지되고 있다.

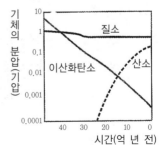

ⓒ 이산화탄소 : 대기 중의 이산화탄소는 바다에 녹아들어가 석회암($CaCO_3$)이 되었고, 식물의 광합성에 의해 더욱 양이 감소하였다.

ⓒ 산소(O_2) : 약 25억 년 전에 바다에 해조류가 출현, 광합성을 시작하여 산소의 양이 증가하였고, 산소가 증가함에 따라 오존층을 형성, 태양으로부터 오는 자외선을 차단함으로써 생물들이 수중에서 육상으로 진출하게 되었다.

2 물질의 규칙성

01. 원소의 주기성

(1) 원소와 주기율표

1) **원소** : 물질을 구성하는 기본적인 성분이다. (현재까지 110여종)

2) **주기율의 역사**

① 되베라이너(1817년) : 세쌍 원소 발견

② 멘델레예프(1869년) : 당시 63종의 원소를 원자량 순으로 배열한 최초의 주기율표

③ 모즐리(1913년) : 원소를 원자번호(양성자 수) 순으로 배열, 현대의 주기율표를 완성

(2) 현대의 주기율표(모즐리)

1) **주기율** : 원소들을 원자번호 순서로 나열할 때 화학적 성질이 비슷한 원소들이 일정한 간격으로 반복되어 나타나는 현상이다.

2) **주기** : 주기율표의 가로줄을 말하며, 1~7주기까지 있다.

　－ 같은 주기의 원소들은 모두 같은 수의 전자껍질을 갖는다.

3) **족** : 주기율표의 세로줄을 말하며, 1~18족까지 있다.

　－ 같은 족의 원소들은 원자가 전자수가 같아 비슷한 화학적 성질을 갖는다.

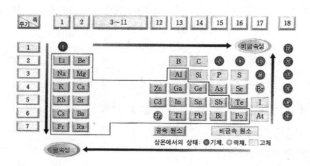

구분	금속 원소	비금속 원소
특징	· 대부분 특유의 광택이 있다. · 열과 전기를 잘 통한다. · 외부에서 힘을 가해도 부서지지 않으며, 길게 뽑거나 넓게 펼 수 있다.	· 금속과 달리 광택이 없다. · 열과 전기를 잘 통하지 않는다. (단, 흑연 제외)
실온에서의 상태 (25℃)	대부분 고체 (단, 수은 제외)	대부분 기체 or 고체 (단, 브로민 제외)
몇몇 원소의 이용 예	· 철 : 회백색이며, 자동차, 선박, 각종 건축자재로 사용되며, 부식되는 단점이 있다. · 구리 : 붉은색이고, 특히 전기를 잘 통하므로 전선의 재료로 많이 이용된다. · 알루미늄 : 은백색이고, 가벼워서 호일, 음료 캔, 창틀 재료로 이용된다. · 질소 : 반응성이 작아 식품 포장 충전 기체로 많이 이용된다. · 산소 : 반응성이 크며, 물질의 연소, 생명체의 호흡에 이용된다. · 수소 : 폭발성이 있으며, 우주 왕복선, 연료 전지의 원료로 이용된다. · 헬륨 : 반응성이 작아 풍선(벌룬) 등에 이용한다.	

(3) 원소들의 주기성의 이유(전자배치)

1) 원자의 구조

① 원자 = 원자핵(양성자, 중성자) + 전자

② 원자번호 = 양성자수 = 전자수

∴ 원자는 전기적으로 중성이다.

2) 원자의 전자배치

헬륨(He) 원자

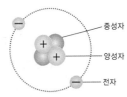
중성자
양성자
전자
양성자(2)=전자(2)

1913년 보어(Bohr)는 원자핵 주위의 전자가 특정한 에너지 준위의 궤도를 따라 원운동 한다는 원자 모형을 제안했는데, 이 궤도를 전자껍질이라고 말한다.

① 전자 배치의 원리

  ㉠ 전자는 원자핵에서 가장 가까운 전자껍질부터 차례로 배치된다.

  ㉡ 각 전자껍질의 최대 배치 전자수

구 분	첫 번째 전자껍질	두 번째 전자껍질	세 번째 전자껍질
최대 배치 전자수	2개	8개	18개

③ 원자가 전자 : 가장 바깥쪽 전자껍질에 배치되어 있는 전자로, 원소의 화학적 성질을 결정, 같은 족 원소들은 원자가 전자수가 같아 화학적 성질이 서로 유사하다.

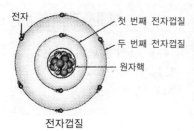

원자	H	He	C	N	O	F
총 전자	1개	2개	6개	7개	8개	9개
전자 배치 (+ : 원자핵)						
원자가 전자	1개	0개	4개	5개	6개	7개

3) 원소들이 주기성을 갖는 이유 : 원자번호가 증가할수록 원소의 화학적 성질을 결정하는 원자가 전자수가 주기적으로 반복되기 때문이다.

(4) 원소들의 주기성

1) 알칼리 금속의 특징

① 주기율표의 1족에 속하는 원소(H 제외)
　　– 리튬(Li), 나트륨(Na), 칼륨(K), 루비듐(Rb) ...

② 상온에서 모두 고체이며, 은백색 광택을 띤다.

③ 다른 금속에 비해 밀도가 작고, 칼로 잘리는 무른 금속이다.

④ 알칼리 금속은 원자가 전자수가 1개, 전자 1개를 잃고 +1가 양이온이 되기 쉽다.

⑤ 반응성이 커서 공기 중의 산소와 빠르게 반응하여 광택을 잃는다.

$$4Na + O_2 \rightarrow 2Na_2O$$

⑥ 상온에서 물과 격렬하게 반응하여 수소 기체를 발생, 용액은 염기성을 나타낸다.

$$2Na + 2H_2O \rightarrow 2NaOH + H_2\uparrow$$

⑦ 할로젠 원소와 격렬하게 반응한다.

$$2Na + Cl_2 \rightarrow 2NaCl$$

⑧ 보관 : 반응성이 크므로 물과 산소의 접촉을 막는 석유, 액체 파라핀 등에 넣어 보관한다.

⑨ 반응성 : 원자번호가 클수록 반응성이 크다.
　　– 리튬(Li) 〈 나트륨(Na) 〈 칼륨(K) 〈 루비듐(Rb) ...

물과 Na의 반응 ▶

알칼리 금속	Li	Na	K
칼로 자른 후 단면의 변화	광택이 서서히 사라짐	광택이 금방 사라짐	광택이 빠르게 사라짐
물에 넣었을 때의 변화	빠르게 반응	격렬하게 반응	매우 격렬하게 반응
페놀프탈레인 용액을 넣었을 때	붉게 변함	붉게 변함	붉게 변함
생활 속의 이용	휴대전화 배터리	도로, 터널 안의 조명	칼륨 비료

2) 할로젠 원소의 특징

① 주기율표의 17족에 속하는 비금속 원소

　　– 플루오린(F), 염소(Cl), 브로민(Br), 아이오딘(I)

② 상온에서 2원자 분자로 존재, 특유의 색깔을 띤다.

③ 할로젠 원소는 원자가 전자수가 7개, 전자 1개를 얻어 −1가 음이온이 되기 쉽다.

④ 반응성이 매우 커서 알칼리 금속이나 수소와 잘 반응한다.

　　　　$2Na + Cl_2 \rightarrow 2NaCl$　　　$H_2 + F_2 \rightarrow 2HF$

⑤ 반응성 : 원자번호가 작을수록 반응성이 크다.

　　　　$F_2 \rangle Cl_2 \rangle Br_2 \rangle I_2$

염소, 브로민, 아이오딘

할로젠 원소	F_2	Cl_2	Br_2	I_2
색깔 및 상온 상태	옅은 황색 기체	황록색 기체	적갈색 액체	보라색 고체
Na, 수소와의 반응	매우 격렬하게 반응	격렬하게 반응	빠르게 반응	반응
생활 속의 이용	충치 예방용 치약	물의 살균, 소독	사진 필름	상처 치료용 소독약

02. 화학 결합과 물질의 생성

(1) **비활성 기체(18족)의 전자 배치** : 반응성이 거의 없다. 안정(1원자 분자)

① 주기율표의 18족 : 헬륨(He), 네온(Ne), 아르곤(Ar) 등

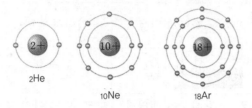

② 안정한 이유 : 가장 바깥쪽 전자껍질에 8개(단, 헬륨 2개)의 전자 배치(옥텟 규칙)

비활성 기체	헬륨(He)	네온(Ne)	아르곤(Ar)
생활 속의 이용	풍선, 광고용 벌룬	광고판, 네온사인	형광등 기체

③ 화학 결합을 형성하는 이유 : 18족 이외의 원소들은 불안정, 다른 원소와 화학 결합을 통해 비활성 기체의 전자 배치를 하여 안정해지려 한다.

(2) **화학 결합의 종류**

1) **이온 결합** : 양이온과 음이온 사이의 정전기적 인력에 의한 결합

① 이온 결합 = 금속 원소의 원자 + 비금속 원소의 원자

② 이온 결합의 형성 : 비활성 기체의 전자 배치를 이루려 한다.

㉠ 나트륨 원자(Na) + 염소 원자(Cl) → 염화나트륨(NaCl)

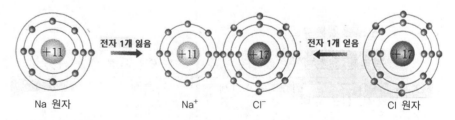

㉡ 칼슘 원자(Ca) + 염소 원자(2Cl) → 염화칼슘($CaCl_2$)

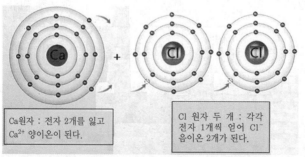

2) 공유 결합 : 원자가 전자를 각각 내놓고 전자쌍을 공유하는 결합

　① 공유 결합 = 비금속 원소의 원자 + 비금속 원소의 원자

　② 공유 전자쌍과 비공유 전자쌍

　　㉠ 공유 전자쌍 : 두 원자에 공유되어 결합에 참여하는 전자쌍

　　㉡ 비공유 전자쌍 : 공유 결합에 참여하지 않은 전자쌍

　③ 공유 결합의 형성 : 비활성 기체와 같은 전자 배치를 이루려 한다.

　　㉠ H_2, H_2O 분자의 공유 결합

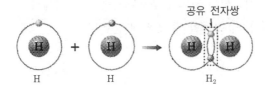

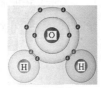

H₂O 분자

　　㉡ O_2, CO_2, N_2 분자의 공유 결합

산소(O_2)	이산화탄소(CO_2)	질소(N_2)
공유 전자쌍 총 2개 이중 결합 총 1개	공유 전자쌍 총 4개 이중 결합 총 2개	공유 전자쌍 총 3개 삼중 결합 총 1개

　④ 극성과 무극성의 판별 : 대체로 일직선, 대칭 구조는 무극성 분자이며, 굽은형,
비대칭 구조는 극성 분자이다.

　⑤ 공유 결합의 종류와 세기 : 단일 결합 〈 이중 결합 〈 삼중 결합

(3) 우리 주변의 다양한 물질

1) 이온 결합 물질

　① 실제로는 양이온과 음이온이 연속적으로 결합하여 결정을 이룬다.

　② 화학식 : 양이온과 음이온의 개수비를 가장 간단한 정수비로 표시한다.

　　예 염화나트륨

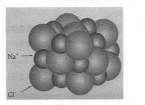

양이온 음이온

NaCl

(1은 생략)

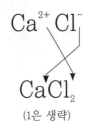

$$Ca^{2+} Cl^-$$

$$CaCl_2$$

(1은 생략)

③ 이온 결합 물질의 특징

  ㉠ 양이온과 음이온 간의 정전기적 인력에 의한 결합이므로 녹는점과 끓는점이 높다.
  ㉡ 상온에서 결정을 이루어 단단하지만, 힘을 가하면 쉽게 쪼개지거나 부스러진다.

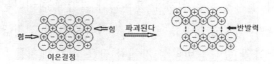

  ㉢ 고체에서는 전기 전도성이 없으나 액체나 수용액 상태에서는 전기 전도성이 있다.
    – 이온들이 자유롭게 이동할 수 있기 때문이다.

④ 이온 결합 물질의 이용

물질	특징	물질	특징
염화나트륨(NaCl)	소금의 주성분	수산화마그네슘(Mg(OH)₂)	제산제의 주성분
수산화나트륨(NaOH)	비누 제조에 사용	염화칼슘(CaCl₂)	습기 제거제, 제설제
탄산칼슘(CaCO₃)	산호초, 조개, 달걀껍데기 성분	탄산수소나트륨(NaHCO₃)	베이킹파우더의 주성분

2) 공유 결합 물질

① 공유 결합 물질의 특징

  ㉠ 분자 사이의 결합력이 약해, 실온에서 액체나 기체, 녹는점, 끓는점이 비교적 낮다.
  ㉡ 대부분 물에 잘 녹지 않지만 설탕, 염화수소, 암모니아 등은 물에 녹는다.
  ㉢ 물에 녹아도 중성의 분자 상태, 전하를 띠는 입자가 없어 전기 전도성이 없다.
    (단, 흑연과 염화수소, 암모니아는 제외)

② 공유 결합 물질의 이용

물질	특징	물질	특징
설탕($C_{12}H_{22}O_{11}$)	음식의 조미료	뷰테인(C_4H_{10})	휴대용 가스 연료
에탄올(C_2H_6O)	소독용, 술 제조	아스피린($C_9H_8O_4$)	의약품(해열제)

3 자연의 구성 물질

01. 지각과 생명체의 구성 물질

(1) 지각과 생명체의 구성 원소 비교

순위	지 각		생 명 체	
	원소	비율(%)	원소	비율(%)
1	O	46.6	O	62.0
2	Si	27.7	C	20.0
3	Al	8.1	H	10.0
4	Fe	5.0	N	3.0

(2) 지각을 구성하는 물질의 결합 규칙성

1) 규산염 광물 : 규소(Si)와 산소(O)의 규산염 사면체를 기본구조로 형성된 광물

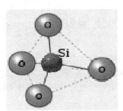
Si-O 사면체

① 규소는 14족 원소로 원자가 전자가 4개이므로 최대 4개의 산소 원자와 공유 결합이 가능하다.

② 규산염 사면체는 Si^{4+}와 4개의 O^{2-}가 결합하여 전체 −4의 음전하를 띠므로 인접한 양이온과 결합하거나 각 사면체의 모든 산소를 다른 규산염 사면체와 공유하여 전기적으로 중성이 된다.

2) 규산염 광물의 결합 규칙성

구분	독립형 구조	단사슬 구조	복사슬 구조	판상 구조	망상 구조
결합형태	O 원자 Si 원자				
특징	사면체 1개로 이루어진 독립 사면체 구조	사면체가 1줄로 길게 이어진 단일 사슬 구조	사면체가 2줄로 길게 이어진 2중 사슬 구조	사면체가 산소 3개를 공유하여 평면으로 넓게 판 모양 구조	사면체가 산소 4개를 모두 공유한 3차원 입체 구조
광물	감람석	휘석	각섬석	흑운모	석영, 장석

(3) 생명체를 구성하는 물질의 결합 규칙성

1) **탄소 화합물** : 탄소(C)를 중심 원소로 하여 수소, 산소, 질소 등이 결합하여 형성된 물질

탄소는 14족 원소로 원자가 전자가 4개이므로 최대 4개의 다른 원자와 공유 결합을 형성할 수 있다.

2) 탄소 화합물의 결합 규칙성

구분		단일 결합	이중 결합	삼중 결합
	결합 수에 따른 분류			
		사슬 모양	가지 모양	고리 모양
	모양(형태)에 따른 분류			

02. 생명체를 구성하는 탄소 화합물

(1) 생명체 구성 물질 중 무기물

1) 물 : 생명체 내에 가장 많은 양을 차지하며, 비열이 커서 체온 조절 그리고 영양소, 호르몬, 노폐물 등의 운반에도 관여한다.

2) 무기염류 : 나트륨(Na), 칼슘(Ca), 칼륨(K) 등으로 다양한 생리 작용을 조절하는 데 관여한다.

▲ 사람의 구성 물질

(2) 생명체 구성 탄소 화합물

1) 탄수화물 : 구성 원소는 C, H, O이며, 단위체는 포도당이다. 주 에너지원(4kcal/g)이며, 포도당, 엿당, 녹말, 글리코젠, 셀룰로스 등이 있다.

포도당　　　　탄수화물

2) 단백질 : 구성 원소는 C, H, O, N이며, 단위체는 아미노산(20종)이다.

① 단백질의 기능 : 에너지원(4kcal/g)이며, 효소, 항체, 호르몬, 헤모글로빈, 세포막, 근육, 연골, 손톱 등의 주성분이다.

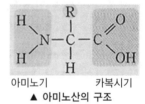
아미노기　　카복시기
▲ 아미노산의 구조

② 단백질의 형성 과정

㉠ 20여종의 아미노산의 배열 순서에 따라 다양한 입체 구조를 갖게 된다.

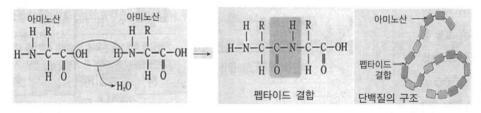
펩타이드 결합　단백질의 구조

㉡ 펩타이드 결합 : 두 아미노산의 연결부분, 물(H_2O)이 빠져나오면서 연결된다.

3) 핵산(DNA, RNA) : 유전 물질이며 구성 원소는 C, H, O, N, P이고, 단위체인 뉴클레오타이드(인산, 당, 염기)가 공유 결합으로 연결된 구조이다.

① 핵산의 기능

㉠ DNA : 유전 정보를 저장하며, 이 정보에 따라 다양한 단백질이 합성된다.

▲ 뉴클레오타이드

ⓒ RNA : DNA의 유전 정보를 전달하거나 단백질 합성 과정에 관여한다.

② 핵산의 종류

구분	DNA	RNA
당	디옥시리보스	리보스
염기	아데닌(A), 구아닌(G), 사이토신(C), 타이민(T)	아데닌(A), 구아닌(G), 사이토신(C), 유라실(U)
분자 구조	2중 나선 구조	단일 가닥 구조
기능	유전 정보 저장	DNA 유전 정보의 전달

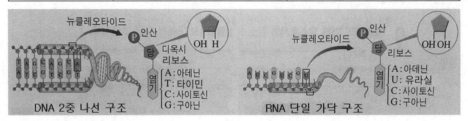

4) **지질** : 구성 원소는 C, H, O이며, 물에 녹지 않고 유기 용매에 잘 녹으며, 중성 지방, 인지질, 스테로이드 등이 있다.

① 중성지방 : 에너지원(9kcal/g)이며, 지방산과 글리세롤로 구성되어 있다.

② 인지질 : 세포막이나 핵막과 같은 생체막의 주성분이다.

③ 스테로이드 : 성호르몬의 주성분이다.

4 신소재

01. 신소재와 우리 생활

신소재 화합물 조성이나 결합 구조를 변화시켜 새로운 성질을 갖게 만든 물질

(1) 전기적 성질에 따른 물질의 분류와 신소재

▶**도체** : 전기 저항이 작아 전류가 잘 흐르는 물질 [예]철, 구리, 알루미늄...

▶**절연체(부도체)** : 전기 저항이 매우 커서 전류가 흐르지 않는 물질
[예]고무, 유리, 플라스틱...

▶**반도체** : 도체와 절연체의 중간 정도의 전기적 성질을 갖는 물질 [예]규소, 저마늄...

1) 반도체의 종류

① n형 반도체 : 원자가 전자가 4개인 규소(Si)에 원자가 전자가 5개인 인(P) 등을 소량 첨가(도핑)하면, 규소 원자와 공유 결합을 하지 못한 전자 1개가 남는다.

→ 전압을 걸어주면 남는 전자가 이동하면서 전류를 흐르게 한다.

② p형 반도체 : 원자가 전자가 4개인 규소(Si)에 원자가 전자가 3개인 알루미늄(Al) 등을 소량 첨가(도핑)하면, 규소와 알루미늄 사이에 빈 구멍인 양공(hole)이 생긴다.

→ 전압을 걸면 양공 가까이에 있는 전자가 이동해서 양공을 채운다.

마치 양공이 움직이는 것처럼 전류가 흐른다.

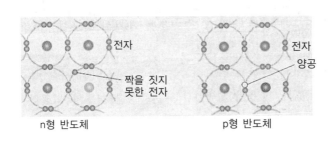
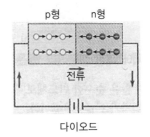

n형 반도체   p형 반도체   다이오드

2) 여러 전기적 성질의 이용

① 다이오드 : p형과 n형 반도체를 접합하여 만들며, 전류를 한쪽 방향으로만 흐르게 하므로 교류를 직류로 전환시키는 정류 작용에 사용된다.

② 발광 다이오드(LED) : 전류가 흐를 때 빛을 방출하도록 만든 다이오드로, 빨간색, 파란색, 초록색의 LED가 개발되어 각종 영상 표시 장치, 조명 장치, 리모컨, 신호등, 레이저, CD플레이어, 광통신, LED TV 광원 제작에 사용된다.

③ 유기 발광 다이오드(OLED) : 전류가 흐를 때 빛을 내는 유기 화합물을 사용, 자체 발광시키므로 별도의 광원이 필요한 LCD보다 얇고 가볍게 만들 수 있어, 휘어지는 디스플레이 개발에 사용된다.

④ 트랜지스터 : 반도체 3개(p-n-p)를 사용하여 만들며, 신호 증폭 작용, 스위치 작용을 하며, 소비 전력이 작고 특히 소형화가 가능하여 디지털 회로 제작 및 대부분의 전자 기기에 사용되고 있다.

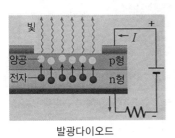
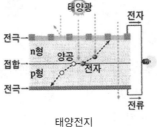

발광다이오드   태양전지   LCD

⑤ 태양전지 : n형과 p형 반도체를 이용하며, 빛에너지를 전기에너지로 전환시킨다.

⑥ 온도, 압력, 가스, 방사능 감지기 : 온도나 압력 등 여러 조건에 따라 전기 저항이 변하는 반도체를 이용한다.

⑦ 액정(LCD) : 고체와 액체의 성질을 모두 갖는 물질로, 전압을 가하면 분자의 배열이 변하므로 빛의 양을 조절할 수 있어, 다양한 영상 표시 장치 즉, 휴대폰, 고화질 TV, 컴퓨터 모니터 등에 사용된다.

(2) 자기적 성질에 따른 물질의 분류와 신소재

> ▶**강자성체** : 자석에 강하게 영향을 받고, 자기장을 제거해도 오랫동안 자성을 유지하는 물질 예 철, 니켈, 코발트 등
>
> ▶**상자성체** : 자석에 약하게 영향을 받으나 자기장이 제거되면 자성이 즉시 사라지는 물질 예 종이, 알루미늄, 마그네슘, 텅스텐 등

1) 초전도체

① 초전도체 : 특정 온도(임계온도) 이하에서 전기 저항이 0이 되는 물질이다.

ㄱ 전기 저항이 0이므로 전류가 흘러도 열이 발생하지 않는다.

이용 : 전력 손실 없는 송전선

ㄴ 열 발생 없이 센 전류를 흐르게 할 수 있으므로, 강한 자기장이 필요한 장치를 만들 수 있다.

이용 : 자기공명 영상장치(MRI), 핵융합 장치, 입자 가속기

ㄷ 마이스너 효과 : 초전도체가 외부 자기장을 밀어내므로 초전도체 위에 자석을 놓으면 뜬다.

이용 : 자기 부상 열차

② 초전도체의 과제 : 임계 온도가 더욱 높은 초전도체 개발이 필요하다.

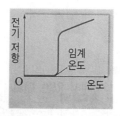

2) 네오디뮴 자석
: 철 원자 사이에 네오디뮴과 붕소를 첨가하여 철 원자의 자기장 방향이 흐트러지지 않도록 만든 매우 강한 자석으로, 고출력 소형 스피커, 강력 모터, 컴퓨터 하드 디스크 등 강한 자기장이 필요한 장치에 사용된다.

02. 나노 신소재

구분	모양	구조	특징	이용
그래핀		연필심의 재료인 흑연의 한 층을 떼어내어 펼친 육각형 평면구조	열, 전기 전도성이 우수하고, 강철보다 강도가 강하다. 얇고 투명하여 빛을 잘 투과시키고, 휘어져도 전기적 성질이 변하지 않는다.	휘어지는 디스플레이 소재, 전자 종이, 입는 컴퓨터
탄소 나노 튜브		그래핀이 원통(튜브) 모양으로 말려 있는 구조	열, 전기 전도성이 뛰어나고, 가벼우며 강철보다 강도가 강하다.	첨단 현미경의 탐침, 나노 핀셋
풀러렌		탄소 원자가 오각형, 육각형으로 결합하여 축구공 모양을 이룬 구조	내부가 비어있어 원자나 분자를 가둘 수 있다. 쉽게 부서지거나 변형되지 않는다.	금속 원자 저장, 의약품의 체내 운반체

03. 자연을 모방한 신소재

생명체	특징	이용
도꼬마리 열매	갈고리 형태의 가시가 있어 털에 붙으면 잘 떨어지지 않는다.	벨크로 테이프
연잎 표면	나노미터 크기의 돌기가 있어 물을 밀어내 물에 젖지 않는다.	방수되는 옷, 유리 코팅제, 세차가 필요 없는 자동차
홍합 족사	홍합이 분비하는 족사라는 단백질은 물 속에서도 강한 접착력을 유지한다.	수중 접착제, 의료용 생체 접착제
게코 도마뱀 발바닥	발바닥에 미세 섬모가 있어 나무나 벽에 쉽게 붙었다 떨어졌다 한다.	게코 테이프, 의료용 패치, 전투용이나 구조용 로봇 장갑, 신발
상어 비늘	코의 정면에 거친 돌기와 코 아래에 부드러운 돌기로 인해 물의 저항을 줄인다.	전신 수영복
거미줄	매우 가늘지만 강철보다 강도가 강하고 신축성이 뛰어나다.	방탄복, 낙하산, 인공 힘줄
모르포 나비 날개	날개에 특정한 색소가 없지만, 날개에 얇은 막이 여러 층으로 되어 있어, 빛 방향에 따라 색이 달라진다.	모르포텍스 섬유

02 시스템과 상호 작용

1 역학적 시스템

01. 중력에 의한 시스템

(1) 힘의 정의와 종류

1) 힘 : 물체의 모양이나 운동 상태를 변화시키는 원인이 된다.

2) 힘의 종류

① 탄성력　　② 마찰력　　③ 자기력　　④ 전기력　　⑤ 부력　　⑥ 중력

(2) 뉴턴의 운동 법칙

1) 관성의 법칙 (뉴턴의 운동 제1법칙)

① 물체에 힘이 작용하지 않으면 : 정지해 있는 물체는 계속 정지해 있고, 운동하는 물체는 등속 직선 운동을 한다.

　　㉠ 정지해 있던 버스가 갑자기 출발하면 승객은 뒤로 넘어진다. (정지)

　　㉡ 달리던 버스가 갑자기 정지하면 승객은 앞으로 넘어진다. (운동)

② 관성의 크기 : 물체의 질량이 클수록 관성이 크다.

2) 가속도의 법칙 (뉴턴의 운동 제2법칙)

① 가속도 : 단위 시간 동안의 속도 변화량

$$가속도(a) = \frac{\text{속도 변화량}}{\text{시간}} = \frac{V - V_0}{t}\,(m/s^2)$$

② 가속도의 법칙 : 물체에 일정한 크기의 힘이 작용할 경우

　→ 가속도의 크기(a)는 작용한 힘의 크기(F)에 비례하고, 물체의 질량(m)에 반비례한다.

$$F = ma$$

3) 작용-반작용의 법칙 (뉴턴의 운동 제3법칙)

물체 A가 다른 물체 B에 힘(작용)을 가하면, 물체 B도 물체 A에게 크기가 같고 방향이 반대인 힘(반작용)을 같은 작용선 상에 가한다.

① 몸을 벽에 부딪치면 나도 아프다.

② 로켓이 가스 분출의 반대 방향으로 날아간다.

③ 노를 뒤로 저으면 배는 앞으로 나아간다.

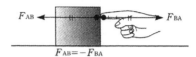

4) 뉴턴의 만유인력의 법칙 : 질량을 갖는 모든 물체 사이에 서로 끌어당기는 힘을 말한다.

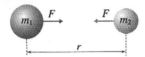

$$F = G\frac{m_1 \cdot m_2}{r^2}$$

02. 중력을 받는 물체의 운동

(1) 중력 : 지구가 지구상의 물체를 끌어당기는 힘이다.

1) 방향 : 연직 방향인 지구 중심 쪽이다.

2) 중력의 크기 : 물체의 질량에 비례하고, 지구에서 멀수록 작다.

지표면 근처에서 중력의 크기 = 무게

$$F = mg \text{ (g : 중력가속도)}$$

3) 같은 물체라도 장소에 따라 중력의 크기는 다르다.

달에서의 중력(무게)의 크기는 지구에서의 1/6이다.

(2) 자유낙하 운동

1) 물체에 중력이 작용하기 때문이며 공기저항을 무시할 경우, 1초에 9.8m/s씩 속력이 증가하는 운동을 하며 낙하한다.

2) 중력 가속도(g) : 물체 질량에 관계없이 $9.8m/s^2$으로 일정하다.

3) 공기 중에서와 진공에서 쇠구슬과 깃털의 낙하 : 공기저항력 때문에 공기 중에서는 쇠구슬이 먼저 떨어지나, 진공에서는 동시에 땅에 떨어진다.

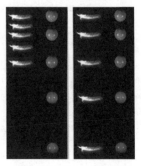

▲ 공기 중 낙하   ▲ 진공 중 낙하

(3) 수평으로 던진 물체의 운동
- 공기 저항을 무시할 경우 전체적으로 포물선 운동을 한다.

1) 수평 방향 : 힘이 작용하지 않으므로 속력이 일정한 등속 직선 운동을 한다.
2) 연직 방향 : 중력이 작용하므로 자유 낙하(등가속도) 운동을 한다.

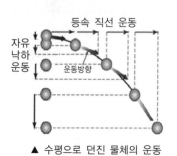

▲ 수평으로 던진 물체의 운동

구분	수평 방향	연직 방향
힘	0	중력
운동	등속 직선 운동	등가속도 운동
속도	일정	일정하게 증가
가속도	0	중력 가속도

3) 속력을 다르게 던질 경우 : 속력이 클수록 수평 방향의 이동거리는 증가하나, 연직 으로는 자유 낙하 운동을 하므로 지면에 도달하는 시간은 동일하다.

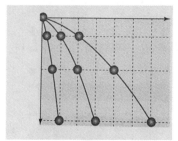

▲ 속력을 다르게하여 던질 경우

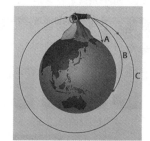

▲ 뉴턴의 사고 실험

4) 뉴턴의 사고 실험 : 특정한 속도로 빠르게 던질 경우, 물체가 지구로 떨어지는 거리 와 지구가 둥글기 때문에 구부러지는 거리가 같아 물체가 땅으로 떨어지지 않고 지 구 둘레를 도는 원운동을 하게 될 것이다.(인공위성)

03. 중력이 지구와 생명 시스템에 주는 영향
(1) 중력이 지구 시스템에 주는 영향
1) 위로 던진 공은 중력이 작용하므로 다시 땅으로 떨어진다.
2) 중력에 의한 대류 현상 때문에 구름, 기상 현상, 해풍과 육풍, 고기압, 저기압, 물과 대기의 순환이 일어난다.

3) 태양과 달의 중력으로 인해 지구에 밀물과 썰물 현상을 일으킨다.

4) 중력에 의해 운석이 지구로 떨어지는 것이고, 달에는 중력이 작아 대기가 없다.

(2) 중력이 생명 시스템에 주는 영향

1) 식물의 뿌리가 중력에 의해 땅속으로 자란다.

2) 전정기관의 이석에 의해 균형을 유지한다.

3) 심장에서 거리가 먼 정맥에는 판막이 있어 중력으로 인한 혈액의 역류를 방지한다.

4) 몸무게가 큰 코끼리는 단단한 근육과 골격으로 중력을 지탱한다.

5) 기린은 목이 길어 다른 동물에 비해 혈압이 높다.

6) 조류는 뼈 속이 비어 있어 중력을 덜 받아 가볍기 때문에 하늘을 날 수 있다.

04. 역학적 시스템과 안전

(1) 운동량과 충격량

1) **운동량(p)** : 운동하는 물체의 운동의 정도를 나타내며, 질량과 속도의 곱으로 표시한다.

$$p = mv$$

m : 질량 v : 속도
(단위 : $kg \cdot m/s$)

2) **충격량(I)** : 물체가 받는 충격의 정도를 나타내며, 물체에 작용한 힘과 힘이 작용한 시간의 곱으로 표시한다.

$$I = F \triangle t$$

F : 물체에 작용한 힘
$\triangle t$: 힘이 작용한 시간
(단위 : $N \cdot s$)

→ 그래프 밑의 면적이 물체가 받은 충격량이다.

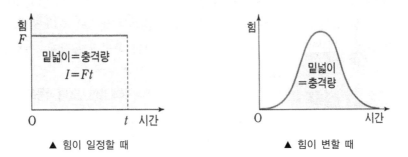

▲ 힘이 일정할 때   ▲ 힘이 변할 때

(2) 운동량과 충격량의 관계

$$F \triangle t = mv - mv_0 = \triangle P$$

$$\therefore F = \frac{mv - mv_0}{\triangle t}$$

물체가 받은 충격량 = 물체의 운동량의 변화량

1) 충격력이 일정할 때, 충돌 시간과 충격량의 관계

→ 힘을 받는 시간을 물체에 길게 할수록, 충격량(운동량의 변화량)이 커져 나중 속도가 빨라진다.

① 골프나 야구에서 골프채나 방망이에 팔로스루를 길게 한다.

② 대포의 포신이 길수록 포탄이 멀리까지 날아간다.

2) 충격량(운동량의 변화량)이 일정할 때, 충돌 시간과 힘의 크기의 관계

→ 물체에 작용하는 시간이 길수록, 힘은 작아진다.

예 ㉠ 콘크리트 바닥과 방석에 각각 떨어진 유리컵

㉡ 콘크리트 벽과 짚더미에 충돌한 자동차

㉢ 투수가 던진 공을 손을 뒤로 빼면서 받는 이유

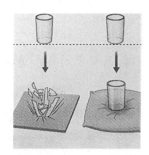

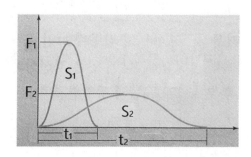

3) 충돌 시간을 길게 해주는(충돌 힘이 작게 작용) 안전장치

① 교통 수단 : 자동차의 에어백, 안전띠, 자동차의 범퍼, 범퍼카, 배에 매단 타이어

② 운동 경기 : 권투 선수의 보호대, 야구 선수의 글러브, 야구장의 외야 펜스

③ 기타 : 신발의 에어쿠션, 놀이 매트, 공기가 충전된 포장재, 유도의 낙법

2 지구 시스템

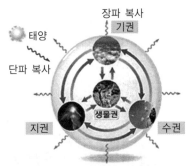

▲ 지구 시스템 간의 상호작용

01. 지구 시스템의 구성요소

– 지권, 기권, 수권, 생물권, 외권으로 구성되어 있다.

(1) 지구 시스템의 구성

1) 지권

① 지권의 분류

㉠ 지각 : 화강암질 암석인 대륙 지각(약 35km)과 현무암질 암석인 해양 지각(약 5km)으로 구분한다.

㉡ 맨틀 : 지구 부피의 83%, 밀도가 큰 감람암질 암석, 하층부는 반유동성의 액체로 맨틀의 대류가 일어나 지진, 화산 활동 등을 일으킨다.

㉢ 핵 : 철과 니켈이 주성분으로 밀도가 가장 크며, 고체인 내핵과, 액체인 외핵으로 구성, 외핵의 대류로 인해 지구 자기장이 형성된다.

② 지권의 역할 : 생물체에게 필요한 물질을 공급하고 서식 공간을 제공한다.

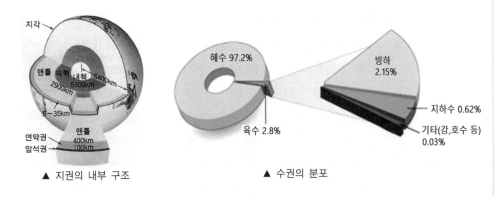

▲ 지권의 내부 구조　　　　▲ 수권의 분포

2) 수권

① 해수와 육수의 분포 : 지구상 전체 수권의 97.2% 해수, 나머지 약 2.8% 육수

> 해수 〉 빙하 〉 지하수 〉 강, 호수 〉 수증기

② 해수의 깊이에 따른 수온 분포

㉠ 혼합층 : 태양 복사 에너지를 흡수하여 수온이 높고, 바람의 혼합 작용으로 수온이 일정하며, 바람이 강할수록 두껍게 발달한다.

ⓛ 수온 약층 : 수심이 깊어질수록 수온이 급격히 낮아지는 층으로 대류가 일어나지 않아 안정하며, 혼합층과 심해층 사이의 물질과 에너지 교환을 차단한다.

ⓒ 심해층 : 빛이 도달하지 않아 수온이 낮고, 위도나 계절에 따른 수온 변화가 거의 없는 층이다.

③ 수권의 역할 : 태양 에너지를 저장하고, 열에너지 수송에 관여하며, 기상 현상을 일으키고, 지구의 온도를 일정하게 유지하는 역할을 한다.

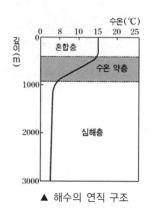
▲ 해수의 연직 구조

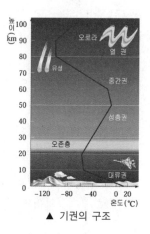
▲ 기권의 구조

3) 기권

① 기권의 구분 : 지표에서 약 1000km, 높이에 따른 기온 변화로 구분하다.

ⓐ 대류권 : 지표면~높이 약 10km
  · 대기권에 분포하는 전체 공기의 약 75%가 존재한다.
  · 높이 올라갈수록 기온 하강, 공기의 대류로 기상 현상이 일어난다.

ⓑ 성층권 : 높이 약 10~50km
  · 높이 올라갈수록 기온 상승, 높이 25km 부근 오존층이 자외선을 흡수한다.
  · 대류 현상이 없는 안정한 층이며, 하부는 비행기의 항로로 이용된다.

ⓒ 중간권 : 높이 약 50~80km
  · 높이 올라갈수록 기온 하강, 유성이 관측되기도 한다.
  · 대류 현상은 있지만, 수증기가 없어 기상 현상은 일어나지 않는다.

ⓓ 열권 : 높이 약 80km 이상
  · 공기 매우 희박, 태양 복사 에너지를 흡수, 높이 올라갈수록 기온이 상승한다.
  · 대기가 거의 없어 밤낮의 기온차가 크고, 오로라가 나타난다.

▲ 기권의 대기 조성

② 대기권의 역할 : 온실 효과로 지구 보온, 오존층의 자외선 차단, 생물체에 CO_2와 산소를 공급한다.

4) 생물권

① 생명의 탄생 : 해양에서 유해 자외선 차단으로 생태계가 형성되었고, 현재는 지권, 수권, 기권에 넓게 분포한다.

② 생물의 진화 : 대기 중의 산소 축적으로 오존층이 형성, 태양의 유해 자외선을 차단함으로써 육상 생물이 번성하게 되었다.

5) 외권 : 지상 1000km 이상 기권 밖을 모두 포함, 그 중 지구 자기장은 태양의 고에너지 입자를 차단하여 지구 생물체를 보호해 준다.

(2) 지구 시스템 구성 요소의 상호 작용

영향 \ 근원	기권	수권	지권	생물권
기권	일기변화, 기단의 상호작용, 대기 대순환	해류 발생, 강수 현상	대기에 의한 풍화, 침식	이산화탄소(산소) 제공, 종자, 포자의 운반
수권	수증기 증발, 이산화탄소 흡수와 방출, 태풍 발생	해수의 순환 (혼합)	광물의 용해, 물과 빙하의 침식 작용, 석회동굴 형성	물 공급, 수중 생물의 서식처 제공
지권	화산 활동시 기체 방출	쓰나미(해일) 발생	판의 운동, 대륙 이동	대륙 이동에 의한 서식처 변화
생물권	광합성, 호흡으로 대기 조성 변화	생물체가 용해 물질 제거	생물에 의한 풍화, 침식, 화석연료 생성	먹이 사슬 유지

02. 지구 시스템의 물질과 에너지의 순환

(1) 지구 시스템의 에너지원

1) 태양 복사 에너지

① 지구 시스템의 에너지원 중 가장 많은 양을 차지, 지구 환경 변화에 가장 영향이 크다.

② 기권과 수권에서 기상 현상과 해류를 발생, 지권에서는 풍화와 침식 작용을 일으켜 지형을 변화시킨다.

③ 수권에서는 해수를 순환, 생물권에서는 광합성으로 생명 활동의 에너지원이 된다.

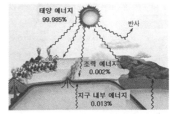

▲ 지구계의 에너지원

2) 지구 내부 에너지

① 지구 중심에서의 열과 암석에 포함된 방사성 원소의 붕괴열이 에너지이다.

② 맨틀 대류를 일으켜 대륙 이동, 지진, 화산 활동 등 지각 변동을 일으킨다.

3) 조력 에너지

① 달과 태양의 인력에 의한 에너지, 거리가 가까운 달의 영향이 더 크다.

② 밀물과 썰물을 일으켜 해안 지역의 생태계와 지형 변화에 영향을 준다.

(2) 지구 시스템의 물질 순환

1) 물의 순환

① 물의 순환을 일으키는 근본 에너지 : 태양 에너지

② 해양과 육지의 물 : 태양 에너지에 의해 증발, 식물의 증산 작용에 의해 대기로 이동한다.

③ 대기 중의 수증기 : 응결되어 구름, 비나 눈이 되어 지표에 내린다.

④ 지표에 강수로 내린 물 : 하천수, 지하수가 되고, 결국 해양으로 이동, 이 과정에서 지표의 지형을 변화시킨다.

⑤ 물의 평형 : 대기, 해양, 육지에서 각각 방출되는 물의 양과 유입되는 물의 양은 같다. 지구 시스템 전체의 물의 양은 항상 일정하다.

▲ 물의 순환(단위×1000km³/년)

2) 탄소의 순환

① 탄소의 존재 형태

㉠ 기권 : 이산화탄소(CO_2), 메테인(CH_4)의 형태

㉡ 수권 : 탄산 이온(CO_3^{2-}), 탄산수소 이온(HCO_3^-)의 형태

㉢ 지권 : 암석에 탄산칼슘(석회암($CaCO_3$) : 가장 많은 양), 연료에 탄화수소의 형태

㉣ 생물권 : 유기 화합물의 형태

② 탄소의 순환 과정

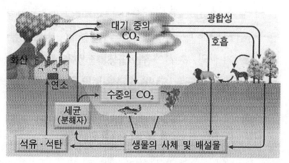

▲ 탄소의 순환

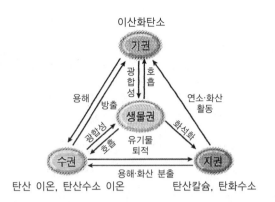

3) 질소의 순환

대기 중의 질소는 번개나 토양 속의 세균에 의해 질산이온(NO_3^-)이나 암모늄이온(NH_4^+)이 되어 식물에 흡수되어 단백질을 만들고, 동물에게 이동한 후 다시 분해자의 활동에 의해 기권으로 이동하여 순환한다.

03. 지권의 변화

(1) 지진과 화산 활동

1) 지각 변동을 일으키는 에너지원 : 지구 내부 에너지

① 지진 : 지구 내부에 축적되었던 에너지의 급격한 방출로 지표면이 흔들리는 현상

② 화산활동 : 마그마가 지각의 약한 부분을 뚫고 지표로 올라오는 현상

→ 용암(마그마에서 기체 빠진 액체), 화산가스, 화산재 등이 분출한다.

2) 세계 3대 지진대와 화산대(변동대)

① 지진대와 화산대는 판의 경계를 따라 대체로 일치한다.

② 주로 대륙의 주변부, 그 중 환태평양 지역에서 가장 활발하다.

– 환태평양 지진대, 알프스–히말라야 지진대, 해령 지진대

◀ 판의 경계와 분포

(2) 지권의 변화와 판 구조론

1) 판 구조론 : 대륙 이동설, 맨틀 대류설, 해저 확장설의 종합적 결론이다.

→ 지구 표면은 여러 개의 판으로 구성, 맨틀 대류에 의해 판들이 이동, 판의 경계에서 지진이나 화산 활동 등 지각 변동이 일어난다는 이론

2) 판의 구조

① 암석권(판) : 지하 100km까지, 지각과 상부 맨틀 일부를 포함한 단단한 부분

대륙판	대륙지각 + 상부 맨틀 일부	두껍다	밀도 작다	화강암질 암석
해양판	해양지각 + 상부 맨틀 일부	얇다	밀도 크다	현무암질 암석

② 연약권 : 지하 100km~400km까지, 상하부 온도차에 의해 맨틀의 대류가 일어난다. → 맨틀 대류 : 판을 이동시키는 원동력이다.

3) 판의 주요 4경계

| 해령(발산형) | 해구(수렴형) | 습곡산맥(수렴형) | 변환단층(보존형) |

4) 판의 경계와 지각 변동

경계 종류		상대적인 특징		형성 지형
발산형 경계	맨틀대류 상승부	판과 판이 멀어지는 경계 (판 생성)	천발지진, 화산활동	동태평양 해령 대서양 중앙 해령
수렴형 경계	맨틀대류 하강부	판과 판이 만나는 경계		
		① 해양판-대륙판 (판 소멸)	천발, 심발지진 화산활동	일본 해구, 칠레 해구 호상열도(일본) 습곡산맥(안데스)
		② 해양판-해양판 (판 소멸)	천발, 심발지진 화산활동	마리아나 해구 호상열도
		③ 대륙판-대륙판 (판 충돌)	천발, 심발지진 화산활동(X)	히말라야, 알프스 대 습곡산맥
보존형 경계	–	판과 판이 어긋나는 경계 (판 생성(X), 소멸(X))	천발지진 화산활동(X)	산안드레아스 단층

(3) 지권의 변화가 지구 시스템에 미치는 영향

  1) 화산 활동이 지구 시스템에 미치는 영향

    ① 용암은 농경지나 건물을 파괴하고, 산불과 인명 피해를 발생시킨다.

    ② 화산 기체로 인해 산성비가 내리고, 토양을 산성화시킨다.

    ③ 용암쇄설물은 지표를 따라 흐르면서 산사태를 발생시킨다.

    ④ 화산재는 햇빛을 가려 지구의 기온을 떨어뜨리고, 식물의 생장을 저하시키며, 항공기의 운항에 차질을 준다.

    ⑤ 이용 : 화산재는 토양을 비옥하게 하고, 유효한 광물 취득, 지열 발전의 이용, 독특한 지형 및 온천은 관광자원이 된다.

  2) 지진이 지구 시스템에 미치는 영향

    ① 도로, 건물, 교량을 파괴시키고, 산사태를 일으켜 인명, 재산 피해를 준다.

    ② 가스관 파괴로 가스 누출, 전선의 합선이나 누전으로 화재를 발생시킨다.

    ③ 해저 지진으로 인한 해일(쓰나미)이 발생해 인명, 재산 피해를 준다.

3   생명 시스템

01. 생명 시스템의 기본 단위

(1) 생명 시스템과 세포

  1) 세포 : 생명 시스템을 구성하는 구조적, 기능적 단위이다.

  2) 생명 시스템의 구성 단계 : 세포 → 조직 → 기관 → 개체

구성 단계	특 징
세포	생명 시스템의 구조적, 기능적 단위
조직	모양과 기능이 비슷한 세포들의 모임
기관	여러 조직이 모여 고유한 형태와 기능을 유지
개체	여러 기관이 모여 독립적인 생명 활동을 하는 생명체

  3) 동물과 식물의 구성 단계

    ① 동물 : 세포 → 조직 → 기관 → 기관계 → 개체

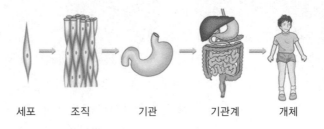

| 세포 | 조직 | 기관 | 기관계 | 개체 |

② 식물 : 세포 → 조직 → 조직계 → 기관 → 개체

(2) 세포의 구조와 기능

1) 세포의 구조

▲ 동물세포 　　　　　 ▲ 식물세포

2) 세포의 기능

소기관	기 능
핵	DNA가 유전 정보를 저장하며, 세포의 생명 활동을 조절한다.
리보솜	DNA의 유전 정보에 따라 단백질을 합성한다.
소포체	리보솜에서 합성한 단백질을 골지체나 다른 곳으로 운반하는 물질의 이동 통로이다.
골지체	소포체에서 전달받은 단백질을 막으로 싸서 세포 밖으로 분비한다.
세포막	세포를 둘러싸는 막으로, 세포 안팎으로 물질의 출입을 조절한다.
엽록체	광합성을 통해 빛에너지를 흡수하여 포도당을 합성한다.
미토콘드리아	세포 호흡이 일어나는 장소로 포도당을 분해하여 에너지를 생성한다.
세포벽	식물 세포에서 세포막 바깥을 둘러싸며, 세포의 모양 유지 및 세포를 보호한다.
액포	물, 색소, 노폐물 등을 저장하며, 성숙한 식물 세포에서 크게 발달한다.

(3) 세포막의 기능

1) 세포막의 구조

① 세포막의 주성분 : 인지질, 단백질

② 세포막의 구조 : 인지질 2중층에 단백질이 파묻혀 있거나 관통하고 있는 구조이다.

③ 인지질은 친수성인 머리 부분이 물이 많은 세포의 안쪽과 바깥쪽을 향하고, 소수성인 꼬리 부분이 서로 마주보며 2중층을 이룬다.

④ 세포막은 유동성이 있어 인지질의 움직임에 따라 단백질의 위치가 바뀐다.

2) 세포막을 통한 물질의 출입 : 물질의 종류에 따라 선택적 투과성을 나타낸다.

① 확산 : 세포막을 경계로 농도가 높은 쪽에서 낮은 쪽으로 분자가 이동하는 현상

　㉠ 인지질 2중층을 통한 확산 : 분자 크기가 작은 기체인 산소, 이산화탄소, 지용성 물질

　　예 폐포와 모세 혈관 사이의 O_2와 CO_2의 교환

　㉡ 막 단백질을 통한 확산 : 전하를 띠는 이온, 분자 크기가 큰 포도당, 아미노산, 수용성 물질

　　예 혈액 속의 포도당이 조직 세포로 확산

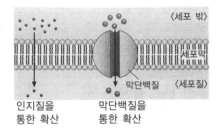

인지질을　　막단백질을
통한 확산　　통한 확산

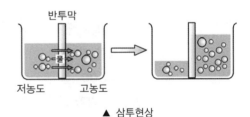

▲ 삼투현상

② 삼투 : 세포막을 경계로 농도가 낮은 쪽에서 높은 쪽으로 물이 이동하는 현상

　– 물은 크기가 작으므로 단백질을 통해서도, 인지질 2중층을 통해서도 이동한다.

　㉠ 콩팥의 세뇨관에서 모세혈관으로 물의 재흡수

　㉡ 식물의 토양에서 뿌리털을 통한 물의 흡수

　㉢ 삼투에 의한 적혈구의 모양 변화

고장액	등장액	저장액
5%식염수	0.9%식염수	0.5%식염수
적혈구가 수축됨	변화 없음	적혈구가 팽창

02. 물질대사와 생체 촉매(효소)

(1) 물질대사와 반응

1) 물질대사

① 생명 활동을 위해 생물체 내에서 일어나는 모든 화학 반응을 말한다.

② 동화 작용과 이화 작용이 있으며, 에너지가 출입한다.

③ 물질 대사에는 반응을 빠르게 도와주는 생체 촉매(효소)가 관여한다.

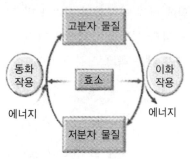

▲ 동화작용과 이화작용

동화 작용	이화 작용
물질의 합성 반응	물질의 분해 반응
저분자 → 고분자	고분자 → 저분자
흡열 반응	발열 반응
효소 관여	효소 관여
광합성, 단백질 합성	세포 호흡, 소화

$$CO_2 + H_2O \underset{\text{(세포 호흡) 열E}}{\overset{\text{(광합성) 빛E}}{\rightleftarrows}} C_6H_{12}O_6 + O_2$$

2) 광합성

① 식물의 엽록체에서 무기물로부터 유기물인 포도당을 합성하는 반응이다.

② 빛에너지를 화학에너지로 저장하는 흡열 반응이다.

③ 대기 중의 CO_2 를 흡수하고(온난화 방지), O_2 를 방출한다.

※ **광합성의 영향 요인** : 빛의 세기, 빛의 파장(적색, 청색광), 온도, CO_2 농도

3) 세포 호흡

① 세포내 미토콘드리아에서 포도당이 세포 호흡을 통해 산화되어 에너지를 생성한다.

② 생성된 에너지는 체온유지에 사용되고, 일부는 ATP에 저장되어 생명활동에 이용된다.

③ 대기 중의 O_2 를 흡수하고, CO_2 를 방출한다.

4) 물질대사 중 하나인 세포 호흡과 연소의 비교

구분	세포 호흡	연소
반응 온도	체온 범위(37℃)	고온(400℃ 이상)
반응 단계	반응이 여러 단계에 걸쳐 진행	반응이 한 번에 진행
에너지 출입	에너지 방출(열에너지)	에너지 방출(열, 빛에너지)
촉매 여부	효소가 관여함	관여하지 않음

(2) 생체 촉매(효소)의 작용

1) 생체 촉매(효소) : 생체 내에서 물질대사를 촉진하며, 효소라고도 한다.

2) 효소의 기능

① 효소의 주성분 : 단백질

② 활성화 에너지를 감소시켜, 체온 범위에서도 반응속도를 증가시켜 준다.

> ※ **활성화 에너지** : 화학 반응이 일어나기 위해 필요한 최소한의 에너지

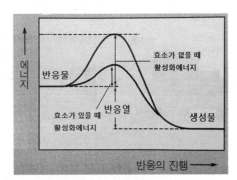

③ 반응열은 반응물과 생성물의 에너지 차이이므로 효소의 사용 여부에 관계없이 일정하다.

3) 효소의 특성과 작용 원리

① 기질 특이성 : 한 종류의 효소는 입체 구조가 맞는 반응물(기질)에만 작용한다.

> 예 아밀레이스는 녹말은 분해하지만 단백질, 지방은 분해하지 못한다.

② 효소는 반응 후에도 변하지 않으므로 반복하여 재사용할 수 있다.

③ 효소는 단백질로 고온에서 변성되며, pH에도 영향을 받는다.

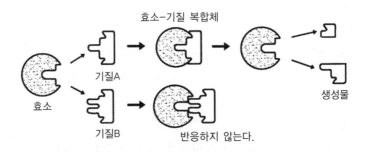

4) 효소의 온도에 따른 작용 실험

과산화수소는 물과 산소로 분해되는데, 감자 즙이나 생간을 넣으면, 카탈레이스가 반응을 빠르게 하는 촉매 작용을 한다. 그러나 삶은 간은 그 기능을 수행하지 못한다.

5) 우리 몸에서 효소의 작용 예

① 음식물 속의 영양소는 소화 효소에 의해 분해되어야 몸속으로 흡수된다.

② 상처로 피가 날 때 혈액 응고 효소의 작용으로 출혈이 멈춘다.

③ 근육, 뼈 등 몸의 구성 성분을 합성하는 데도 효소가 관여한다.

6) 효소의 이용

구분	이용 예
일상생활	식혜 : 엿기름에 들어있는 아밀레이스 효소 이용 발효식품 : 빵, 김치, 된장, 치즈 등 연육제 : 배나 키위 속의 단백질 분해 효소 이용 생활용품 : 효소를 이용한 세제, 치약, 화장품
의약분야	의약품 : 소화 효소를 이용한 소화제 　　　　　혈전 용해 효소를 이용한 혈전 용해제 의료기기 : 포도당 산화 효소를 이용한 요 검사지 　　　　　　포도당 산화 효소를 이용한 혈당 측정기
환경분야	효소를 이용해 옥수수, 사탕수수를 분해하여 바이오 연료 생산 효소를 이용한 생활 하수, 공장 폐수 정화
산업분야	포도주 제조, 인공 감미료 생산, 유전자 재조합의 제한효소나 연결효소

03. 생명 시스템 내에서 정보의 흐름

(1) 염색체와 DNA

1) 염색체

① 염색사 : 핵 속에 있으며, DNA와 단백질로 이루어진 실모양의 구조물이다.

② 염색체 : 세포 분열할 때 수많은 염색사가 응축하여 염색체를 형성한다.

③ 염색체의 특징 : 염색체의 수, 모양 및 크기는 생물의 종에 따라 다르며, 같은 종이라면 서로 같다.

④ 염색체의 종류

　㉠ 상동염색체 : 체세포에 있는 모양과 크기가 같은 2개의 염색체

　㉡ 상염색체 : 암수가 공통으로 갖는 성 결정과 관계없는 염색체

　㉢ 성염색체 : 암수에 따라 성을 결정하는 XX, XY 염색체

　㉣ 사람의 체세포의 염색체 수 : 46개, 생식 세포의 염색체 수 : 23개

2) DNA와 유전자

① DNA는 생물의 형질을 결정하는 유전 정보를 가진 유전자의 본체이다.

② 유전자는 유전 정보가 저장된 DNA의 특정 부분을 말한다.

③ 각 유전자는 특정 단백질의 합성에 관한 유전 정보를 저장하고 있다.

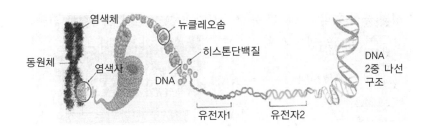

3) **유전자와 단백질** : 유전자에 저장된 유전 정보에 따라 다양한 단백질이 합성되고, 이 단백질에 의해 다양한 형질이 나타나게 된다.

(2) DNA의 구성

1) **DNA의 구성** : 뉴클레오타이드(인산, 당, 염기 = 1 : 1 : 1)로 구성

2) **DNA의 염기 4종류** : 아데닌(A), 구아닌(G), 사이토신(C), 타이민(T)

3) **상보적 결합** : 염기 A는 T와 (A=T), 염기 G는 C와 (G≡C) 결합한다.

4) **DNA의 구조** : 두 가닥의 폴리뉴클레오타이드가 꼬여 → 2중 나선구조 형성

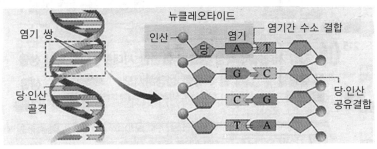

▲ DNA의 구조

(3) 유전 정보의 흐름

1) **유전 정보의 저장** : DNA의 유전 암호에는 특정 단백질을 합성하기 위한 아미노산들의 배열을 결정하는 유전 정보가 들어있다.

2) **DNA의 유전 암호**

① DNA의 염기는 4종류(A, G, C, T)인데, 아미노산은 20종류, 따라서 DNA의 유전 암호는 최소한 20가지가 되어야 한다.

② DNA의 염기 3개가 한조가 되어, 하나의 아미노산을 지정하는 유전 암호가 된다.

③ 유전 암호는 4^3 = 64 개, 그러므로 20가지 아미노산을 모두 지정할 수 있다.

④ 트리플렛코드 : DNA 염기 3개가 한 조가 된 DNA의 유전 암호를 말한다.

3) 생명 중심 원리 : DNA의 유전 정보가 RNA를 거쳐 단백질로 전달된다는 원리

① 유전 정보의 발현과정

$$DNA \xrightarrow{\text{전사}} RNA \xrightarrow{\text{번역}} \text{단백질 합성}$$

② 전사 : DNA의 유전 정보가 핵 속의 RNA로 전달되는 과정이다.

  → DNA의 한쪽 가닥을 주형으로 하여 RNA가 만들어진다.

    (RNA 염기에는 T(타이민)가 없으므로 U(유라실)로 전사된다.)

③ 번역 : RNA의 정보에 따라 세포질의 리보솜에서 최종 단백질이 합성되는 과정이다. → RNA의 코돈이 지정하는 아미노산이 펩타이드 결합으로 연결, 단백질이 합성된다.

④ 코돈(codon) : 아미노산을 지정하는 RNA 염기 3개의 조합, 코돈 또한 64개가 있다.

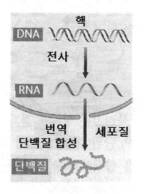
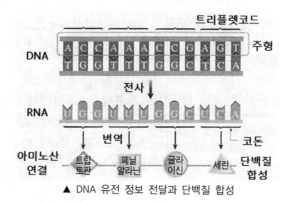

▲ DNA 유전 정보 전달과 단백질 합성

4) 유전 암호의 공통성과 진화

– 지구상의 모든 생명체는 동일한 유전부호 체계를 갖는다. 이는 모든 생명체가 공통 조상으로부터 진화했음을 의미한다.

  예 사람의 유전자를 대장균에 넣으면 전사와 번역을 거쳐 사람의 단백질이 합성된다.

5) 돌연변이

– 유전자의 본체인 DNA의 염기 서열에 이상이 생겨 나타나며, 그 결과 단백질을 구성하는 아미노산의 배열이 바뀌어 비정상적인 단백질을 합성되게 한다.

  예 겸형(낫 모양) 적혈구, 페닐케톤뇨증, 알비노증 등이 있다.

03 변화와 다양성

1 산화와 환원

01. 지구와 생명의 역사를 바꾼 화학 반응

– 광합성, 화석 연료의 연소, 철의 제련 등의 화학 반응은 모두 산소가 관여하는 산화 환원 반응으로 지구 역사에 큰 변화를 가져오게 한 화학 반응들이다.

(1) 산소의 이동에 의한 산화 · 환원 반응 정의

1) 산화 : 물질이 산소를 얻는 반응이다.

$$C + O_2 \longrightarrow CO_2 \qquad\qquad 2Cu + O_2 \longrightarrow 2CuO$$
$$\underset{산화}{\underbrace{\qquad\qquad\qquad}} \qquad\qquad\qquad \underset{산화}{\underbrace{\qquad\qquad\qquad\qquad}}$$

2) 환원 : 물질이 산소를 잃는 반응이다.

$$2CuO \longrightarrow 2Cu + O_2$$
$$\underset{환원}{\underbrace{\qquad\qquad\qquad\qquad}}$$

3) 산화 · 환원 반응의 동시성 : 산화 · 환원 반응은 항상 동시에 일어난다.

- 붉은색의 구리를 가열하면 산화되어 검은색의 산화구리가 된다.
  검은색의 산화구리(Ⅱ)를 탄소와 섞어 다시 가열하면 산화구리는 환원되어 붉은색의 구리가 되고, 탄소는 산화되어 이산화탄소가 된다.
- 이산화탄소의 생성 확인 : 석회수가 뿌옇게 흐려진다.

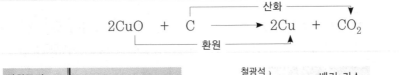

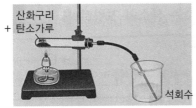

▲ 산화구리의 환원

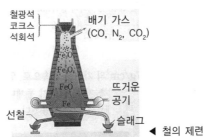

◀ 철의 제련

(2) 산소의 이동에 의한 산화·환원 반응의 종류

1) 광합성과 세포 호흡

광합성	세포 호흡
• 포도당과 산소를 합성하는 반응, 엽록체에서 일어난다.	• 포도당이 산화되어 에너지를 생성하는 반응, 미토콘드리아에서 일어난다.
$6CO_2 + 6H_2O \xrightarrow{} C_6H_{12}O_6 + 6O_2$ (산화 →, 환원 ←)	$C_6H_{12}O_6 + 6O_2 \xrightarrow{} 6CO_2 + 6H_2O + E$ (산화 →, 환원 ←)

2) 화석 연료의 연소

• 연소 : 물질이 산소와 빠르게 반응하여 열과 빛을 내는 현상이다.
• 화석연료(석탄, 석유, 천연가스)는 인류의 주요 에너지원으로 산업혁명과 산업 발달, 교통의 발달을 가져올 수 있게 하였다. 그러나 연소 생성물인 이산화탄소가 지구 온난화의 원인이 되고 있다.
천연가스(메테인)의 연소 : 주성분 C, H $CH_4 + 2O_2 \xrightarrow{} CO_2 + 2H_2O$ (산화 →, 환원 ←)

3) 철의 제련과 부식

① 철의 제련 : 철광석은 산화철(Fe_2O_3)이 주성분으로 산소를 제거해야 철이 된다.
• 인류는 철의 제련으로 무기와 도구를 만들어 사용하면서 철기시대를 열었고, 오늘날에도 철은 산업 전반에 대량 사용되고 있다.
$Fe_2O_3 + 3CO \xrightarrow{} 2Fe + 3CO_2$ (산화 →, 환원 ←)
② 철의 부식 : 철은 공기 중의 산소와 물에 의해 산화되어 붉은색의 녹을 만든다. 따라서 부식을 방지하려면 산소와 물의 접촉을 막는 페인트칠을 하거나 기름칠을 하는 것이 좋다.
$4Fe + 3O_2 + xH_2O \xrightarrow{} Fe_2O_3 \cdot xH_2O$ (산화 →)

(3) 전자의 이동에 의한 산화 · 환원 반응 정의

1) 산화 : 전자를 잃는 반응이다.

2) 환원 : 전자를 얻는 반응이다.

$$Zn \longrightarrow Zn^{2+} + 2e^- \qquad\qquad Cu^{2+} + 2e^- \longrightarrow Cu$$

3) 산화 · 환원 반응의 동시성 : 한 물질이 전자를 잃으면, 다른 물질은 전자를 얻는다.

$$Cu + 2Ag^+ \longrightarrow Cu^{2+} + 2Ag \qquad\qquad Zn + Cu^{2+} \longrightarrow Zn^{2+} + Cu$$

(4) 전자의 이동에 의한 산화 · 환원 반응의 종류

1) 금속과 묽은 염산(HCl)의 반응

① 묽은 염산에서 아연(Zn)은 산화되어 Zn^{2+} 양이온이 되고, 수소이온(H^+)은 환원되어 수소(H_2) 기체가 발생한다.

$$② \quad Zn + 2H^+ \longrightarrow Zn^{2+} + H_2$$

2) 금속과 금속 염 수용액의 반응

① 구리(Cu)와 질산은($AgNO_3$) 수용액의 반응
  – 구리(Cu)는 산화되어 수용액이 푸른색(Cu^{2+})으로 되고, Ag^+ 양이온은 환원되어 구리 표면에 금속 은(Ag)이 석출된다.

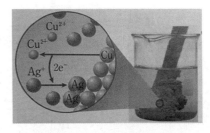

▲ 구리선과 질산은 수용액의 반응

② 아연(Zn)과 황산구리($CuSO_4$)(Ⅱ) 수용액의 반응
  – 아연(Zn)은 산화되어 Zn^{2+}이 되고, 푸른색을 띠던 Cu^{2+} 수용액은 구리 금속(Cu)으로 환원되어 아연판 표면에 석출되므로 푸른색이 점점 옅어진다.

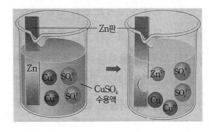

▲ 아연과 황산구리 수용액의 반응

3) 금속과 비금속의 반응

– 나트륨과 염소의 반응 : 금속 나트륨을 염소 기체가 들어 있는 용기에 넣으면 불꽃을 내며 반응한다.

이때, 나트륨은 전자를 잃고 산화되어 양이온(Na^+)이 되고, 비금속인 염소는 전자를 얻고 환원되어 음이온(Cl^-)이 되어, 이온 결합 물질인 염화나트륨($NaCl$)을 생성한다.

$$2Na + Cl_2 \xrightarrow{\qquad\text{산화}\qquad} 2NaCl$$

4) 우리 주변의 기타 산화 · 환원 반응 : 종이의 변색, 과일의 갈변, 음식의 부패, 포도당의 발효, 정수장의 소독, 상처에 바르는 과산화수소수, 김치의 발효, 손난로, 반딧불이의 불빛, 머리의 염색, 섬유의 표백 등

2 산과 염기

01. 산과 염기

(1) 산의 성질

1) 산 : 물에 녹아 이온화하여 수소 이온(H^+)을 내어 놓는 물질이다.

2) 산의 이온화

산	이온화			이온화도
HCl	$\longrightarrow$	H^+ +	Cl^-	0.92
H_2SO_4	$\longrightarrow$	$2H^+$ +	SO_4^{2-}	0.52
H_2CO_3	$\longrightarrow$	$2H^+$ +	CO_3^{2-}	0.0017
CH_3COOH	$\longrightarrow$	H^+ +	CH_3COO^-	0.013
	공통성		특이성	

3) 산의 공통 성질(산성) : 수소 이온(H^+)이 공통이기 때문!

① 수용액은 신맛이 난다.

② 수용액은 전류를 흐르게 하는 전해질이다.

③ 금속과 반응하여 수소(H_2) 기체를 발생시킨다.

$$Mg\ +\ 2HCl\ \rightarrow\ MgCl_2\ +\ H_2$$

④ 달걀(조개)껍데기, 석회석, 대리석의 주성분인 탄산칼슘($CaCO_3$)과 반응하여 이산화탄소를 발생시킨다.

$$CaCO_3\ +\ 2HCl\ \rightarrow\ CaCl_2\ +\ CO_2\ +\ H_2O$$

⑤ 지시약을 변색시킨다.

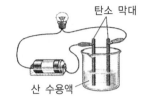

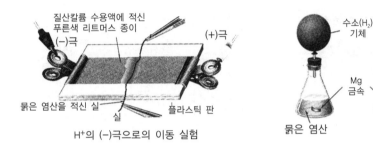

H⁺의 (−)극으로의 이동 실험

4) 우리 주변의 산성 물질

주변의 산성 물질	과일(레몬)	식초	탄산음료	김치, 유산균 음료	진통제
포함된 산	시트르산	아세트산	탄산	젖산	아세틸살리실산

5) 산의 특이성 : 산이 내놓는 음이온이 서로 다르기 때문이다.

(2) 염기의 성질

1) 염기 : 물에 녹아 이온화하여 수산화 이온(OH^-)을 내어 놓는 물질이다.

2) 염기의 이온화

염기	이온화			이온화도
NaOH	$\rightarrow$	Na^+ +	OH^-	0.91
KOH	$\rightarrow$	K^+ +	OH^-	0.91
$Ca(OH)_2$	$\rightarrow$	Ca^{2+} +	$2OH^-$	0.90
NH_4OH	$\rightarrow$	NH_4^+ +	OH^-	0.013
	특이성		공통성	

3) 염기의 공통적 성질(염기성) : 수산화 이온(OH^-)이 공통이기 때문!

① 수용액은 쓴맛이 난다.

② 수용액은 전류를 흐르게 하는 전해질이다.

③ 금속이나 탄산칼슘과 반응하지 않는다.

④ 단백질을 녹이므로 손에 묻으면 미끈거린다.

⑤ 지시약을 변색시킨다.

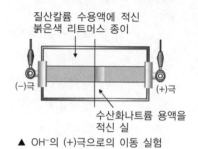

질산칼륨 수용액에 적신 붉은색 리트머스 종이

(−)극   (+)극

수산화나트륨 용액을 적신 실

▲ OH⁻의 (+)극으로의 이동 실험

4) 우리 주변의 염기성 물질

주변의 염기성 물질	비누, 하수구세정제, 유리세정제	베이킹소다	제산제	치약
포함된 염기	수산화나트륨	탄산수소 나트륨	수산화 마그네슘	탄산 나트륨

5) **염기의 특이성** : 염기가 내놓는 양이온이 서로 다르기 때문이다.

(3) 산과 염기의 세기

1) **강산(강염기)** : 수용액에서 대부분 이온화되어 H^+ (OH^-)를 많이 내는 산(염기)

강산 : HCl, H_2SO_4, HNO_3 강염기 : $NaOH$, KOH, $Ca(OH)_2$

2) **약산(약염기)** : 수용액에서 일부만 이온화되어 H^+ (OH^-)를 적게 내는 산(염기)

약산 : CH_3COOH, H_2CO_3 약염기 : NH_4OH, $Mg(OH)_2$

02. 산과 염기의 구별

(1) **지시약** : 수용액의 액성을 판단할 때 사용하는 물질

지시약	산성	중성	염기성
리트머스 종이	붉은색	−	푸른색
메틸오렌지 용액	붉은색	주황색	노란색
페놀프탈레인 용액	무색	무색	붉은색
BTB 용액	노란색	녹색	푸른색

(2) **천연 지시약** : 자주색 양배추, 붉은색 장미꽃, 포도 껍질, 검은 콩 등에서 추출한 용액

(3) **pH** : 수용액에 들어있는 H^+ 농도를 간단한 수치로 나타낸 값이다.

| ·pH 〈 7 : 산성 | ·pH = 7 : 중성 | ·pH 〉 7 : 염기성 |

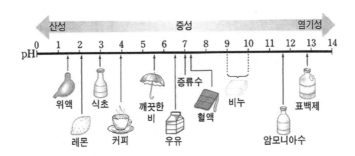

03. 중화 반응

(1) **중화 반응** : 산과 염기가 반응하여 염과 물을 생성하는 반응, 발열 반응이다.

$$산 \ + \ 염기 \ \rightarrow \ 염 \ + \ 물 \ + \ 열$$

(2) **중화 반응식** : 산의 H^+ 이온과 염기의 OH^- 이온이 $1 : 1$ 로 반응한다.

[예] $HCl \ + \ NaOH \ \rightarrow \ NaCl \ + \ H_2O$

> **알짜 반응식 : $H^+ \ + \ OH^- \ \rightarrow \ H_2O$**

1) 혼합 용액의 액성 파악하기

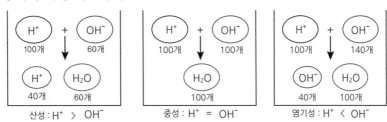

2) 중화점 찾기

[예] 산성 용액에 BTB 지시약을 넣은 경우, 노란색이 녹색으로 변하는 순간에 염기를 가하는 것을 멈춘다. 이때가 중화점이다.

(3) **중화열** : 중화 반응은 발열 반응이므로 열이 발생한다.

1) 반응하는 산의 H^+ 와 염기의 OH^- 수가 많을수록 열이 많이 난다.

2) 완전 중화되었을 때(중화점)가 가장 많은 열이 난다.

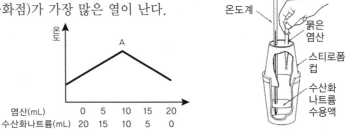

(4) 중화 반응의 이용

1) 개미나 벌에 쏘였을 때 암모니아수(NH_4OH)를 바른다.

2) 위산(pH=2) 과다에 제산제를 복용한다.

3) 산성토양의 중화에 석회 가루를 뿌린다.

4) 생선 비린내 제거에 레몬즙을 뿌린다.

5) 공장의 이산화황 배기가스를 산화칼슘으로 중화시킨다.

6) 비누로 머리 감았을 때, 식초 한 두 방울 탄물로 행군다.

7) 신 김치에 베이킹소다를 넣어 중화시킨다.

8) 식사 후에 입안에 생기는 산성 물질을 치약으로 양치질한다.

3 지질 시대와 진화

01. 화석과 지질 시대

(1) 화석

1) **화석** : 지질 시대에 살았던 생물의 유해나 흔적이 지층 속에 남아 있는 것이다.

　① 화석의 예 : 생물의 발자국, 뼈, 알, 기어간 흔적, 배설물, 빙하나 호박 속에 갇힌 생물 등

　② 화석의 발견 : 셰일, 석회암, 사암 등과 같은 퇴적암 속에서 발견된다.

　③ 화석의 생성 조건 : 단단한 뼈나 껍데기가 있고, 개체수가 많고, 빨리 묻히고, 지각 변동을 적게 받을수록 화석으로 남기 쉽다.

2) **화석의 구분**

　① 표준 화석 : 넓은 범위에 걸쳐 짧은 기간 동안 생존한 생물 화석으로, 지질 시대의 구분에 이용된다.

　　예 삼엽충, 공룡, 매머드 등

　② 시상 화석 : 좁은 범위의 특정한 환경에서 서식하고 있는 생물 화석으로, 환경에 대한 정보를 제공해 준다.

　　예 고사리, 산호, 조개 등

구분	표준 화석			시상 화석		
정의	지층의 생성 시대를 알려주는 화석			지층의 생성 당시 환경을 알려주는 화석		
조건	생존 기간이 짧고, 분포 면적이 넓다.			생존 기간이 길고, 분포 면적이 좁다.		
화석	삼엽충 갑주어 / 필석 방추충	공룡 암모나이트 / 시조새	화폐석 / 매머드	고사리 / 따뜻하고 습한 육지	산호 / 따뜻하고 얕은 바다	조개 / 얕은 바다나 갯벌
				활엽수		침엽수
시대 및 환경	고생대	중생대	신생대	강수량이 많고 습한 육지		강수량이 적고 습도가 낮은 육지

(2) 화석으로 알 수 있는 것

1) 지층 생성 시대와 당시의 환경 : 표준 화석과 시상 화석으로 알 수 있다.

2) 지층의 대비 : 표준 화석을 이용하여 멀리 떨어진 두 지층을 비교할 수 있다.

3) 과거의 수륙 분포 : 화석을 통해 지층 생성 당시에 그 지역이 육지 환경이었는지 바다 환경이었는지 등을 알 수 있다.

4) 대륙의 이동 : 멀리 떨어진 대륙의 화석들을 비교하여 대륙이 어떻게 이동했는지를 알 수 있다.

5) 지층의 융기 : 강원도 삼척의 삼엽충, 히말라야의 암모나이트 화석을 통해 지층이 융기했음을 알 수 있다.

6) 생물 진화 과정 : 생성 연대가 다른 지층에서 발견되는 화석으로 생물의 진화 정도를 알 수 있다.

예 시조새의 화석 : 파충류와 조류의 중간형

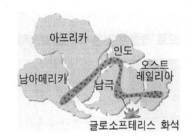

글로소프테리스 화석

02. 지질 시대의 환경과 생물

(1) 지질 시대의 구분

1) 지질 시대 : 지구가 탄생한 46억 년 전부터 현재까지의 지구의 역사를 말한다.

① 지구 환경의 급격한 변화로 인한 생물계의 변화를 기준으로 구분한다.

② 지질 시대의 길이 : 선캄브리아대가 전체 지질 시대의 약 87%를 차지한다.

2) 지질 시대의 수륙 분포

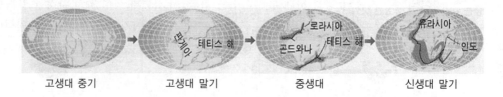

| 고생대 중기 | 고생대 말기 | 중생대 | 신생대 말기 |

3) 지질 시대의 생물

① 선캄브리아대 : 46억 년~5억4천만 년
- 바다에서 최초로 단세포 생물과 원시 해조류 등이 출현하였다.
- 광합성을 하는 남세균의 출현으로 산소량이 증가하였고, 산출되는 화석은 남세균이 쌓여 형성된 스트로마톨라이트가 대표적이다.

② 고생대 : 5억4천만 년~2억5천만 년
- 대기에 오존층의 형성으로 육상 생물이 출현하였다.
- 선캄브리아대에 비해 생물종이 급격히 증가하여 다양한 화석이 산출된다.
- 말기에 판게아 형성, 화산 분출, 빙하기 등으로 생물의 대량 멸종이 있었다.

바다	무척추 동물(삼엽충, 필석, 방추충, 완족류), 어류(갑주어) 번성
육지	양서류, 곤충류, 양치식물(고사리) 번성 양치식물이 대량 묻혀 석탄층 형성

③ 중생대 : 2억5천만 년~6천5백만 년
- 동물로는 암모나이트와 파충류, 식물로는 겉씨식물이 크게 번성하였다.
- 말기에 운석의 충돌로 암모나이트와 공룡 등의 생물이 대량 멸종하였다.

바다	암모나이트 번성
육지	파충류 시대(공룡), 시조새, 겉씨식물(은행, 소나무, 소철) 번성

④ 신생대 : 6천5백만 년~1만 년 전
- 동물로는 포유류, 식물로는 속씨식물이 번성하였다.
- 말기에 인류의 조상이 출현하였다.

바다	대형 유공충인 화폐석 번성
육지	포유류 시대(매머드), 조류, 속씨식물(밤나무, 참나무) 번성, 인류의 직계 조상 출현

(2) 대멸종과 생물 다양성

1) 대멸종의 원인

① 지질 시대에는 5번의 대멸종이 있었다.

② 원인 : 수륙 분포와 해수면의 변화, 대륙의 이동에 따른 대규모의 지진과 화산 활동, 빙하기 같은 기후 변화, 운석 충돌로 추정한다.

큰 규모	시기	특징
3차 대멸종	고생대 말	판게아 형성, 빙하기 등으로 역사상 가장 큰 규모의 대멸종, 중생대가 시작되게 함
5차 대멸종	중생대 말	운석의 충돌로 대멸종, 신생대가 시작되게 함

2) 대멸종과 생물 다양성

지구 환경의 급격한 변화는 대멸종의 원인이 되지만, 살아남은 생물은 다양한 종으로 분화되고 진화하여 새로운 생태계, 즉 생물 다양성을 증가시켰다.

4 생물 다양성과 유지

01. 생물의 진화

(1) 진화와 변이

1) **진화** : 생물이 오랜 시간동안 환경에 적응하여 변화하는 현상을 말한다.

2) **변이** : 같은 종의 개체 사이에서 나타나는 습성, 형태 등의 형질의 차이를 말한다.

① 완두의 모양 차이, 달팽이의 무늬 차이, 무당벌레의 무늬 차이 등

② 형질을 결정하는 대립 유전자의 차이에 의해 나타나므로 자손에게 전달된다.

③ 여러 세대에 걸쳐 변이가 전달되고 쌓여 진화가 일어나므로, 변이는 진화를 일으키는 원동력이 된다.

3) **유전적 변이의 원인** : 돌연변이와 생식 세포의 다양한 조합(유성생식)에 의해 일어난다.

구분	돌연변이	유성생식
개념	유전 물질(DNA)에 변화가 일어나 부모에 없던 형질이 자손에 나타나는 현상	암수의 생식 세포 수정으로 다양한 형질의 자손이 만들어짐

구분	돌연변이	유성생식
특징	새로운 대립 유전자가 만들어져 새로운 형질을 가진 자손이 나타날 수 있다.	부모의 유전자가 다양하게 조합되어 부모와 다른 형질의 자손이 나타날 수 있다.
예	붉은 분꽃(RR)의 무리에서 돌연변이가 일어나 흰 분꽃(WW)이 나타났다.	붉은 분꽃(RR)과 흰 분꽃(WW) 사이에서 분홍 꽃(RW)이 나타났다.

(2) 다윈의 진화론

1) 자연 선택에 의한 기린의 진화

기린의 목이 길어지게 된 진화 과정	
변이	기린의 집단 내에는 목 길이가 다양한 개체들이 존재하였다.
생존 경쟁	한정된 먹이, 서식 공간을 두고 생존 경쟁이 일어났다.
자연 선택	지상의 먹이가 고갈되자 좀 더 높은 곳의 먹이를 먹을 수 있는 목이 긴 개체가 살아남아 목이 긴 형질을 자손에게 전달하였다.
진화	여러 세대가 지나면서 반복되어 긴 목을 갖는 기린으로 진화하였다.

▲ 다윈의 자연 선택설

2) 자연 선택에 의한 핀치새의 진화

크고 단단한 씨앗을 맺는 나무가 서식하는 섬에서 큰부리땅핀치의 진화 과정	
변이	부리 모양이 다양한 핀치 무리가 살고 있었다.
생존 경쟁	크고 단단한 씨앗에 대한 먹이 경쟁이 일어났다.
자연 선택	크고 단단한 씨앗을 잘 깨뜨릴 수 있는, 크고 두꺼운 부리를 가진 개체가 살아남아 형질을 자손에게 물려주었다.
진화	여러 세대가 지나면서 반복되어 오늘날 큰부리땅핀치로 진화하였다.

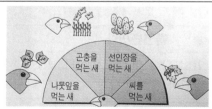

▲ 다양한 부리의 핀치새

3) 자연 선택에 의한 낫모양 적혈구의 진화

낫모양 적혈구는 보통의 지역에서는 심한 빈혈 때문에 생존에 불리하지만, 말라리아가 발생하는 아프리카의 일부 지역에서는 낫모양 적혈구를 가진 사람이 말라리아에 저항성이 있어서, 오히려 생존에 유

▲ 정상 적혈구　　▲ 겸형 적혈구

리하므로 자연 선택이 되어 인구 중 다수를 차지하게 되었다.

4) 자연 선택에 의한 항생제 내성 세균의 진화

세균 집단에서 변이가 발생하여 항생제 내성 세균이 나타나고, 지속적으로 항생제가 사용되는 환경에서 생존에 유리하므로, 자연 선택이 되어 점점 항생제 내성 세균의 비율이 높아지고 있다.

(3) 다양한 생물의 출현과 생명체의 출현 가설

1) 다양한 생물체의 출현과 진화

지구 환경의 변화는 자연 선택에 영향을 주므로, 다양한 생물 종을 형성시켰다.

2) 지구 생명체의 출현 가설

① 생명체의 출현 과정

무기물 → 간단한 유기물 → 복잡한 유기물 → 원시 세포 → 원시 생명체 → 진화

② 3가지 출현 가설

㉠ 화학 진화설 : 원시 대기에서 화학 반응에 의해 무기물로부터 간단한 유기물인 아미노산이 합성되면서 생명체 탄생이 시작되었다는 가설이다. 원시 대기 성분과 유사한 조건에서 수행한 밀러의 실험 결과에 의해 지지된다.

㉡ 심해 열수구설 : 심해 열수구에서 화학 반응이 일어나 유기물이 생성되었고, 이로 인해 생명체가 탄생했다는 가설이다. 열수구는 온도가 높아 에너지가 풍부하며, 다양한 물질이 존재한다는 사실에 의해 지지된다.

㉢ 외계 유입설 : 우주에서 만들어진 유기물이 운석을 통해 지구로 운반되어 시작되었다는 가설이다. 지구에 떨어진 운석에 아미노산 같은 유기물이 포함된 사실에 의해 지지된다.

02. 생물 다양성

(1) 생물 다양성

일정한 생태계에 존재하는 생물의 다양한 정도를 말하며, 유전적 다양성, 종 다양성, 생태계 다양성을 모두 포함하는 개념이다.

1) 유전적 다양성 : 같은 생물종이라도 형질을 결정하는 유전자의 다양한 정도를 말한다.

예 ① 터키 달팽이는 개체마다 껍데기의 무늬와 색이 다양하다.

② 채프먼얼룩말은 개체마다 털 줄무늬가 다양하다.

2) 종 다양성 : 어느 지역에 생물종이 얼마나 많이 고르게 분포하며 서식하는가를 말한다.

3) 생태계 다양성 : 어느 지역의 생태계(산림, 초원, 하천 등)의 다양한 정도를 말한다.

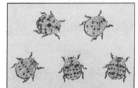  

▲ 유전적 다양성　　　▲ 종 다양성　　　▲ 생태계 다양성

(2) 생물 다양성의 중요성과 생물 자원의 이용

1) 생물 다양성의 중요성

① 유전적 다양성의 중요성 : 유전적 다양성이 높은 집단은 개체들의 형질이 다양하므로, 환경 변화에 대한 적응력이 높아 멸종할 확률이 낮다.

예 현재 재배되는 식용 바나나는 '캐번디시'라는 단일 품종으로, 유전적 다양성이 낮아 특정 곰팡이에 의한 질병으로 멸종 위기에 처해 있다.

② 종 다양성의 중요성 : 종 다양성이 높은 생태계는 먹이 사슬이 복잡하게 형성된다. 따라서 어느 한 종이 멸종되어도 생태계가 안정적으로 유지된다.

▶ 위험한 생태계　　　◀ 안정된 생태계

③ 생태계 다양성의 중요성 : 생태계 다양성이 높은 지역에는 다양한 환경 조건이 존재한다. 따라서 서로 다른 환경에 적응하여 다양한 종이 진화할 수 있으며, 그 결과 유전적 다양성과 종 다양성이 높아진다.

2) 생물 다양성과 생물 자원의 이용

자원의 종류	이용
식량	쌀, 보리, 옥수수, 콩 등의 식물과 소, 돼지, 닭 등의 동물
의복	목화, 누에고치 등
의약품	버드나무(아스피린), 푸른 곰팡이(페니실린), 주목나무(택솔)
목재	소나무, 참나무 등
유전자 자원	해충 저항성 유전자를 이용한 농작물 개발 등
관광 자원	국립공원, 수목원 등

(3) 생물 다양성의 감소 원인과 보전

1) 생물 다양성의 감소 원인

① 서식지 파괴 : 농지 확장, 삼림 벌채, 도시 개발, 습지 매립 등으로 생물의 서식지가 감소되거나 없어진다.

② 서식지 단편화 : 도로나 철도 건설 등으로 대규모의 서식지가 소규모로 분할된다.

③ 불법 포획과 남획 : 불법 포획과 남획으로 특정 생물종이 멸종되거나 개체수가 감소될 수 있다.(아프리카 코끼리, 호랑이, 늑대, 여우)

④ 외래종 도입 : 외래종은 천적이 없으면 대량 번식할 수 있어 고유종의 생존을 위협한다.(배스, 가시박)

⑤ 환경 오염 : 농약, 생활하수, 공장 폐수, 화석 연료 사용에 의한 배기 가스(산성비) 등으로 인해 생물 다양성이 감소한다.

2) 생물 다양성의 보전 방안

① 사회적 : 에너지 절약, 자원 재활용, 친환경 저탄소 제품의 사용

② 국가적 : 서식지 보전, 단편화된 서식지 연결(생태 통로), 멸종 위기 종의 보전, 국립공원 지정, 종자 은행을 통한 복원사업

③ 국제적 : 각종 협약을 체결해 생물 다양성을 보전한다.(생물 다양성 협약, 람사르 협약, 런던 협약 등)

04 환경과 에너지

1 생태계와 환경

01. 생태계의 구성과 환경

(1) 생태계의 구성

1) 생태계 : 생물과 환경이 서로 상호 작용하며 유지되는 체계

① 개체 : 독립된 하나의 생명체

② 개체군 : 동일한 종의 개체들로 이루어진 집단

③ 군집 : 여러 개체군이 서로 관계를 맺고 살아가는 집단

▲ 생태계

2) 생태계 구성 요인

① 생물적 요인 : 생산자, 소비자, 분해자 등 모든 생물을 말한다.

ㄱ 생산자 : 태양의 빛 에너지를 이용하여 유기물을 합성하는 생물

예 녹색식물, 해조류, 식물성 플랑크톤

ㄴ 소비자 : 다른 생물을 먹이로 섭취해 양분을 얻는 생물

예 초식 동물(1차 소비자), 육식 동물(2, 3차 소비자)

ㄷ 분해자 : 생물의 사체나 배설물을 분해하여 에너지를 얻는 생물

예 세균, 버섯, 곰팡이

② 비생물적 요인 : 환경 요인으로 빛, 토양, 물, 공기, 온도 등이 있다.

3) 생태계 구성 요소 간의 관계

① 작용 : 비생물 요소가 생물 요소에 영향을 주는 것

- 기온이 낮아지면 은행잎이 노래진다.

- 토양에 양분이 풍부해지면 식물이 잘 자란다.

② 반작용 : 생물 요소가 비생물 요소에 영향을 주는 것
- 지렁이가 토양의 통기성을 높인다.
- 낙엽이 쌓여 토양이 비옥해진다.
③ 상호 작용 : 생물과 생물 사이에 영향을 주고받는 것
- 스라소니 수가 증가하면 토끼 수가 감소한다.
- 개구리의 수가 증가하면 메뚜기 수가 감소한다.

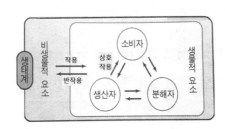

◀ 생태계 구성 요소 간의 관계

(2) 생물과 환경의 상호 작용

1) 빛과 생물

① 빛 세기와 생물 : 강한 빛을 받는 잎은 울타리 조직이 발달해 잎이 두껍고 좁은 반면, 약한 빛을 받는 잎은 빛을 효율적으로 흡수하기 위해 잎이 얇고 넓다.
② 빛 파장과 생물 : 물의 깊이에 따라 빛의 파장이 다르게 도달하기 때문이다.
- 얕은 곳에는 파장이 긴 적색광을 주로 이용하는 녹조류가 분포한다.
- 깊은 곳에는 파장이 짧은 청색광을 이용하는 홍조류가 많이 분포한다.

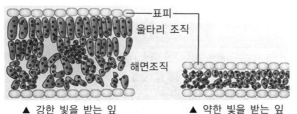

▲ 강한 빛을 받는 잎　　▲ 약한 빛을 받는 잎

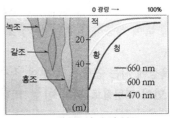

▲ 해조류의 수직 분포

③ 일조 시간과 생물 : 일조 시간도 동물의 생식과 식물의 개화에 영향을 준다.
　㉠ 꾀꼬리와 종달새는 일조 시간이 길어지는 봄에 번식하고, 송어와 노루는 일조 시간이 짧아지는 가을에 번식한다.
　㉡ 붓꽃은 일조 시간이 길어지는 봄과 초여름에 꽃이 피고, 코스모스는 일조 시간이 짧아지는 가을에 꽃이 핀다.

2) 온도와 생물

① 동물의 적응

  ㉠ 개구리 같은 변온 동물(양서류, 파충류)은 물질대사가 원활하지 않아 겨울잠을 잔다.

  ㉡ 곰과 같은 일부 정온 동물은 먹이가 부족한 겨울에 에너지 소모를 줄이려고 겨울잠을 잔다.

  ㉢ 추운 지방에 사는 정온 동물은 깃털이나 털이 발달되어 있고, 피하 지방층이 두꺼워 몸의 열 방출을 막는다.

  ㉣ 포유류는 서식지에 따라 몸집의 크기와 귀와 같은 몸 말단부의 크기가 다르다.

  ㉤ 일부 동물은 계절에 따라 몸의 크기, 형태, 색이 달라지는 계절형이 존재한다.

북극여우(한대)   붉은여우(온대)   사막여우(열대)

② 식물의 적응

  ㉠ 툰드라에 사는 털송이풀은 잎이나 꽃에 털이 있어 체온이 낮아지는 것을 막는다.

  ㉡ 낙엽수는 겨울의 추위를 견디기 위해 단풍이 들고 잎을 떨구지만, 상록수는 잎의 큐티클층이 두꺼워 잎을 떨구지 않고 겨울을 난다.

3) 물과 생물

① 동물의 적응

  ㉠ 곤충은 몸 표면이 키틴질로, 파충류는 비늘로 덮여 있어 수분 손실을 막는다.

  ㉡ 조류와 파충류의 알은 단단한 껍질로 쌓여 수분 손실을 막는다.

② 식물의 적응

  ㉠ 육상 식물은 뿌리, 줄기, 잎이 발달해 있지만, 수련같이 물속에서 사는 식물은 관다발이나 뿌리가 발달하지 않았다.

  ㉡ 건조 지역의 식물은 저수 조직이 발달해 있고, 잎이 가시로 변해 수분 증발을 막는다.

4) 토양과 생물

① 지렁이, 두더지 등은 토양을 돌아다니며 통기성을 높여, 산소가 필요한 식물이나 미생물에 좋은 환경을 제공한다.

② 토양 속 미생물은 동식물의 사체나 배설물을 분해하여 다른 생물에게 양분을 제공하거나 비생물 환경으로 돌려보낸다.

③ 식충 식물은 토양에 부족한 질소를 얻기 위해 곤충을 잡는다.

5) 공기와 생물

① 연꽃은 호흡을 돕기 위해 줄기에 공기가 흐르는 조직이 있다.

② 산소 호흡 세균은 공기가 많은 토양에, 무산소 호흡 세균은 공기가 적게 포함된 토양에 서식한다.

02. 생태계 평형

(1) 생태계 평형의 유지

1) 생태계 평형 : 생태계를 구성하는 생물의 종류와 개체수, 물질의 양, 에너지의 흐름이 일정하게 유지되는 안정된 생태계를 말한다.

2) 먹이 사슬에 의한 생태계 평형의 유지

① 생태계 평형이 유지되려면 생태계 구성 요소인 생물 군집이 유지되어야 한다.

② 생물 군집의 생존에는 에너지가 필요한데, 이는 생산자의 광합성에 의해 저장된 유기물이 먹이 관계에 의해 한 영양 단계에서 다음의 영양 단계로 전달되므로 가능해진다.

→ 먹이 관계는 생태계 평형을 유지하는 데 있어서 매우 중요하다.

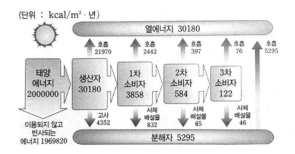

3) 생태 피라미드

① 먹이 관계에 의해 에너지가 전달될 때 한 영양 단계의 에너지 중 일부만이 다음 영양 단계로 이동하기 때문에 평형을 이룬 안정한 생태계에서 에너지양은 상위 영양 단계로 갈수록 감소하는 피라미드 형태가 된다.

② 일반적으로 안정한 생태계는 에너지 양 뿐만 아니라 개체수, 생물량도 상위 영양 단계로 갈수록 감소하는 피라미드 형태를 나타낸다.

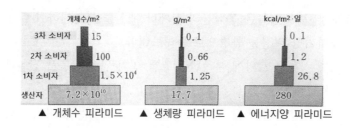

개체수/m²		g/m²		kcal/m²·일	
3차 소비자	15		0.1		0.1
2차 소비자	100		0.66		1.2
1차 소비자	$1.5×10^4$		1.25		26.8
생산자	$7.2×10^{10}$		17.7		280

▲ 개체수 피라미드　　▲ 생체량 피라미드　　▲ 에너지양 피라미드

4) 생태계 평형의 회복

→ 안정된 생태계는 환경이 변해 일시적으로 평형이 깨지더라도 시간이 지나면 먹이 사슬에 의해 대부분 생태계 평형이 회복된다.

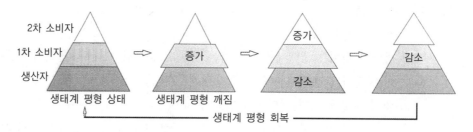

(2) 환경 변화와 생태계

1) 생태계 평형을 깨뜨리는 환경 변화 요인

① 자연재해 : 홍수, 산사태, 지진, 화산 폭발, 산불 등에 의해 서식지가 사라지면 먹이 그물에 변화가 생겨 생태계 평형이 깨지게 된다.

② 인간의 활동 : 인구의 증가와 도시화 등으로 인한 무분별한 개발이나 환경오염은 생태계 평형을 깨뜨릴 수 있다.

무분별한 벌목	숲의 생태계를 파괴하고, 토양이 쉽게 침식되게 한다.
경작지 개발	식량 생산을 위해 숲이나 평원을 경작지로 개발할 경우, 서식지가 사라지고, 생태계가 단순해진다.
도시화	도시와 도로 건설 등으로 생물 서식지가 파괴되고 분리된다. 무질서한 건축으로 공기가 순환하지 못해 오염 물질이 쌓이고 기온이 높아지는 열섬 현상이 나타난다.
대기 오염	자동차 배기 가스는 호흡기 질환과 산성비의 원인이 되고, 화석 연료의 과도한 사용으로 지구 온난화가 심화된다.
수질 오염	생활 하수, 축산 폐수 등이 적조, 녹조를 일으켜 해양 생태계를 파괴하고, 공장 폐수의 중금속은 생물 농축을 일으킨다.

2) 생태계 보전을 위한 노력

① 멸종 위기에 처한 생물을 천연 기념물로 지정한다.

② 도로나 댐 건설 등으로 나누어진 서식지를 생태 통로로 연결한다.

③ 생물의 서식 환경이 훼손된 하천을 생태 하천 복원 사업으로 회복시킨다.

④ 생물 다양성이 풍부하여 보전 가치가 있는 곳을 국립공원으로 지정하여 보호한다.

⑤ 도시의 열섬 현상을 완화하기 위해 옥상 정원을 설치하고, 도시 중심부에 숲을 조성한다.

⑥ 무분별한 개발을 제도적으로 규제하기 위한 환경 관련 법률을 제정한다.

2 지구 환경 변화

01. 기후 변화와 온난화

(1) 기후 변화

1) 일기(기상)와 기후

① 일기(날씨) : 어느 지역에 매일 나타나는 기온, 강수량, 바람과 같은 대기의 상태

② 기후 : 어떤 지역에 장시간에 걸쳐 나타나는 평균적인 대기의 상태

2) 과거의 기후 조사 방법

① 빙하 코어 연구 : 빙하 속에 갇힌 공기와 산소 동위 원소비($^{18}O/^{16}O$) 조사

② 나무의 나이테 연구 : 기온이 높고 강수량이 많으면 나이테 간격이 넓다.

③ 화석 연구 : 과거 생물의 화석을 통해 기후를 알 수 있다.

④ 지층의 퇴적물 연구 : 퇴적물 속의 꽃가루 및 미생물을 통해 기후를 알 수 있다.

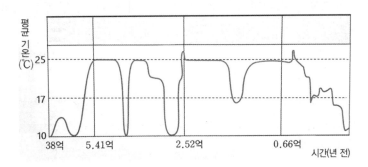

3) 기후 변화의 원인

① 외적 요인 : 태양 활동의 변화, 자전축 기울기의 변화, 자전축 경사 방향의 변화, 지구 공전 궤도 모양의 변화 등

② 내적 요인 : 화산 분출에 의한 대기 투과율 변화, 수륙 분포에 따른 해류의 변화, 빙하의 면적, 산림 파괴, 댐 건설 등에 따른 지표면의 반사율 변화, 인간 활동에 의한 대기 중 이산화탄소 농도의 변화(온난화) 등

(2) 온실 효과와 지구 온난화

1) 온실 효과 : 지구 대기는 주로 가시광선 영역인 태양 복사는 잘 통과시키지만, 지구가 방출하는 적외선 영역인 지구 복사는 일부를 흡수하였다가 지표로 재복사하여 지표면의 온도를 상승시키는데 이를 온실 효과라 한다.

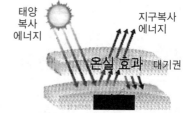

① 온실 기체 : 이산화탄소, 메테인, 수증기, 오존 등

② 온실 효과에 가장 큰 영향을 주는 기체 : 이산화탄소(CO_2)

2) 지구 온난화 : 대기에 온실 기체의 양 증가로 온실 효과가 증대되는 현상이다.

① 지구 온난화의 가장 큰 원인 : 화석 연료 사용 증가에 따른 이산화탄소의 증가

② 지구 온난화의 영향 : 빙하의 융해, 해수면 상승, 저지대 침수, 육지 면적 감소, 강수량과 식생 분포 변화, 사막 증가, 이상 기후, 생태계 변화, 생물 다양성 감소, 질병의 증가

③ 지구 온난화 방지 대책 : 화석 연료 사용 억제, 신·재생에너지 개발, CO_2 처리 방법 연구, 에너지 절약, 저탄소 녹색성장 정책, 산림 보호 및 산림 면적 확대, 국가 간 협력, 유엔기후변화협약(UNFCCC)

④ 한반도의 지구 온난화 : 동식물의 서식지 변화, 봄꽃 개화 시기 변화, 계절 길이 변화 등

(3) 대기와 해수의 순환

1) 지구의 복사 평형

① 지구는 각 지역별로 흡수하고 방출하는 에너지가 다르다.

② 그러나 전체적으로는 복사 평형을 이루어 지구의 평균 기온은 일정하게 유지되고 있다.

2) 위도별 에너지 불균형

위도	태양 복사 에너지와 지구 복사 에너지 비교	에너지 상태
저위도	태양 복사 에너지양 〉 지구 복사 에너지양	과잉
고위도	태양 복사 에너지양 〈 지구 복사 에너지양	부족

※ 대기와 해수의 순환 : 저위도의 남는 에너지를 고위도로 운반하는 역할을 한다.

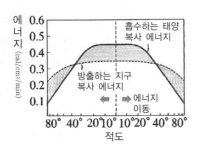 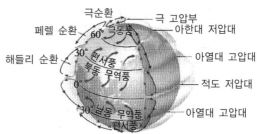

3) 대기 대순환 : 고위도와 저위도의 에너지 불균형에 의해 대기 대순환이 발생한다.

① 해들리 순환 : 위도 0°~30°, 무역풍 형성

② 페렐 순환 : 위도 30°~60°, 편서풍 형성

③ 극순환 : 위도 30°~90°, 극동풍 형성

4) 해수의 순환 : 해수면에 지속적으로 부는 바람 때문이다.

① 해류의 종류

　　㉠ 무역풍대 해류 : 북적도 해류, 남적도 해류

　　㉡ 편서풍대 해류 : 북태평양 해류, 남극 순환류

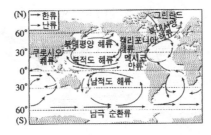

② 순환의 방향 : 북반구는 시계 방향, 남반구는 반시계 방향

③ 난류와 한류

구분	이동 방향	종류	수온	염분	산소
난류	저위도 → 고위도	쿠로시오 해류	높다	높다	적다
한류	고위도 → 저위도	캘리포니아 해류	낮다	낮다	많다

(4) 엘니뇨와 라니냐

구분	평상시	엘니뇨 발생시	라니냐 발생시
상태	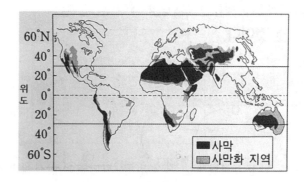 무역풍 정상 / 적도 / 서태평양 인도네시아 연안 찬 해수 / 동태평양 용승 페루 연안	무역풍 약화 / 서태평양 / 동태평양 적도 / 용승 약화 찬 해수	무역풍 강화 / 서태평양 / 동태평양 적도 / 용승 강화 찬 해수
무역풍	정상	약함	강함
서태평양	표층 수온 높아 상승기류 발달, 강수량 증가	표층 수온 낮아 상승기류 약화, 가뭄 발생	표층 수온 매우 상승, 홍수, 폭우 발생
동태평양	찬 해수의 용승, 표층 수온 감소, 좋은 어장 형성	찬 해수의 용승 감소, 표층 수온 상승, 어획량 감소, 홍수 발생	찬 해수의 용승 강화, 표층 수온 강하, 냉해 피해, 가뭄 발생

(5) 사막화

– 기후 변동이나 인간 활동으로 사막(30° 위도)이 넓어지고 새로운 사막이 증가하는 현상

1) 원인

① 자연적 원인 : 지구 온난화에 따른 대기 대순환의 변화로 강수량이 감소할 때
② 인위적인 원인 : 과잉 경작, 과잉 방목, 무분별한 산림 벌채, 화전, 지구 온난화 등

2) 피해와 대책

① 피해 : 황사 발생 증가, 작물 수확량 감소, 식량 부족, 생태계 파괴 등
② 대책 : 산림 면적 증대, 산림 벌채 최소화, 과잉 방목 줄이기, 토양 비옥화 추진 등

3 에너지의 효율적 이용

01. 에너지 전환과 보존

(1) 여러 가지 형태의 에너지

1) 에너지의 종류

① 퍼텐셜 에너지 : 높은 곳에 있는 물체가 가지는 에너지

② 운동 에너지 : 운동하는 물체가 가지는 에너지

③ 역학적 에너지 = 퍼텐셜 에너지 + 운동 에너지 = 일정

④ 화학 에너지, 전기 에너지, 핵에너지, 열에너지, 빛에너지, 파동 에너지 등

2) 에너지의 전환

전 등	전기 E → 빛 E	전열기	전기 E → 열 E
전동기	전기 E → 역학적(운동) E	TV	전기 E → 빛 E, 소리 E
라디오	전기 E → 소리 E	발전기	역학적(운동) E → 전기 E
건전지	화학 E → 전기 E	태양전지	빛 E → 전기 E
광합성	빛 E → 화학 E	반딧불이	화학 E → 빛 E
자동차	화학 E → 역학적(운동) E	연소	화학 E → 열 E, 빛 E

3) 휴대 전화의 에너지 전환

배터리 충전	전기 E → 화학 E	배터리 사용	화학 E → 전기 E
화면(손전등)	전기 E → 빛 E	스피커	전기 E → 소리 E
진동	전기 E → 역학적(운동) E	발열	전기 E → 열 E

(2) 에너지 보존의 법칙과 에너지 절약

1) 에너지 보존의 법칙 : 한 에너지가 다른 형태의 에너지로 전환되더라도 에너지는 새로 생기거나 없어지지 않으며, 그 총량은 항상 일정하게 유지된다는 법칙이다.

2) 에너지 절약의 이유(에너지의 방향성)

에너지의 총량은 일정하게 유지되지만 에너지를 사용할수록 다시 사용하기 어려운 열에너지의 형태로 전환되므로, 사용 가능한 유용한 에너지의 양은 점점 줄어든다. 결국 에너지는 최종적으로 열에너지 형태로 전환되므로 에너지를 절약하고, 효율적으로 사용해야 한다.

02. 에너지의 효율적 이용

(1) 열기관과 에너지 효율

1) 열기관 : 열에너지를 일(운동 에너지)로 전환하는 장치이다.

① 내연 기관 : 자동차 엔진, 로켓 기관, 제트 엔진

② 외연 기관 : 증기 기관, 증기 터빈

2) 에너지 효율

$$\text{에너지 효율(\%)} = \frac{\text{유용하게 사용된 에너지의 양}}{\text{공급한 에너지의 양}} \times 100$$

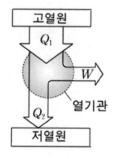

Q_1 : 공급 에너지
W : 열기관이 한 일
Q_2 : 손실 에너지

① 에너지 효율 $= \dfrac{W}{Q_1} \times 100 = \dfrac{Q_1 - Q_2}{Q_1} \times 100$

② W 가 클수록, Q_2 가 적을수록 효율이 좋은 열기관이다.

③ $Q_2 = 0$ 인 열기관을 영구기관이라 하는데, 만들 수 없다.

※ 제1종 영구기관 : 외부로부터 에너지 공급 없이도 계속 일을 할 수 있는 기관

※ 제2종 영구기관 : 열효율이 100%인 영구기관

3) 에너지 효율을 높이기 위한 방법

① 조명기구 : 백열전구나 형광등을 LED전구로 교체한다.

② 주택 : 단열재나 이중창을 설치한다.

③ 하이브리드 자동차 : 엔진, 배터리, 전기모터를 함께 사용하므로 운행 중 버려지는 에너지를 전기 에너지로 전환하여 다시 사용하므로 에너지 효율이 높다.

④ 에너지 제로 하우스 : 외부에서 에너지 공급을 받지 않고도 생활할 수 있는 에너
지 자립 건물
　㉠ 패시브 기술 : 첨단 단열 공법으로 에너지 낭비를 최소화하는 기술
　㉡ 액티브 기술 : 필요한 에너지를 태양열, 태양광, 풍력, 지열 등으로 해결하여 사용
⑤ 에너지 소비 효율이 높은 1등급의 제품을 사용한다.

4　전기 에너지의 생산과 수송

01. 전기 에너지의 생산

(1) 전자기 유도와 발전

1) 전자기 유도

① 전자기 유도 : 코일과 자석 사이의 상대적인 운동으로 코일을 통과하는 자기장이
변할 때, 코일에 전류가 유도되는 현상이다.
② 유도 전류의 세기(패러데이의 법칙) : 센 자석을 사용할수록, 코일을 많이 감을수
록, 자석을 빠르게 움직일수록 전류의 세기가 커진다.
③ 유도 전류가 발생하지 않는 경우 : 자석이나 코일이 정지해 있을 경우

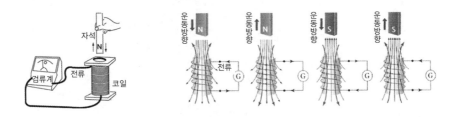

④ 유도 전류의 방향(렌츠의 법칙) : 코일을 통과하는 자기장의 변화를 막는 방향으
로 유도 전류가 흐르며, 교류 전류의 원리이다.
⑤ 전자기 유도의 이용 : 발전기, 변압기, 금속탐지기, 도난 방지기, 발광 킥보드 바퀴

2) 발전기

① 구조 : 자석 사이에 코일이 회전하도록(또는 반대로) 고안되어 있다.
② 원리 : 자석 사이에서 코일을 회전시키면 코일을 통과하는 자기장이 변하여, 전
자기 유도에 의해 코일에 전류가 유도된다. (코일의 역학적E → 전기E)

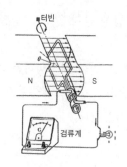 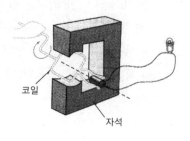

(2) 여러 가지 발전 방식

– 발전기에 연결된 터빈을 돌려서 전자기 유도의 원리로 전기를 생산한다.

발전 형태	에너지원	에너지 전환
수력 발전	물의 퍼텐셜 E	퍼텐셜 E → 터빈의 역학적 E → 전기 E
화력 발전	석탄, 석유의 화학 E	화학 E → 열 E → 터빈의 역학적 E → 전기 E
핵 발전	우라늄의 핵 E	핵 E → 열 E → 터빈의 역학적 E → 전기 E
양수 발전	수력 발전과 같다	심야에 남는 전력을 이용하여 발전에 사용한 물을 높은 곳에 다시 퍼 올렸다가 재사용
열병합 발전	화력 발전과 같다.	발전 과정에서 발생한 열을 지역 난방에 사용하는 발전 방식

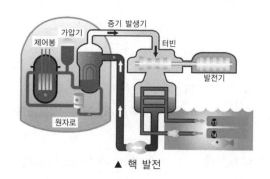

▲ 핵 발전

02. 전기 에너지 수송

(1) 전력 수송 과정

1) 송전

① 송전과정 :

발전소 → 초고압 변전소 → 1차 변전소 → 2차 변전소 → 주상변압기 → 가정
(20KV)　　　(345KV)　　　(154KV)　　　(22.9KV)　　　(220V)

② 송전할 때 송전선에 흐르는 전류와 송전선의 저항 때문에 전력의 일부가 손실된다.

2) 전력 손실

① 송전선에서 1초 동안에 손실되는 전력(열에너지)

$$P = VI = I^2R \ (I : 송전선\ 전류,\ R : 송전선\ 저항)$$

② 송전선에서 전력 손실을 줄이는 방법

송전선에 흐르는 전류(I)를 작게 한다.	송전선의 저항(R)을 작게 한다.
동일 전력 공급시 전압 → n배↑ 전류 → $\frac{1}{n}$배↓ 송전선에서 전력 손실 → $\frac{1}{n^2}$배↓	전기 저항이 작은 금속이나, 송전선을 굵게 해야 하지만, 제작비가 증가하고 송전탑 간격을 좁게 건설해야 하는 어려움이 있다.
따라서 전력 손실을 줄이려면, 송전 전압을 높이는 것이 효과적이다.	

(2) 변압기(변전소)

1) 변압기 : 전자기 유도 현상을 이용하여 송전 전압을 변화시키는 장치이다.

① 변압기에서 에너지 손실이 없다면, 입력 전력과 출력 전력은
에너지 보존 법칙에 의해 같다.

$$P = V_1 \cdot I_1 = V_2 \cdot I_2$$

$$\frac{V_1}{V_2} = \frac{I_2}{I_1}$$

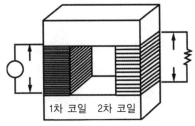

1차 코일　　2차 코일

② 변압기의 전압은 코일의 감은 수에 비례하고, 전류는 코일의 감은 수에 반비례한다.

예 1차 코일의 감은 수, 전압 : N_1, V_1
2차 코일의 감은 수, 전압 : N_2, V_2

$$\frac{N_1}{N_2} = \frac{V_1}{V_2} = \frac{I_2}{I_1}$$

2) 효율적이고 안전한 전력 수송

① 고전압 송전 : 손실 전력을 줄일 수 있다.

② 거미줄 송전망 : 거미줄 같은 송전 전력망 구축으로 선로에 이상이 발생할 경우 그 부분을 차단하고 우회하여 송전할 수 있다.

③ 근거리 송전 : 전력 수송 거리를 줄여 송전선의 저항으로 인한 손실 전력을 줄인다.

④ 지능형 전력망(스마트그리드) : 수요량과 공급량의 정보를 실시간으로 파악하여 필요량을 송전한다.

3) 안전한 전력 수송

① 고압 차단 스위치 : 전압이 지나치게 높아질 경우 퓨즈가 끊어져 전류가 차단된다.

② 전선 지중화 : 고압 송전선을 지하에 매설하여 사고나 위험으로부터 보호한다.

③ 안전장치 설치 : 고압 송전선 주변에 구조물, 안전장치를 설치하여 사람의 접근을 막는다.

④ 로봇의 이용 : 선로를 점검하고 수리할 때 로봇을 이용한다.

⑤ 애자 사용 : 송전탑과 송전선은 절연체인 애자로 연결한다.

⑥ 초고압 직류 송전 : 전력용 반도체를 사용하여 교류를 직류로 바꿔 송전하는 방식으로, 교류 송전보다 전력 손실이나 전자파 위험이 적고 비용이 적어, 장거리 해저케이블에 활용할 수 있다.

5 발전과 신재생 에너지

01. 태양 에너지의 생성

(1) 수소 핵융합 반응

1) **과정** : 태양 중심부에서 수소 원자핵 4개가 융합하여 1개의 헬륨 원자핵을 만드는 수소 핵융합 반응으로 에너지를 생성한다.

2) **질량 에너지 등가 원리** : 물질의 질량은 에너지로, 에너지는 질량으로 변환될 수 있으므로 에너지와 질량은 동등하다. 따라서 수소 핵융합 과정에서 감소한 질량(질량 결손)이 에너지로 전환된다.

$$4H \quad \rightarrow \quad He \quad + \quad E\,(에너지) \qquad\qquad E = \triangle mc^2$$
(질량 4.032) (질량 4.003) (질량결손 : 0.029)

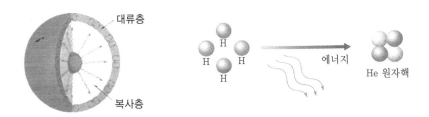

(2) 태양 에너지의 전환

태양 에너지	생명체 에너지원	식물의 광합성을 통해 생명체의 생명 활동을 유지
	화석 연료	생물체가 땅속에 묻히면 화석 연료로 전환
	기상 현상	지표에서는 자연 현상(비, 구름, 바람 등)을 일으키는 원인
	일상생활	태양 전지를 이용한 전기의 생산

02. 발전과 지구 환경

(1) 화석 연료와 에너지 문제

1) 화석 연료 : 과거에 살던 생물체가 매몰된 후 오랫동안 열과 압력을 받아 만들어진 에너지 예 석탄, 석유, 천연가스 등

2) 화석 연료 사용의 문제점

① 매장량이 한정되어 언젠가는 고갈될 에너지이다.

② 이산화탄소를 생성하여 지구 온난화, 대기 오염을 일으킨다.

③ 매장 지역이 편중, 가격과 공급 간에 국가 간 갈등을 초래한다.

3) 해결 방안 : 고갈의 염려가 없고, 지구 온난화, 환경오염이 없는 에너지를 개발해야 한다.

(2) 핵발전과 신재생 에너지

1) 핵발전

① 에너지 생성 과정

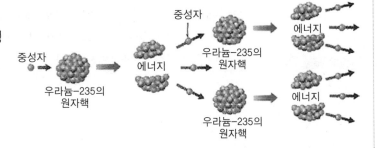

　　　　⊙ 감속제 : 핵분열 할 때 방출되는 중성자의 속도를 느리게 하는 역할(흑연, 물)

　　　　ⓛ 제어봉 : 연쇄 반응이 서서히 일어나도록 중성자를 흡수하여 그 수를 조절(카드뮴, 붕소)

　　　　ⓒ 우라늄 1g은 석탄 3톤, 석유 약 2000L의 에너지에 해당한다.

　　② 핵발전의 장ㆍ단점

　　　　⊙ 장점 : 이산화탄소를 배출하지 않으므로 화력 발전을 대체할 수 있다.
　　　　　　연료비가 저렴하고, 에너지 효율이 높아 대용량 발전이 가능하다.

　　　　ⓛ 단점 : 자원의 매장에 한계가 있다.
　　　　　　방사능 유출 사고 위험, 방사성 폐기물의 처리 문제가 있다.

(3) 신재생 에너지

　1) 신재생 에너지 : 화석 연료와 핵발전 에너지의 문제점인 자원 고갈과 환경오염 등을 해결하기 위한 대체 에너지이다.

　　① 신 에너지 : 기존에 사용하지 않았던 새로운 에너지
　　　　　예 연료 전지, 수소 에너지

　　② 재생 에너지 : 계속해서 다시 사용할 수 있는 에너지
　　　　　　예 태양열, 태양광, 풍력, 수력, 해양, 지열, 바이오 등

(4) 신재생 에너지를 이용한 발전

　1) 태양광 발전

　　① 에너지 생성 과정

　　　　⊙ 태양의 빛 에너지를 직접 전기 에너지로 전환, n형과 p형 반도체를 붙여서 만든다.

　　　　ⓛ 태양 전지 여러 개를 연결하여 함께 사용한다.

　　② 태양 전지의 이용 : 장난감 자동차, 태양광 손 선풍기 등

　　③ 장ㆍ단점

　　　　⊙ 장점 : 자원 고갈의 염려가 없고, 유지 보수가 간편하다.

　　　　ⓛ 단점 : 계절과 일조량의 영향으로 발전 시간이 제한적이다.
　　　　　　설치 공간이 넓어야 하고, 초기 설치비용이 많이 든다.
　　　　　　태양 전지에서 반사되는 빛이 인가나 축사에 영향을 준다.

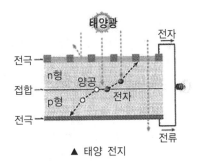

▲ 풍력 발전

▲ 태양 전지

2) 태양열 발전

→ 태양의 열에너지를 집열판으로 흡수하여 물을 끓여 증기 힘으로 발전을 한다.

3) 풍력 발전

① 에너지 생성 과정

ㄱ 바람의 운동 에너지를 이용하여 발전기와 연결된 날개를 돌려 전기를 생산한다.

ㄴ 날개의 회전수가 저속이더라도 내부의 기어에 의해 발전기는 고속으로 회전한다.

ㄷ 날개가 길수록 전력 생산량이 증가하고, 전자기 유도의 원리가 적용된다.

② 장·단점

ㄱ 장점 : 환경 문제나 자원의 고갈이 없고, 설치가 비교적 간단하다.

ㄴ 단점 : 바람의 방향과 세기가 일정하지 않아 발전량을 정확히 예측하기 어렵다. 산림 및 자연 경관이 훼손되기도 하고, 소음이 발생하는 문제가 있다.

4) 조력 발전

① 에너지 생성 과정

ㄱ 밀물과 썰물 때 해수면의 높이 차를 이용하여 전기를 생산한다.

ㄴ 조석 간만의 차가 큰 서해가 최적지이다.

② 장·단점

ㄱ 장점 : 날씨나 계절에 관계없이 발전할 수 있고, 조차의 크기로 발전량 예측이 가능하다.

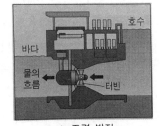

▲ 조력 발전

ㄴ 단점 : 건설비가 많이 들고 장소가 제한적이며, 해양 생태계에 혼란을 줄 수 있다.

5) 파력 발전

① 에너지 생성 과정

ㄱ 파도의 운동 에너지를 이용하여 전기를 생산하는 방식이다.

      ⓛ 파도의 힘으로 직접 터빈을 돌리는 방식과, 파도에 의한 해수면의 높이 차로 공기를 압축하여 터빈을 돌리는 방식이 있다.

  ② 장 · 단점

      ㉠ 장점 : 소규모의 발전이 가능하고, 한 번 설치로 거의 영구적으로 사용할 수 있다.

      ⓛ 단점 : 관리가 어렵고, 기후나 파도의 상황에 따라 발전량에 차이가 있다.

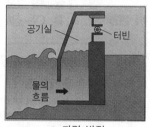

▲ 파력 발전

▲ 지열 발전

6) 지열 발전

  ① 에너지 생성 과정

      ㉠ 땅 속에서 고온의 지하수나 수증기를 끌어올려 온수와 난방에 이용하거나 터빈을 회전시켜 전기를 생산한다.

  ② 장 · 단점

      ㉠ 장점 : 자원의 고갈 염려가 없고, 발전 과정에서 환경오염이 발생하지 않는다. 좁은 면적에 발전 설비를 설치할 수 있고, 날씨에 관계없다.

      ⓛ 단점 : 이용할 수 있는 지역이 한정되어 있고, 초기 투자비용이 많이 든다.

7) 수소 핵융합 발전

  ① 장점 : 바닷물에 풍부한 중수소와 삼중수소를 원료로 하므로 비용이 저렴, 발전 과정에서 방사성 물질이나 이산화탄소의 배출이 없어 친환경적이다.

  ② 단점 : 핵융합이 일어나기 위해서는 1억K 이상의 높은 온도가 요구된다.

8) 수소 연료 전지

  ① 에너지 생성 과정

      ㉠ 연료의 화학 에너지를 직접 전기 에너지로 전환시키는 장치이다.

      ⓛ (−)극에서는 수소가 전자를 잃어 H^+로 산화되고, (+)극에서는 산소가 수소이 온과 만나 물이 생성된다.

      ⓒ 수소가 내놓은 전자의 이동으로 전류가 흐르며, 물이 생성된다.

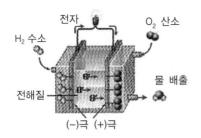

$$(-) \ 2H_2 \ \rightarrow \ 4H^+ \ + \ 4e^-$$

$$(+) \ O_2 \ + \ 4H^+ \ + \ 4e^- \ \rightarrow \ 2H_2O$$

$$\text{전체} \ 2H_2 \ + \ O_2 \ \rightarrow \ 2H_2O$$

② 장·단점

    ㉠ 장점 : 생성물이 물이므로 환경오염이 없다.

      연료의 화학 에너지가 직접 전기 에너지로 전환되므로 효율이 높다.

    ㉡ 단점 : 수소는 폭발의 위험이 크고, 생산하는 데 경제성이 낮고, 저장, 운반

      등이 어렵다.

③ 미래의 이용 : 휴대용 전자 제품의 전원, 수소 연료 전지 자동차, 대규모의 발전 등

(5) 친환경 에너지 도시

– 지역 환경에 맞는 신재생 에너지를 활용하여 에너지와 환경문제를 해결할 수 있는

도시를 말한다.

  예 영국의 베드제드, 독일의 프라이부르크, 스웨덴의 하마비 허스타드 등

(6) 화학 반응식 완결하기

반응물의 원자수 = 생성물의 원자수

① $\square H_2 + \square O_2 \rightarrow \square H_2O$

② $\square N_2 + \square H_2 \rightarrow \square NH_3$

③ $\square CH_4 + \square O_2 \rightarrow \square CO_2 + \square H_2O$

06

한국사

01. 선사시대의 생활

1) 구석기 시대와 신석기 시대

	구석기 시대	신석기 시대
시기	약 70만 년 전	BC 8000년경
유물	뗀석기(주먹도끼), 뼈도구	간석기, 가락바퀴, 빗살무늬토기
경제	채집, 사냥, 어로	농경과 목축의 시작, 수공업
사회	이동생활	부족사회, 씨족사회, 정착생활
주거	동굴이나 막집	강가나 해안가, 움집
종교	주술적 예술품 제작	애니미즘, 토테미즘, 샤머니즘

주먹도끼

빗살무늬 토기

가락바퀴

움집

2) 청동기 시대와 철기 시대

	청동기 시대	철기 시대
시기	기원전 2000 ~ 1500년경에 시작	기원전 4세기경
특징	계급사회, 군장사회, 사유재산제 발생	중국과 교류(명도전, 붓)
유물	고인돌, 비파형 동검, 민무늬 토기, 미송리식 토기, 반달돌칼	독무덤, 널무덤 세형동검, 거푸집 : 독자적 청동 문화 형성
경제	벼농사 시작, 보리, 콩	
주거	구릉지대, 배산임수형 취락	

비파형 동검

미송리식 토기

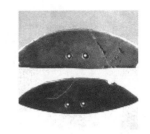
반달돌칼

고인돌

02. 고조선의 건국과 여러 나라의 성장

1) 고조선의 건국과 발전

① 건국 : 기원전 2333년 단군왕검이 건국(삼국유사에 기록)

② 청동기 문화를 바탕으로 한 우리 민족 최초의 국가

③ 세력 범위 : 만주와 한반도 북부

  · 범위 관련 유물 : 비파형 동검, (북방식)고인돌, 미송리식 토기

④ 단군의 고조선 건국 이야기

  · 건국이념 : 홍익인간

  · 환인, 환웅 : 하늘숭배, 선민사상

  · 풍백(바람), 우사(비), 운사(구름), 곡식 종자 : 농경사회

  · 곰, 호랑이 : 토테미즘

  · 단군왕검 : 제정일치 사회

⑤ 8조법 : 생명 중시, 농경과 사유 재산제 사회, 계급 사회, 가부장적 가족 제도 확립

2) 철기 시대의 여러 나라

	정치	경제와 풍속
부여	5부족 연맹체 제가들이 사출도 지배	영고, 순장, 1책 12법
고구려	5부족 연맹체 대가들이 관리 거느림	동맹, 서옥제
옥저 동예	왕이 없는 군장 국가	옥저 : 민며느리제, 가족 공동묘제 동예 : 무천, 책화, 족외혼
삼한	소도 : 제정 분리 사회 천군의 소도 지배	벼농사 발달, 저수지, 철 수출(변한) 수릿날(5월)과 계절제(10월), 두레

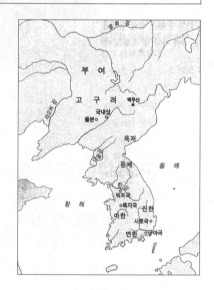

01. 삼국과 가야의 성립

1) 고대 국가의 특징 : 중앙집권적 성격 강화
- ① 왕권 강화 : 왕위 세습
- ② 율령 반포 : 통치 질서 확립과 관등제 정비
- ③ 불교 수용 : 국민의 사상 통합
- ④ 활발한 영토 확장 : 한강 유역의 주도권

2) 삼국의 성립과 가야의 발전
- ① 고구려의 성립 : 주몽
  - · 소수림왕(4세기) : 중국 전진을 통한 불교 수용, 태학 설립, 율령 반포
- ② 백제의 성립 : 온조
  - · 고이왕(3세기) : 한강 유역 장악, 관등제 정비, 율령 반포, 고대 국가 기틀 마련
- ③ 신라의 성립 : 박혁거세
  - · 박 · 석 · 김 세 성이 번갈아 왕위 차지
- ④ 가야의 성립과 발전
  - · 낙동강 하류의 변한 지역에서 성장한 소국이 연맹왕국으로 발전
  - · 풍부한 철 생산, 벼농사 발달, 낙랑과 왜를 연결하는 중계무역 발달
  - · 가야 토기는 일본 스에키 토기에 영향을 줌
  - · 중앙집권적 고대국가로 성장하지 못하고 6세기 신라에 병합

가야의 철제 갑옷

가야의 수레토기

가야 연맹의 위치

02. 삼국의 발전

1) **4세기 한반도 정세** : 백제 팽창기
  ① 근초고왕 : 백제 팽창기
    · 마한 잔여 세력 정복
    · 고구려 평양성 공격
    · 해외 진출 : 요서, 산둥 반도, 일본 규슈
    · 중국 남조의 동진과 교류
  ② 내물왕 : 신라 고대국가 기틀 마련
    · 김씨의 왕위 세습
    · '마립간' 이라는 왕의 칭호 사용
    · 고구려 도움으로 왜 격퇴

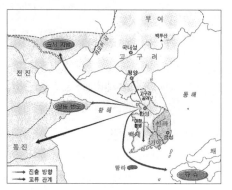

4세기 백제의 발전

◀ 호우명 그릇

2) **5세기 한반도 정세** : 고구려의 팽창기
  ① 광개토대왕 : 최대 영토 확장
    · 요동을 포함한 만주 차지
    · 한강 이북까지 진출
    · 신라를 도와 왜 격퇴
  ② 장수왕 : 고구려 한강유역 확보
    · 남진정책 추진(평양 천도) → 나 · 제 동맹 체결
    · 남한강 유역까지 진출(충주 고구려비)
      – 백제 웅진 천도

3) **6세기 한반도 정세** : 신라의 팽창기
  ① 성왕 : 백제 중흥기
    · 사비 천도, 국호를 '남부여' 로 고침
    · 불교 진흥 : 일본에 불교 전파(노리사치계)
    · 신라와 연합하여 한강 일시적 수복

5세기 고구려 전성기의 세력 판도

② 진흥왕 : 신라의 팽창기

· 화랑도를 국가 조직으로 정비

· 한강 유역 확보 : 중국과 직접 교역 활발

· 「국사」 역사서 편찬

· 대가야 정복, 함경도까지 진출

    cf) 법흥왕(신라) : 율령반포, 불교 공인

신라 진흥왕 때의 영토 확장

03. 신라의 삼국통일 과정

1) 고구려와 수 · 당의 전쟁

① 수 침입(612) : 을지문덕(살수대첩)

② 고구려의 연개소문 : 당의 침략에 대비 천리장성 축조

③ 당의 침략(645) : 안시성 전투에서 격퇴

2) 신라의 삼국통일

① 백제 멸망(660)

· 나 · 당 연합군의 공격, 계백의 황산벌 전투 패배

· 백제 유민의 저항 : 부흥 운동 전개(복신, 부여풍, 흑치상지)

② 고구려 멸망(668)

· 연개소문 사후 권력 다툼으로 국력 소모, 나 · 당 연합군 공격으로 평양성 함락

· 고구려 유민의 저항 : 부흥 운동 전개(안승, 검모잠) 실패

③ 신라의 삼국통일 완성

· 나 · 당 전쟁 : 매소성 전투, 기벌포 전투에서 당군 격퇴 – 삼국통일 완성

· 삼국통일의 의의 : 자주적 통일, 민족 문화 발전의 기틀 마련

· 삼국통일의 한계 : 외세(당)를 끌어들인 통일, 대동강 이남 지역 확보로 영토 축소

04. 남북국 시대의 발전

1) 신라 중대 왕권의 전제화 : 태종 무열왕 이후
① 집사부 시중 권한 강화, 상대등 세력 약화
② 녹읍 폐지, 관료전 지급
③ 6두품 등용
④ 통치체제 정비
· 지방 : 9주 5소경, 상수리 제도
· 군사 : 9서당 10정

2) 신라 하대의 동요 : 혜공왕 이후
① 왕위 쟁탈전 전개 : 중앙의 통제력 약화
② 지방 세력의 성장
· 호족 : 스스로 성주 또는 장군이라 칭하며 지방의 군사권과 행정권 장악
③ 6두품 : 신라의 골품제 사회를 비판하며 새로운 정치 이념 제시, 지방 호족과 연계
④ 새로운 사상
· 선종 : 참선과 사색을 통한 부처의 마음을 읽고 깨달음을 얻는 불교 종파
· 풍수지리설 : 지형과 지세에 따른 개인과 지역, 국가의 운수사상
⑤ 농민봉기 : 원종, 애노의 난 등
cf) 후삼국 시대 : 후백제(견훤; 900), 후고구려(궁예; 901)

3) 발해 성립과 발전
① 건국 : 고구려 유장 대조영이 고구려인과 말갈인과 함께 만주 동모산에서 건국(698)
② 고구려 계승 의식
· 일본에 보낸 국서에 '고려국왕'이라 밝힘
· 지배층이 고구려인
· 고구려 문화를 계승 : 온돌장치, 불교양식(연화무늬 기와, 이불병좌상), 굴식돌방
무덤
③ 발해의 발전과 대외관계
㉠ 당
· 무왕(8세기 초) : 영토 확장, 당과 대립, 당의 산둥반도 공격(장문휴), 독자적
인 연호 사용(인안)

· 문왕(8세기 후반) : 당과 친선교류, 신라와 교류(신라도), 독자적 연호 사용(대흥)

· 선왕(9세기) : 최대 영토, 중국인들은 '해동성국'이라 부름

ⓛ 신라 : 교류가 활발하진 않음, 신라도

ⓒ 일본 : 신라 견제 이유로 친선 교류

ⓔ 거란 : 발해를 멸망시킴(926)

④ 발해의 통치 조직

· 중앙 조직은 당의 3성 6부를 수용했으나 독자적인 명칭과 방식으로 운영

· 합의제 기구인 정당성에서 중대사를 논의하고 실무 행정까지 담당

· 지방 행정은 5경 15부 62주로 조직

05. 고대 국가의 사회, 경제, 문화

1) 고대 국가의 사회 모습

① 신라의 제도

ⓐ 화랑도

· 청소년 수련 단체로 원시 사회 청소년 집단에서 유래

· 계층 간의 대립과 갈등을 조절, 완화 기능

ⓛ 화백회의

· 귀족의 합의제 기구

· 왕위 계승 문제, 재상 선출 등 국가의 중대사를 논의하여 결정

· 귀족의 단결을 굳게 하고, 국왕과 귀족 간의 갈등을 조절하는 기능

ⓒ 골품제도

· 엄격하고 폐쇄적인 신분 제도

· 혈연에 따라 개인의 사회 활동과 정치활동의 범위 제약

· 일상생활까지 규제

② 통일 신라의 민족 융합책

· 고구려와 백제 귀족을 골품제에 편입

· 9서당에 신라인, 고구려인, 백제인, 말갈인까지 편성

2) 고대 국가의 경제 정책
 ① 농민 생활 안정 : 고구려 진대법(곡식 대여)
 ② 통일 신라의 민정문서
  · 조세와 공납, 역을 징수하기 위한 자료
  · 촌락의 토지 면적, 인구 수(연령별, 남녀별 구분), 소와 말의 수, 토산물의 변동
   사항 기록
 ③ 장보고의 활약
  · 해적 소탕을 위해 청해진 설치
  · 남해와 황해 해상 무역 장악
  · 당과 일본의 중계무역 거점으로 성장
 ④ 당과 교류 활발
  · 신라의 유학생이 당의 빈공과에 합격
  · 산둥반도와 양쯔강 하류 : 신라방, 신라소, 신라관, 신라원 등 설치

3) 고대 국가의 문화 발전
 ① 삼국의 유학 교육
  · 고구려 : 태학(중앙 교육), 경당(지방 교육)
  · 백제 : 박사 제도(오경박사), 사택지적비
  · 신라 : 임신서기석(화랑 두 사람이 유교 경전을 공부할 것을 약속한 비석)
 ② 도교
  · 내용 : 무위자연, 산천숭배, 신선사상, 불로장생 추구
  · 유물 : 고구려의 사신도, 백제의 금동대향로와 산수무늬 벽돌

▲ 고구려 사신도 중 현무도   ▲ 백제 산수무늬 벽돌   ▲ 백제의 금동대향로

③ 삼국시대 탑
　·고구려 : 현존하지 않음
　·백제 : 익산 미륵사지 석탑, 부여 정림사지 5층 석탑
　·신라 : 황룡사 9층 목탑(몽골 침입 때 소실), 분황사 모전 석탑
④ 삼국시대 과학 기술
　·천문학 : 고구려의 천문도, 신라의 첨성대(선덕여왕 때 제작)
　·금속 기술 : 백제의 칠지도, 금동대향로, 신라의 금관, 금귀고리

▲ 신라의 첨성대

▲ 칠지도 : 백제와 왜(일본)의 교류 관계를 보여준다.

⑤ 삼국시대 고분(무덤)

고구려	백제	신라
초기 : 돌무지무덤 후기 : 굴식돌방무덤	한성 : 돌무지무덤 웅진 : 벽돌무덤, 굴식돌방무덤 사비 : 굴식돌방무덤	돌무지 덧널무덤 (벽화 없음)

⑥ 삼국의 문화 일본 전파
　·고구려 : 담징(종이와 먹), 혜자(쇼토쿠 태자 스승), 벽화
　·백제 : 일본과 교류 가장 활발, 왕인(한자, 유학), 노리사치계(불교)
　·신라 : 조선술, 축제술(한인의 연못)
　·삼국의 문화는 일본 아스카 문화에 영향을 줌

4) 남북국의 문화

① 통일 신라 유학의 발달

㉠ 국학 설치 : 중앙 교육 기관

㉡ 독서삼품과 : 원성왕 때 유학의 성적에 따라 관리 등용하려 했으나 실행되지 못함

㉢ 유학자

· 김대문 : 신라의 문화를 주체적으로 인식(「화랑세기」, 「한산기」, 「고승전」 저술)

· 설총 : 이두 정리, 「화왕계」 저술

· 최치원 : 빈공과 합격, 신라 하대 사회개혁안 제출, 「계원필경」 저술

② 통일 신라 불교의 발달

· 원효 : 불교 대중화에 기여(아미타 신앙), 화쟁 사상(종파의 통합, 일심 사상), 불교 이해 기준 확립

· 혜초 : 「왕오천축국전」 저술

③ 통일 신라 건축과 탑

· 건축 : 석굴암, 불국사

· 불탑 : 감은사지 3층 석탑, 불국사 3층 석탑(석가탑), 다보탑,

· 승탑 : 선종 유행으로 등장, 화순 쌍봉사 칠감선사탑

· 범종 : 상원사 동종, 성덕대왕 신종(에밀레종)

④ 통일 신라 과학 기술 : 무구정광대다라니경 – 세계 최고의 목판 인쇄본

▲ 불국사 3층 석탑　　　　　▲ 석굴암의 본존불　　　　　▲ 쌍봉사 칠감선사탑

⑤ 발해의 고구려 문화 계승 : 온돌장치, 연화무늬 기와, 이불병좌상, 굴식돌방무덤의 모줄임 천장 구조(정혜공주 묘, 정효공주 묘), 돌사자상

cf) 당 문화 수용 : 3성 6부 정치 조직, 주작대로

⑥ 발해 유학의 발달 : 주자감(교육기관), 당의 빈공과 합격생 배출

03 고려 귀족 사회 형성과 발전

01. 고려의 형성과 정치발전

(1) 고려의 통치 체제 정비

1) 태조(왕건)
① 호족 세력 통합
- 융합책 : 정략적 혼인 정책, 성씨 하사
- 견제책 : 사심관 제도, 기인 제도

② 북진 정책
- 서경(평양) 중시
- 영토 확장
- 발해 유민 포용

③ 숭불 정책
- 연등회, 팔관회 행사

2) 광종 : 왕권강화
① 노비안검법
- 불법으로 노비가 된 자를 양인으로 해방 : 호족 세력 약화, 국가 재정 개선

② 과거 제도 실시 : 능력에 따른 관리 선발

③ 왕권강화 : 복색 제정, 독자적 연호 사용(광덕, 준풍)

3) 성종 : 유교적 정치 질서 확립
① 유교적 정치 실현 추구
- 최승로의 시무 28조 채택
- 국자감 설치 : 유학 교육

② 제도 정비
- 중앙 관제 : 2성 6부
- 지방 제도 : 12목 설치, 지방관 파견, 향리 제도

③ 불교 억압 : 연등회, 팔관회의 축소 · 폐지

(2) 고려의 통치 조직

　1) 중앙 정치 조직

　　① 2성 6부제 : 당의 3성 6부 수용

　　　　　　　　　　　중서문하성 / 상서성(- 6부)

　　② 중추원 : 군사 기밀과 왕명 출납 담당

　　③ 도병마사 : 초기에는 국방 문제를 논의하였으나 후기에는 국정 전반을 논의하는
　　　　최고의 합의제 기구

　　　cf) 식목도감 : 법률 제정과 관련하여 논의

　　④ 어사대 : 정치의 잘잘못을 논하고 관리 감찰

　　⑤ 대간 : 어사대와 낭사로 구성

　　　·간쟁, 봉박, 서경권 담당

　　　·권력의 독점과 부정 방지, 언론 기능

　　⑥ 삼사 : 화폐와 곡식의 출납 및 회계 담당

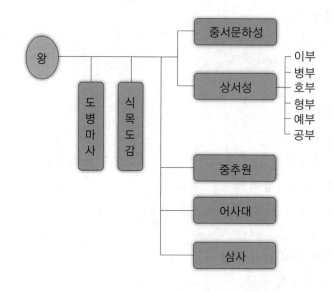

　2) 지방 행정 조직

　　① 5도와 양계

　　　·5도 : 일반 행정 구역, 안찰사 파견

　　　·양계 : 군사 행정 구역, 병마사 파견

　　② 주현과 속현

　　　·속현 : 지방관이 파견되지 않은 현, 향리가 지휘

③ 향, 부곡, 소 : 특수 행정 구역
　· 거주민 신분은 백정 농민과 같은 양민
　· 일반 양민보다 더 많은 세금 부담
　· 거주민의 이사 자유 없음

3) 군사 제도
　① 중앙군 : 2군 6위
　② 지방군 : 주진군(양계), 주현군(5도)

(3) 관리 임용 제도
1) 음서 제도 : 공신과 종실의 자손, 5품 이상 고위 관리의 자손은 과거 시험을 거치지 않고 관리에 등용; 공음전과 더불어 고려의 귀족 사회의 특성을 보여줌

2) 과거 제도 : 양민 이상 가능
　① 종류
　　· 문과 : 제술과와 명경과 실시, 문관 등용
　　· 잡과 : 기술관 등용
　　· 승과 : 승려 대상으로 실시
　② 무과는 실시되지 않음

02. 문벌 귀족 사회 성립과 동요

(1) 문벌 귀족 사회 성립
1) 대표 문벌 귀족 : 경원 이씨, 파평 윤씨, 해주 최씨, 경주 김씨 등

2) 문벌 귀족의 특징
　① 여러 세대에 걸쳐 중앙에서 고위 관직자를 배출한 가문
　② 음서와 공음전의 혜택
　③ 서로 간의 통혼과 왕실의 외척이 되어 권력 장악

(2) 문벌 귀족 사회의 동요

1) 이자겸의 난(1126)

① 원인 : 이자겸의 권력 독점, 왕의 측근 세력과 대립

② 영향 : 문벌 귀족 사회의 모순이 드러난 계기, 문벌 귀족 사회 분열 심화

2) 묘청의 서경 천도 운동(1135)

① 배경 : 문벌 귀족의 금에 대한 사대외교에 불만, 이자겸의 난으로 민심 동요

② 개경파와 서경파의 대립

구분	개경파 : 김부식	서경파 : 묘청, 정지상
성격	개경 중심의 문벌 귀족	지방 출신의 개혁적 관리
사상	·유교 사상 : 금에 사대 정책 ·신라 계승 의식	·풍수지리설, 전통 사상 : 북진 정책 ·고구려 계승 의식
주장	·서경 천도 반대 ·유교적 사회질서 확립	·왕권 강화, 혁신 개혁 ·서경 천도, 금 정벌

③ 전개 과정 : 개경 문벌 귀족의 반대로 서경 천도 좌절 → 묘청 등이 서경에서 반란(1135); 국호 : 대위, 연호 : 천개 → 김부식의 관군에 1년 만에 진압

3) 무신정변(1170) : 문벌귀족 사회 붕괴와 무신정권 성립

문벌 귀족 사회 동요 관련 사건

이자겸의 난 → 묘청의 서경 천도 운동 → 무신정변

03. 고려의 대외 관계 변화

(1) 대외 관계 변화

1) 거란 침입 격퇴(요; 10 ~ 11세기)

① 1차 침입(993)

· 서희의 외교 담판

· 강동 6주 확보

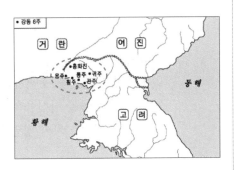

② 2차 침입(1010)

· 개경 함락, 양규의 활약으로 격퇴

③ 3차 침입(1018)

· 거란의 소배압이 10만 대군을 이끌고 침입

· 강감찬이 귀주에서 격퇴(1019; 귀주 대첩)

· 개경 주변 나성과 천리장성 축조

2) 여진 정벌(금; 12세기)

① 윤관의 별무반 조직(신보군, 신기군, 항마군)

② 여진 정벌에 성공하여 동북 9성을 축조(1107)

③ 여진의 세력 성장 → 금을 세우고 사대 요구 → 고려의 수용

(2) 무신 정권 성립

1) 무신정변(1170)

① 배경 : 의종의 실정과 향락, 문신 우대와 무신에 대한 차별 대우, 하급 군인에 대한 낮은 대우

② 전개 과정

· 무신정변 : 정중부, 이의방 등이 무신정변 주도(1170)

· 권력 기구 : 중방(무신 최고 회의 기구) 중심의 국정 운영

· 무신 간의 권력 다툼 : 이의방 → 정중부 → 경대승 → 이의민 → 최충헌

2) 최씨 무신 정권

① 최충헌 집권 : 교정도감; 국정의 핵심 기구, 도방; 군사적 기반

② 대몽 항쟁 : 몽골의 침략과 최우의 강화도 천도

③ 개경 환도(1270) : 몽골에 항복하고, 최씨 무신 정권의 몰락으로 개경 환도

3) 하층민의 봉기 : 신분 해방적 성격

① 망이 · 망소이의 난 : 공주 명학소 봉기

② 김사미 · 효심의 난 : 지나친 수탈에 대한 저항, 신라의 부흥 외침

③ 만적의 난 : 최충헌의 노비 만적 주도, 노비들의 신분 해방운동적 성격

(3) 몽골 항쟁(1231 ~ 1270)

  1) 몽골의 침략

   ① 원인 : 거란을 추격하는 과정에서 고려와 처음 접촉한 뒤 무리한 조공을 요구 →
      고려는 몽골 사신을 살해 → 고려에 침략

   ② 전개 과정 : 최씨 정권은 강화를 맺은 뒤 강화도로 천도하여 몽골의 침략에 항쟁

  2) 몽골 항쟁

   ① 처인성 전투 : 김윤후가 부곡민을 이끌고 몽골 장수 살리타 사살

   ② 충주 다인철소 전투 : 다인철소의 하층민이 몽골군과 끝까지 싸워서 격퇴

   ③ 팔만대장경 조판 : 부처의 힘으로 국난을 극복하고자 제작

  3) 영향

   ① 문화재 소실 : 초조대장경, 황룡사 9층 목탑 소실

   ② 삼별초 항쟁(1270 ~ 1273)

     · 개경 환도에 반발하여 배중손, 김통정 지휘 하에 몽골에 끝까지 항쟁

     · 강화도에서 진도로 다시 제주도로 이동하여 최후까지 항쟁

     · 고려 무인의 굴복하지 않는 기개를 보여준 역사적 사건

   고려의 대외 관계 정리

   1. 거란(10C 말 ~ 11C) : 1차 침입(서희, 강동 6주), 3차 침입(강감찬, 귀주대첩)

   2. 여진(12C) : 윤관, 별무반, 동북 9성

   3. 몽골(13C) : 강화도 천도, 팔만대장경, 삼별초 항쟁

   4. 홍건적, 왜구(14C) : 공민왕 시기, 최영과 이성계 활약, 최무선 화포 제작(진포 싸움에서 왜구 격퇴)

---

04. 고려 후기의 정치 변화

(1) 원 간섭기와 공민왕의 반원 개혁 정치

  1) 원 간섭기

   ① 영토 상실 – 쌍성총관부(철령 이북), 동녕부(자비령 이북), 탐라총관부(제주도)

② 일본 원정에 동원 : 두 차례에 걸친 일본 원정으로 인적, 물적 자원의 피해가 큼

③ 내정 간섭 : 황제에서 왕의 나라로 격하

· 폐하 → 전하, 조종제 → 왕

· 2성 6부 → 1부 4사

· 고려는 원의 부마국 전락

④ 정동행성 설치, 다루가치 파견

⑤ 수탈 : 조공, 공녀, 공남 요구

⑥ 몽골풍 유행 : 수라, 만두, 소주, 변발

2) 공민왕의 자주적 반원 개혁 정치

① 반원 자주 정책

· 정동행성 이문소 폐지

· 쌍성총관부 무력으로 탈환 : 영토 확장

· 관제 복구, 몽골풍 폐지

② 친원 세력(권문세족) 숙청

· 기철 등 제거

③ 왕권 강화

· 전민변정도감 설치 : 불법적 토지를 원래 주인에게 돌려 줌

3) 신진 사대부의 성장

① 지방 향리 출신으로 과거 시험을 통해 중앙정계 진출

② 성리학 수용 : 조선의 기본 사상으로 성장

③ 공민왕 때 성장

④ 권문세족과 불교의 폐단 비판

(2) 고려의 멸망

1) 위화도 회군(1388) : 최영을 제거하고 이성계가 정권 장악

2) 과전법 개혁(1391) : 권문세족의 경제 기반 약화, 신진 사대부의 경제 기반 마련

3) 고려의 멸망 : 혁명파 신진 사대부의 추대로 이성계가 왕으로 추대.
조선 건국(1392)

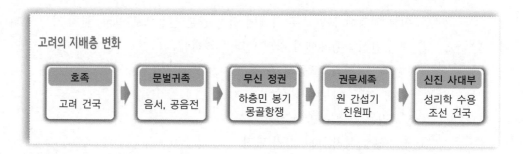

고려의 지배층 변화

호족	문벌귀족	무신 정권	권문세족	신진 사대부
고려 건국	음서, 공음전	하층민 봉기 몽골항쟁	원 간섭기 친원파	성리학 수용 조선 건국

권문세족과 신진 사대부 비교

	권문세족	신진 사대부
경제적 기반	대농장	중소지주층
관직 진출	음서	과거
사상적 기반	불교	성리학
대외정책	친원파	친명파
성향	보수적	개혁적

05. 고려의 경제, 사회, 문화

(1) 고려의 경제

1) 고려의 토지 제도

① 전시과
- 관리의 등급에 따라 전지(농지)와 시지(임야)를 나누어 지급한 토지 제도로, 수조권을 지급함
- 원칙적으로 사망하거나 퇴직 시 국가에 반납

② 공음전 : 공신과 종실, 5품 이상의 관료에게 지급되는 특혜적 토지로 세습이 가능한 토지

③ 민전 : 개인 소유지로 매매·상속·증여가 가능한 토지, 조세 부과

2) 농업

① 시비법 발달 : 휴경지 감소

② 밭농사에서는 2년 3작의 윤작법이 나타남

③ 남부 지방 일부에서 이앙법 보급

3) 상업의 발달과 화폐 주조

① 화폐 주조

· 건원중보(철전), 삼한통보, 해동통보, 해동중보, 활구(은병)

· 화폐 유통 부진, 곡식과 삼베가 주요 교환 수단

② 국제 무역항 : 벽란도 – 유럽에 고려의 이름이 소개됨(코리아)

(2) 고려의 사회

1) 고려의 신분 제도

① 귀족

· 왕실과 5품 이상의 고위관리 가문

· 경제 · 정치적 특권을 향유

② 중류층

· 실무 행정을 담당하는 말단 행정직 관리, 직역 세습

· 잡류(중앙의 말단 행정직 관리), 향리(지방의 실무 담당), 남반(궁중 실무 관리), 하급 장교

③ 양민

· 조세와 공납, 역 담당

· 백정(농민) : 특정한 직역을 부담하지 않은 농민

· 상인, 수공업자

· 향, 부곡, 소 주민 : 일반 양민보다 더 많은 세금 부담, 거주 이전 금지

④ 천민

· 노비 : 공노비, 사노비; 매매 · 상속 · 증여의 대상

· 외거 노비의 경우 독립적인 생활과 더불어 재산 형성 가능

2) 고려의 사회 모습

① 사회 제도 : 백성들의 생활 안정책

· 의창(곡식 대여), 상평창(물가 조절)

· 동 · 서 대비원(가난한 환자 치료), 혜민국(의약 전담)

· 제위보(기금을 마련하여 빈민 구제)

② 향도 : 농민 조직

· 매향 활동을 하던 불교 신앙 조직에서 시작

· 고려 후기 마을의 상장례, 마을 제사 등을 주관하는 농민 조직

③ 여성의 지위 : 조선과 비교

시대 내용	고려 시대	조선 시대
상속	자녀 균분	장자 위주
제사와 봉양	여성도 의무	장자
여성의 재혼	여성도 자유로움	여성 불가
호주	여성도 가능	여성 불가
호적 기재	태어난 순서	남녀 구분
혼인 후 거주	처가살이 일반적	시집살이 일반적(친영 제도)
여성의 지위	수평적 평등관계	수직적 종적관계

고려의 가족제도

고려는 사위가 처가의 호적에 입적하는 경우도 있고, 음서의 경우는 사위와 외손자도 혜택이 있었다.

(3) 고려의 문화

1) 고려의 학문 발달

① 사학의 발달

· 관학 : 국자감, 향교

· 최충의 9재 학당(문헌공도)을 비롯한 사학 12도 성행

· 관학 진흥책 : 7재(전문 강좌), 양현고, 서적포

② 성리학의 전래

· 충렬왕 때 안향이 소개, 신진 사대부에 수용

· 신진 사대부의 사회 개혁 사상으로 불교와 권문세족 비판, 조선의 통치 이념으로 계승

2) 고려의 역사서
① 삼국사기 : 고려 중기
- · 김부식 편찬, 관찬
- · 유교적 합리 사관, 기전체 방식
- · 신라 중심으로 서술
- · 우리나라 현존 최고의 역사서
- · 단군의 고조선 건국 기록 없음

② 삼국유사 : 고려 후기
- · 일연 편찬
- · 불교사 중심으로 서술, 기사본말체
- · 설화와 향가 수록
- · 단군의 고조선 건국 기록 최초로 수록

3) 고려의 불교 발달
① 대각국사 의천 : 고려 중기(문벌귀족 시기)
- · 천태종 창시 : 교종 중심으로 선종까지 통합
- · 교관겸수 강조

② 보조국사 지눌 : 고려 후기(무신정권 시기)
- · 조계종 창시 : 선종 중심으로 교종까지 통합
- · 정혜쌍수, 돈오점수 강조
- · 신앙 정화 운동 : 수선사 결사 운동
- · 선교일치 완성

4) 대장경 간행
① 초조대장경 : 거란 침입을 극복하기 위해 제작, 몽골 침입 때 소실
② 팔만대장경(재조대장경)
- · 몽골의 침입을 격퇴하기 위해 강화도에서 제작
- · 현재 합천 해인사에 보관
- · 1995년 유네스코 세계 기록 유산 등재

▲ 팔만대장경

5) 고려 불교 문화
  ① 목조 건축
     · 주심포 양식 : 안동 봉정사 극락전(현존 최고의 목조 건축물), 영주 부석사 무량
       수전, 예산 수덕사 대웅전
     · 다포 양식 : 사리원 성불사 응진전
  ② 석탑
     · 평창 월정사 8각 9층 석탑 : 송의 영향
     · 개성 경천사지 10층 석탑 : 원의 영향

6) 고려의 과학 기술
  ① 인쇄술 : 금속 활자 인쇄술
     · 상정고금예문(1234) : 기록으로만 전함
     · 직지심체요절(1377) : 세계 최고의 금속 활자본, 프랑스 파리 국립 도서관에 보
       관, 유네스코 기록 유산 등재
  ② 화약 : 최무선 화포 제작; 진포 싸움에서 왜구 격퇴

7) 고려의 공예
  ① 자기 공예 : 청자(송의 영향), 상감청자(독창적인 우리 도자기 기술)
  ② 공예 : 은입사 기술, 나전칠기
  ③ 그림 : 천산대렵도(공민왕), 혜허의 관음보살도

▲ 청자칠보투각향로

▲ 운학문매병(상감청자)

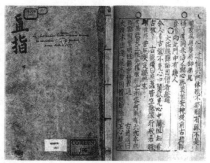
▲ 직지심체요절

04 조선 유교 사회 성립과 발전

01. 조선의 건국과 정치발전

(1) 조선의 건국
1) 조선 건국
① 건국 세력 : 신흥 무인 세력(이성계)과 신진 사대부(정도전)
② 건국 과정
· 위화도 회군(1388) : 이성계가 최영을 제거하고 정권 장악
· 조선 건국(1392) : 신진 사대부의 추대로 이성계가 왕위에 오름

2) 국가 기틀 마련
① 태종 : 왕권 강화
· 왕자의 난
· 6조 직계제 실시, 사병 폐지
· 호패법 실시
② 세종 : 유교적 민본 사상 실현
· 왕권과 신권의 조화 : 집현전 설치, 의정부 서사제 실시
· 훈민정음 창제, 과학 기술 발전(측우기, 자격루, 앙부일구, 칠정산)
· 영토 확장 : 여진 정벌을 통해 4군 6진 개척, 사민 정책
· 쓰시마섬 정벌(이종무)
③ 세조 : 6조 직계제 실시, 집현전과 경연 폐지
④ 성종 : 통치 규범의 성문화
· 경국대전 반포 : 조선의 기본 법전
· 홍문관 설치, 경연 강화

(2) 통치 체제 정비
1) 중앙 통치 조직(경관직) : 의정부와 6조 중심
① 의정부 : 조선 시대 최고 회의 기구, 재상의 합의로 국정을 총괄
② 6조 : 실무행정 기관 - 이, 호, 예, 병, 형, 공(책임자 : 판서)

③ 왕권 강화 기구

　·승정원 : 왕의 비서기구, 왕명출납 기구

　·의금부 : 왕의 특별 사법 기구, 국가의 대역죄 처벌

④ 삼사 : 왕권 견제 기구

　·사헌부 : 관리 비리 감찰

　·사간원 : 정책에 대한 간쟁

　·홍문관 : 경연 담당, 국왕의 학문 자문 기구

⑤ 춘추관 : 역사 편찬, 조선왕조실록 편찬

⑥ 한성부 : 수도 한양의 행정과 치안 담당

2) 지방 행정 조직(외관직)

① 8도(관찰사 파견) → 부, 목, 군, 현 설치(수령 파견)

　㉠ 관찰사 : 수령을 비롯한 모든 외관을 평가함

　㉡ 수령

　　·지방 행정을 실질적으로 담당하는 각 군현의 외관

　　·왕의 대리인으로 왕명에 따른 지방 통치

　㉢ 향리 : 지방의 세습직 아전, 수령의 실무 행정을 보좌

② 중앙 집권 체제 강화

　·속현과 향, 소, 부곡 폐지

　·모든 군현에 수령 파견

　·수령 권한 강화, 향리 지위 격하

③ 상피제도 : 수령이나 관찰사는 자신의 출신지에 부임 금지

④ 유향소

　·지방 양반들의 자치 기구

　·향회 소집, 여론 수렴, 백성 교화, 수령 자문, 향리 규찰 등

⑤ 경재소 : 중앙에서 지방 업무를 살피는 사무소, 경재소를 통해 유향소 통제

3) 교통과 통신 제도

① 역참제 : 말을 이용하여 물자 수송과 통신 담당(파발)

② 봉수제 : 횃불이나 연기를 이용하여 국경 지역의 군사적 위급 사태 연락

③ 조운제 : 하천(수로)을 이용하여 조세를 운반하는 교통체제

4) 조선 전기 예비군 : 잡색군 – 양반, 향리, 노비 등으로 구성

(3) 관리 등용 제도와 교육제도

1) 과거 제도

① 응시 자격 : 양인(천민이 아니면 가능)

② 과거 종류

　㉠ 문과

　　· 특징 : 정기 시험(3년마다 보는 식년시), 별시

　　· 소과 : 예비 시험으로 진사나 생원을 선발, 합격자는 성균관에 입교 자격

　　· 대과 : 문관 선발 시험

　㉡ 무과 : 무관 선발 시험

　㉢ 잡과 : 기술관 선발 시험, 분야별 해당 관청에서 관리

2) 특별 임용제

① 천거 : 기존 관리 대상으로 추천제

② 음서 : 2품 이상, 공신 자손 대상

③ 취재 : 간단한 시험으로 하급 실무직에 임용

3) 교육 제도

① 서당 : 사학, 초등 교육 기관, 8 ~ 9세에 입교

② 향교 : 관학, 중등 교육 기관

　· 중앙에서 교수 파견

　· 지방 교육 담당, 한양에는 4부 학당

③ 성균관 : 고등 교육 기관

　· 진사와 생원이 입교, 결원이 생기면 4부 학당에서 선발

　· 중앙 교육 기관으로 관리 양성 기능도 포함

　· 대과에 응시해 관리로 나감

　cf) 서원 : 원래는 선현 제사 담당 기능, 학문 연구를 통한 후학 양성

(4) 사림의 등장

1) 사림의 형성

① 위화도 회군으로 온건파 신진 사대부와 혁명파 신진 사대부로 나뉨

② 훈구와 사림

구분	훈구파	사림파
기원	혁명파 신진 사대부 계승	온건파 신진 사대부 계승
성장	세조 집권 이후 정치 실권 장악	성종 때 중앙 정계 본격 진출
특징	부국강병 추구 중앙집권적 정치 성향	왕도 정치 향촌 자치 추구
사상	불교와 풍수지리설에도 관대	성리학만 고수

③ 사화 : 훈구 세력과 사림 세력의 대립
④ 조광조의 개혁
 · 성리학적 통치 이념 추구
 · 현량과 실시, 소격서(전통신앙 주관청) 폐지, 소학 보급, 공납의 폐단 지적
 · 위훈 삭제 사건으로 기묘사화에서 축출

2) 붕당 정치
① 붕당 정치 : 선조 때 정치적, 학문적 성향에 따라 무리지어 정치하는 형태
② 붕당 발생 : 이조전랑직 천거로 붕당(동인 / 서인)
③ 붕당의 기능
 · 공론을 중시, 정치 참여 확대
 · 견제와 균형의 원리의 정치 추구
 · 한계 : 국론 분열과 왕권 약화

3) 성리학적 사회질서 확산
① 서원
 · 이름난 선비 · 공신 숭배 및 덕행 추모 제사
 · 지방 유생의 학문연구, 후학 양성, 사림의 공론 형성
 · 백운동 서원(→ 소수 서원) : 최초의 서원, 16C 풍기 군수 주세붕이 세움
② 향약의 보급
 · 전통적인 마을공동체에 유교 윤리를 가미하여 만든 향촌 자치 조직
 · 역할 : 향촌 사회 풍속 교정, 질서 유지 및 치안 담당
 · 사림의 역할 : 향약의 조직과 운영 주도, 향약을 중심으로 향촌 사회 장악

02. 조선 전기의 대외관계와 양난

(1) 임진왜란

1) 사대교린 정책

① 명과의 관계 : 사대 정책 – 자주적 실리 외교, 선진 문화 수용

② 여진

　㉠ 강경책

　　· 4군6진 개척 : 압록강과 두만강에 이르는 국경선 확정, 토관 제도

　　· 사민 정책 : 삼남 주민 이주

　㉡ 회유책 : 국경에 무역소 설치

③ 일본

　㉠ 강경책 : 이종무의 쓰시마섬 정벌

　㉡ 회유책 : 3포 개항, 계해약조 체결(무역 허용)

④ 동남아시아와의 관계 : 류큐, 시암, 자와에서 토산물을 진상 형식으로 교환

2) 임진왜란(1592 ~ 1598)

① 전쟁의 발발 : 도요토미 히데요시가 일본 전국 전쟁을 끝내고 조선을 침략

▲ 임진왜란 해전도

② 이순신의 활약

　· 전라도 곡창 지대 보호

　· 남해 제해권 장악

　· 일본의 수륙 병진 작전 저지

③ 의병의 활약

　· 향토 지리에 밝은 점을 이용

　· 의병장 : 조헌, 고경명, 김천일, 곽재우, 휴정, 유정

④ 임진왜란의 영향

　㉠ 국내(조선)

　　· 많은 인명 피해, 호적과 토지 대장 상실, 국토 황폐화

　　· 신분제 동요 : 납속과 공명첩 발행

　　· 경복궁과 불국사 소실

▲ 관군과 의병의 활약

ⓒ 일본

　　　· 정권 교체 : 도요토미 가문 몰락 → 도쿠가와 이에야스의 에도 막부 성립

　　　· 문화 발달 : 도자기, 성리학 발달

　　ⓒ 명 : 파병으로 인해 막대한 비용과 정치혼란, 국력 쇠퇴

　　ⓔ 여진 : 세력이 성장하여 후금을 세움 – 명과 조선을 위협

(2) 병자호란

1) 광해군의 중립 외교

① 국내 : 전후 복구 정책

· 토지 대장(양안), 호적 정리, 사고 복구

· 「동의보감」(허준) 편찬

· 경기도에 최초로 대동법 실시

② 중립외교 정책 : 명과 후금 사이에 중립외교 정책

③ 인조반정

· 배경 : 광해군의 중립외교 정책 불만, '폐모살제'의 명분

· 외교 정책 전환 : 명에 대한 의리와 명분 강조, 서인의 친명배금 정책 실시

2) 병자호란

① 서인정권의 외교 정책 : 친명배금 정책

② 후금은 조선의 외교 정책에 대한 불만과 이괄의 난을 이유로 조선에 침략(정묘호란; 1627)

③ 병자호란(1636)

㉠ 배경 : 후금이 청으로 국호를 바꾸고 조선에 군신관계 요구

㉡ 병자호란

· 청의 조선 침입 : 남한산성으로 들어가 항전

· 45일만에 송파 삼전도에서 굴욕적인 항복 : 군신관계 수용

· 세자를 비롯한 대신과 많은 사람들이 인질로 끌려감

▲ 정묘호란과 병자호란

3) 북벌운동 전개
① 청과는 표면적으로는 군신관계이나 실질적으로 북벌운동 전개
② 효종, 송시열, 이완 등이 준비했으나 이루지 못함

03. 조선 전기의 경제, 사회, 문화

(1) 조선 전기 경제와 사회
1) 토지 제도 : 수조권 지급
① 과전법(태조)
- 고려말 신진 사대부 경제 기반 확보
- 경기도에 한하여 관리에게 지급
- 전·현직 관리 모두에 지급, 사망 시 국가에 반납
- 수신전과 휼양전으로 예외적 세습
② 직전법(세조)
- 현직 관리만을 대상으로 토지 지급
- 수신전과 휼양전 폐지
③ 관수관급제(성종)
- 국가가 수조권 대행, 양반 관료의 과다 수취 방지
- 국가의 토지 지배력 강화
④ 직전법 폐지(명종)
- 지급 토지 부족, 직전법 폐지
- 녹봉제 실시, 지주전호제 발달

2) 조선의 신분 제도
① 법적인 신분제 : 양천제
② 사회적 신분 제도
㉠ 양반 : 문반과 무반직의 현직 관리 → 관직을 가질 수 있는 신분과 가문 의미
㉡ 중인 : 기술관, 서리, 향리, 서얼 등; 직역 세습, 잡과 응시
㉢ 상민
- 농민 : 상민 대다수, 전세·공납·역의 의무, 과거 응시 가능
- 신량역천 : 신분은 양인이지만 하는 일이 천역에 종사; 수군, 나장, 역졸, 조졸, 봉수군 등
㉣ 천민 : 노비, 백정, 재인, 창기, 무당

3) 사회 제도
① 빈민 구제 : 환곡제(의창, 상평창), 사창제
② 의료 및 구휼 시설
ㄱ 혜민국과 동·서 대비원 : 서민 환자 구제, 약재 판매
ㄴ 제생원 : 지방민의 구호 및 진료
ㄷ 동·서 활인서 : 유랑자의 수용과 구휼

4) 사법 기구
① 중앙 : 사헌부, 의금부, 한성부, 장례원(노비 관련 문제)
② 지방 : 수령과 관찰사가 지역 내 사법권 행사

(2) 조선 전기 문화

1) 훈민정음과 역사서
① 훈민정음 : 세종 때 우리 고유 문자의 필요성에 창제
② 역사서
ㄱ 고려사(기전체), 고려사절요(편년체)
ㄴ 동국통감(성종; 단군 조선을 국가의 시작으로 확립, 통사체)

2) 지도와 지리서
① 지도 : 혼일강리역대국도지도(태종; 세계지도), 팔도도, 동국지도
② 지리지 : 신찬팔도지리지(세종실록 지리지), 동국여지승람(성종)

3) 법전과 의례서
① 법전 : 경국대전(성종; 조선의 기본 법전)
② 의례서 : 삼강행실도(유교 윤리서), 국조오례의(성종; 국가의례서)

4) 성리학의 발달
① 소개 : 고려 말 원에서 전래되어 안향이 소개
② 수용 : 신진 사대부에 수용되어 조선의 기본 사상으로 발전
③ 내용 : 우주 만물의 이치와 인간의 본성 탐구를 통한 사회문제 해결책 연구
④ 학자
ㄱ 퇴계 이황 : 근본 원리 중시(이 중심), 영남학파 형성, 도산 서원, 일본 성리학
에 영향, 「주자서절요」, 「성학십도」

ⓒ 율곡 이이 : 현실과 경험 중시(기 역할 강조), 사회개혁 주장, '십만양병설',
'수미법', 향약 실시,「동호문답」,「성학집요」

5) 건축과 예술

구분	15세기	16세기
그림	· 성리학 외에 도교와 노장 분위기 반영 · 안견의 몽유도원도, 강희안의 고사관수도	· 성리학 중시한 사림의 분위기 반영 · 이정의 대나무, 어몽룡의 매화 그림
공예	분청사기	백자
건축	궁궐, 관아, 성곽, 학교 등	서원 건축 : 자연과 조화

15세기 문화

▲ 고사관수도　　　　▲ 몽유도원도　　　　▲ 분청사기

16세기 문화

▲ 백자　　　▲ 초충도(신사임당)　　　▲ 묵죽도　　　▲ 소수서원

05 조선 사회의 변화

01. 조선 후기의 정치 구조 변화

(1) 정치 구조 변화와 탕평 정치

1) 비변사 강화
① 조선 초(중종)에 국방문제 즉 여진족과 왜구의 문제를 다루는 임시 기구로 설치
② 을묘왜변(명종) 이후로 상설화
③ 임진왜란 이후 국정을 총괄하는 조선 후기 최고 회의 기구
④ 비변사의 강화 → 의정부와 6조 중심의 행정 체계 유명무실, 왕권 약화

2) 군사제도 변화
① 중앙군 : 5위 → 5군영
· 훈련도감, 어영청, 총융청, 수어청, 금위영
· 훈련도감 : 5군영의 핵심부대로 임진왜란 때 설치, 삼수병 구성, 직업군인
② 지방군 : 속오군(양반에서 노비에 이르기까지 모든 신분으로 편제)

3) 영조의 탕평 정치
① 목적 : 정국 안정과 왕권 강화 추구
· 탕평파 중심 정국 운영
· 산림 존재 인정 안함, 서원 정리
· 이조전랑의 권한 약화 : 후임자 천거권과 삼사 관리 인사권 폐지
② 개혁 정치 : 균역법 시행(1750), 속대전 편찬

4) 정조의 탕평 정치
① 왕권 강화
· 규장각 육성, 초계문신제 실시, 장용영 설치
· 수원 화성 축조, 수령 권한 강화
② 개혁 정치
· 서얼과 노비에 대한 차별 완화
· 상공업 진흥(통공정책 실시)
· 대전통편 편찬

(2) 세도 정치

1) 세도 정치

① 의미 : 특정인 또는 특정 가문이 왕의 신임을 받아 권력을 독점하는 정치

② 전개 : 순조(안동 김씨), 헌종(풍양 조씨), 철종(안동 김씨) 등 63년 간 세도 정치
가 이어짐

2) 권력 구조

① 붕당의 대립 구조 소멸, 세도 가문에 의한 권력 독점

② 과거제 운영 각종 부정 발생, 매관매직 성행

3) 삼정의 문란

① 전정 : 원래 내는 세금에 각종 잡세를 추가 부과

② 군정 : 백골징포, 강년채, 황구첨정, 족징, 인징 등 부정 수급 행위 발생

③ 환곡 : 가난한 농민을 구제하는 것이 아닌 고리대로 변질

4) 농민 봉기 : 원인 – 삼정의 문란

① 홍경래의 난(1811)

· 배경 : 평안도 지역에 대한 차별 대우

· 몰락 양반, 광산 노동자, 농민 등 참여

· 청천강 이북 점령 → 정주성 싸움에서
관군에 전멸

② 임술 농민 봉기(1862)

· 진주 농민 봉기 발발 : 백낙신의 수탈에
반발

· 제주도부터 함경도에 이르는 전국적 농
민 봉기 확산

③ 대책 : 암행어사 파견, 삼정이정청 설치

(3) 조선 후기 대외 관계

1) 청과의 관계

① 효종의 북벌 준비 : 송시열, 이완 등 등용

② 간도를 둘러싼 국경 분쟁

③ 백두산 정계비 건립(1712) : 압록강과 토문강을 경계로 삼음

2) 일본과의 관계

① 기유약조(1609) 체결로 국교 재개 : 왜관 설치, 제한된 범위에서 교섭 허용

② 통신사 파견 : 일본 막부의 권위를 국제적으로 인정받기 위한 일본의 요청에 의해 파견, 조선의 선진 학문과 기술이 일본에 전파되는 계기

3) 울릉도와 독도 : 일본과 관계

① 삼국시대 신라 지증왕 때 우산국(울릉도) 복속

② 조선후기 숙종 때 안용복이 일본에 가서 담판을 짓고, 울릉도와 독도가 우리 영토임을 확인 받음

③ 19세기 말 조선 정부도 적극적으로 울릉도를 관리하여 독도를 관할함

02. 조선 후기의 경제

(1) 조선 후기 수취체제 개편

1) 영정법(인조) : 전세의 정액화

① 배경 : 연분9등법의 공법 문란

② 영정법 시행(1635; 인조) : 풍흉에 관계없이 1결당 쌀 4 ~ 6두로 고정

2) 대동법(광해군 시작) : 공납의 전세화

① 배경 : 방납의 폐단, 농민의 토지 이탈

② 내용

· 토지 1결당 쌀 12두, 삼베나 면포, 동전으로 납부

· 광해군 때 경기도를 시작으로 숙종 때 전국적 확대

· 지주와 방납업자의 반발이 심해 전국적 확대에 100년 소요

③ 대동법의 영향

· 공인의 등장, 상공업 발달, 상품화폐 경제 발달

· 농민의 부담 감소

3) 균역법(영조) : 군역의 개혁

① 배경 : 무리한 군포 징수(백골징포, 황구첨정, 인징, 족징 등)

② 내용

- 군포를 1년에 2필에서 1필로 줄임
- 결작(1결당 2두), 선무군관포, 어장세, 선박세, 소금세 등 보충

(2) 조선 후기 산업 발달

1) 농업의 발달

① 모내기법(이앙법)의 전국적 확대

- 노동력 절감, 벼와 보리의 이모작 증가
- 광작의 성행 : 부농과 빈농으로 농민의 계층 분화

② 상품 작물 재배 : 담배, 인삼, 목화, 채소 등 상품 판매를 목적으로 작물 재배

③ 구황 작물 재배 : 가뭄과 기근에 대비하여 고구마와 감자 재배

2) 수공업과 광업

① 민영 수공업 발달, 선대제 수공업 성행

② 민영 광산(사채) 증가

③ 덕대제 : 광산 운영의 책임을 지는 협업 출현

3) 상품 화폐 경제 발달

① 공인과 사상의 활동 : 금난전권 폐지로 사상들의 도고 행위 성행과 공인의 활동 활발

② 대표 사상

- 송상(개성상인) : 전국에 지점(송방) 설치, 인삼 재배 및 판매 독점권, 대외 무역 관여
- 경강 상인 : 한강을 중심으로 미곡, 어물, 소금을 판매

③ 보부상 : 장날의 차이를 이용하여 여러 장시를 하나의 유통망으로 연결시킴

④ 포구 상인(객주와 여각) – 숙박업, 상품의 보관과 중개, 금융업, 물품 운송 등의 영업

4) 대외무역 발달

① 청과의 무역 : 17세기 중엽 이후 국경지대 중심으로 개시(공무역)와 후시(사무역) 성행

② 주요 상인 : 의주의 만상(대중국 무역 주도), 동래의 내상(대일본 무역 주도), 송 상(만상과 내상 중계)

5) 화폐 유통

① 배경 : 상품 화폐 경제 발달, 상평통보 제작, 세금과 소작료의 동전 대납

② 화폐 유통 : 교환의 수단인 동시에 재산 축적의 수단, 전황 발생

③ 신용 화폐 사용 : 환·어음 보급

상평통보

03. 조선 후기 사회 변화

(1) 사회 구조의 변화

1) 신분제의 동요

① 양반층

· 양반 수 급격히 증가 : 납속과 공명첩 외에도 족보 매입, 유생 사칭 등의 방법

· 양반층의 분화 : 권반, 향반, 잔반(몰락 양반)

② 농민층 : 사회 경제적 변화로 역의 부담에서 벗어나기 위해 신분을 사거나 족보 위조·매입

③ 중간 계층의 신분 상승

· 서얼 : 양반으로 상승, 규장각 검서관으로 등용

· 중인 : 기술직에 종사하여 축적한 재산과 실무 경력을 바탕으로 신분 상승

④ 노비 : 납속과 공명첩 외에도 군공, 도망 등을 통해서 신분을 상승시켜 나감

2) 조선 후기 가족 제도

① 특징 : 부계 중심의 가족 제도 강화

② 내용

· 재산 상속에서 장남 우대, 부모의 봉양과 제사는 장남 책임

· 아들이 없는 경우 양자 입양

· 효와 정절 강조 : 효자와 열녀 표창, 과부 재가 금지

· 적서 차별 : 서얼의 문과 응시 제한, 제사와 상속 등에서도 차별

(2) 사회 변혁의 움직임

1) 천주교 전파

① 17세기에 서학으로 소개된 이후 18세기 남인 계열 실학자들이 신앙으로 수용

② 인간평등 사상과 내세 사상을 기반으로 재야 양반과 중인, 여성들 사이 확산

③ 정부의 탄압 : 조상에 대한 제사 거부, 양반 중심의 신분질서 부정이 원인

2) 동학의 발생

① 천주교의 확산에 반대하며 경주 출신 최제우가 창도(1860)

② 교리 : 유교, 불교, 도교의 중요 내용과 민간 신앙 결합

③ 사상 : 시천주, 인내천 사상, 후천 개벽, 「동경대전」, 「용담유사」

④ 탄압 : 최제우 처형; 세상을 어지럽히고 백성들을 현혹한다는 이유로 처형

04. 조선 후기의 문화

(1) 실학의 발달

1) 양명학의 수용

① 18세기 정제두에 의해 체계화(강화학파 형성)

② 지행합일의 실천성 강조

2) 실학의 등장

① 특징 : 실용적 · 실증적 논리로 사회 개혁론 제시, 민족적이고 근대 지향적인 학문

② 한계 : 학문적 연구에 그침, 정책에 반영 안 됨

3) 농업 중심의 개혁론(중농학파, 토지 개혁)

① 농민 생활 안정을 위한 토지 개혁 주장

② 대표 실학자

실학자	토지개혁론	주장 내용	저서
유형원	균전론	양반 문벌 제도, 과거제, 노비제 비판	반계수록
이익	한전론	나라를 좀 먹는 6가지 폐단 지적(6좀론)	성호사설
정약용	여전론, 정전론	중앙과 지방 행정 개혁, 통치자는 백성을 위해 존재	목민심서, 경세유표

4) 상공업 중심의 개혁론(중상학파, 북학파)

① 상공업 진흥과 기술 혁신, 청 문물 수용
② 대표적인 실학자

실학자	주요 주장	저서
유수원	사농공상의 직업적 평등과 전문화 강조	우서
홍대용	지전설, 중국 중심의 세계관 비판	의산문답
박지원	수레와 선박 이용, 화폐 유통 강조, 양반 문벌 제도의 비생 산성 비판 : 허생전, 양반전, 호질	열하일기
박제가	청의 문물 적극 수용, 수레와 선박 이용, 절약보다 소비 강 조(우물에 비유)	북학의

5) 국학 연구의 확대

① 역사 연구 : 유득공 「발해고」, 이종휘 「동사」 – 고대 국가의 역사와 문화에 대한
   관심을 환기시켰으며, 우리 역사의 무대를 만주까지 확대함
② 지리지 : 택리지(이중환)
   각 지역의 자연 환경과 물산, 풍속, 인심 등을 서술하고, 어느 지역이 살기 좋은
   곳인가를 논함
③ 지도
   · 동국지도(정상기) : 최초로 100리척 사용
   · 대동여지도(김정호) : 산맥, 하천, 포구, 도로망을 정밀하게 표시, 10리마다 눈
     금 표시, 목판으로 인쇄
④ 백과사전 : 지봉유설(이수광), 성호사설(이익), 청장관전서(이덕무)

(2) 조선 후기 과학 기술

1) 서양 과학 기술의 전래

① 세계지도, 천리경, 자명종, 화포 소개
② 지구설과 지전설 전파, 중국 중심의 세계관 변화

2) 천문학과 지도

① 천문학 : 김석문(우리나라 최초 지전설 주장), 홍대용(지전설, 무한 우주론)
② 지도 : 곤여만국전도 전래; 조선인 세계관 확대에 기여

3) 의학과 농학 그리고 기술 개발

① 의학 : 「동의보감」(허준, 전통 한의학 정리), 「동의수세보원」(이제마, 사상의학)

② 기술 개발 : 정약용은 과학과 기술의 중요성 강조(거중기 제작, 배다리 설계)

(3) 문화의 새 경향

1) 서민 문화의 발달

① 양반 중심의 문예 활동에 중인층과 서민층이 참여

② 배경 : 상공업 발달, 농업 생산력 증대, 서당의 보급

③ 한글 소설

· 홍길동전 : 허균 지음, 적서차별에 대한 비판, 부패한 사회 개혁 바람

· 춘향전 : 신분 차별에 대한 비합리성, 탐관오리 고발

④ 사설시조 : 격식에 구애받지 않고 감정을 솔직히 표현

⑤ 판소리 : 솔직한 감정 표현, 서민 문화의 중심

⑥ 탈놀이 : 민중의 오락으로 도시 상인과 중간층의 지원

2) 조선 후기 예술

① 진경산수화 : 우리 자연을 사실적으로 그려 우리 것에 대한 자부심이 드러남
(정선; 인왕제색도, 금강전도)

② 풍속화

· 김홍도 : 서민 생활을 익살스럽게 표현; 씨름도, 타작도, 서당도 등

· 신윤복 : 양반과 부녀자의 생활이나 남녀 간의 애정 묘사; 단오풍정 등

③ 민화 : 민중의 기원, 호랑이 · 용 · 까치 등을 소재로 그림

④ 서예 : 김정희(추사체)

3) 건축과 공예

① 17세기 : 금산사 미륵전, 법주사 팔상전

② 18세기 : 수원 화성

③ 19세기 : 경복궁

④ 공예 : 백자가 민간에 널리 쓰임, 청화 백자, 서민은 옹기 사용

▲ 인왕제색도(정선)

▲ 무동(김홍도)

▲ 타작도(김홍도)

▲ 단오풍정(신윤복)

▲ 까치와 호랑이(민화)

▲ 수원 화성

근대 사회의 전개

01. 외세의 침략적 접근과 개항

(1) 흥선 대원군의 정치

1) 흥선 대원군의 통치 체제 개혁

① 통치 체제 정비 : 세도 정치 타파, 비변사 축소 또는 폐지(의정부와 삼군부 부활)

② 민생 안정책(삼정 개혁)

  ㉠ 전정 : 양전 사업; 양반과 토호의 토지 겸병 금지

  ㉡ 군정 : 호포법 실시; 양반에게도 군포 부과

  ㉢ 환곡 : 사창제 실시(마을 자치적 곡식 대여)

③ 서원 정리 : 국가 재정 확충과 민생 안정

④ 경복궁 중건 : 왕실의 위엄 회복 목적, 당백전 발행, 백성의 부역 징발

⑤ 개혁 정치의 의의 : 국가 기강 확립(전통적인 통치 질서의 재정비), 왕권 강화, 민생 안정

2) 흥선 대원군의 통상 수교 거부 정책

① 병인양요(1866) : 병인박해를 구실로 프랑스의 강화도 침범, 프랑스군의 외규장각 도서 약탈

② 오페르트 도굴 사건(1868) : 오페르트의 남연군 묘 도굴 시도

③ 신미양요(1871) : 제너럴 셔먼호 사건 구실로 미국의 강화도 침범, 어재연 부대 항전

④ 척화비 건립 : 신미양요 후 전국에 건립하여 통상 수교 거부의 의지를 보여 줌

(2) 조선의 개항(강화도 조약)

1) 강화도 조약(1876) : 조선과 일본의 조약

① 운요호 사건(1875) : 강화도 조약의 원인

② 주요 내용 : 조선의 자주국 규정(→ 일본의 청 간섭 배제 의도 반영), 일본의 치외법권과 해안 측량권 인정(주권 침해한 불평등 조약), 3개 항구 개항(부산, 원산, 인천), 무관세, 곡물 무제한 유출

③ 의의 : 우리 나라 최초의 근대적 조약, 불평등 조약

2) 조 · 미 수호 통상 조약(1882)

① 미국의 수교 요청

② 조선책략 유포 : 청의 황쭌셴은 러시아의 남하를 막기 위해 중국, 일본, 미국과
수교할 것을 주장(친중국, 결일본, 연미국)

③ 기타 열강과 외교 관계 : 영국(1883), 독일(1883), 이탈리아(1884), 러시아(1884),
프랑스(1886), 오스트리아(1892)

02. 근대적 개혁의 추진과 반발

(1) 개화정책 추진과 반발

1) 1880년대 개화 정책

① 해외 시찰단 및 유학생 파견

· 수신사(일본) : 제1차 수신사 김기수(1876), 제2차 수신사 김홍집(1880) 파견

· 조사 시찰단(일본) : 일본의 근대적 발전상 시찰(1881)

· 영선사(청) : 톈진에서 근대 무기 제조법과 군사 훈련법 습득(1881) → 기기창
설치

· 보빙 사절단(미국) : 최초의 구미 사절단

② 개화 정책

· 관제 개편(1881) : 통리기무아문 설치(개화 정책 추진 기구), 12사 설치

· 군제개편 : 별기군 설치(신식 군대, 일본인 교관이 근대식 군사 훈련)

· 근대 시설 설치 : 기기창(근대 무기 제조), 박문국(인쇄), 전환국(화폐 발행), 우
정국(우편 사무)

▲ 별기군(신식군대)

▲ 보빙사

▲ 우정총국

2) 개화정책 반발 : 위정척사 사상

① 의미 : 우리 전통문화는 수호하고 외세는 배격, 성리학적 유교 질서 유지

② 위정척사 운동의 전개

시기	배경	내용
1860년대	흥선대원군 집권, 병인양요, 신미양요	통상 수교 반대, 척화주전론
1870년대	강화도 조약 체결	개항 반대, 강화도 조약 반대 (왜양일체론)
1880년대	개화정책 추진, 조선책략, 미국과 수교	개화 정책 반발, 미국과 수교 반대 (영남만인소)
1890년대	을미사변, 단발령	을미의병 발발

3) 임오군란(1882)

① 배경 : 별기군과 구식 군대의 차별 대우, 개화 세력과 보수 세력 갈등

② 경과 : 구식 군대의 일본인 교관 살해 및 일본 공사관 습격, 도시 빈민층의 동조, 흥선 대원군 재집권

③ 결과

· 일본과 제물포 조약 체결 : 일본 공사관 경비병 주둔 인정, 배상금 지불

· 청의 내정 간섭 심화 : 조 · 청 상민 수륙 무역 장정 체결(청 상인에게 통상 특혜 보장)

(2) 갑신정변

1) 개화 세력의 분화

① 온건 개화파 : 동도서기론, 청 모델, 김홍집 · 어윤중 · 김윤식

② 급진 개화파 : 문명 개화론, 일본 모델, 김옥균 · 박영효 · 홍영식

2) 갑신정변(1884)

① 전개 : 급진 개화파가 우정총국 개소식 축하연 이용 → 민씨 고관 살해, 새 내각 발표, 14개조 정강 발표 → 청군 개입으로 3일 만에 실패 → 일본으로 망명(3일 천하)

② 내용 : 문벌 폐지, 입헌군주제

③ 의의 : 근대 국가 건설을 목표로 한 최초의 정치 개혁 운동(갑오개혁에 반영)

03. 근대 국가 수립 운동

(1) 동학 농민 운동과 갑오개혁

1) 동학 농민 운동(1894)

① 1차 농민 전쟁(반봉건적) : 조병갑의 수탈로 인한 고부 농민 봉기(전봉준) → 백산 집결(4대 행동 강령 선포) → 황토현 전투, 장성 전투(농민군 승리) → 전주성 점령 → 청군와 일본군의 파병 → 전주 화약을 맺고 해산

② 집강소 시기 : 농민군이 전라도 전역에 집강소를 설치해 자율적으로 폐정개혁 추진

동학 농민의 주요 주장(폐정개혁 12조)

- 노비문서 소각한다.

- 백정이 쓰는 평량갓을 없애라.

- 과부의 재혼을 허가 하라.

- 왜와 통하는 자는 엄중히 징벌한다.

- 토지는 균등히 나누어 경작한다.

---

③ 2차 농민 전쟁(반외세적) : 일본군의 경복궁 점령 및 내정 간섭 → 공주 우금치 전투에서 패배

④ 의의 : 반봉건, 반외세적 성격의 아래부터의 개혁 운동

2) 갑오개혁(1894)

① 제1차 개혁(갑오개혁, 1894)

　· 일본군의 경복궁 점령, 민씨 정권 붕괴, 개혁 추진 기구 '군국기무처' 설치

　· 내용 : 왕실과 국정 사무 분리, 과거제 폐지, 조세 금납화, 신분제 폐지, 과부재가 허용

② 제3차 개혁(을미개혁, 1895)

　· 삼국 간섭 후 일본의 세력 위축 → 일본의 명성 황후 시해 사건(을미사변) → 을미개혁 실시(김홍집 내각의 급진적 개혁) → 을미의병 봉기, 아관 파천으로 개혁 중단

　· 을미개혁 내용 : 단발령, 태양력 사용, 종두법 실시

(2) 독립협회와 대한제국

1) 아관파천(1896)

① 을미개혁 이후 고종이 러시아 공사관으로 거처를 옮김
② 열강의 이권 침탈 본격화
  · 내용 : 광산 채굴권, 산림 벌채권, 철도 부설권 등
  · 철도는 특히 일본의 대륙 침략 의도로 부설됨

2) 독립 협회 결성(1896)

① 조직 : 서재필 등 개화 지식층, 관료와 일반인 참여
② 목적 : 민중 계몽을 통한 자유 민주주의, 민권 신장, 자주 국권 수호
③ 독립 협회의 활동
  · 민중 계몽 운동 : 독립문 건립, 독립신문 발행, 토론회 개최; 민중의 정치의식 고양
  · 자주 국권 운동 : 러시아의 내정 간섭과 이권 침탈 규탄
  · 최초의 근대적 민중 집회인 만민 공동회 개최(1898)
④ 자유 민권 운동과 의회 설립 운동
  · 언론·출판·집회·결사의 자유 보장, 국민 참정권 운동, 의회 설립 운동 전개
  · 관민 공동회 개최 : 독립 협회와 정부 대신 참석, 헌의 6조 결의

> 1. 외국인에게 의지하지 아니하고 관민이 협력하여 전제 황권을 공고히 할 것
> 3. 국가 재정은 탁지부에서 모두 관리하며 예산, 결산을 국민에게 공포할 것
> 4. 중대 범죄인은 반드시 재판하되, 피고의 인권을 존중할 것
>
> – 헌의 6조 –

▲ 독립문

▲ 독립신문

▲ 만민공동회

3) 대한제국의 수립(1897)

① 러시아와 일본의 세력 균형

② 고종이 러시아 공사관에서 환궁 후 대한제국 선포(연호 : 광무), '황제' 칭호 사용

4) 광무개혁

① 성격 : 구본신참(舊本新參)의 기본 방향, 점진적 개혁

② 광무개혁 내용

· 정치 : 대한국 국제 선포(전제 황제권 규정), 원수부 설치(황제가 군대 통솔);
황제권 강화

· 경제 : 지계 발급(근대적인 토지 소유권 제도 마련), 식산흥업 정책(상공업 진흥책)

· 사회 : 근대 시설 도입(전화 가설, 전차 선로 부설), 실업학교 설립

5) 간도와 독도

① 간도

· 대한제국의 간도 관리사 파견, 간도를 우리 영토로 편입하여 관리

· 간도협약(1909, 일본-청) : 남만주 철도 부설 대가로 일본이 청에게 간도 양도

② 독도

· 울릉군에서 독도 관할

· 러 · 일 전쟁(1905) 중 일본이 불법으로 일본 영토에 편입시킴

04. 국권 수호 운동

(1) 일제의 국권 침탈

1) 러 · 일 전쟁 발발(1904)

① 한 · 일 의정서(1904) : 한반도 내의 전략상 필요한 지역을 군사 기지로 확보

② 제1차 한 · 일 협약(1904) : 고문정치

· 메가타를 재정 고문으로, 스티븐스를 외교 고문으로 파견하여 내정 간섭 강화

2) 을사늑약(1905)

① 배경 : 가쓰라 · 태프트 밀약(미국-일본), 제2차 영일동맹(영국-일본), 포츠머스
조약(러시아-일본); 일본의 한반도 독점권 인정

② 과정 : 일본의 을사늑약 강요, 이완용 등 5명의 대신 서명으로 체결
③ 결과
 · 외교권 박탈 : 일본의 이름으로 외교 관계를 맺을 수 있음
 · 통감부 설치 : 초대 통감에 이토 히로부미 부임
④ 민족의 저항 : 자결 순국(민영환), 항일 논설(시일야방성대곡-황성신문), 5적 암살단 조직, 항일 의병(을사의병), 정부에서 헤이그 특사 파견 등

3) 국권 피탈(1910)

① 고종의 강제 퇴위(1907)
 · 헤이그 특사 사건을 빌미로 고종 강제 퇴위, 순종 즉위
 · 한 · 일 신협약(1907, 정미7조약) : 군대 해산과 차관정치 실시
② 사법권 박탈(1909), 경찰권 박탈(1910)
③ 일진회 : 친일 단체 일진회가 한 · 일 합방 청원서와 성명서 발표
④ 한 · 일 강제 병합(1910) : 이완용과 데라우치가 한국과 일본 병합 발표(1910.8.29.)

(2) 국권 수호 운동 전개

1) 항일 의병 운동

의병 발생 시기	의병의 원인	주요 내용
을미의병 (1895)	명성황후 시해(을미사변), 단발령(을미개혁)	양반 유생 주도, 동학 농민군의 잔여 세력 가담
을사의병 (1905)	외교권 박탈	최익현(양반 유생), 신돌석(평민)
정미의병 (1907)	고종의 강제 퇴위, 군대해산	해산된 군인들의 의병 합류(전력 강화), 13도 창의군 서울진공 작전 실패

2) 항일 의거 활동

① 장인환, 전명운 : 미국 샌프란시스코에서 스티븐스 저격(1908)
② 안중근 : 만주 하얼빈에서 이토 히로부미 사살(1909)

3) 애국 계몽 운동

① 보안회(1904) : 일제의 황무지 개간권 저지 운동

② 신민회 활동(1907 ~ 1911)

    ㉠ 결성 : 안창호, 양기탁 등이 비밀결사 형태로 조직

    ㉡ 목표 : 국권 회복과 공화정체를 바탕으로 한 근대 국민 국가 건설

    ㉢ 교육 활동 : 대성학교(평양), 오산학교(정주) 설립

    ㉣ 경제 활동 : 자기회사, 태극서관 설립

    ㉤ 무장 투쟁 준비 : 국외 독립운동 기지 건설 – 서간도 삼원보에 신흥무관학교 설립

    ㉥ 해체 : 105인 사건으로 해체

4) 언론 활동

① 국민 계몽과 애국심 고취에 노력

② 황성신문(장지연의 시일야방성대곡), 대한매일신보(국채 보상 운동 전개)

05. 개항 이후의 경제와 사회 변화

(1) 열강의 경제 침탈과 사회 변화

1) 일본의 경제 침탈

① 일본의 토지 침탈 : 러 · 일 전쟁 중 철도 부지와 군용지 확보를 구실로 토지 약탈 본격화, 동양 척식 주식회사(1908)를 통한 토지 약탈

② 일본의 금융 지배

    · 화폐 정리 사업(1905) : 재정 고문 메가타가 주도 → 국내 금융 자본 붕괴

    · 금융 지배 : 화폐 정리 사업을 계기로 일본 제일은행권이 법정 통화가 됨

2) 경제적 구국 운동의 전개

① 방곡령 시행 : 일제의 미곡 유출에 맞서 함경도와 황해도 등지에서 시행

② 상권 수호 운동 : 외국 상인들의 내륙 침투 → 황국 중앙 총상회 조직

③ 독립 협회의 이권 수호 운동 : 러시아의 이권 침탈 저지

④ 보안회 : 일제 황무지 개척권 요구 반대 운동 전개

⑤ 국채 보상 운동(1907)

· 일본에 진 빚 1300만원 갚고 경제적 예속에서 벗어나기 위한 노력

· 대구에서 시작, 전국적인 금 모으기, 금주 · 금연 운동

· 대한매일신보의 지원

3) 근대 사회로 변화

① 평등 사회로 이행 : 갑신정변, 동학 농민 운동 → 갑오개혁으로 신분제 폐지

② 독립협회 : 만민 공동회, 의회 설립 통해 평등 의식 확산, 자유 민권 운동 전개

(2) 근대 문물 수용

1) 근대 시설 도입

① 통신 : 전신, 전기, 전화 가설

② 의료 : 광혜원(1885, 최초의 근대식 병원, 후에 제중원으로 개명), 세브란스(개신교)

2) 근대 교육

① 최초의 근대 학교 : 원산학사(사립 학교)

② 관립 학교 설립 : 육영공원(1886)

3) 근대 언론

① 한성순보 : 최초의 근대 신문, 관보

② 독립신문 : 서재필, 최초 민간 신문, 한글 · 영문판

③ 황성신문 : 국 · 한문 혼용, 장지연의 시일야방성대곡(을사늑약 비판)

④ 대한매일신보 : 양기탁과 영국인 베델이 발행, 국채보상 운동 지원

한성순보

대한매일신보

민족의 독립 운동

01. 일제의 식민지 지배 정책

(1) 1910년대 무단 통치 - 헌병 경찰 통치

1) 내용

① 조선 총독부 설치 : 무관 총독이 입법, 사법, 군사권 장악

② 헌병 경찰제 : 헌병을 동원한 무단통치

③ 즉결 심판권 행사, 조선 태형령 실시(한국인에게만 적용)

④ 관리, 교원까지 칼을 차고 제복을 입게 함

⑤ 기본권 박탈 : 언론 · 출판 · 집회 · 결사의 자유 박탈; 민족 언론 폐간, 민족 운동 단체 해산

2) 토지 조사 사업(1912~1918)

① 목적 : 안정적인 토지세 확보, 토지 약탈

② 방법 : 기한부 신고제(짧은 기간 내에 까다로운 절차를 거쳐 신고해야 소유권 인정)

③ 결과

· 미신고 토지의 약탈 : 미신고 토지, 왕실 · 공공 기관 및 신고 주체가 불분명한 토지를 총독부에 귀속시킴

· 농민들의 경작권, 영구 소작권 상실 → 기한부 소작농으로 전락, 만주 · 연해주 등지로 이주

3) 회사령 실시

① 회사령 실시(1910) : 총독부의 허가를 받도록 함, 한국인의 민족 자본 성장을 저지

② 광업령과 어업령 : 자원 수탈과 어장 독점

(2) 1920년대 문화 통치 - 민족 분열 통치

1) 문화 통치의 기만성

일제의 정책	실제 내용
문관 총독 임명 가능	해방 될 때까지 단 한명의 문관 총독도 임명되지 않음
보통 경찰제 실시	경찰의 수 · 예산 · 장비는 대폭 증가, 치안유지법
한글 신문 간행 허용	사전 검열, 삭제, 정간, 폐간 등 탄압

2) **식량 수탈** : 산미 증식 계획(1920~1934)

　① 수리 시설 개선, 종자 개량 등으로 생산량 증대 → 증산 목표를 이루지 못했으나 수탈량은 계획대로 진행

　② 결과

　　· 식량 사정 악화 : 증산량보다 더 많은 양을 일본으로 반출, 만주에서 잡곡 수입

　　· 증산 비용 부담 : 수리 조합비, 품종 개량비 등을 농민이 부담

　　· 농업 구조 왜곡 : 쌀 중심의 단작 농업화, 논 비중 증가

3) **회사령 철폐**(1920)

　① 내용 : 회사 설립을 허가제에서 신고제로 전환

　② 결과 : 일본 대기업의 본격적인 한국 진출

(3) 1930년대 민족 말살 통치

1) **민족 말살 정책**

　① 황국 신민 서사 암송, 내선 일체, 일선 동조론 주장

　② 궁성 요배, 신사 참배 강요, 일본식 이름 사용 강요

　③ 한국어와 한국사 교육 금지, 조선·동아일보 폐간, 국민학교 명칭 사용

2) **병참 기지화 정책**

　① 전쟁에 필요한 군수 물자 제공

　② 남면북양 정책 : 남부에 면화 재배, 북부에 양을 길러 공업 원료 제공

3) **국가 총동원법**(1938)

　① 인력 강제 동원 : 지원병제, 국민 징용령, 학도 지원병제, 징병제, 여자 정신 근로령

　② 물적 자원 수탈 : 미곡 공출제, 식량 배급제, 금속 공출제

02. 3 · 1 운동과 대한민국 임시정부

(1) 민족의 독립 선언 3 · 1 운동(1919)

1) 3 · 1 운동의 배경

① 윌슨의 민족자결주의, 2 · 8 독립 선언

② 국내 민족 운동 준비 : 천도교, 불교, 기독교 지도자와 학생 대표 중심으로 고종의 국장일에 대규모 시위 준비

2) 3 · 1 운동 전개 과정

① 시작 : 민족 대표(태화관), 학생과 시민(탑골공원) – 독립 선언서 낭독
　　　　　전국 주요 도시에서 시위 전개

② 국내 확산 : 전국으로 확산, 농촌으로 확산되면서 점차 조직화되고 격렬해짐

③ 일제의 탄압 : 군대와 헌병 경찰의 무력 진압과 발포, 유관순 열사, 제암리 사건

④ 국외 확산 : 동포 거류지역인 간도와 연해주, 미국 등지에서 만세 시위전개

3) 3 · 1 운동의 의의와 영향

① 전 민족적인 독립 운동 : 지식인, 학생 중심, 노동자, 농민의 참여

② 대한민국 임시정부의 수립에 영향 : 민족 독립 운동의 조직화, 체계화의 필요성 인식

③ 일제의 통치 방식 변화 : 무단 통치 → 문화 통치

④ 아시아 민족 운동에 영향 : 중국의 5 · 4 운동, 인도의 비폭력 독립 운동 등

(2) 대한민국 임시정부(1919)

1) 임시정부 통합

① 한성 정부안 수용, 정부 위치는 상하이, 명칭은 대한민국 임시정부

② 정부 형태

· 3권 분립 : 국무원(행정), 임시 의정원(입법), 법원(사법)

· 최초의 민주 공화제 정부

2) 대한민국 임시정부 활동

① 군자금 모금 : 연통제(비밀 행정 조직), 교통국(통신기관) 설치 – 국내외 정보 수집, 연락 업무 및 군자금 모집, 애국공채 발행, 이륭양행, 백산상회

② 외교 활동 : 파리강화 회의 대표 파견(김규식), 구미위원부(미국, 이승만)

③ 문화 활동 : 독립신문 발행, 사료 편찬소

3) 국민 대표 회의

① 배경 : 연통제와 교통국 와해, 독립 운동 방향에 대한 갈등, 이승만의 위임통치 요청

② 국민 대표 회의 개최(1923) : 창조파와 개조파의 대립, 많은 독립 운동가 이탈로 대한민국 임시정부 위상 약화

03. 3·1 운동 이후 국내 민족 운동

(1) 경제적 · 사회적 민족 운동

1) 물산 장려 운동(1920년대 초)

① 평양에서 조선 물산 장려회(조만식), 자작회 조직 → 전국적으로 확산

② '내살림 내 것으로', '조선사람 조선 것으로' : 민족 기업 육성 운동 전개

▲ 물산 장려 운동

2) 민립 대학 설립 운동

① 배경 : 초등 교육과 실업 교육에 한정, 고등 교육에 대한 대책 부재, 대학 설립 가능

② 전개 : 조선 민립 대학 기성 준비회(1923)의 모금 운동(한 민족 1천만이 한사람이 1원씩)

3) 농촌 계몽 운동

① 한글 보급 운동 : 조선일보 주도, '아는 것이 힘, 배워야 산다'

② 브나로드 운동 : 동아일보 주도, '민중 속으로'

③ 문맹퇴치 운동 : 조선어 학회의 한글 교재 제작 및 보급, 조선어 강습회 개최

4) 6·10 만세 운동(1926)

① 배경 : 순종의 서거, 사회주의 계열과 천도교 그리고 학생 단체의 만세 시위 추진

② 의의

· 학생들이 항일 민족 운동의 구심체로서 자신들의 역할 자각

· 학생 운동이 대중적 차원의 항일 민족 운동으로 발전

5) 신간회 결성

① 신간회 창립(1927) : 민족 유일당으로써 비타협적 민족주의 세력과 사회주의 세력이 결합

② 활동

· 강연회 · 연설회 개최, 노동 · 농민 운동 지원, 청년 · 여성 · 형평 운동과 연계

· 광주 학생 항일 운동 적극 지원

· 여성 단체 근우회와 함께 활동

> 신간회
>
> - 우리는 정치·경제적 각성을 촉구함
>
> - 우리는 단결을 공고히 함
>
> - 우리는 기회주의를 일체 부인함

6) 광주 학생 항일 운동(1929)

① 배경 : 통학 열차에서 일본인 남학생이 한국 여학생 희롱, 한일 학생 사이에 충돌 발생

② 전개 : 광주 지역 학생 총궐기, 전국적 시위로 확산, 신간회 진상 조사단 파견 및 민중 집회 계획

③ 의의 : 3 · 1 운동 이후 최대 규모의 항일 민족 운동

7) 사회 운동

① 농민 운동 전개 : 소작료 인하, 소작권 이동 반대, 암태도 소작 쟁의(1923)

② 노동 운동 전개 : 임금 인상, 노동 조건 개선, 원산 노동자 총파업(1929)

③ 소년 운동 : 천도교 소년회(방정환), 어린이날 제정

④ 여성 운동 : 근우회(민족 유일당 운동), 여성에 대한 봉건적 차별 극복

⑤ 형평 운동 : 백정에 대한 차별 폐지 주장, 조선 형평사 창립(1923)

형평 대회 취지문

공평은 사회의 근본이고 애정은 인류의 본령이다. 그러한 까닭으로 우리는 계급을 타파하고 모욕적 칭호를 폐지하여, 우리도 참다운 인간이 되는 것을 기하자는 것이 우리의 주장이다.

8) 국외 이주 동포의 활동과 시련

① 만주 : 독립운동 기지 건설, 봉오동 전투, 청산리 대첩, 간도참변(1920)

② 연해주 : 자유시 참변, 소련에 의해 중앙아시아로 강제 이주

③ 일본 : 유학생, 관동대지진 때 조선인 학살, 징용, 징병

(2) 민족 문화 수호 운동

1) 한국사의 왜곡

① 일제의 식민 사관 : 정체성론, 타율성론, 당파성론

② 조선사 편수회 : 식민 사관 유포, 조선사 발간, 청구학회를 내세워 식민 사관 전파

2) 조선어 학회(1931~1942)

① 활동 : 조선어 연구회 계승, 한글 맞춤법 통일안 제정, 한글 표준어 제정, 우리말 큰사전 편찬 시도

② 조선어 학회 사건(1942) : 일제의 조선어 말살 정책 → 조선어 학회 강제 해산, 사전 편찬 작업 중단

3) 민족주의 역사학

① 박은식 : 민족의 '혼' 강조, 「한국통사」, 「한국독립운동지혈사」 등

② 신채호 : 민족주의 역사학의 기틀 마련, 묘청의 서경천도 운동을 높이 평가, '역사는 아와 비아의 투쟁' 강조, 일본의 고대사 왜곡에 대항, 「조선상고사」, 「조선사연구초」

4) 종교계 활동

① 천도교 : 동학에서 개칭, 3·1 운동 주도, 어린이날 제정(방정환), '개벽', '신여성' 잡지 간행

② 대종교 : 나철·오기호 등이 창시, 단군 숭배 사상, 만주(간도)에서 무장 독립 투쟁 주도

③ 불교 : 한용운 등이 조선 불교 유신회 조직

④ 원불교 : 박중빈 창시, 개간사업, 저축 운동

⑤ 개신교 : 3·1 운동 주도, 사립학교 설립, 신사 참배 거부 운동

⑥ 천주교 : 고아원·양로원 설립, 잡지 '경향' 발행

04. 무장 독립 전쟁과 건국준비 활동

(1) 무장 독립 전쟁의 전개

1) 봉오동 전투, 청산리 대첩(1920)

① 봉오동 전투 승리 : 홍범도, 대한 독립군 중심

② 청산리 대첩 : 김좌진, 북로 군정서 중심, 일제의 훈춘 사건 조작으로 독립군 추격, 백두산 근처 청산리에서 6일간의 10여 차례 접전 끝에 대승

2) 독립 전쟁의 시련

① 간도 참변(1920) : 일제가 독립군 소탕 이유로 간도의 조선인 대량 학살

② 자유시 참변(1921) : 러시아 혁명군의 독립군 무장 해제 요구, 독립군 살상 등 큰 피해

③ 미쓰야 협정(1925) : 일제와 만주 군벌의 독립군 색출에 대한 협약

3) 의열단(1919)과 한인 애국단(1931)

　① 의열단의 활동

　　· 김원봉 결성, 조선혁명선언(신채호)

　　· 일제 요인 암살, 식민 지배 기구 파괴

　　· 김익상, 김상옥, 나석주

　② 한인 애국단 결성 : 김구 조직

　　· 이봉창 : 일왕 폭살 기도

　　· 윤봉길 : 상하이 훙커우 공원 의거

4) 1930년대 초반 : 한 · 중 연합 작전 전개

　① 한국 독립군 : 지청천, 중국 호로군과 연합 → 쌍성보, 사도하자, 대전자령 전투
　　전개

　② 조선 혁명군 : 양세봉, 중국 의용군과 연합 → 흥경성, 영릉가 전투 전개

5) 한국 광복군의 창설과 활동

　① 충칭에서 한국 광복군 창설(1940), 조선 의용대 합류(1942)

　② 대일 선전 포고(1941) : 연합군 일원으로 참전

　③ 영국군과 연합작전(1943) : 인도, 미얀마 전선에서 활약

　④ 국내 진공 작전 계획(1945.9) : 미국과 함께 준비 → 일제의 항복으로 무산

(2) 건국 노력과 국제 사회 움직임

1) 대한민국 임시정부(국외, 충칭)

　① 조소앙의 삼균주의를 바탕으로 건국 강령 발표

　② 일본에 선전 포고 후 한국 광복군 활동

　③ 민주 공화국 수립 목표

2) 조선 독립 동맹(국외, 옌안)

　① 사회주의 계열 최창익, 허정숙, 무정 중심으로 결성

　② 조선 의용군 창설하여 항일 투쟁, 해방 후 북한 인민군에 편입

　③ 민주 공화국 수립 목표

3) 조선 건국 동맹(국내, 1944)

① 여운형이 건국 준비를 위하여 좌우 합작의 형태로 조직한 비밀 조직

② 8 · 15 광복 직후 조선 건국 준비 위원회로 개편하여 전국 치안 유지

③ 민주 공화국 수립 목표

4) 국제 사회의 움직임

① 카이로 회담(1943) : 최초로 국제 사회가 한국 독립을 약속

② 포츠담 회담(1945) : 카이로 선언 이행을 재확인하는 선언문 채택, 한국의 독립
재확인

08 현대 사회의 발전

01. 대한민국의 수립

(1) 8 · 15 광복과 신탁 통치(1945)

1) **조선 건국 준비위원회 활동**
   ① 광복 직후 여운형 중심으로 조직, 좌 · 우익 인사의 광범위한 참여
   ② 치안대 및 전국에 지부 창설, 조선 인민 공화국 선포(1945.9)

2) **모스크바 3국 외상회의(1945.12)**
   ① 미국, 영국, 소련의 3국 외무장관회의 개최
   ② 한반도에 민주주의 임시정부 수립, 최대 5년간의 신탁통치 실시, 미 · 소 공동위원회 개최
   ③ 국내 반응
   ㉠ 신탁 통치 반대 : 대한민국 임시정부를 비롯한 우익, 즉각적 독립 정부 수립
   ㉡ 신탁 통치 지지 : 사회주의 계열, 임시정부 수립 우선

3) **남북 협상**
   ① 한반도 문제 유엔에 이관 → 유엔 총회(남북한 총선거 결의) → 북한의 거부 → 유엔 소총회(남한만의 단독 선거 결정 : 1948.2)
   ② 김구 · 김규식이 남북협상을 통한 통일 정부 수립 주장, 남북 제 정당 사회단체 지도자 협의회 참가(1948.4. 평양), 실질적인 성과 없이 종결

4) **정부 수립을 둘러싼 갈등**
   ① 제주 4 · 3 사건 : 제주도 좌익 세력이 단독 총선거를 반대하면서 무장봉기 → 정부의 대대적인 진압으로 제주도 민간인 희생
   ② 여수 · 순천 10 · 19 사건 : 제주 4 · 3 사건 진압에 동원된 여수 주둔 군대 내부의 좌익 세력이 일으킨 무장 봉기

08. 현대 사회의 발전   487

(2) 대한민국 정부 수립

1) 대한민국 정부 수립(1948.8.15)

① 5 · 10 총선거(1948) : 남한 단독 총선거 실시(남북협상 세력, 좌익 세력 불참) → 제헌 국회 구성 → 헌법 제정 공포(1948.7.17) : 국호 – 대한민국

② 대한민국 정부 수립(1948.8.15) : 대한민국 정부 수립 선포, 유엔 총회는 한반도 유일의 합법 정부 승인

③ 북한 정권 수립 : 북조선 임시 위원회가 발족(1946.2)되어 토지개혁과 친일파 처벌 등 사실상 정부 역할 → 조선 민주주의 인민 공화국 수립(1948.9)

2) 반민족 행위 처벌법 제정(1948.9) : 친일파 처벌 목적

① 내용 : 친일 행위자 처벌, 공민권 제한 → 반민족 행위 특별 조사 위원회 설치(친일 인사 조사)

② 결과 : 이승만 정부의 비협조, 친일 세력의 방해로 실패

3) 농지 개혁(1949 제정, 1950 시행)

① 특징 : 1가구 당 3정보 소유 상한, 유상매입 · 유상분배 방식

② 의의 : 지주 중심의 토지 소유 폐지, 농민의 토지 소유 실현

4) 6 · 25 전쟁(1950.6 ~ 1953.7)

① 북한의 남침 → 서울 함락과 낙동강 전선 형성 → 유엔군 참전 → 인천상륙 작전 → 서울 수복, 평양과 압록강까지 진출 → 중국군 개입 → 1 · 4 후퇴, 서울 재함락 → 38도선 부근 교착 → 휴전 회담 진행 → 휴전 협정

② 전쟁 이후 : 한미 상호 방위 조약 체결(미군 주둔), 미국의 무상 원조 처분, 삼백 산업 발달

02. 민주주의 발전

(1) 권위주의적 정부

1) 이승만 정부(1948~1960) : 발췌 개헌(1952), 사사오입 개헌(1954), 진보당 사건(조봉암 처형), 국가 보안법 개정

2) 4 · 19 혁명(1960)

① 원인 : 이승만의 독재, 자유당의 부정부패, 미국의 경제 원조 감소로 인한 경제 불황, 3 · 15 부정 선거

② 전개 : 마산 의거(김주열 학생 주검으로 절정) → 고려대 학생 시위 → 학생과 시민 시위, 경찰의 총격, 계엄령 선포 → 대학 교수단 시위 → 이승만의 대통령직 사임 → 허정 과도 정부 수립

③ 장면 내각(1960~1961) : 내각 책임제, 양원제 의회, 자유 민주주의 실현을 위해 노력, 사회 질서 유지를 위한 정치력 부족 → 5 · 16 군사 정변으로 붕괴

3) 박정희 정부(1963 ~ 1979)

① 경제 개발 5개년 계획 : 성장 우선 정책, 수출 주도형, 외국 자본 도입

② 한 · 일 국교 정상화(1965), 베트남 파병(1964 ~ 1973), 3선 개헌(1969)

③ 유신 헌법(1972) 내용 : 대통령 간선제(통일 주체 국민 회의에서 선출), 대통령 권한 강화(긴급 조치권, 국회 해산권, 국회의원 1/3 추천권)

(2) 민주화 운동과 민주주의 발전

1) 5 · 18 민주화 운동(1980)

① 배경 : 신군부의 집권과 비상계엄 확대에 반대하는 대규모 시위

② 전개 : 광주 시민들이 시위대에 합류, 계엄군의 과잉 진압으로 많은 사상자 발생 → 시민군 조직, 계엄군에 저항 → 계엄군의 무력으로 시민군 진압

2) 6월 민주 항쟁(1987)

① 전두환 정부(1981) : 헌법 개정(대통령 간선제, 7년 단임), 삼청교육대 운영, 언론 통폐합, 야간 통행금지 해제, 교복과 두발 자유화, 해외여행 자유화

② 6월 민주 항쟁(1987) : 박종철 고문치사 사건, 4 · 13 호헌 조치(대통령 직선제 거부) → 전국적 시위로 발전, 이한열 최루탄 피격, 6월 민주 항쟁 → 6 · 29 민주화 선언(직선제 개헌 약속)

3) 민주주의 발전

① 노태우 정부 : 여소야대, 3당 합당, 5 · 18 민주화 진상 규명 청문회, 북방외교, 남북한 UN 동시 가입

② 김영삼 정부 : 금융실명제, 지방자치제 전면 시행, 역사바로세우기(전직 대통령 구속, 총독부 건물 제거), OECD(경제 협력 개발 기구) 가입, IMF(국제 통화 기금) 지원 요청

③ 김대중 정부 : 최초 평화적 여야 정권 교체, 외환위기 극복, 최초 남북 정상 회담

④ 노무현 정부 : 권위주의 청산, 정경유착 단절, 제2차 남북 정상 회담

03. 경제 발전과 사회·문화 발전

(1) 경제 개발 5개년 계획과 경제 성장

1) 1950년대 경제 정책

① 삼백 산업 : 제분, 제당, 면방직 공업의 발달, 비료 공장과 시멘트 공장 건립

② 정경유착 : 원조 물자 불하 과정에서 특정 기업 혜택

2) 제1차, 2차 경제 개발 5개년 계획(1962 ~ 1971)

① 박정희 정부 : 수출 주도형의 성장 우선 정책, 외자 도입에 노력

② 내용 : 수출 중심 전략, 노동 집약적 산업 육성, 사회 간접 자본 확충(경부고속국도 건설)

3) 제3차, 4차 경제 개발 5개년 계획(1972 ~ 1981)

① 내용 : 중화학 공업 집중 육성, 새마을 운동 지속적인 추진

② 위기 : 제1차 석유 파동(중동 건설 붐으로 극복), 제2차 석유 파동(중화학 공업 과잉 투자, 경제 성장률 감소)

(2) 1980년대 이후의 경제

1) 전두환 정부 : 3저 호황(저금리, 저유가, 저달러)으로 무역 흑자 달성

2) 김영삼 정부

① OECD 가입, 개방화·국제화 추진, 금융 실명제 실시, 신경제 5개년 계획 발표,

② 외환 위기로 국제 통화 기금(IMF)의 긴급 금융 지원(1997)

3) 김대중 정부

① 신자유주의 경제 정책을 바탕으로 외환 위기 극복, 노사정 위원회 구성

② 노동자 대량 해고, 일부 은행과 기업 해외 매각

(3) 사회 · 문화 변화

1) 산업화, 도시화, 정보화

① 산업 구조의 변화 : 농업 인구의 감소, 서비스 산업과 제조업 분야의 인구 증가

② 도시화 : 농촌 인구의 도시 이동, 도시 생활 확산

③ 정보화 : 경제 발전, 능력 중심의 사회 풍토 조성

2) 새마을 운동

① 배경 : 공업화 정책, 저곡가 정책으로 도시와 농촌 간 소득 격차 심화, 농촌 인구의 감소

② 새마을 운동 : 1970년 근면 · 자조 · 협동을 토대로 농어촌 근대화 추구, 도 · 농 간 균형 있는 발전 추구

3) 노동 운동

① 1970년대 전태일 분신 사건을 계기로 노동 운동 본격화

② 1990년대 새로운 전국 조직 결성으로 양대 조직 체제 형성(한국노총과 민주노총)

04. 평화 통일을 위한 노력과 동아시아의 역사와 영토 갈등

(1) 통일을 위한 노력

1) 박정희 정부 : 7 · 4 남북 공동 성명(1972)

① 통일의 3대 원칙 발표, 남북 조절위원회 설치

② 통일의 3대 원칙 – 자주, 평화, 민족 대단결

2) 노태우 정부 : 남북 기본 합의서(1991)

① 소련과 동유럽 사회주의 국가 붕괴, 남북 고위급 회담 추진, 남북 유엔 동시 가입

② 남북 정부 간의 최초의 공식 합의서, 상호 불가침 합의, 상호 간의 체제 인정

3) 김대중 정부 : 6 · 15 남북 공동 선언(2000)

① 대북 화해 협력 정책, 남북 교류 확대, 금강산 관광, 경의선 복구 시작

② 남북 정상 회담(2000) : 분단 이후 최초로 평양에서 개최

③ 개성공단 설치 합의

(2) 동아시아의 역사와 영토 갈등

   1) 일본과 갈등

     ① 독도 영유권 주장, 야스쿠니 신사 참배 전개

     ② 일제 강점기 여성에 대한 군 위안부 문제 부인

   2) 중국과 갈등

     ① 동북 공정 : 고구려는 중국의 소수 민족이 세운 지방 정권이라는 연구 부각

                   만주 지역 중국 영향력 강화

07

도덕

01 현대의 삶과 실천 윤리

01. 현대 생활과 실천 윤리

(1) 현대 사회의 다양한 윤리적 쟁점

1) 윤리의 의미와 특징
① 윤리의 의미 : 인간으로서 지켜야 할 행동의 기준이자 규범
② 윤리의 특징
  ㉠ 어떤 대상을 평가하는 성격을 지님
  ㉡ 집단에서 지켜야 할 행동 양식의 성격을 지니고 있으며 규범성을 띠고 있음

2) 현대 사회와 새로운 윤리 문제
① 등장 배경 : 과학 기술의 급속한 발달로 과거에는 나타나지 않았던 새로운 윤리 문제에 직면함
② 특징
  ㉠ 파급 효과가 광범위해짐
  ㉡ 책임 소재를 가리기 어려움
  ㉢ 전통적인 윤리 규범만으로 해결하기 어려움
③ 현대 사회의 다양한 윤리적 쟁점들

구분	핵심 쟁점
생명 윤리	인공 임신 중절, 자살, 안락사 등의 삶과 죽음 및 생명의 존엄성 등에 관한 쟁점
성과 가족 윤리	사랑과 성의 관계, 성 상품화, 성의 자기 결정권 등에 관한 쟁점
사회 윤리	직업 윤리 문제, 공정 분배 및 처벌과 관련된 문제, 시민 참여와 시민 불복종 등에 관한 쟁점
과학 기술과 정보 윤리	과학 기술의 가치 중립성과 사회적 책임 문제, 정보 기술과 매체의 발달과 관련된 문제 등에 관한 쟁점
환경 윤리	인간과 자연의 관계, 생태계의 지속 가능성 문제 등에 관한 쟁점
문화 윤리	예술 및 대중문화, 다문화, 종교 문제 등에 관한 쟁점
평화 윤리	사회 갈등 문제, 통일 문제, 국제 사회의 분쟁과 국가 간 빈부 격차 문제 등에 관한 쟁점

(2) 실천 윤리학의 성격과 특징

1) 윤리학의 의미와 특징

① 윤리학의 의미 : 사회의 승인을 통해 구속력을 지니고, 당위적 형식으로 제시되는 규범과 가치의 총체인 도덕을 연구 대상으로 삼는 학문

② 윤리학의 분류

　㉠ 규범 윤리학 : 도덕적 행위의 근거가 되는 도덕 원리나 인간의 성품에 관해 탐구하고, 이를 바탕으로 도덕적 문제의 해결과 실천 방법을 제시함

　㉡ 메타 윤리학 : 도덕 언어의 의미를 분석하고 도덕적 추론의 정당성을 검증하기 위한 논리를 분석함

　㉢ 기술 윤리학 : 도덕 현상과 문제를 명확하게 기술하고, 현상들 간의 인과 관계를 설명함

③ 이론 윤리학과 실천 윤리학

　㉠ 이론 윤리학 : 윤리적 판단과 행위 원리를 탐구하고 이에 대한 정당화에 초점을 맞춤

　　예 의무론, 공리주의, 덕윤리 등

　㉡ 실천 윤리학 : 이론 윤리를 현대 사회의 여러 문제에 적용하여 구체적인 윤리 문제를 해결하는 데 초점을 두는 학문

　　예 생명 윤리, 정보 윤리, 환경 윤리 등

2) 실천 윤리학의 등장 배경과 특징

① 등장 배경 : 구체적인 행위에 대한 지침을 제공하지 못하는 이론 윤리학의 한계와 도시화, 세계화, 정보화 등의 사회·문화적 변화 등

② 특징

　㉠ 구체적·현실적 성격을 지님

　㉡ 학제적 성격

　㉢ 새로운 문제를 다룸

　㉣ 이론 윤리학과 유기적 관계

02. 현대 윤리 문제에 대한 접근

(1) 동양 윤리의 접근

1) 유교 윤리적 접근

① 도덕적 인격 완성 : 성인(聖人), 군자(君子)

㉠ 공자는 인(仁)을 타고난 내면적 도덕성으로 보았으며, 맹자는 사단(四端)이라는 선한 마음이 누구에게나 주어져 있다고 보았음

㉡ 인간은 하늘로부터 도덕적 본성을 부여받은 존재이지만, 지나친 욕구 때문에 잘못된 행동을 할 수 있음 → 경(敬)과 성(誠)을 통해 극복

② 도덕적 공동체의 실현

㉠ 오륜(五倫) : 사람들 사이의 관계성을 중시함

· 부자유친(父子有親) : 어버이와 자식 사이에는 친함이 있어야 한다.

· 군신유의(君臣有義) : 임금과 신하 사이에는 의로움이 있어야 한다.

· 부부유별(夫婦有別) : 부부 사이에는 분별이 있어야 한다.

· 장유유서(長幼有序) : 어른과 아이 사이에는 차례와 질서가 있어야 한다.

· 붕우유신(朋友有信) : 친구 사이에는 믿음이 있어야 한다.

㉡ 충서(忠恕) : 인(仁) 실천

㉢ 덕치주의 : 형벌이나 무력보다는 도덕과 예의로써 백성을 교화하는 정치

㉣ 맹자 : 항산(恒産)과 항심(恒心)

㉤ 이상사회 : 대동사회(大同社會)

2) 불교 윤리적 접근

① 연기적 세계관과 자비

㉠ 연기(緣起) : 모든 존재와 현상에는 원인(因)과 조건(緣)이 있다는 것

㉡ 자비(慈悲) : 자기가 소중하듯 남도 소중함

② 평등적 세계관과 주체적 인간관

㉠ 평등적 세계관 : 살아 있는 모든 존재에는 불성(佛性)이 있기 때문에 모든 생명은 평등함

㉡ 주체적 인간관 : 인간은 누구나 주체적으로 계정혜의 삼학(三學) 등과 같은 수행 방법을 통해 진리에 대한 깨달음을 얻을 수 있음 → 보살(菩薩)

③ 이상적 경지 : 열반의 경지

3) 도가 윤리적 접근

① 무위자연(無爲自然)의 삶을 강조 → 소국과민(小國寡民)

② 평등적 세계관 강조

  ㉠ 제물(濟物) : 세상 만물은 평등한 가치를 지님

  ㉡ 수양방법 : 좌망(坐忘)과 심재(心齋) 제시

  ㉢ 이상적 인간상 : 지인(至人), 진인(眞人), 신인(神人), 천인(天人)

(2) 서양 윤리의 접근

1) 의무론적 접근

① 의무론

  ㉠ 보편타당한 도덕적 의무의 존재 인정

  ㉡ 도덕적 행위를 해야 하는 이유는 그것이 도덕적 의무이기 때문임

② 자연법 윤리

  ㉠ 자연법칙을 윤리의 기초로 보는 이론으로, 자연의 질서를 따르는 행위는 옳지만 그것을 어기는 행위는 그르다고 봄

  ㉡ 윤리적 의사 결정 : '선을 행하고 악을 피하라.'라는 명제를 핵심으로 삼음

  ㉢ 아퀴나스 : 인간의 세 가지 본성 - 자기 보존, 종족 보존, 신과 사회에 대한 진리 파악

③ 칸트 윤리

  ㉠ 행위의 동기 중시

  ㉡ 이성적이고 자율적인 인간은 보편적인 도덕 법칙을 의식할 수 있음 → 도덕 법칙은 정언명령의 형식을 띰

  ㉢ 윤리적 의사 결정에서 보편화 가능성과 인간 존엄성의 관점에서 검토할 것을 주장함

2) 공리주의적 접근

① 특징

  ㉠ 행위의 결과에 초점 : 쾌락과 행복을 가져다주는 행위를 옳은 행위로 간주

  ㉡ 유용성(공리)의 원리에 따라 윤리적 규칙 도출

② 벤담과 밀

  ㉠ 벤담(양적 공리주의)

   · 모든 쾌락은 질적으로 동일하며 양적 차이만 있음 → 쾌락 계산법 제시

· '최대 다수의 최대 행복'을 도덕 원리로 제시

   ⓒ 밀(질적 공리주의)

    · 쾌락은 양적 차이뿐만 아니라 질적 차이도 고려

    · 정상적인 인간은 누구나 질적으로 높고 고상한 쾌락 추구

  ③ 행위 공리주의와 규칙 공리주의

   ㉠ 행위 공리주의 : 유용성의 원리를 '개별적 행위'에 적용하여 개별적 행위가 가져오는 쾌락이나 행복에 따라 행위의 옳고 그름을 결정함

   ⓒ 규칙 공리주의 : 어떤 규칙이 최대의 유용성을 산출하는지 판단한 후, 그 규칙에 부합하는 행위를 옳은 행위로 봄

3) 덕 윤리적 접근

 ① 기원 : 아리스토텔레스의 윤리 사상적 전통에 따라 행위자의 품성과 덕성을 중시함

 ② 등장 배경 : 의무론과 공리주의 비판 → 행위자 내면의 도덕성과 인성의 중요성 간과, 공동체의 전통 무시

 ③ 현대의 덕 윤리의 특징

  ㉠ 행위자의 성품을 먼저 평가하고, 이를 근거로 행위의 옳고 그름을 판단해야 한다고 봄

  ⓒ 윤리적으로 옳고 선한 결정을 하려면 유덕한 품성을 길러야 한다고 봄

  ⓒ 매킨타이어 : 개인의 자유와 선택보다는 공동체의 전통과 역사를 더 중시, 도덕적 판단에 있어 구체적이며 맥락적 사고를 중시할 것을 주장함

4) 도덕 과학적 접근

 ① 신경 윤리학

  ㉠ 과학적 측정 방법을 통해 이성과 정서, 자유 의지나 공감 능력을 입증하고자 함

  ⓒ 도덕적 판단과 행동에 있어 정서가 필수적으로 요구됨을 밝혀냄

 ② 진화 윤리학

  ㉠ 이타적 행동 및 성품과 도덕성은 자연 선택을 통한 진화의 결과라고 주장함

  ⓒ 인간의 이타적 행위를 추상적인 도덕 원리가 아닌 생물학적 적응의 산물로 봄

03. 윤리 문제에 대한 탐구와 성찰

(1) 도덕적 탐구의 방법

1) 도덕적 탐구의 의미와 특징

① 도덕적 탐구 : 도덕적 사고를 통해 도덕적 의미를 새롭게 구성하는 지적 활동을 의미함

② 도덕적 탐구에서 고려해야 할 요소

   ㉠ **도덕적 추론 능력** : 도덕 원리와 사실 판단을 타당하게 제시하며 논리적으로 도덕 판단을 내리는 사고 능력

   ㉡ **타인의 입장을 배려하는 능력** : 도덕 판단을 타인에게 적용할 때에도 설득력이 있는지를 고려하는 능력

2) 도덕적 탐구의 과정

① 도덕 문제의 확인 : 도덕 원리에 따라 찬반이 나눠지는 문제인지를 판단함

② 자료 수집 및 분석 : 도덕 문제를 정확하게 이해하고 해결하기 위해 다양한 자료를 수집·분석함

③ 입장 채택과 근거 제시 : 도덕 문제를 해결하기 위한 잠정적인 결론과 근거를 제시함

④ 최선의 대안 도출 : 토론 과정을 거쳐 최선의 대안을 마련함

도덕 원리 검사 방법

· 역할 교환 검사 : 상대방의 입장에서 받아들일 수 있는지를 검사하는 방법

· 보편화 결과 검사 : 모든 사람들이 어떤 행동을 했을 때, 그 결과가 바람직하지 않다면 해서는 안 된다고 주장하는 방법

---

(2) 윤리적 성찰과 실천

1) 윤리적 성찰

① 윤리적 성찰 : 생활 속에서 자신의 마음가짐, 행동 또는 그 속에 담긴 자신의 정체성과 가치관에 관하여 윤리적 관점에서 깊이 있게 반성하고 살피는 태도

② 윤리적 성찰의 중요성 : 자신의 삶에 대한 도덕적 자각과 인격의 함양에 도움을 줌

2) 윤리적 성찰의 방법

① 동양

　㉠ 거경(居敬) : 마음을 한 곳으로 모아 흐트러짐이 없게 하는 것

　㉡ 일일삼성(一日三省) : 매일 하루의 삶을 성찰할 수 있는 세 가지 물음

　㉢ 참선 : 인간의 참된 삶과 맑은 본성을 깨닫기 위한 수행법

② 서양

　㉠ 산파술 : 끊임없는 질문을 통해 자신의 무지를 자각하게 돕는 방법

　㉡ 중용 : 마땅한 때에, 마땅한 일에 대하여, 마땅한 사람에게, 마땅한 동기로 느끼거나 행함

3) 토론을 통한 성찰

① 토론의 의미 : 상대방을 설득하거나 이해하고, 이를 바탕으로 문제에 대한 최선의 해결책을 모색하는 활동

② 토론의 과정 : 주장하기 → 반론하기 → 재반론하기 → 반성과 정리

③ 토론의 필요성 : 인간은 오류의 가능성이 있는 불완전한 존재 → 토론을 통해 바람직한 해결 방안을 찾을 수 있음

02 생명과 윤리

01. 삶과 죽음의 윤리

(1) 출생·죽음의 의미와 삶의 가치

1) 출생의 의미

① 생물학적 의미 : 태아가 모체로부터 분리되어 독립된 새로운 생명체로 되는 단계

② 윤리적 의미

    ㉠ 인간의 자연적 성향을 실현하는 과정

    ㉡ 도덕적 주체로 사는 삶의 출발점

    ㉢ 가족 및 사회 구성원으로 사는 삶의 시작

2) 죽음의 윤리적 의미와 삶의 가치

① 죽음의 특징 : 보편성, 불가피성, 일회성, 비가역성

② 동·서양의 죽음관

동양	공자	죽음의 문제보다 현세의 윤리적 삶에 더욱 충실할 것을 강조
	석가모니	· 삶과 죽음을 하나라고 봄(生死一如) · 죽음은 또 다른 세계로 윤회하는 것이며, 현세에서 선행과 악행이 죽음 이후의 삶을 결정함
	장자	· 삶과 죽음은 기(氣)가 모였다가 흩어지는 것 · 죽음은 자연적인 현상으로 여기고 슬퍼할 필요가 없다고 봄
서양	플라톤	육체에 갇혀 있는 영혼이 죽음을 통해 영원불변한 이데아의 세계로 들어감
	에피쿠로스	· 죽음은 인간을 구성하던 원자가 흩어져 개별 원자로 돌아가는 것 · 살아있는 동안에는 죽음을 경험할 수 없으므로 죽음을 두려워할 필요가 없음
	하이데거	죽음에 대한 자각을 통해 삶을 더욱 충실하게 살 수 있다고 봄

(2) 출생 및 죽음과 관련된 윤리적 쟁점

1) 인공 임신 중절의 윤리적 쟁점

① 찬성 논거(선택 옹호주의)

    · 소유권 근거 : 태아는 여성의 몸의 일부이므로 여성은 태아에 대한 권리를 지님

· 자율성 근거 : 인간은 자신의 신체에 대해 자율적으로 선택할 권리가 있음

· 정당방위 근거 : 여성은 자기방어와 정당방위의 권리를 지님

② 반대 논거(생명 옹호주의)

· 잠재성 근거 : 태아는 성숙한 인간으로 발달할 가능성을 지님

· 존엄성 근거 : 모든 인간의 생명은 존엄하므로 태아의 생명도 존엄함

· 무고한 인간의 신성불가침성 근거 : 태아는 무고한 인간이고, 무고한 인간을 해치는 행위는 옳지 않음

2) 자살의 윤리적 쟁점

① 자살의 문제점 : 인격과 생명 훼손, 자아실현의 가능성 차단, 사회에 부정적 영향을 끼침

② 자살에 대한 각 사상의 입장

㉠ 유교 : 부모로부터 받은 자신의 신체를 훼손하는 행위로 불효로 봄

㉡ 불교 : 생명을 해쳐서는 안된다는 '불살생 (不殺生)'의 계율을 어기는 것으로 봄

㉢ 그리스도교 : 신으로부터 받은 목숨을 끊어서는 안 된다고 봄

㉣ 아퀴나스 : 자살은 자기 보존을 거스르는 부당한 행위

㉤ 칸트 : 자살은 자신의 인격을 한낱 수단으로 이용하는 것

㉥ 쇼펜하우어 : 자살은 문제를 해결하는 것이 아니라 회피하는 것

3) 안락사의 윤리적 쟁점

① 안락사의 의미 : 불치병으로 극심한 고통을 겪고 있는 환자 또는 그 가족의 요청에 따라 의료진이 인위적으로 죽음을 앞당기거나 생명 유지에 필요한 조치를 중단함으로써 생명을 단축하는 행위

② 안락사에 대한 찬반 입장

㉠ 찬성 입장

· 환자는 자율적 주체로 자신의 죽음을 선택할 수 있으며, 인간답게 죽을 권리를 지님

· 공리주의적 관점 : 무의미한 연명 치료는 환자 본인과 가족에게 심리적·경제적 부담을 주며, 제한된 의료 자원을 효율적으로 사용하지 않음으로써 사회 전체의 이익에 부합하지 않음

    ⓛ 반대 입장
     ·모든 인간의 생명은 존엄하며, 인간은 자신의 죽음을 인위적으로 선택할 권리를 갖고 있지 않음
     ·자연법 윤리와 의무론의 관점 : 삶이 고통스럽다는 이유로 죽음을 인위적으로 앞당기는 행위는 자연의 질서에 부합하지 않으며, 인간 생명의 존엄성을 훼손하는 행위임

 4) 뇌사의 윤리적 쟁점
  ① 뇌사의 의미 : 뇌 기능이 회복 불가능하게 정지된 상태
  ② 뇌사에 대한 찬반 논쟁
   ㉠ 찬성 입장
    ·죽음의 기준 : 뇌 기능 정지
    ·뇌 기능이 정지하면 인간으로서 고유한 활동이 불가능함
    ·뇌사자의 장기로 다른 생명을 구할 수 있음
    ·뇌사자의 존엄하게 죽을 권리를 존중해야 함
   ㉡ 반대 입장
    ·죽음의 기준 : 심폐 기능의 정지
    ·뇌 기능이 정지하더라도 생명을 유지할 수 있음
    ·뇌사의 인정은 생명을 수단으로 여기는 것
    ·뇌사 판정 과정에서 오류가 발생할 수 있음
    ·실용주의 관점은 인간의 가치를 위협할 수 있음

02. 생명 윤리

(1) 생명 복제와 유전자 치료 문제
 1) 생명 윤리와 생명의 존엄성
  ① 생명 윤리 : 생명을 책임 있게 다루기 위한 윤리학적 숙고
  ② 생명 존엄성에 관한 윤리적 관점
   ㉠ 생명의 존엄성에 대한 동양의 관점
    ·유교 : 부모로부터 물려받은 생명을 소중히 여김
    ·불교 : 연기설을 통해 생명의 상호 의존성을 강조하고, 불살생의 계율로 생명의 보존을 주장함

                    · 도가 : 자연스러운 것을 인위적으로 조작하는 일은 바람직하지 않다고 봄
                ⓒ 생명의 존엄성에 대한 서양의 관점
                    · 의무론 : 생명은 그 자체로 존엄하므로 생명을 함부로 조작하거나 훼손해서
                      는 안된다고 봄
                    · 공리주의 : 생명을 대상으로 하는 과학 기술과 의료 행위가 개인과 사회에
                      행복과 이익을 가져다준다면 정당화될 수 있다고 봄

   2) 생명 복제의 윤리적 쟁점
       ① 동물 복제
           ㉠ 찬성 입장
               · 동물 복제를 통해 우수한 품종을 개발할 수 있음
               · 희귀 동물 보존이 가능함
               · 멸종 동물 복원이 가능함
           ㉡ 반대 입장
               · 동물 복제는 자연의 질서에 어긋남
               · 종의 다양성을 해침
               · 동물의 생명을 인간의 유용성을 위한 도구로 사용함
       ② 인간 복제
           ㉠ 배아 복제
               － 찬성 입장
                   · 배아는 아직 완전한 인간이 아님
                   · 배아로부터 획득한 줄기세포를 활용해 난치병 치료 방법을 받을 수 있음
               － 반대 입장
                   · 배아도 인간의 생명이므로 보호되어야 함
                   · 복제과정에서 난자 사용은 여성의 건강권과 인권을 훼손하는 것임
           ㉡ 개체 복제
               － 찬성 입장 : 난임 부부들에게 자녀 출산의 희망을 부여함
               － 반대 입장 : 자연스러운 출산 과정에 어긋나며, 인간의 고유성, 개체성, 정
                 체성을 상실하게 하고 가족 관계에 혼란을 초래함

   3) 유전자 치료의 윤리적 쟁점
       ① 체세포 유전자 치료 : 환자의 질병 치료를 위해 허용되고 있음
       ② 생식 세포 유전자 치료의 윤리적 쟁점

     ⊙ 찬성 입장

       · 선천성 유전 질환의 치료 및 예방 가능

       · 병의 유전을 막아 다음 세대의 병을 예방 가능

       · 배아의 유전적 결함을 바로잡아 부모의 생식에 대한 권리와 자율성 보장

     ⓛ 반대 입장

       · 생식 세포의 변화를 통해 인간을 개선하려는 우생학에 대한 우려

       · 미래 세대의 동의 여부에 대한 불확실성

       · 임상 실험의 위험성과 과학적 불확실성으로 인한 부작용 발생 가능성

(2) 동물 실험과 동물 권리의 문제

1) 동물 실험의 윤리적 쟁점

  ① 찬성 입장

     ⊙ 인간은 동물과 근본적으로 다른 존재 지위를 가지고 있음

     ⓛ 인간과 동물은 생물학적으로 유사하므로 동물 실험의 결과를 인간에게 적용할 수 있음

  ② 반대 입장

     ⊙ 인간과 동물의 존재 지위는 차이가 없음

     ⓛ 인간과 동물은 생물학적으로 유사하지 않음 → 동물 실험의 결과를 그대로 인간에게 적용하는 데 한계가 있음

2) 동물 권리에 대한 다양한 관점

  ① 인간 중심주의 : 동물이 도덕적으로 고려받을 권리를 부정함

     ⊙ 데카르트 : 동물은 자동인형 또는 움직이는 기계에 불과함

     ⓛ 아퀴나스 : 인간이 동물에게 동정 어린 감정을 나타낸다면, 그는 그만큼 더 동료 인간들에게 관심을 가질 것임

     ⓒ 칸트 : 동물에 대한 의무는 인간에 대한 간접적 의무에 불과함

  ② 동물 중심주의 : 동물이 도덕적으로 고려 받을 권리를 인정함

     ⊙ 벤담 : 동물도 고통을 느끼므로 도덕적으로 고려 받을 권리를 지닌다고 봄

     ⓛ 싱어 : 동물도 쾌고 감수 능력을 갖고 있으므로 동물의 이익도 평등하게 고려되어야 함

     ⓒ 레건 : 한 살 정도의 포유류는 자신의 삶을 영위할 수 있는 능력, 즉 믿음, 욕구, 지각, 기억, 감정 등을 가진 삶의 주체가 될 수 있으므로 인간처럼 내재적 가치를 지님

03. 사랑과 성 윤리

(1) 사랑과 성의 관계

1) 사랑과 성의 의미와 가치

① 사랑의 의미

　㉠ 인간이 근원으로, 어떤 사람이나 존재를 아끼고 소중히 여기는 마음

　㉡ 프롬이 제시한 사랑의 요소 : 책임, 이해, 존경, 보호

② 성의 가치

　㉠ 생식적 가치 : 새로운 생명의 탄생을 통한 종족의 보존

　㉡ 쾌락적 가치 : 인간의 감각적인 욕망의 충족 → 절제 필요

　㉢ 인격적 가치 : 상호 간의 존중과 배려를 실천하고, 자아실현과 인격 완성에 기여

③ 사랑과 성의 관계

　㉠ 보수주의 : 결혼을 통해 이루어지는 성적 관계만이 정당함

　㉡ 중도주의 : 사랑이 있는 성적 관계는 옳고 사랑이 없는 성은 도덕적으로 그름

　㉢ 자유주의 : 타인에게 해악을 주지 않는 범위 내에서 자발적 동의에 따른 성적
　　자유를 허용해야 함

2) 성과 관련된 윤리적 문제

① 성의 자기 결정권

　㉠ 성의 자기 결정권 : 인간이 자신의 성적 행동을 스스로 결정할 수 있는 권리

　㉡ 성의 자기 결정권 남용에 따른 문제점 : 타인의 성적 자기 결정권 침해, 무고
　　한 생명의 훼손

　㉢ 성의 자기 결정권의 올바른 행사 : 반드시 타인의 권리를 침해하지 않는 범위
　　로 제한되어야 하며, 자신의 결정에 대한 책임이 따라야 함

② 성 상품화

　㉠ 의미 : 인간의 성을 직·간접적으로 이용해 이윤을 추구하는 것

　㉡ 성 상품화에 대한 찬반 입장

　　- 찬성 입장

　　　·성의 자기 결정권과 표현의 자유를 강조함

　　　·성 상품화가 이윤 극대화를 추구하는 자본주의 경제 논리에 부합할 수 있음

　　- 반대 입장

　　　·성 상품화가 인격적 가치를 지니는 성을 상품으로 대상화하여 성의 가치와
　　　　의미를 훼손함

　　　·성 상품화는 외모 지상주의를 조장함

③ 성차별

    ㉠ 의미 : 여성 혹은 남성이라는 이유로 부당한 대우를 하는 것

    ㉡ 성차별의 문제점

       – 성차별은 인간의 기본 권리인 자유권과 평등권, 행복 추구권을 침해함

       – 남녀 각 개인의 잠재력을 충분히 발휘할 수 없도록 하여 인적 자원의 낭비
        를 초래함

(2) 결혼과 가족의 윤리

1) 결혼과 부부 윤리

① 결혼의 윤리적 의미

    ㉠ 부부가 서로에 대한 사랑을 지키겠다는 약속이자 신뢰임

    ㉡ 사랑을 바탕으로 삶 전체를 공동으로 영위하겠다는 약속임

② 부부 윤리

    ㉠ 남녀 간의 역할을 구분하면서 서로 존중해야 함

    ㉡ 서로의 차이를 고려하여 역할을 분담하며 양성평등의 자세를 가져야 함

    ㉢ 배려와 존중의 윤리를 실천해야 함

2) 가족의 가치와 가족 윤리

① 가족의 가치

    ㉠ 정서적 안정을 줌

    ㉡ 사회생활에서 필요한 규칙과 예절을 습득함

    ㉢ 건강한 사회의 토대가 됨

② 가족 해체 현상

    ㉠ 의미 : 현대 사회에서 가족 구성원 수의 감소와 구성원 간의 정서적 연결이 약
      해져서 가족이 제 기능을 발휘하지 못하는 현상

    ㉡ 영향

       – 개인의 삶을 불안하게 만듦

       – 사회의 근본적인 변화를 가져옴

       – 가족 공동체 와해

③ 전통 사회의 가족 윤리

    ㉠ 부부 간 : 부부유별, 상경여빈, 부부상경 등

    ㉡ 부모 자식 간 : 효(孝), 자애(慈愛), 부자유친 등

    ㉢ 형제자매 간 : 형우제공(兄友弟恭), 우애(友愛) 등

01. 직업과 청렴의 윤리

(1) 직업 생활과 행복한 삶

1) 직업의 의미와 기능

① 직업의 의미 : 사회적 지위와 역할인 '직(職)'과 생계유지를 위한 일인 '업(業)'의 합성어 → 자신의 적성과 능력에 따라 일정한 기간 계속하여 종사하는 일

② 직업의 기능 : 생계유지, 자아실현, 사회 참여

2) 직업에 대한 다양한 관점

① 동양의 직업관

　ㄱ 공자 : 자신의 직분에 충실하는 정명(正名)을 강조함

　ㄴ 맹자 : 도덕적 삶(항심(恒心))을 지속하기 위해 경제적 안정을 위한 일정한 생업(항산(恒産))이 필요함

　ㄷ 순자 : 예(禮)의 제도와 규범으로 적성과 능력에 따라 사회적 신분과 직분을 분담하여 역할을 수행하도록 함

　ㄹ 장인 정신 : 자기 일에 긍지를 가지고 전념하거나 한 가지 기술에 정통하려고 노력하는 것

② 서양의 직업관

　ㄱ 플라톤 : 각 계층에 속한 사람들이 고유한 덕(德)을 발휘하여 자신의 직분에 충실하면 정의로운 국가를 이룩하게 됨

　ㄴ 중세 그리스도교 : 노동은 원죄에 대한 속죄의 의미를 가지며 신이 부과한 것임

　ㄷ 칼뱅 : 직업은 신의 거룩한 부르심, 즉 소명(召命)이며 직업의 성공을 위해 근면, 성실, 검소한 생활이 필요함

　ㄹ 마르크스 : 노동의 본질은 물질적 가치를 창출하는 것이라고 보고, 노동자가 노동의 생산물에서 소외되는 자본주의 경제체제를 비판함

(2) 직업 윤리와 청렴

1) 직업 윤리의 의미와 필요성

① 직업 윤리의 의미 : 직업 생활에서 지켜야 할 윤리 규범

② 직업 윤리의 내용 : 정직, 성실, 신의, 책임, 의무

③ 직업 윤리의 필요성 : 부정부패와 비리를 막고 개인의 자아실현과 공동체 발전에 기여

2) 다양한 직업 윤리

① 기업가와 근로자 윤리

    ㉠ **기업가 윤리** : 합법적인 이윤 추구, 근로자의 권리 존중, 소비자에 대한 책임 부담, 사회적 책임 이행

    ㉡ **근로자 윤리** : 자신의 책임과 역할 수행, 전문성 향상, 잠재력 발휘, 동료 근로자와 연대 의식 형성, 기업가와의 협력 추구

② 전문직과 공직자의 윤리

    ㉠ **전문직 윤리**

      – 전문직은 고도의 교육과 훈련을 통해 사회적으로 승인된 자격을 취득한 사람들임

      – 전문직은 전문 지식과 기술을 독점적 · 자율적으로 수행할 수 있음

      – 직업적 양심과 책임 의식, 노블레스 오블리주 실천

    ㉡ **공직자 윤리**

      – 법적 구속력을 갖는 의사 결정이 가능함

      – 청렴, 봉공, 봉사의 자세가 필요함

3) 직업 생활에서의 청렴한 자세의 중요성

① 부패

    ㉠ **부패** : 개인의 이익을 위해 자신의 직위를 이용하는 위법 행위

    ㉡ **부패의 문제점** : 시민 의식 발달과 사회 발전을 저해하고 국가 신인도 하락을 초래할 수 있음

② 청렴

    ㉠ **청렴** : 뜻과 행동이 맑고 염치를 알아 탐욕을 부리지 않는 상태

    ㉡ **청렴의 필요성** : 부패를 방지 · 근절하고 도덕적 인격을 형성해 자아실현과 공동체 발전에 기여

    ㉢ **청렴을 위한 노력** : 부당한 이익을 취하지 않고 양심과 사회 정의에 부합되게 행동하고, 제도적 노력도 필요함

02. 사회 정의와 윤리

(1) 사회 정의의 의미

1) 개인 윤리와 사회 윤리

① 개인 윤리와 사회 윤리

	개인 윤리적 관점	사회 윤리적 관점
의미	개인의 도덕성 회복을 통한 윤리 문제 해결	사회의 구조와 제도의 개선을 통한 윤리 문제 해결
내용	도덕적 판단 능력, 실천 의지, 도덕적 습관 등의 함양	법과 제도의 개선, 공공 정책의 변화, 정치적 강제력
이상	도덕성과 이타성의 실현	공동선과 사회 정의 실현

② 니부어

　㉠ 사회의 도덕성이 개인의 도덕성보다 현저히 떨어짐

　㉡ 집단에 속한 개인은 이기적으로 행동하기 쉬움

　㉢ 문제 해결 : 개인의 도덕성 함양 + 사회 제도와 정책의 개선

2) 사회 정의

① 사회 정의의 의미 : 사회 구성원에게 합당한 몫을 부여하고 그 몫에 대한 권리와 책임을 정당하게 규정하는 것

② 사회 정의의 분류

　㉠ **분배적 정의** : 사회적 재화의 이익과 부담에 대한 공정한 분배

　㉡ **교정적 정의** : 위법과 불공정에 대한 공정한 처벌과 배상

　㉢ **절차적 정의** : 합당한 몫을 결정하는 공정한 절차

③ 분배적 정의의 기준

분배 기준	장점	단점
절대적 평등	기회, 혜택의 균등한 분배	생산 의욕과 책임 의식 저하
필요	약자 보호, 사회 안정성 향상	재화 불충분, 효율성 저하
능력	탁월성과 실력에 대한 합당한 보상	우연성, 선천적 영향 배제 어려움
업적	생산성 향상, 객관적 평가의 용이함	약자 배려 약화, 과열 경쟁
노동(노력)	책임 의식 향상	객관적 기준 마련이 어려움

(2) 분배적 정의와 윤리적 쟁점

1) 현대 사회의 다양한 정의관

① 롤스 : 공정으로서의 정의

　㉠ 원초적 입장 : 분배 절차의 공정한 합의를 위해서 무지의 베일을 쓴 타인과 자신의 자연적 · 사회적 조건에서 벗어난 가상적 상황

　㉡ 정의의 원칙

제 1의 원칙	평등한 자유의 원칙	모든 사람은 기본적 자유에 대하여 동등한 권리를 가져야 한다.
제 2의 원칙	차등의 원칙	최소 수혜자에게 최대 이익이 되어야 한다.
	공정한 기회 균등의 원칙	모든 사람에게 직책과 직위가 개방되어야 한다.

② 노직 : 소유권으로서의 정의

　㉠ 개인의 소유권 : 개인의 정당한 소유물에 대한 배타적 · 절대적 권리

　㉡ 개인의 소유권을 침해하지 않고, 개인의 권리를 보호하는 역할만을 수행하는 최소 국가를 정당하다고 주장함

　㉢ 정의의 원칙

　　· 취득의 원칙 : 정의의 원리에 따라 소유물을 취득한 자는 그 소유물에 대한 소유 권리를 지닌다.

　　· 이전의 원칙 : 소유물의 소유 권리를 가진 사람에게 정의의 원리에 따라 그 소유물을 취득한 자는 그 소유물에 대한 소유 권리가 있다.

　　· 교정의 원칙 : 취득의 원칙, 이전의 원칙을 따르지 않은 부당한 취득은 교정되어야 한다.

③ 왈처 : 복합 평등의 다원적 정의

　㉠ 다양한 삶의 영역에서 각기 다른 정의의 기준에 따라 사회적 가치가 분배되어야 함

　㉡ 정의의 원칙 : 어떠한 사회적 가치 x도 x의 의미와는 상관없는 단지 누군가 다른 가치 y를 가지고 있다는 이유만으로 y를 소유한 사람에게 분배되어서는 안 된다.

2) 우대 정책의 윤리적 쟁점

① 우대 정책의 의미 : 특정 집단에 대한 역사적, 사회 구조적 부당한 차별과 불평등을 바로잡기 위해 분배적 혜택을 주는 보상과 우대하는 정책

② 우대 정책의 논쟁

우대 정책의 찬성 논거	우대 정책의 반대 논거
· 보상의 논리 : 과거의 차별 때문에 받아 온 고통에 대해 보상받을 권리가 있음 · 재분배의 논리 : 사회적 약자에게 경제적 부나 사회적 지위를 얻을 수 있는 유리한 기회를 부여해야 할 필요가 있음 · 공리주의 논리 : 사회적 약자를 배려하면 사회적 긴장을 완화하고 사회 전체의 평화와 행복을 증진시킬 수 있음	· 보상 책임의 부당성 논리 : 과거의 차별에 대해 잘못이 없는 후손에게 보상의 책임을 지우는 것은 부당함 · 역차별의 논리 : 사회적 약자에 대한 특혜는 일반 사람의 기회를 박탈하여 또 다른 차별을 낳을 수 있음 · 업적주의 원칙 위배 논리 : 우대 정책에 따라 노력이나 성취를 무시하는 것은 공정하지 못함

(3) 교정적 정의와 윤리적 쟁점

1) 교정적 정의의 의미와 관점

① 교정적 정의 : 부당한 피해 행위에 대한 불균형과 부정의를 바로 잡는 것

② 처벌에 대한 교정적 정의의 관점들

응보주의	공리주의
· 처벌의 고통은 범죄 행위에 대한 응당한 보복과 정당한 대가 · 처벌은 위법에 대해서만 부과되며, 처벌을 통해 정의 실현 · 범죄 행위에 상응하는 동등한 형벌 부과 · 범죄에 대한 개인의 책임 강조	· 처벌의 고통은 필요악이지만 사회 전체 행복의 증진을 위한 조치 · 처벌은 범죄 예방과 사회 안전을 위한 효과적 수단 · 위법의 이익보다 형벌의 손실이 더 큰 정도의 형벌 부과 · 처벌의 사회적 효과 강조

2) 사형 제도의 윤리적 쟁점

① 사형의 의미 : 범죄자의 생명을 인위적으로 박탈하는 법정 최고형

② 사형에 대한 관점

　㉠ 칸트 : 응보주의적 관점에서 살인자에 대한 사형은 정당하며 사형 이외의 형벌은 정의에 부합하지 않음

　㉡ 루소 : 사회 계약설의 관점에서 계약자는 자신의 생명 보존을 위해서 살인자의 사형에 동의하였음

ⓒ 베카리아 : 생명은 양도할 수 없는 것이기 때문에 사형은 불가하며, 공리주의
  적 관점에서 사형보다 종신 노역형이 범죄 예방과 사회 전체 이익 증진에 부
  합하므로 사형 제도는 폐지되어야 함

③ 사형 제도의 윤리적 쟁점

찬성 입장	반대 입장
· 범죄 억제 효과가 매우 큼 · 처벌의 목적은 인과응보적 응징 · 국민의 일반적 법 감정은 사형 제도를 지지함 · 흉악 범죄인의 생명을 박탈하는 것이 사회적 정의임 · 종신 노역형은 비용 부담이 크고 오히려 비인간적일 수 있음	· 범죄 억제 효과가 없음 · 처벌의 목적은 교육과 교화 · 인도적 차원에서 잔혹한 형벌인 사형 제도 폐지 · 정치적 악용 가능성 · 오심으로 사형의 원상복구 불가능성

03. 국가와 시민 윤리

(1) 국가의 권위와 시민에 대한 의무

1) 국가 권위의 정당성 조건

① 국가 권위의 의미 : 시민들이 국가의 뜻을 따르게 하는 힘

② 국가 권위의 정당성에 대한 관점

  ㉠ 아리스토텔레스(본성론) : 인간은 본성적으로 정치적 존재이며, 정치 공동체 속
    에서만 최선의 삶이 가능

  ㉡ 사회 계약설(동의론) : 국가는 시민의 동의와 계약으로 구성

  ㉢ 흄(혜택론) : 국가가 시민에게 여러 가지 혜택을 제공하므로 국가에 복종해야 함

  ㉣ 공리주의 : 국가의 법을 지키는 것이 '최대 다수의 최대 행복'을 증진하는 방
    편이기 때문임

2) 동 · 서양 사상에 나타난 국가의 역할

① 동양

  ㉠ 공자, 맹자(유교)

    · 위민, 민본주의 강조

    · 군주는 인격 수양으로 덕을 쌓아 백성을 교화해야 함

Ⓛ 묵자 : 무차별적 사랑(兼愛)과 상호 이익이라는 하늘의 뜻을 따라야 함
　　　Ⓒ 한비자 : 엄격한 법에 따라 상벌을 적절하게 제공하여 사회 질서 유지
　　　Ⓔ 정약용 : 지방 관리들은 애민(愛民)을 실현해야 함. 특히 노인, 어린이를 돌보고 빈민을 구제하는 데 힘써야 함
　　② 서양
　　　㉠ 홉스
　　　　· 자연 상태 : 만인의 만인에 대한 투쟁 상태
　　　　· 인간은 생명과 재산을 보장받기 위해 계약을 맺어 정치권력에게 권리를 양도하고 국가를 수립함
　　　Ⓛ 로크 : 국가는 분쟁을 해결하고 개인의 생명, 자유, 재산을 보호하며 평화롭고 안전하고 행복한 삶을 살게 해야 함
　　　Ⓒ 루소 : 국가는 사유 재산이 증가하면서 발생한 사회적 불평등을 해결하고 시민의 생명을 보존하고 번영하도록 해야 함
　　　Ⓔ 밀 : 국가는 시민이 타인에게 해악을 끼칠 경우를 제외하고는 시민의 자유와 기본권을 보장해야 함
　　　Ⓜ 롤스 : 국가는 개인의 평등한 자유를 보장하고, 사회의 가장 불리한 위치에 있는 사람에게 최대 이익이 돌아가게 하며, 사회에서 누구나 높은 지위에 오를 수 있는 기회를 평등하게 부여하는 질서 정연한 정의 사회를 실현해야 함

(2) 민주 시민의 참여와 시민 불복종

1) 민주 시민의 권리와 의무

　　① 민주 시민의 권리와 의무
　　　㉠ 민주 시민 : 국가와 사회의 주권자
　　　Ⓛ 민주 시민은 국가의 정당한 권리를 존중하고, 권리와 의무를 실천해야 함
　　② 동ㆍ서양 사상
　　　㉠ 동양의 유교
　　　　· 부모에게 효도하는 것과 같이 백성이 국가에 충성하는 것을 의무로 간주함
　　　　· 맹자 : 군주는 민본주의를 바탕으로 왕도 정치를 실천해야 하며, 백성은 군주가 백성을 위한 정치를 하지 않는다면 역성혁명(易姓革命)을 일으킬 수 있음
　　　Ⓛ 서양의 사회 계약론
　　　　· 시민은 자연에 따른 권리의 주체로서 자유를 정당하게 행사할 권리가 있음

· 자신과 동등한 타인의 자유와 권리를 침해하지 않으면서 정치 공동체의 구성원으로서 공동선을 지향해야 할 의무가 있음
· 시민은 사회 계약을 위반한 정부에 저항할 권리가 있음

2) 시민 참여의 의미와 필요성

① 시민 참여 : 정부의 정책 결정 과정에 영향을 미치는 것을 목적으로 한 시민 활동
② 시민 참여의 필요성 : 대의 민주주의의 한계를 보완할 수 있으며, '시민에 의한 통치'라는 민주주의의 이념을 실현할 수 있음
③ 시민 참여의 방법 : 공청회, 자문회, 주민 투표제, 주민 소환제, 주민 감사 청구제, 국민 참여 재판 등

3) 시민 불복종

① 시민 불복종의 의미 : 부정의한 법과 정책에 대한 시민들의 의도적 위법 행위
② 시민 불복종의 근거
　㉠ 드워킨 : 헌법 정신에 어긋나는 법률에 대해서 시민은 저항할 수 있음
　㉡ 소로 : 헌법을 넘어선 개인의 양심이 저항의 최종 판단 근거임
　㉢ 롤스 : 공공의 정의관이 저항의 기준이 되어야 함
③ 시민 불복종의 정당화 조건 : 공개성, 비폭력성, 최후의 수단, 정의 실현, 처벌 감수

04 과학과 윤리

01. 과학 기술과 윤리

(1) 과학 기술의 성과와 윤리적 문제

1) 과학 기술의 성과와 윤리적 문제

① 과학 기술의 성과 : 물질적 풍요와 편리한 삶, 시·공간적 제약 극복, 건강 증진과 생명 연장 등

② 과학 기술의 윤리적 문제 : 환경 문제 발생, 생명의 존엄성 훼손, 인권과 사생활 침해 등

2) 과학 기술을 바라보는 관점

① 과학 기술 지상주의 : 과학 기술의 긍정적인 측면만 강조 → 과학 기술의 부정적 측면 간과, 인간의 반성적 사고 능력 훼손

② 과학 기술 혐오주의 : 과학 기술의 부정적인 측면만 강조 → 과학 기술의 성과와 혜택을 인정하지 않음

(2) 과학 기술의 가치중립성 논쟁

1) 과학 기술의 가치중립성에 대한 입장

① 과학 기술의 가치중립성 인정

ㄱ 과학 기술 그 자체로 좋은 것도 나쁜 것도 아님 → 사회적 책임과 윤리적 평가로부터 자유로움

ㄴ 과학 기술은 객관적 지식의 발견과 활용만을 목적으로 함

ㄷ 과학 기술 결과에 대한 책임은 실제로 과학 기술을 활용한 사람들의 몫임

② 과학 기술의 가치중립성 부정

ㄱ 과학 기술에는 일정한 목적이나 의도가 개입되어 있음 → 과학 기술은 가치 판단에서 자유로울 수 없음

ㄴ 과학 기술은 그 자체 윤리적 가치에 의해 지도·규제받아야 함

ㄷ 과학 기술의 연구 및 활용의 전 과정을 독립적인 영역으로 여겨서는 안 됨

③ 과학 기술에 대한 올바른 태도 : 과학 기술의 궁극적 목적은 인간의 존엄성 구현과 삶의 질 향상임을 염두에 두어야 함

2) 과학 기술의 사회적 책임

① 과학 기술자의 책임

㉠ 내적 책임 : 과학 기술자는 연구 과정에서 날조, 변조, 표절, 부당한 저자 표기 등 비윤리적인 행위를 하지 말아야 함

㉡ 외적 책임 : 과학 기술자는 사회적으로 해로운 결과가 예상되는 연구의 경우 그 위험성을 알리고 연구를 중단해야 함

② 사회적 책임을 위한 노력

㉠ 개인적 차원의 노력 : 과학 기술이 인간의 존엄성을 위해 공헌하고 있는지 관심을 가지며, 과학 기술의 사용 방향에 대한 선택과 결정에 적극 참여해야 함

㉡ 사회적 차원 : 기술 영향 평가 제도를 실시하고, 과학기술 윤리위원회를 설치하며, 과학 기술의 활용에 관한 시민들의 감시와 참여를 이끌어 내는 장치의 제도화가 필요함

③ 요나스의 책임 윤리

㉠ 책임 범위 확대 : 현 세대뿐만 아니라 미래 세대, 자연까지 확대함

㉡ 행해진 것에 대한 사후 책임뿐만 아니라 나아가 행위 되어야 할 것에 대한 사전적 책임을 강조 함 → 미래 지향적인 책임을 주장함

02. 정보 사회와 윤리

(1) 정보 기술의 발달과 정보 사회

1) 정보 기술의 발전에 따른 삶의 변화와 윤리적 문제

① 정보 기술의 발전에 따른 삶의 변화 : 삶의 편리성 향상, 정치 참여 기회 확대, 다양성을 존중하는 사회 분위기 조성

② 정보 기술의 발전에 따른 윤리적 문제 : 사이버 폭력, 사생활 침해, 표현의 자유 문제, 저작권 문제 등

2) 정보 사회에서 요구되는 정보 윤리

① 정보 윤리의 필요성 : 일상생활 속에서 기존 윤리 이론만을 적용하여 해결하기 어려운 문제가 발생함

② 사이버 공간에서 지켜야 할 윤리 원칙 : 인간 존중의 원칙, 책임의 원칙, 정의의 원칙, 해악 금지의 원칙

(2) 정보 사회와 매체 윤리

1) 뉴 미디어의 특징과 문제점

① 뉴 미디어의 의미 : 기존의 매체들이 제공하던 정보를 인터넷을 통해 가공, 전달, 소비하는 포괄적 융합 매체를 뜻함

② 뉴 미디어의 특징 : 종합화, 상호 작용화, 비동시화, 탈 대중화, 능동화, 디지털화 등

③ 뉴 미디어의 문제점

    ㉠ 전문성이 검증되지 않은 정보가 많음

    ㉡ 허위 정보나 음란 · 폭력 · 유해 정보를 전달하기도 함

    ㉢ 폭력적이고 자극적인 정보로 이윤을 추구하기도 함

2) 국민의 알 권리와 개인의 인격권의 관계

① 알 권리 : 국민은 사회적 현실에 관한 정보를 자유롭게 알 수 있는 권리

② 인격권 : 인간의 존엄성에 바탕을 둔 사적 권리

③ 국민의 알 권리와 인격권의 관계 : 정보를 전달할 때 국민의 알 권리를 보장하려고 노력하되, 그 정보가 개인의 인격권을 침해하는지 검토해 보아야 함

3) 매체의 기능과 매체 윤리

① 정보 사회에서의 매체 윤리

    ㉠ 매체의 기능 : 정보 제공, 정보의 의미에 대한 해석 및 평가, 가치와 규범의 전달, 휴식과 오락의 기회 제공

    ㉡ 매체 윤리

        · 정보 생산 및 유통 과정 : 진실한 태도, 개인의 인격 존중, 배려하는 자세

        · 정보 소비 과정 : 미디어 리터러시, 소통과 시민 의식, 정보의 비판적 수용

03. 자연과 윤리

(1) 인간과 자연의 관계에 대한 다양한 관점

1) 자연을 바라보는 동양의 관점

① 유교 : 만물은 본래적 가치를 지니고 인간과 자연이 조화를 이루는 천인합일(天人合一)의 경지 추구

② 불교 : 연기설(緣起說)에 근거하여 인간과 자연의 상호 의존성을 자각하여 모든 생명에게 자비를 베풀 것을 강조

③ 도가 : 천지 만물은 무위(無爲) 체계로 보고, 자연의 순리에 따라 사는 무위자연 (無爲自然)을 추구함

2) 인간 중심주의

① 특징 : 인간만이 도덕적 지위를 지니며, 인간 외의 모든 존재는 인간의 목적을 이 루기 위한 수단으로 여김

② 대표적 사상가

 ㉠ 아리스토텔레스 : "식물은 동물의 생존을 위해서, 동물은 인간의 생존을 위해 서 존재한다."

 ㉡ 아퀴나스 : "신의 섭리에 따라 동물은 자연의 과정에서 인간이 사용되도록 운 명지어졌다."

 ㉢ 베이컨 : 자연을 인류 복지의 수단으로 보고, 자연에 관한 지식의 활용을 강조 함 → "지식은 힘이다."

 ㉣ 데카르트 : 자연을 단순한 물질 또는 기계로 파악함으로써 도덕적 고려의 대상 에서 제외함

 ㉤ 칸트 : 이성적 존재만이 자율적으로 행동하는 도덕적 주체가 될 수 있다고 강 조하면서 자연의 도덕적 지위를 부정함

3) 동물 중심주의

① 특징 : 동물을 인간을 위한 수단으로 여기는 것을 반대하고, 동물 복지와 권리의 향상을 강조함

② 대표적 사상가

 ㉠ 싱어

  · 공리주의에 기초한 '동물 해방론' 주장

  · 도덕적 고려의 기준을 쾌고감수능력으로 봄

 ㉡ 레건

  · 의무론에 기초한 '동물 권리론' 주장

  · 동물도 삶의 주체로서 내재적 가치를 지니므로 도덕적으로 존중받을 권리가 있다고 봄

4) 생명 중심주의

① 특징 : 모든 생명체는 그 자체로서 가치를 지니므로 도덕적 고려의 범위를 모든 생명체로 확대함

② 대표적 사상가

ㄱ 슈바이처 : 「생명 외경 강조」, 모든 생명은 살고자 하는 의지가 있으며, 그 자체로서 신성함

ㄴ 테일러 : 모든 생명체는 의식의 여부와 상관없이 자기 보존과 행복이라는 목적을 지향하는 '목적론적 삶의 중심'임

5) 생태 중심주의

① 특징 : 도덕적 고려의 범위를 무생물을 포함한 생태계 전체로 보아야 한다는 전일론(全一論)적 입장을 주장함

② 대표적 사상가

ㄱ 레오폴드

· 대지 윤리 : 도덕 공동체의 범위를 식물, 토양, 물을 포함하는 대지까지 포함

· 인간은 대지의 한 구성원일 뿐이며, 자연은 인간의 이해와 상관없이 내재적 가치를 지님

ㄴ 네스

· 심층 생태주의 : 세계관과 생활양식 자체를 생태 중심주의로 바꿈

· 큰 자아실현 : 자기를 자연과의 상호 관련성을 통해 이해하는 과정

· 생명 중심적 평등 : 모든 생명체는 상호 연결된 공동체의 구성원으로 동등한 가치를 지님

(2) 환경 문제에 대한 윤리적 쟁점

1) 환경 문제의 원인과 특징

① 환경 문제의 원인 : 산업화·도시화가 되면서 화석 연료의 무분별한 사용으로 인해 자원 고갈과 환경오염 문제가 발생함

② 환경 문제의 특징 : 지구 자정 능력 초과, 전지구적 영향, 책임 소재 불분명

2) 기후 변화와 기후 정의 문제

① 기후 변화 : 자연적 요인이나 인간 활동의 결과로 장기적으로 기후가 변하는 현상

② 기후 변화의 문제점

ㄱ 다양한 생물종의 감소와 멸종

ㄴ 농토의 사막화와 식량 생산량 감소

ㄷ 해수면 상승 등으로 환경 난민을 초래함

③ 기후 정의 : 기후 변화에 따른 불평등을 해결함으로써 실현되는 정의 → 기후 변화 문제를 형평성의 관점에서 바라봄

④ 기후 정의를 실현하기 위한 노력

ㄱ 선진국들의 책임 있는 자세 : 기후 변화로 고통 받는 나라에 보상과 지원을 해야 함

ㄴ 국제적 노력 필요 : 기후 변화협약, 교토 의정서, 파리 협정 등

3) 미래 세대에 대한 책임과 책임 윤리

① 미래 세대에 대한 책임 문제 : 환경 문제는 현 세대뿐만 아니라 미래 세대에까지 영향을 미친다는 점에서 미래 세대에 대한 현 세대의 책임을 요구하는 성격을 지님

② 요나스의 책임 윤리

ㄱ 의무론적 차원에서 현 세대뿐만 아니라 미래 세대 또한 환경에 대한 권리를 가짐

ㄴ 생태학적 정언 명법 : "내 행위의 결과가 지구 상의 인간의 삶에 대한 미래의 가능성을 파괴하지 않도록 행위하라." → 두려움, 겸손, 검소, 절제 등의 덕목을 제시함

4) 환경적으로 건전하고 지속 가능한 발전

① 환경적으로 건전하고 지속 가능한 발전 : 미래 세대가 그들의 필요를 충족시킬 수 있는 가능성을 손상시키지 않는 범위에서 현재 세대의 필요를 충족시키는 개발 방식

② 환경적으로 건전하고 지속 가능한 발전을 위한 노력

ㄱ 개인적 차원 : 환경 친화적 소비 생활을 해야 함

ㄴ 사회적 차원 : 환경을 고려하여 개발하고 건전한 환경 기술을 발전시켜야 함

ㄷ 국제적 차원 : 환경 문제에 대한 국제 협력 체제를 갖추어야 함

01. 예술과 대중문화 윤리

(1) 예술과 윤리의 관계

1) 예술의 의미와 기능
① 예술의 의미 : 아름다움을 표현하고 창조하는 인간의 모든 활동과 그 산물
② 예술의 기능 : 인간의 정서와 감정의 순화, 심리적 안정과 즐거움 제공, 인간의 사고 확장, 사회 모순 비판 등

2) 예술과 윤리의 관계
① 예술 지상주의
  ㉠ 예술의 목적 : 예술 그 자체 또는 미적 가치를 구현하는 것
  ㉡ 윤리적 규제에 대한 입장 : 예술의 자율성과 독립성을 강조함 → 윤리적 가치를 기준으로 예술을 평가하고 규제해서는 안 됨
  ㉢ 대표적 사상가 : 와일드, 스핑건
  ㉣ 문제점 : 인간의 삶과 무관한 예술이 될 수 있고, 예술의 사회적 영향이나 책임을 간과할 수 있음
② 도덕주의
  ㉠ 예술의 목적 : 올바른 품성을 기르고 도덕적 교훈이나 모범을 제공하는 것
  ㉡ 윤리적 규제에 대한 입장 : 예술의 사회성 강조 → 예술에 대한 적절한 규제가 필요함. 예술은 사회의 모순을 지적하고 사회의 도덕적 성숙에 기여해야함
  ㉢ 대표적 사상가 : 플라톤, 톨스토이
  ㉣ 문제점 : 미적 요소가 경시될 수 있고, 예술의 자율성을 침해할 수 있음
③ 예술과 윤리의 관계
  ㉠ 예술은 미적 가치를 추구하면서 도덕적 가치와 조화로운 관계를 추구함 → 인격 형성에 긍정적인 영향
  ㉡ 공자 : "인(仁)에 의지하고, 예(禮)에서 노닐어야 한다.", "예(禮)에서 사람이 서고 악(樂)에서 사람의 인격이 완성된다."
  ㉢ 칸트 : "미(美)는 도덕성의 상징이다." → 자유로운 미적 체험이나 자유로운 도덕적 행위는 특정 이익을 추구하는 것이 아니라는 점에서 유사함

3) 예술의 상업화

① **예술의 대중화** : 예술 작품의 복제와 대량 생산, 보급이 가능해지면서 일반 대중 누구나 예술을 즐기는 현상

② **예술의 상업화**

    ㉠ **예술의 상업화** : 상품을 사고파는 행위를 통해 이윤을 얻는 일이 예술 작품에도 적용되는 현상

    ㉡ **긍정적 측면** : 예술의 대중화에 기여, 예술가에게 경제적 이익을 제공하고 창작 의욕을 북돋음

    ㉢ **부정적 측면** : 예술의 본질을 왜곡하고, 예술 작품을 부의 축적 수단으로 바라봄, 예술 작품의 미적 가치와 윤리적 가치를 간과함

(2) 대중문화의 윤리적 문제

1) 대중문화의 의미와 특징

① **대중문화의 의미** : 대중 사회를 기반으로 형성되어 다수의 사람들이 공통으로 쉽게 접하고 즐기는 문화

② **대중문화의 특징**

    ㉠ 대중 매체에 의해 생산되고 확산되는 경우가 많음

    ㉡ 시장을 통해 유통됨 → 이윤을 창출하는 상업적 특징을 지님

    ㉢ 대중이 살아가는 시대상을 반영함

2) 대중문화와 관련된 윤리적 문제

① 대중문화의 선정성과 폭력성 문제 → 대중의 정서에 악영향, 모방 범죄로 이어지기도 함

② 대중문화의 자본 종속 문제 → 대중문화의 다양성 위축, 예술의 자율성과 독립성을 제약

3) 대중문화의 윤리적 규제 논쟁

① **규제 찬성 입장**

    ㉠ 성의 상품화 예방

    ㉡ 대중의 정서에 미칠 부정적 영향을 방지할 수 있음

② **규제 반대 입장**

    ㉠ 자율성 및 표현의 자유를 강조

    ㉡ 대중이 다양한 문화를 누릴 권리 보장의 필요성

02. 의식주 윤리와 윤리적 소비

(1) 의복 문화와 윤리적 문제
  1) 의복의 윤리적 의미
    ① 의복의 의미
      ㉠ 좁은 의미 : 몸을 감싸거나 가리기 위해 입는 옷
      ㉡ 넓은 의미 : 외모를 꾸미는 데 쓰이는 모든 것(장신구, 신발, 가방, 모자 등)
    ② 의복의 기능 : 신체 보호, 신분이나 지위 표현, 시대상의 반영 등
    ③ 의복의 윤리적 의미
      ㉠ 개인적 차원 : 개성을 표현하고, 자아 및 가치관의 형성에 영향을 미침
      ㉡ 사회적 차원 : 때와 장소에 맞는 의복 착용을 통해 예의를 표현함

  2) 의복 문화의 윤리적 문제
    ① 유행 추구 현상
      ㉠ 긍정적 관점 : 개성과 가치관의 표현
      ㉡ 부정적 관점 : 몰개성화와 환경 문제, 패스트 패션
    ② 명품 선호 현상
      ㉠ 긍정적 관점 : 개인의 자유, 자신의 품위를 높이는 수단이 된다고 봄
      ㉡ 부정적 관점 : 과시 소비, 과소비 및 사치 풍조 조장
    ③ 생태·환경 문제 : 패스트 패션으로 유해 물질이 발생하고, 동물에게 과도한 고통을 유발함

  3) 바람직한 의복 문화 확립을 위한 노력
    ① 패스트 패션 기업은 사회적 책임 의식을 지니고 윤리 경영을 실천해야 함
    ② 소비자는 인권과 생태 환경을 고려하는 윤리적 소비를 해야 함

(2) 음식 문화와 윤리적 문제
  1) 음식 문화의 윤리적 의미
    ① 생명과 건강을 유지하는 원동력
    ② 사회의 도덕성 및 건강한 생태계 유지에 영향

2) 음식 문화의 윤리적 문제

① 식품 안전성 문제

㉠ 인체에 해로운 음식 섭취는 생명권을 위협함

㉡ 화학 첨가제가 들어간 식품, 유전자 변형 식품(GMO), 패스트 푸드와 정크 푸드 등

② 환경 문제

㉠ 식품의 생산·유통·소비 과정에서 환경오염 문제가 발생함

㉡ 화학 비료로 토양·수질 오염, 음식물 쓰레기 증가, 식품 운송에 따른 탄소 배출량 증가 등

③ 동물 복지 문제

㉠ 동물에 대한 비윤리적 처우 문제가 발생함

㉡ 육류 소비 증가, 대규모 공장식 사육 등

④ 음식 불평등 문제

㉠ 식량 수급의 불평등과 음식 불평등 문제가 발생함

㉡ 제 3세계 인구 증가, 국가 간 빈부 격차 심화 등

3) 바람직한 음식 문화 확립을 위한 노력

① 개인적 노력 : 타인과 생태계를 고려하는 음식 문화를 형성함 → 로컬 푸드·슬로 푸드 운동 참여, 육류 소비 절제

② 사회적 노력 : 바람직한 음식 문화 확립을 위한 제도적 기반을 마련함 → 안전한 먹거리 인증과 성분 표시 의무화, 동물의 고통을 최소화하는 제도 마련

(3) 주거 문화와 윤리적 문제

1) 주거의 윤리적 의미

① 삶의 기본 바탕 : 외부로부터 위험을 피함, 휴식과 안식처 제공

② 안정된 생활의 토대 : 가족과의 유대감은 안정적인 사회생활의 출발점

2) 주거 문화의 윤리적 문제

① 집의 경제적 가치만 강조 : 주거권의 위기 초래함

② 공동 주택의 폐쇄적 형태 : 이웃 간의 소통과 협력의 부재, 주차, 소음 문제 발생함

③ 도시 중심의 주거 문화 변화로 삶의 질 하락 : 환경, 교통 등 문제 발생

3) 바람직한 주거 문화 확립을 위한 노력

① 주거의 본질적 가치를 회복해야 함

② 공동체를 고려하는 주거 문화를 형성해야 함 : 셰어 하우스, 코하우징 등 새로운 주거 형태가 등장함

③ 지역 간 격차 해소 : 주거 환경의 균형적 발전과 주거 정의를 추구해야 함

(4) 윤리적 소비문화

1) 현대 사회의 소비문화의 특징

① 대량 소비와 과소비가 나타나면서 경제 규모가 확대됨

② 사회적 욕구나 자아실현의 욕구를 충족하려는 소비가 확대됨

③ 물질주의 추구 소비, 과시적 소비, 동조 소비 등이 나타남

④ 문제점 : 자원 고갈, 생태계 파괴 등

2) 합리적 소비

① 합리적 소비의 의미 : 자신의 경제력 내에서 가장 큰 만족을 추구하는 소비

② 합리적 소비의 특징 : 경제적 합리성이 상품 선택의 기준이 되며, 소비자 개인의 경제적 이익이나 만족감을 중시

③ 문제점 : 소비자가 합리적 소비만을 중시한다면 생산자가 원가 절감을 위해 다양한 방법을 사용함으로써 여러 가지 문제를 일으킬 수 있음

3) 윤리적 소비

① 윤리적 소비의 의미 : 윤리적 가치 판단에 따라 상품이나 서비스를 구매하고 사용하는 것을 중시하는 소비

② 윤리적 소비의 특징 : 인권과 정의 고려, 공동체적 가치 추구, 동물 복지 고려, 환경 보전 추구

③ 윤리적 소비의 실천 방안

  ㉠ 개인적 차원 : 불매운동, 윤리적 등급에 따른 상품의 비교 구매, 공정 무역 제품이나 친환경 농산물 등 바람직한 윤리적 상품 구매, 재사용과 재활용 등

  ㉡ 사회적 차원 : 친환경 제품 인증과 환경 마크, 기업의 윤리 경영을 촉진하기 위한 제도 마련, 사회적 기업의 활동을 지원하는 법률 제정 등

④ 사회적 기업

  ㉠ 사회적 기업 : 사회적 가치를 우위에 두고 재화와 서비스를 생산하고 판매하는 활동을 수행하는 기업

ⓛ 공공성을 기반으로 사회적 목적을 우선적으로 추구함

ⓒ 자립적 운영을 위해 이익을 추구하지만 발생한 이익을 공익을 위한 일이나 지역 사회에 재투자함

03. 다문화 사회의 윤리

(1) 문화의 다양성과 존중

1) 다문화 사회의 특징
① 다문화 사회의 의미 : 한 국가 안에 다양한 인종과 문화적 배경을 지닌 사람들이 공존하는 사회
② 다문화 사회의 특징
   ㉠ 긍정적인 측면 : 사회 구성원의 문화 선택의 폭이 넓어지고 문화가 발전할 수 있는 기회가 확대되며, 다양성과 다원성, 차이를 강조함
   ㉡ 부정적인 측면 : 다양한 문화적 요소의 충돌로 갈등이 발생함

2) 다문화 존중과 관용의 중요성
① 다양한 문화를 바라보는 태도
   ㉠ 자문화 중심주의 : 자국의 문화를 기준으로 다른 문화를 무조건 낮게 평가하는 태도
   ㉡ 문화 사대주의 : 자국의 문화를 열등하게 여겨 다른 문화를 숭배하고 추종하는 태도
   ㉢ 문화 상대주의 : 각 문화가 지닌 고유성과 상대적 가치를 이해하고 존중하는 태도
② 관용의 의미와 한계
   ㉠ 관용의 의미
      · 소극적 의미 : 다른 문화를 접할 때 반대나 간섭, 배타적인 태도를 보이지 않는 것
      · 적극적 의미 : 받아들일 수 없는 상대방의 주장이나 가치관을 이해하려고 노력하는 것
   ㉡ 관용의 한계 범위 : 타인의 인권과 자유를 침해하지 않는 범위, 사회 질서를 훼손하지 않는 범위 내에서 관용을 실천해야 함

(2) 다문화 사회의 정책과 바람직한 시민 의식

  1) 다문화 정책

    ① 차별적 배제 모형 : 이주민을 특정 목적으로만 받아들이고, 내국인과 동등한 권리를 인정하지 않는 관점

    ② 동화주의

      ㉠ 이주민의 문화와 같은 소수 문화를 주류 문화에 적응시키고 통합시키려는 관점

      ㉡ 용광로 모형 : 다양한 문화를 섞어서 하나의 새로운 문화로 만듦

    ③ 다문화주의

      ㉠ 이주민의 고유한 문화와 자율성을 존중하여 문화 다양성을 실현하려는 관점

      ㉡ 샐러드 볼 모형과 모자이크 모형

        · 샐러드 볼 모형 : 각 재료의 특성이 살아있는 샐러드처럼 여러 민족의 문화가 조화롭게 공존한다는 입장

        · 모자이크 모형 : 다양한 조각들이 모여 하나의 모자이크가 되듯이, 여러 이주민의 문화가 모여 하나의 문화를 이룬다는 입장

    ④ 문화 다원주의

      ㉠ 문화의 다양성을 인정하면서 주류 문화의 역할을 강조하는 입장

      ㉡ 국수 대접 모형 : 주류 문화가 국수와 국물처럼 중심 역할을 하고, 이주민의 문화는 고명이 되어 자신의 문화적 정체성을 유지하면서 조화롭게 공존할 수 있다는 입장

  2) 다문화 사회의 시민 의식 : 문화적 편견 극복, 윤리적 상대주의 지양, 바람직한 문화 정체성, 관용 등

(3) 종교와 윤리의 관계

  1) 종교의 의미

    ① 종교의 의미 : 신앙 행위와 종교의 가르침, 성스러움과 관련된 심리 상태 등 다양한 현상을 아우르는 말

    ② 종교의 발생 : 인간의 유한성과 불완전성, 한계 상황에서 인간은 종교를 통해 삶과 죽음의 의미와 같은 궁극적 물음에 대한 대답을 얻고자 함

    ③ 종교의 역할

      ㉠ 개인의 불안감을 극복하고 마음의 안정을 얻게 함

      ㉡ 삶의 바람직한 방향을 모색할 수 있게 함

      ㉢ 인류의 보편적 가치를 추구하는 등 사회 통합을 이루는 계기가 되기도 함

2) 종교와 윤리의 관계

① 종교와 윤리의 공통점과 차이점

	종교	윤리
공통점	도덕성을 중시함 → 인간의 존엄성을 실현하는 윤리적 계율을 강조함	
차이점	초월적인 세계나 궁극적 존재를 상정하고, 종교적 신념 및 교리에 따른 규범을 제시함	종교적으로 중립적인 태도를 지니고 인간의 이성, 상식, 양심이나 감정에 근거한 현실 세계의 규범을 제시함

② 종교와 윤리의 바람직한 관계 : 종교는 윤리적 삶을 고양하는 데 도움을 줄 수 있고, 윤리는 종교가 올바른 방향으로 나아가는 데 도움을 줄 수 있음

(4) 종교 갈등의 원인과 극복 방안

1) 종교 갈등의 원인과 양상

① 종교 갈등의 원인

ⓐ 타 종교에 대한 배타적인 태도

ⓑ 타 종교에 대한 무지와 편견

② 종교 갈등의 양상

ⓐ 다른 종교를 믿는 사람들 사이의 갈등이 테러, 폭력 등으로 이어짐

ⓑ 종교 갈등에 계급, 인종, 민족, 자원 등 다른 요소가 연관되어 심화됨

2) 종교 갈등의 극복 방안

① 종교적 관용 필요 : 종교의 자유를 인정하고 타 종교에 대한 관용의 태도가 필요함

② 종교 간 대화와 협력 : 큉 – "종교 간의 대화 없이 종교 간의 평화 없고, 종교 간의 평화 없이는 세계 평화도 없다."

평화와 공존의 윤리

01. 갈등 해결과 소통 윤리

(1) 사회 갈등과 사회 통합

1) 갈등의 의미와 기능

① 갈등 : 개인이나 집단 사이에 목표나 이해관계가 달라 충돌하는 상황

② 사회 갈등의 원인 : 생각이나 가치관의 차이, 이해관계의 대립, 원활한 소통의 부재

2) 사회 갈등의 유형

① 세대 갈등 : 기술이나 규범의 변화에 빠르게 적응하는 신세대와 그러지 못한 기성 세대 간의 갈등

② 이념 갈등 : 이상적인 것으로 여기는 생각이나 견해의 차이에 따른 갈등

③ 지역 갈등 : 지역 발전 시설이나 투자를 자신의 지역에 유치하려는 과정, 혹은 타 지역에 대한 편견에서 오는 갈등

3) 사회 통합을 위한 노력

① 사회 통합의 의미 : 사회 내 개인이나 집단의 상호 작용을 통해 하나로 통합되는 과정

② 사회 통합의 실천 방안

㉠ 의식적 차원 : 다양성을 인정하면서 대화와 토론으로 의사 결정을 하는 성숙한 민주 시민의 자세가 필요함

㉡ 제도적 차원 : 공청회, 설명회 등을 법제화하고, 지방 분권, 지역 균형 발전, 복지 정책 등을 확대하여 불평등이나 격차의 완화를 추구함

(2) 소통과 담론의 윤리

1) 소통과 담론의 의미와 필요성

① 소통

㉠ 막히지 않고 잘 통함

㉡ 원활한 의사소통은 갈등을 예방하고 서로 협력하며 좋은 관계를 유지할 수 있음

② 담론

㉠ 언어로 표현되는 인간의 모든 관계를 분석하는 도구

㉡ 현실에서 전개되는 각종 사건과 행위를 해석하고 인식하는 틀을 제공함

㉢ 사회 구성원에게 특정한 인식과 가치관으로 현실을 바라보게 하고, 현실을 재구성하게 하는 효과를 지님

2) 동서양의 소통과 담론 윤리

① 공자의 화이부동(和而不同) : 자신의 도덕적 원칙을 지키면서 주변과 조화를 추구함

② 장자의 도(道) : 서로 다른 것을 그 자체로 인정하고 상호 의존 관계를 이해해야 함

③ 원효의 화쟁(和諍) 사상 : 불교의 여러 교설 간의 대립을 해소하기 위해 화쟁을 제시 → 집착과 편견을 버려야 화해와 포용이 가능함

④ 하버마스의 담론 윤리 : 합리적인 대화가 이루어지는 과정을 중시함

→ 이상적인 담화의 조건 : 이해 가능성, 진리성, 정당성, 진실성

3) 바람직한 의사소통의 자세

① 편견과 독선의 탈피 : 자기 생각만이 옳다는 독선주의를 경계하고, 관용의 태도를 지녀야 함

② 이상적 대화와 합의 : 다수결의 한계를 보완하기 위해 사회 구성원 간의 심의와 합의가 필요하고, 서로 이해 가능한 언어를 통해 자유롭고 평등하게 발언할 기회를 보장해야 함

02. 민족 통합의 윤리

(1) 통일 문제를 둘러싼 쟁점

1) 통일에 대한 입장

① 찬성 논거

· 이산가족의 고통을 해소

· 전쟁에 대한 공포 해소와 평화를 실현

· 민족의 동질성 회복

· 민족의 경제적 번영과 국제적 위상을 향상
· 동북아시아의 긴장 완화, 세계 평화 기여
② 반대 논거
· 오랜 분단으로 인한 이질감과 불신감
· 군사 도발로 북한에 대한 부정적 인식이 강함
· 통일 비용에 대한 부담
· 북한 주민의 이주로 인한 실업과 범죄 증가에 대한 우려
· 정치 · 군사적 혼란 발생

2) 통일 비용과 분단 비용의 문제

① 분단 비용 : 분단으로 인해 남북한이 부담하는 유 · 무형의 지출 비용 → 군사비, 외교적 경쟁 비용 등
② 통일 비용 : 통일 과정에서 소요되는 경제적 · 경제 외적 비용 → 제도 통합 비용, 위기 관리 비용, 경제적 투자 비용 등
③ 통일 편익 : 통일로 얻을 수 있는 편리함과 이익 → 경제적 편익, 경제 외적 편익 (이산가족의 고통 해소 등)

3) 북한 인권 문제

① 북한의 인권 실태
㉠ 주민의 정치 참여와 개인의 자율성, 선택권을 제한함
㉡ 출신 성분에 따라 계층을 분류하고 교육 기회, 법적 처벌 등을 달리함
② 북한 인권과 관련된 쟁점
㉠ 북한 인권 문제 개입 찬성 입장 : 인도적 차원에서 인권의 보편적 원칙에 따라 국제 사회의 개입이 필요함
㉡ 북한 인권 문제 개입 반대 입장 : 북한에 대한 내정 간섭이기 때문에 북한 스스로 해결해야 함

4) 대북 지원 문제

① 대북 지원의 성격
㉠ 인도주의적 측면 : 북한 주민의 생존권 보장
㉡ 민족 당위적 측면 : 민족 공동체 회복
㉢ 실용주의 측면 : 분단 상태를 평화적으로 유지하면서 남북 관계 개선

② 대북 지원과 관련된 쟁점
  ㉠ 인도주의적 입장 : 남북의 정치 · 군사적 상황과 무관하게 지원해야 함
  ㉡ 상호주의적 입장 : 북한의 일정한 변화를 요구하면서 대북 지원을 해야 함

(2) 통일 한국이 지향해야 할 가치

1) 독일 통일의 교훈
① 독일의 통일 준비 과정 : 분단 상황에서 동독과 서독이 다양한 문화 교류와 협력을 활발하게 이루어 나감
② 독일 통일의 후유증 : 동독과 서독 주민 간의 사회적 갈등 발생 → 내면적 · 정신적 통합의 어려움
③ 독일 통일의 교훈
  ㉠ 분단 상태에서도 다양한 분야의 점진적이고 활발한 교류를 추진함
  ㉡ 서독이 상대적으로 뒤떨어진 동독을 지원함으로서 관계를 개선함

2) 남북 화해와 통일을 위한 노력
① 개인적 차원
  ㉠ 열린 마음으로 소통하고 배려를 실천해야 함
  ㉡ 북한에 대한 올바르고 균형 있는 인식을 해야 하며 통일에 대한 관심을 가져야 함
② 사회 · 문화적 차원 : 점진적인 사회 통합의 노력
③ 국제적 차원 : 내부적 통일 기반 조성, 국제적 통일 기반 구축

3) 통일 한국의 미래 모습
① 통일 한국이 지향해야 할 가치 : 평화, 자유, 인권, 정의
② 통일 한국의 미래상
  ㉠ 수준 높은 문화 국가 : 열린 민족주의에 바탕을 두며 우수한 전통 문화를 바탕으로 창조적으로 문화를 발전시켜 세계적인 문화 국가를 추구함
  ㉡ 자주적인 민족 국가
    – 외세 의존적이 아니라 우리의 힘으로 통일 국가를 이룩함
    – 정치 · 군사 · 경제 · 문화적 측면에서 자주성을 실현함
  ㉢ 정의로운 복지 국가 : 사회 구성원들의 삶의 질을 향상시킴 → 불공정한 부의 분배, 집단 · 계층 간의 사회적 갈등을 해소함

④ 자유로운 민주 국가 : 인간의 존엄성을 최고로 여기며, 자유와 평등, 인권 등
의 기본적 권리를 보장함

03. 지구촌의 평화와 윤리

(1) 국제 분쟁의 해결과 평화

1) 국제 관계를 바라보는 관점

	현실주의	이상주의
분쟁 원인	국가의 이익이 도덕성과 충돌할 때 도덕성보다 국가의 이익을 우선함	국가들 간의 오해와 잘못된 제도 때문에 발생함
해결 방안	세력 균형을 통해 가능하다고 봄	국제기구, 국제법, 국제 규범 등의 제도적 개선을 통해서 해결함

2) 국제 평화의 중요성

① 칸트의 영구 평화론

㉠ 평화에 이르기 위해서는 전쟁을 없애야 함

㉡ 직접적인 폭력과 전쟁에서 벗어날 수 있도록 각국이 국제법의 적용을 받는 평
화 연맹을 구성할 것을 요구함

② 갈퉁의 적극적 평화론

㉠ 소극적 평화 : 전쟁, 테러, 범죄 등의 직접적 폭력으로부터 해방된 상태

㉡ 적극적 평화 : 직접적 폭력뿐만 아니라 사회의 구조적·문화적 폭력까지 제거
되어 인간답게 살아갈 수 있는 삶의 조건이 갖추어진 상태

(2) 국제 사회에 대한 책임과 기여

1) 세계화를 둘러싼 윤리적 쟁점

① 세계화

㉠ 세계화의 의미 : 국제 사회에서 상호 의존성이 증가하면서 세계가 단일한 사회
로 통합되는 현상

　　　ⓛ 세계화의 영향
　　　　· 긍정적 영향
　　　　　– 상호 의존성이 증가되면서 창의성과 효율성 확대를 통해 공동의 번영을 이룰 수 있음
　　　　　– 다양한 문화 교류를 통해 전 지구적 차원에서 문화 간의 공존을 기대할 수 있음
　　　　· 부정적 영향
　　　　　– 문화의 획일화가 진행될 수 있음
　　　　　– 강대국이 시장과 자본을 독점하여 국가 간 빈부 격차가 발생함
　② 지역화
　　　㉠ 지역화의 의미 : 지역의 전통이나 특성을 살려 다른 지역과 차별화된 경쟁력을 갖추려는 현상
　　　ⓛ 지역화의 영향
　　　　· 긍정적 영향 : 지역의 이익과 발전을 추구할 수 있음
　　　　· 부정적 영향
　　　　　– 배타성과 폐쇄성으로 인한 갈등 발생
　　　　　– 인류 전체의 협력과 공동 번영에 걸림돌
　　　　　– 지구촌 실현이라는 시대정신을 거스르게 됨
　③ 글로컬리즘(Glocalism) : 지역의 고유한 문화와 전통을 소중히 여기면서도 세계 시민 의식을 바탕으로 인류의 공존과 화합을 동시에 도모하는 것

2) 국제 정의

	형사적 정의	분배적 정의
의미	범죄에 대한 정당한 처벌을 통해 실현되는 정의	가치나 재화가 공정한 분배를 통해 실현되는 정의
국제 정의를 해치는 문제	전쟁, 테러, 학살, 납치 등 반인도주의적 범죄	국가 간의 빈부 격차, 절대 빈곤 문제 등
해결 노력	국제 형사 재판소, 국제 사법 재판소 등을 두어 반인도주의적 범죄 행위에 대해 처벌함	공적 개발 원조 등을 통해 절대 빈곤국이나 국제기관을 도움으로써 해결함

3) 해외 원조의 윤리적 근거

① 의무적 관점
- ㉠ 싱어 : 공리주의적 관점에서 인류 전체의 고통을 감소시키고 쾌락을 증진시키는 것
- ㉡ 롤스 : '고통 받는 사회'를 '질서 정연한 사회'가 되도록 돕는 것
  - → 빈곤국의 자생력을 키우는 것이 원조의 주된 목적

② 자선적 관점 : 노직
- ㉠ 해외 원조를 선의를 베푸는 자선으로 봄
- ㉡ 해외 원조는 자유로운 선택이기 때문에 약소국에 원조를 하지 않는다고 해서 비난할 수 없음

4) 평화로운 지구촌 실현을 위한 방안

① 개인적 측면 : 후원과 기부에 관심을 갖고 적극적 나눔을 실천함, 원조를 받는 나라들의 자존감과 존엄성을 배려하는 태도를 갖춤

② 국가적·국제적 측면 : 공적 개발 원조(ODA) 등과 같은 제도를 더욱 확충함, 각 국가는 자국의 경제적 수준에 부합하는 해외 원조를 윤리적 차원에서 자발적으로 실천함

핵심총정리

인쇄일	2022년 12월 7일
발행일	2022년 12월 14일
펴낸이	(주)매경아이씨
펴낸곳	도서출판 국자감
지은이	편집부
주소	서울시 영등포구 문래2가 32번지
전화	1544-4696
등록번호	2008.03.25 제 300-2008-28호
ISBN	979-11-5518-118-8 13370

국자감 전문서적

기초다지기 / 기초굳히기

"기초다지기, 기초굳히기 한권으로 시작하는 검정고시 첫걸음"

· 기초부터 차근차근 시작할 수 있는 교재
· 기초가 없어 시작을 망설이는 수험생을 위한 교재

기본서

"단기간에 합격! 효율적인 학습!
적중률 100%에 도전!"

· 철저하고 꼼꼼한 교육과정 분석에서 나온 탄탄한 구성
· 한눈에 쏙쏙 들어오는 내용정리
· 최고의 강사진으로 구성된 동영상 강의

만점 전략서

"검정고시 합격은 기본! 고득점과 대학진학은 필수!"

· 검정고시 고득점을 위한 유형별 요약부터
  문제풀이까지 한번에
· 기본 다지기부터 단원 확인까지 실력점검

핵심 총정리

"시험 전 총정리가 필요한 이 시점! 모든 내용이 한눈에"

· 단 한권에 담아낸 완벽학습 솔루션
· 출제경향을 반영한 핵심요약정리

합격길라잡이

"개념 4주 다이어트, 교재도 다이어트한다!"

· 요점만 정리되어 있는 교재로 단기간 시험범위 완전정복!
· 합격길라잡이 한권이면 합격은 기본!

기출문제집

"시험장에 있는 이 기분! 기출문제로 시험문제 유형 파악하기"

· 기출을 보면 답이 보인다
· 차원이 다른 상세한 기출문제풀이 해설

예상문제

"오랜기간 노하우로 만들어낸 신들린 입시고수들의 예상문제"

· 출제 경향과 빈도를 분석한 예상문제와 정확한 해설
· 시험에 나올 문제만 예상해서 풀이한다

한양 시그니처 관리형 시스템

#정서케어 #학습케어 #생활케어

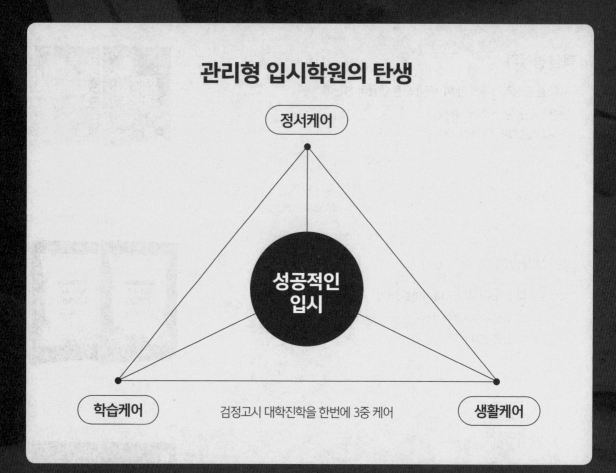

관리형 입시학원의 탄생

정서케어

성공적인
입시

학습케어   검정고시 대학진학을 한번에 3중 케어   생활케어

⚐ 정서케어

· 3대1 멘토링

 (입시담임, 학습담임, 상담교사)

· MBTI (성격유형검사)

· 심리안정 프로그램

 (아이스브레이크, 마인드 코칭)

· 대학탐방을 통한 동기부여

🗐 학습케어

· 1:1 입시상담

· 수준별 수업제공

· 전략과목 및 취약과목 분석

· 성적 분석 리포트 제공

· 학습플래너 관리

· 정기 모의고사 진행

· 기출문제 & 해설강의

⌂ 생활케어

· 출결점검 및 조퇴, 결석 체크

· 자습공간 제공

· 쉬는 시간 및 자습실

 분위기 관리

· 학원 생활 관련 불편사항

 해소 및 학습 관련 고민 상담

| 한양 프로그램 한눈에 보기 |

· 검정고시반 중·고졸 검정고시 수업으로 한번에 합격!

기초개념	기본이론	핵심정리	핵심요약	파이널
개념 익히기	과목별 기본서로 기본 다지기	핵심 총정리로 출제 유형 분석 경향 파악	요약정리 중요내용 체크	실전 모의고사 예상문제 기출문제 완성

· 고득점관리반 검정고시 합격은 기본 고득점은 필수!

기초개념	기본이론	심화이론	핵심정리	핵심요약	파이널
전범위 개념익히기	과목별 기본서로 기본 다지기	만점 전략서로 만점대비	핵심 총정리로 출제 유형 분석 경향 파악	요약정리 중요내용 체크 오류범위 보완	실전 모의고사 예상문제 기출문제 완성

· 대학진학반 고졸과 대학입시를 한번에!

기초학습	기본학습	심화학습/검정고시 대비	핵심요약	문제풀이, 총정리
기초학습과정 습득 학생별 인강 부교재 설정	진단평가 및 개별학습 피드백 수업방향 및 난이도 조절 상담	모의평가 결과 진단 및 상담 4월 검정고시 대비 집중수업	자기주도 과정 및 부교재 재설정 4월 검정고시 성적에 따른 재시험 및 수시컨설팅 준비	전형별 입시진행 연계교재 완성도 평가

· 수능집중반 정시준비도 전략적으로 준비한다!

기초학습	기본학습	심화학습	핵심요약	문제풀이, 총정리
기초학습과정 습득 학생별 인강 부교재 설정	진단평가 및 개별학습 피드백 수업방향 및 난이도 조절 상담	모의고사 결과진단 및 상담 / EBS 연계 교재 설정 / 학생별 학습성취 사항 평가	자기주도 과정 및 부교재 재설정 학생별 개별지도 방향 점검	전형별 입시진행 연계교재 완성도 평가

모든 수험생이 꿈꾸는 더 완벽한 입시 준비!

- 입시전략 컨설팅
- 수시전략 컨설팅
- 자기소개서 컨설팅
- 면접 컨설팅
- 논술 컨설팅
- 정시전략 컨설팅

입시전략 컨설팅

학생 현재 상태를 파악하고 희망 대학
합격 가능성을 진단해 목표를 달성
할 수 있도록 3중 케어

수시전략 컨설팅

학생 성적에 꼭 맞는 대학 선정으로
합격률 상승! 검정고시 (혹은 모의고사)
성적에 따른 전략적인 지원으로 현실성
있는 최상의 결과 보장

자기소개서 컨설팅

지원동기부터 학과 적합성까지 한번에!
학생만의 스토리를 녹여 강점은
극대화 하고 단점은 보완하는
밀착 첨삭 자기소개서

면접 컨설팅

기초인성면접부터 대학별 기출예상질문
대비와 모의촬영으로 실전면접
완벽하게 대비

대학별 고사 (논술)

최근 5개년 기출문제 분석 및 빈출 주제를
정리하여 인문 논술의 트렌드를 강의!
지문의 정확한 이해와 글의 요약부터
밀착형 첨삭까지 한번에!

정시전략 컨설팅

빅데이터와 전문 컨설턴트의 노하우 /
실제 합격 사례 기반 전문 컨설팅

HANYANG
ACADEMY

MK 감자유학

Valuable education content provider

We're Experts

우리는 최상의 유학 컨텐츠를 지속적으로 제공하기 위해 정기 상담자 워크샵, 해외 워크샵, 해외 학교 탐방, 웨비나 미팅, 유학 세미나를 진행합니다.
이를 통해 국가별 가장 빠른 유학트렌드 업데이트, 서로의 전문성을 발전시키며 다양한 고객의 니즈에 가장 적합한 유학솔루션을 제공하기 위해 최선을 다합니다.

KEY STATISTICS

30년+	17개	15년	24개국	2,600+
전통교육그룹	국내최다센터	평균상담경력	해외네트워크	해외교육기관
Educational	**The Largest**	**Specialist**	**Global Network**	**Oversea Instituitions**

Educational

감자유학은 교육전문그룹인 매경아이씨에서 만든 유학부문 브랜드입니다. 국내 교육 컨텐츠 개발 노하우를 통해 최상의 해외 교육 기회를 제공합니다.

The Largest

감자유학은 전국 어디에서도 최상의 해외유학 상담을 제공할 수 있도록 국내 유학 업계 최다 상담 센터를 운영하고 있습니다.

Specialist

전 상담자는 평균 15년이상의 풍부한 유학 컨설팅 노하우를 가진 전문가 입니다. 이를 기반으로 감자유학만의 차별화된 유학 컨설팅 서비스를 제공합니다.

Global Network

미국, 캐나다, 영국, 아일랜드, 호주, 뉴질랜드, 필리핀, 말레이시아 등 감자유학 해외 네트워크를 통해 발빠른 현지 정보 업데이트와 안정적인 현지 정착 서비스를 제공합니다.

Oversea Instituitions

고객에게 최상의 유학 솔루션을 제공하기 위해서는 다양하고 세분화된 해외 교육기관의 프로그램이 필수 입니다. 2천개가 넘는 교육기관을 통해 맞춤 유학 서비스를 제공합니다.

 2020
대한민국 교육 산업
유학 부문 대상

 2012 / 2015
대한민국 대표
우수기업 1위

 2014 / 2015
대한민국 서비스
만족대상 1위

OUR SERVICES

현지 관리
안심시스템

엄선된
어학연수교

전세계 1%대학
입학 프로그램

전문가
1:1 컨설팅

All In One
수속 관리

해외
어학연수

English Language Study

해외
인턴십

Internship

해외
대학유학

University Level Study

해외
초중고유학

Early Study abroad

해외
영어캠프

English Camp

24개국 네트워크 미국 | 캐나다 | 영국 | 아일랜드 | 호주 | 뉴질랜드 | 몰타 | 싱가포르 | 필리핀

국내 유학업계 중 최다 센터 운영!

감자유학 전국센터

강남센터	강남역센터	분당서현센터	일산센터	인천송도센터
수원센터	청주센터	대전센터	전주센터	광주센터
대구센터	울산센터	부산서면센터	부산대연센터	
예약상담센터	서울충무로	서울신도림	대구동성로	

문의전화 **1588-7923**

🕊 왕초보 영어탈출 **구구단 잉글리쉬**

ABC 알파벳부터 회화까지~~ 구구단보다 쉬운영어~ ♪♬

01 | **구구단잉글리쉬는 왕기초 영어 전문 동영상 사이트 입니다.**
알파벳 부터 소리값 발음의 규칙 부터 시작하는 왕초보 탈출 프로그램입니다.

02 | **지금까지 영어 정복에 실패하신 모든 분들께 드리는 새로운 영어학습법!**
오랜기간 영어공부를 했지만 영어로 대화 한마디 못하는 현실에 답답함을 느끼는 분들을
위한 획기적인 영어 학습법입니다.

03 | **언제, 어디서나 마음껏 공부할 수 있는 환경을 제공해 드립니다.**
인터넷이 연결된 장소라면 시간 상관없이 24시간 무한반복 수강!
태블릿 PC와 스마트폰으로 필기구 없이도 자유로운 수강이 가능합니다.

체계적인 단계별 학습

파닉스	어순	뉘앙스	회화
· 알파벳과 발음 · 품사별 기초단어	· 어순감각 익히기 · 문법개념 총정리	· 표현별 뉘앙스 · 핵심동사와 전치사로 　표현력 향상	· 일상회화&여행회화 · 생생 영어 표현

파닉스		어순		어법
1단 발음트기	2단 단어트기	3단 어순트기	4단 문장트기	5단 문법트기
알파벳 철자와 소릿값을 익히는 발음트기	666개 기초 단어를 품사별로 익히는 단어트기	영어의 기본어순을 이해하는 어순트기	문장확장 원리를 이해하여 긴 문장을 활용하여 문장트기	회화에 필요한 핵심문법 개념정리! 문법트기

뉘앙스		회화	
6단 느낌트기	7단 표현트기	8단 대화트기	9단 수다트기
표현별 어감차이와 사용법을 익히는 느낌트기	핵심동사와 전치사 활용으로 쉽고 풍부하게 표현트기	일상회화 및 여행회화로 대화트기	감 잡을 수 없었던 네이티브들의 생생표현으로 수다트기

🕊 왕초보 영어탈출
구구단 잉글리쉬

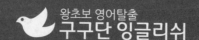